DEUTSCHE GRAMMATIK

WILHELM K. JUDE

DEUTSCHE GRAMMATIK

Elfte Auflage
Neubearbeitung

GEORG WESTERMANN VERLAG
Braunschweig Berlin Hamburg München Kiel Darmstadt

Bestell-Nr. 10 207

Gesamtherstellung: Georg Westermann, Braunschweig 1963

VORWORT ZUR 11. AUFLAGE

Das vorliegende Buch will — das wurde schon in einem früheren Vorwort gesagt — eine schlichte Darstellung des grammatischen Grundgerüstes der deutschen Sprache bringen. Nicht mehr, nicht weniger.

Tatsächlich ist es nicht einfach, gerade ein solches Vorhaben zu verwirklichen, eben weil es sich selbst klar begrenzt: Zweifellos ist die deutsche Grammatik nicht leicht und zudem vielschichtig und stoffreich; von dorther ergibt sich, daß sie auch methodisch nur schwer zu bewältigen ist. Lernende, auch Lehrende, fühlen sich überfordert. Hier will dieses Buch eine Hilfe sein.

In dieser Absicht wurde es vor wenig mehr als einem Jahrzehnt zum ersten Male der Öffentlichkeit unterbreitet. Inzwischen hat es zehn stets wachsende Auflagen erlebt. Das zeigt, daß man sich in Deutschland nicht allein mit Fragen der Rechtschreibung und des guten Stils, sondern darüber hinaus auch mit solchen der Grammatik offensichtlich mehr befaßt, als gemeinhin angenommen wird. Auch im Ausland, wo die Erlernung der deutschen Sprache eine Einbuße erfahren hatte, ist die Zahl der Deutschlernenden wieder beträchtlich angestiegen. Vielen von ihnen dient dieses Buch als grundlegender Leitfaden, auch an ausländischen Hochschulen.

Diese weite Verbreitung verdankt das Buch der sehr günstigen Aufnahme, die es gefunden hat. In zahlreichen Rezensionen, Besprechungen und Zuschriften haben Lehrende und Lernende, Inländer und Ausländer, ihre Zustimmung ausgesprochen; die Brauchbarkeit des Buches darf als erprobt und erwiesen gelten. Diesen vielen stillen und tätigen Freunden sei hier für ihre Förderung gedankt, auch für manchen Verbesserungsvorschlag.

Bisher mußte es unterbleiben, größere Veränderungen vorzunehmen, weil das bei der drucktechnischen Eigenart und Geschlossenheit des Buches verlangt, daß der stehende Satz völlig aufgelöst und das Buch als Ganzes neu gesetzt wird. Durch das Entgegenkommen des Verlages konnte es nun geschehen.

Dabei wurde es für erforderlich gehalten, vor allem die Lehre vom Prädikat umzugestalten: Wie es der Grundhaltung des Buches entspricht, soll der Lernende nicht von vornherein auf eine der — leider immer noch — weit auseinanderstrebenden Prädikatstheorien festgelegt werden; anderseits will ihn diese Grammatik als eine beschreibende und systematische aber in die Lage versetzen, die wichtigsten Arten des deutschen Prädikats zutreffend zu erfassen und einzuordnen. Es bleibt zu hoffen, daß das gelungen ist. — In diesem Zusammenhang wurde der bisher gebrauchte Begriff der prädikativen Bestimmung durch den des Komplements ersetzt — eine u. E. schon lange ausstehende Abrundung der Terminologie zur Lehre von den Satzgliedern. Im übrigen ist es dabei geblieben, dem Leser nur eine Mindestzahl von tragenden Grundbegriffen zuzumuten.

In der Wortlehre wurde der Abschnitt über das Verb, wie es seiner Bedeutung zukommt, an den Anfang gestellt. Dabei konnten einige Zusätze erfolgen.

Verkürzt wurde der bisher etwas breit angelegte Abschnitt über die Anwendung der Präpositionen, wofür ein gleichartiger über die Konjunktionen eingefügt werden konnte. Daneben gibt es noch kleinere Änderungen; in vielen Abschnitten konnte das Buch aber unverändert bleiben.

Doch wurde alles überprüft, vor allem die Beispiele, an denen das Buch reich ist. Eine systematische Grammatik ist ihrer Zielsetzung nach kein sog. Sprachbuch im allgemeinen Sinne. Doch hofft das vorliegende Werkchen, auf seine Art einen pädagogischen Beitrag zur Spracherziehung zu liefern; es bemüht sich, keine gesuchten und erzwungenen Beispiele zu bringen, sondern lebendiges Deutsch, und will dabei auch nicht in nur einer Schicht unserer Sprache bleiben. Deshalb können Beispiele aus unserer klassischen Literatur und dem alten Spruchgut nicht fehlen, sofern sie sprachlich noch wirksam sind.

Eine Neuerung ist Anregungen aus Leserkreisen zu verdanken: Veraltete und nicht unbedingt schriftsprachliche Formen sind besonders gekennzeichnet; auch sonst sind gelegentlich Unterscheidungszeichen gebraucht. So kann z. B. von den Konjugationsübersichten gesagt werden, daß sie das heute wirklich gesprochene Deutsch wiedergeben und nicht im Nur-Formalen bleiben.

Uneingeschränkt beibehalten wurde die drucktechnische Gestaltung des Buches. Sie ist keineswegs eine nur äußere Angelegenheit, sondern ein Ausdruck seiner methodischen Grundhaltung, und so wurde sie auch von seinen Lesern aufgenommen und begrüßt. Es ist größtmögliche Klarheit und Übersichtlichkeit des Dargebotenen angestrebt; dafür sind verschiedene Mittel der Drucktechnik eingesetzt: Das Grundgerüst soll wirklich „sicht"bar werden. Der sprachliche Ausdruck der Regeln konnte weiter gestrafft werden. Daß diese streng aufgegliedert und numeriert sind, mußte in den ersten Auflagen noch besonders begründet werden — heute ist das auch in anderen Grammatiken üblich geworden. So läßt sich bei Übungen, in Vorlesungen und Kursen und bei Korrekturen leicht auf das Entscheidende verweisen.

Die im Text untergebrachten Verweisungen selbst und die innere Gliederung des Buches ermöglichen ein rasches Nachschlagen. Der Leser möge, nachdem er sich einen ersten Überblick verschafft hat, reichen Gebrauch davon machen! Erst dadurch wird offenkundig, wie verzahnt die Dinge innerhalb einer (natürlich) nach systematischen Gesichtspunkten aufgebauten Grammatik in Wirklichkeit sind.

Auch das Wortregister, in dem rund dreitausend Wörter erfaßt sind, kann derartige Beziehungen eröffnen, wenn es richtig genutzt wird; dabei erleichtert es den Zugang zu den Erscheinungen, auch dem Autodidakten, der anders nicht weiß, wo er nachschlagen soll. Auch ihm will dieses Buch dienen.

In dem Verzeichnis der grammatischen Fachausdrücke schließlich findet der Leser nun auch die Herkunft der fremdsprachlichen Ausdrücke erklärt.

So tritt diese Neubearbeitung ihren Weg in die Öffentlichkeit an in der Hoffnung, die bisherigen Freunde möchten das Buch als ein wohlvertrautes, doch verbessertes aufnehmen — und über diesen Kreis hinaus möchte sich diese Deutsche Grammatik auch neuen Freunden als ein dienliches Hilfsmittel bei ihrem Bemühen um die Sprache erweisen.

W. K. J.

INHALTSVERZEICHNIS

WORTLEHRE

1	Wortarten und Wortveränderungen	17
2—71	I. *Das Verb (Das Zeitwort)*	18
2	1. Die Arten der Verben	18
3—57	2. Die Konjugation der Verben	21
3	Formenbestand	21
4—16	a) Das Hilfsverb (Das Hilfszeitwort)..	22
4	Die temporalen Hilfsverben	22
5	Die modalen Hilfsverben	23
6	Konjugation des Hilfsverbs *HABEN*	24
7	Konjugation des Hilfsverbs *SEIN*	25
8	Konjugation des Hilfsverbs *WERDEN*	26
9	Fragende, verneinende und fragend-verneinte Formen	27
10	Konjugation des Hilfsverbs *KÖNNEN*	28
11	Konjugation des Hilfsverbs *DÜRFEN*	29
12	Konjugation des Hilfsverbs *MÖGEN*	30
13	Konjugation des Hilfsverbs *MÜSSEN*	31
14	Konjugation des Hilfsverbs *WOLLEN (SOLLEN)* ..	32
15	Konjugation des (Hilfs)verbs *LASSEN*	33
16	Zur Konjugation der Hilfsverben	34
17—46	b) Das Vollverb	35
17	Bildung der Konjugationsformen	35
18	Die schwache Konjugation	36
19	Die Formen der schwachen Konjugation	37
20	Konjugation des Verbs *LOBEN*	38
21	Konjugation des Verbs *REISEN*	40
22	Konjugation des Verbs *REDEN*	41
23	Besonderheiten der schwachen Konjugation	42
24	Die starke Konjugation	43
25	Die Formen der starken Konjugation	44
26	Die Reihen der starken Konjugation. Erste Reihe ..	45
27	Zweite Reihe	46
28	Dritte Reihe	47
29	Vierte Reihe	47
30	Fünfte Reihe	48
31	Sechste Reihe	48
32	Siebente Reihe	49
33	Achte Reihe	49
34	Neunte Reihe	50
35	Zehnte Reihe	50

36	Die Klassen der starken Verben	51
37	Konjugation des Verbs *WERFEN*	52
38	Konjugation des Verbs *FAHREN*	54
39	Konjugation des Verbs *FINDEN*	56
40	Konjugation des Verbs *ZWINGEN*	57
41	Gemischte und unregelmäßige Konjugationen	58
42	Alphabetisches Verzeichnis der starken und der unregelmäßigen Verben	60
43	Reflexive Verben	66
44	Gebrauch der reflexiven Verben	67
45	Unpersönliche Verben	68
46	Unpersönlicher Gebrauch anderer Verben	69
47—57	c) Der Gebrauch der Konjugationsformen	70
47	Umschreibung mit *Haben* u. *Sein* in der Konjugation	70
48—51	Gebrauch der Tempora	72
48	Das Präsens	72
49	Das Perfekt	73
50	Präteritum und Plusquamperfekt	74
51	Futur I und II	75
52	Gebrauch der Aktionsrichtungen	76
52	Aktiv und Passiv	76
53—55	Gebrauch der Modi	78
53	Indikativ und Konjunktiv	78
54	Der Konditional	80
55	Der Imperativ	81
56—57	Gebrauch der Nominalformen	82
56	Der Infinitiv	82
57	Das Partizip	84
58—62	3. Die Bildung der Verben	86
58	Ursprüngliche und abgeleitete Verben	86
59	Zusammengesetzte Verben	88
60	Untrennbar zusammengesetzte Verben	90
61	Trennbar zusammengesetzte Verben	92
62	Zusammengesetzte Verben mit wechselndem Gebrauch	94
63—71	4. Die Rektion der Verben	95
63	Übersicht	95
64	Verben mit dem Nominativ	95
65	Verben mit dem Akkusativ	96
66	Verben mit dem doppelten Akkusativ — Akkusativ und Infinitiv	97
67	Verben mit dem Dativ	98
68	Verben mit dem Dativ und Akkusativ	99
69	Verben mit dem Genitiv	100
70	Verben mit dem Akkusativ und Genitiv	101
71	Verben mit Präposition nebst zugehörigem Kasus ..	102

72—74	II. *Der Artikel (Das Geschlechtswort)*	104
72	Arten und Deklination des Artikels	104
73	Gebrauch des Artikels	105
74	Nichtgebrauch des Artikels	106
75—96	III. *Das Substantiv (Das Hauptwort)*	107
75	1. Die Arten der Substantive	107
76—79	2. Das Geschlecht der Substantive	108
76	Grammatisches Geschlecht	108
77	Gleichlautende Substantive mit gleicher Bedeutung ..	111
78	Gleichlautende Substantive mit verschiedener Bedeutung	112
79	Geschlecht der Fremdwörter	116
80—81	3. Die Zahlformen der Substantive	117
80	Pluralbildung der Substantive	117
81	Besonderheiten der Zahlformen	118
82—93	4. Die Deklination der Substantive	120
82	Übersicht	120
83	Übersichtstafel: Deklination der Substantive	121
84	Erste Deklinationsgruppe	124
85	Zweite Deklinationsgruppe	125
86	Dritte Deklinationsgruppe	126
87	Vierte Deklinationsgruppe	127
88	Fünfte Deklinationsgruppe	128
89	Deklination der Fremdwörter	129
90	Deklination der Personennamen	130
91	Deklination geographischer Namen	132
92	Deklination der Maß- und Mengenbezeichnungen . ..	133
93	Volle und kurze Genitiv- und Dativformen	134
94	5. Die Bildung der Substantive	135
95—96	6. Die Rektion der Substantive	140
95	Die genitivische Rektion des Substantivs	140
96	Die präpositionale Rektion des Substantivs	141
97—108	IV. *Das Adjektiv (Das Eigenschaftswort)*	143
97	1. Übersicht	143
98—100	2. Die Deklination der Adjektive	144
98	Die starke Adjektivdeklination	144
99	Die schwache Adjektivdeklination	145
100	Die gemischte Adjektivdeklination	146
101—102	3. Die Steigerung der Adjektive	147
101	Bildung und Deklination der Steigerungsformen	147
102	Besonderheiten und Gebrauch der Steigerungsformen .	148
103	4. Die Bildung der Adjektive	149
104—108	5. Die Rektion der Adjektive	152
104	Adjektive mit dem Genitiv	152

105	Adjektive mit dem Dativ	153
106	Adjektive mit dem Dativ und einer Präposition nebst zugehörigem Kasus	154
107	Adjektive mit dem Akkusativ	154
108	Adjektive mit Präposition nebst zugehörigem Kasus ..	155

109—120	V. *Das Pronomen (Das Fürwort)*		157
109	Übersicht		157
110—111	1. Das Personalpronomen (Persönliches Fürwort)		158
110	Arten und Deklination		158
111	Zum Gebrauch des Personalpronomens		159
112—115	2. Das Possessivpronomen (Besitzanzeigendes Fürwort) .		160
112	Das Possessivpronomen		160
113	Das adjektivische Possessivpronomen		160
114	Das substantivische Possessivpronomen		162
115	Zum Gebrauch des Possessivpronomens		163
116—117	3. Das Demonstrativpronomen (Hinweisefürwort)		164
116	Das Demonstrativpronomen		164
117	Das demonstrative Pronominaladverb (Hinweisendes Umstandsfürwort)		166
118	4. Das Relativpronomen (Bezügliches Fürwort)		168
119	5. Das Interrogativpronomen (Fragefürwort)		170
120	6. Das Indefinitpronomen (Unbestimmtes Fürwort)		172

121—127	VI. *Das Numerale (Das Zahlwort)*	174
121	Übersicht	174
122	Die Grundzahlen	174
123	Zum Gebrauch der Grundzahlen	175
124	Die Ordnungszahlen — Die Wiederholungszahlwörter ..	176
125	Die Vervielfältigungszahlwörter — Die Einteilungszahlwörter — Die Gattungszahlwörter	177
126	Die Bruchzahlen	178
127	Die unbestimmten Zahlwörter	179

128—134	VII. *Das Adverb (Das Umstandswort)*	180
128	1. Wesen und Bildung der Adverbien	180
129—132	2. Die Arten der Adverbien	181
129	Adverbien des Ortes	181
130	Adverbien der Zeit	182
131	Adverbien der Art und Weise — Adverbien des Grades	183
132	Adverbien des Grundes — Adverbien der Denk- und Aussageweise	184
133	3. Die Steigerung der Adverbien	185
134	4. Der Gebrauch der Adverbien	186

135—140	VIII. *Die Präposition (Das Verhältniswort)*	187
135	1. Wesen und Arten der Präpositionen	187
136—138	2. Die Rektion der Präpositionen	188
136	Präpositionen mit dem Genitiv	188
137	Präpositionen mit dem Dativ — Präpositionen mit dem Akkusativ	189
138	Präpositionen, die sowohl den Dativ als auch den Akkusativ nach sich haben	190
139—140	3. Der Gebrauch der Präpositionen	191
139	Die Anwendung der wichtigsten Präpositionen	191
140	Verschmelzung von Präposition und Artikel	199
141—147	IX. *Die Konjunktion (Das Bindewort)*	200
141	1. Wesen und Bildung der Konjunktionen	200
142—145	2. Die Arten der Konjunktionen	201
142	Übersicht	201
143	Verhältnisse der Anreihung	201
144	Verhältnisse der Entgegensetzung und der Ausschließung — Orts- und Zeitverhältnisse — Verhältnisse der Art und Weise	202
145	Ursächliche Verhältnisse — Grammatische Verhältnisse	204
146—147	3. Der Gebrauch der Konjunktionen	205
146	Der Einfluß der Konjunktionen auf die Wortfolge . ..	205
147	Die Anwendung der wichtigsten Konjunktionen und als Konjunktionen gebrauchten Wörter	206
148	X. *Die Interjektion (Der Naturlaut)*	212

SATZLEHRE

149	Wesen und Arten des Satzes	217
150—153	XI. *Die Haupt-Satzglieder*	218
150	Das Subjekt (Der Satzgegenstand)	218
151	Das Prädikat (Die Satzaussage) — Verbale Prädikate ..	220
152	Teilverbale Prädikate — Das Komplement	222
153	Übereinstimmung von Subjekt und Prädikat	224
154—160	XII. *Der einfache Satz*	226
154	Die Arten des einfachen Satzes	226
155	Der Aussagesatz — Grundstellung	228
156	Der Aussagesatz — Umstellung	229
157	Der Fragesatz — Entscheidungsfrage — Erststellung ..	230
158	Der Fragesatz — Bestimmungsfrage	231
159	Der Aufforderungssatz	232
160	Der Ausrufe- und der Wunschsatz	233

161—173	XIII.	*Der erweiterte einfache Satz*	234
	161	Satzglieder — Syntaktische Einheiten	234
162—165		1. Das Attribut (Die Beifügung)	235
	162	Übersicht	235
	163	Das adjektivische Attribut	235
	164	Die übrigen Attribute	236
	165	Die Apposition (Der Beisatz)	238
166—170		2. Das Objekt (Die Ergänzung)	239
	166	Übersicht	239
	167	Einfache Objekte	240
	168	Doppelte Objekte	241
	169	Der doppelte Akkusativ	242
	170	Die Stellung der Objekte im Satz	243
171—173		3. Die adverbiale Bestimmung (Die Umstandsbestimmung)	244
	171	Wesen und Arten der adverbialen Bestimmungen . ..	244
	172	Der Ausdruck der adverbialen Bestimmungen	246
	173	Die Stellung der adverbialen Bestimmungen im Satz ..	247
174—177	XIV.	*Der zusammengesetzte Satz der Nebenordnung*	248
	174	Die Satzverbindung	248
	175	Die kopulative Satzverbindung	250
	176	Die adversative und die disjunktive Satzverbindung . ..	252
	177	Die kausative Satzverbindung	253
178—197	XV.	*Der zusammengesetzte Satz der Unterordnung*	254
	178	Das Satzgefüge	254
	179	Die Wortstellung im Hauptsatz (Zusammenfassung) ..	256
	180	Die Wortstellung im Gliedsatz	258
	181	Der verbale Rahmen in Haupt- und Gliedsatz	259
182—197		Die Arten der Gliedsätze	260
	182	Subjektsätze	260
	183	Attributsätze	261
	184	Objektsätze	262
	185	Direkte und indirekte Rede — Gedankenbericht	263
	186	Modus und Tempus in der indirekten Rede	264
	187	Direkte und indirekte Frage — Indirekte Aufforderungs- und Wunschsätze	266
	188	Anwendung der indirekten Rede	268
	189	Adverbialsätze — Übersicht	269
	190	Lokalsätze	269
	191	Temporalsätze	270
	192	Komparativsätze	272
	193	Kausalsätze — Finalsätze	273
	194	Konditionalsätze	274
	195	Konzessivsätze	275
	196	Konsekutivsätze	276
	197	Besondere Bemerkungen	276

198—204	XVI. *Abschluß der Satzlehre*	277
198	Über Relativsätze I	277
199	Über Relativsätze II	278
200	Über Infinitiv- und Partizipialgruppen und -sätze	280
201	Andere Satzarten	282
202	Modalität und Qualität des Satzes	283
203	Gebrauch der verschiedenen Fälle (Übersicht)	284
204	Satzbetonung — Grundregeln der Zeichensetzung	285

ANHANG

205	Das deutsche Alphabet	289
206	Die deutsche Schrift	290
207	Die deutsche Druckschrift	292
208	Verzeichnis der deutschen und fremdsprachlichen Fachausdrücke	294
209	Wortregister	301

BENUTZTE ABKÜRZUNGEN

Außer den allgemein üblichen Abkürzungen sind in diesem Buch noch die folgenden benutzt:

A:	= Ausnahme	n.	= neutrum
(A)	= Erststellung	Nom.	= Nominativ
Adj.	= Adjektiv	Obj.	= Objekt
Adv.	= Adverb	Part.	= Partizip
adv. B.	= adverbiale Bestimmung	Pass.	= Passiv
		Perf.	= Perfekt
Akk.	= Akkusativ	Pers.	= Person
Akt.	= Aktiv	Plur.	= Plural
Attr.	= Attribut	Plus-quamperf.	= Plus-quamperfekt
B:	= Beispiel		
Dat.	= Dativ	Präd.	= Prädikat
(E)	= Endstellung	Prädikativ.	= Prädikativum
f.	= femininum	Präp.	= Präposition
fin. Verb	= finites Verb	Präs.	= Präsens
Fremdw.	= Fremdwort	Prät.	= Präteritum
Fut.	= Futur	R:	= Regel
(G)	= Grundstellung	schw.	= schwach
Gen.	= Genitiv	SE	= Syntaktische Einheit
Gs.	= Gliedsatz		
Imp.	= Imperativ	Sing.	= Singular
Ind.	= Indikativ	st.	= stark
Infin.	= Infinitiv	Subj.	= Subjekt
intrans.	= **intransitiv**	Subst.	= Substantiv
Kompl.	= Komplement	(Sv)	= Satzverbindung
Kondit.	= Konditional	Temp.	= Tempus
Konj.	= Konjunktiv	trans.	= transitiv
m.	= maskulinum	(U)	= Umstellung
M:	= Merke	V	= Verneinung
mehrgliedr.	= mehrgliedrig	¨	= Umlaut

Grammatischen Formen, die zwar genannt werden müssen, aber nicht im allgemeinen Sprachgebrauch sind, weil sie als veraltet oder nicht schriftsprachlich gelten, ist das Zeichen ° nachgesetzt. Wenn noch andere Unterscheidungszeichen angewandt sind, so werden sie entweder auf derselben Seite oder zu Beginn des betr. Abschnittes erklärt.

Stehen Verweisungen einfach in Klammern, so ist das Paragraphenzeichen weggelassen.

WORTLEHRE

Wir sehen in der Natur nicht Wörter,
sondern
immer nur Anfangsbuchstaben von Wörtern,
und
wenn wir alsdann lesen wollen,
so finden wir,
daß die neuen sogenannten Wörter
wiederum
bloß Anfangsbuchstaben von anderen sind.

    Georg Christoph Lichtenberg

§ 1. Wortarten und Wortveränderungen

1. Im Deutschen gibt es **zehn Wortarten**. Diese sind:
    1) das **Verb** (das Zeitwort);
    2) der **Artikel** (das Geschlechtswort), ⎫
    3) das **Substantiv** (das Dingwort), ⎪
    4) das **Adjektiv** (das Eigenschaftswort), ⎬ Nomen
    5) das **Pronomen** (das Fürwort), ⎪
    6) das **Numerale** (das Zahlwort); ⎭
    7) das **Adverb** (das Umstandswort), ⎫
    8) die **Präposition** (das Verhältniswort), ⎪
    9) die **Konjunktion** (das Bindewort), ⎬ Partikeln
    10) die **Interjektion** (der Naturlaut). ⎭

2. **Jede** Wortart kann als **Substantiv** gebraucht werden.

3. **Nomen** und **Verb** sind im Satz **veränderlich**.
   Die Formveränderung des **Nomens** heißt **Deklination**,
   die Formveränderung des **Verbs** heißt **Konjugation**.

4. **Partikeln** sind im allgemeinen **unveränderlich**.

5. **Wortveränderungen** können durch Vor- oder Nachsilben und Endungen, durch Ausfall oder Zufügung, durch Auswechslung oder Stellungsänderung von Lauten (Buchstaben) erfolgen.
   Der gesetzmäßige **Wechsel des Stammvokals**
   z. B. in *binden, band, gebunden* heißt **Ablaut**. Vgl. § 25.
   Von Bedeutung ist weiter der **Umlaut**: *a, o, u, au* werden zu *ä, ö, ü, äu*: *Hase, Häsin, Häschen; Haus, Häuser, Häuschen.*

6. Bei der **Deklination** unterscheidet man:
   Genus (Geschlecht), **Numerus** (Zahl) und **Kasus** (Fall):
   a) **3 Geschlechter**:
      Maskulinum (männlich), Femininum (weiblich), Neutrum (sächlich);
   b) **2 Zahlen**: Singular (Einzahl), Plural (Mehrzahl);
   c) **4 Fälle**:
      1. Fall: Nominativ (Werfall) auf die Frage: *Wer oder was?*
      2. Fall: Genitiv   (Wesfall)   *Wessen?*
      3. Fall: Dativ   (Wemfall)   *Wem?*
      4. Fall: Akkusativ (Wenfall)   *Wen oder was?*

7. Über die Formveränderungen bei der **Konjugation** vgl. § 3.

I. Das Verb (Das Zeitwort)

§ 2. 1. DIE ARTEN DER VERBEN

1. Das Verb sagt von einem Gegenstand (einer Person oder Sache) in irgendeiner W e i s e aus, daß er zu irgendeiner Z e i t
sich in einem Z u s t a n d e befindet (Zustandsverb),
den V o r g a n g einer Zustandsveränderung erfährt (Vorgangsverb),
etwas t u t oder etwas e r l e i d e t (Tätigkeitsverb).
B: *liegen, sitzen;* — *reifen, verwesen* (47, 2a); — *helfen, beißen.*

2. Die Verben gliedern sich in
s u b j e k t i v e und o b j e k t i v e Verben.

3. Die s u b j e k t i v e n Verben (auch absolute Verben genannt) bezeichnen Zustände, Zustandsveränderungen oder Tätigkeiten des Gegenstandes (Subjektes), die ihrer Natur nach n i c h t auf einen anderen Gegenstand (ein Objekt) einwirken.
B: *schlafen, gehen, glänzen.*

4. Die o b j e k t i v e n Verben (auch relative Verben genannt) bezeichnen Tätigkeiten des Gegenstandes (Subjektes), die ihrer Natur nach auf einen anderen Gegenstand (ein Objekt) einwirken.
B: *bedürfen, gedenken; helfen, nützen; beißen, schlagen.*

5. Objektive Verben mit dem Akkusativ zielen auf den Gegenstand, der die Tätigkeit erleidet, oder auf das Produkt dieser Tätigkeit. Sie heißen zielende oder t r a n s i t i v e Verben.
B: *beißen, schlagen, pflügen, ersinnen.*

6. Alle a n d e r e n objektiven und subjektiven Verben heißen ziellose oder i n t r a n s i t i v e Verben.
B: *bedürfen, gedenken; helfen, nützen; schlafen, gehen, glänzen.*

1. s u b j e k t i v e Verben: s c h l a f e n, g e h e n, g l ä n z e n;	ziellose oder *intransitive* Verben
2. o b j e k t i v e Verben: a) mit einem Objekt im Genitiv: b e d ü r f e n, g e d e n k e n; mit einem Objekt im Dativ: h e l f e n, n ü t z e n, d r o h e n;	
b) mit einem Objekt im Akkusativ: b e i ß e n, s c h l a g e n, e r s i n n e n.	zielende oder *transitive* Verben

7. Im Deutschen gibt es zahlreiche Verben,
   die s o w o h l transitiv a l s   a u c h intransitiv gebraucht werden.
   B: *baden, jagen, kochen, speisen, stürzen, ziehen.*
8. N u r transitive Verben haben ein v o l l e s Passiv. (52)
9. Intransitive Verben können entweder gar kein Passiv
   oder nur ein u n p e r s ö n l i c h e s Passiv bilden.
10. Intransitive Verben können durch Zusammensetzung mit Vorsilben transitiv werden: *steigen — besteigen, ersteigen.* (59, 8)
11. Wenn das Geschehen, welches das Verb vom Subjekt aussagt,
    wieder auf dieses selbst zurückwirkt,
    wenn also Objekt und Subjekt identisch sind,
    so spricht man von r e f l e x i v e n Verben. (43)
12. Wenn ein Vorgang ohne ein bestimmtes Subjekt gedacht wird,
    so setzt man das indefinite *es* als Subjekt
    und spricht von u n p e r s ö n l i c h e n Verben. (45)
13. Eine Gruppe von Verben dient besonders
    zur Bildung der umschriebenen Konjugationsformen
    und zur Umschreibung der Aussageweise (des Modus).
    Diese Verben heißen H i l f s v e r b e n. (4)
    Alle anderen Verben heißen V o l l v e r b e n.
14. Einige Vollverben umschreiben gelegentlich ähnlich wie Hilfsverben die Aussageweise; sie heißen dann m o d i f i z i e r e n d e Verben.

B : z u 3 : *Die Uhr g e h t nicht. Seine Augen g l ä n z t e n.*
z u 4: *Die Gesunden bedürfen d e s A r z t e s nicht. Dieser Rat nützt
    m i r nicht viel. Unsere Mannschaft schlägt j e d e n G e g n e r.*
z u 5 : *Der Bauer pflügt den Acker, er pflügt eine Furche. Der Junge
    schlug den Hund. Er schlug Rad. Sie ersann ein neues Rezept.*
z u 6 : *Er half mir aus der Not. Ich schlafe nach dem Essen.*
z u 7 : *stürzen;* (transitiv:) *Der Junge stürzte seinen Kameraden ins
    Wasser.* (intransitiv:) *Der Junge stürzte, weil er zu schnell lief.*
z u 8 : *Der Junge s c h l u g den Hund; darauf b i ß der Hund den
    Jungen.* Passiv: *Der Hund w u r d e von dem Jungen g e s c h l a -
    g e n; darauf w u r d e der Junge von dem Hund g e b i s s e n.*
z u 9 : *ich lache;* aber nicht: *ich werde gelacht;*
    jedoch unpersönlich: *es wurde viel gelacht (man lachte viel);*
    ebenso: *er tanzte, es wurde getanzt; ein Reigen wurde getanzt.*
z u 14 : *brauchen, pflegen, scheinen, vermögen, wissen* u. a.
    Er weiß sich zu helfen = kann sich helfen. (151, 4c)

15. Man unterscheidet die Verben weiter
nach ihrer A k t i o n s a r t :
In irgendeiner Weise drücken sie aus,
w i e d a s G e s c h e h e n i n d e r Z e i t a b l ä u f t .
16. In manchen Sprachen wird die Aktionsart des Verbs
an seinen Konjugationsformen sichtbar;
im Deutschen dagegen kann sie nur aus dem Inhalt des Verbs,
in manchen Fällen auch aus der Art der Wortbildung,
erschlossen werden.
17. Ein Verb heißt i m p e r f e k t i v oder d u r a t i v ,
wenn es ausdrückt, daß das Geschehen zeitlich unbegrenzt,
also dauernd oder unvollendet verläuft.
18. Ein Verb heißt p e r f e k t i v , wenn es ausdrückt,
daß das Geschehen als ein einmaliges
gerade einsetzt oder eben abschließt.
   a) Perfektive Verben für den B e g i n n eines Geschehens
      heißen i n c h o a t i v e oder i n g r e s s i v e Verben.
   b) Perfektive Verben für das E n d e eines Geschehens
      heißen r e s u l t a t i v e Verben.
19. Ein Verb heißt i n t e n s i v , wenn es ausdrückt,
daß das Geschehen einen gewissen Stärkegrad hat
(gegenüber dem Ausgangswort, von dem die Ableitung erfolgte).
20. Ein Verb heißt i t e r a t i v , wenn es ausdrückt,
daß sich das Geschehen in ständiger Wiederholung vollzieht
(gegenüber dem Ausgangswort, von dem die Ableitung erfolgte).
21. Ein Verb kann mehreren dieser Gruppen zugleich angehören
oder überhaupt in seiner Aktionsart unbestimmt sein.
22. Über die Mittel zur Bildung von Verben mit ausgeprägter Aktionsart vgl. bes. §§ 58; 59.

B : z u 17 : *sein, bleiben; leben, schlafen, wohnen; sitzen, stehen, liegen; blühen, essen, arbeiten* u. a.

z u 18 a : *einschlafen, setzen, sich setzen; erblühen, aufblühen.*
Weitere Beispiele in § 59, 6a und 9.

z u 18 b : *gefrieren, gelingen; ertrinken, verblühen.*
Weitere Beispiele in § 59, 6b.

z u 19 : *schlüpfen (schliefen).* Vgl. die Beispiele zu § 58, 5.

z u 20 : *betteln (bitten).* Vgl. die Beispiele zu § 58, 5.

2. DIE KONJUGATION DER VERBEN

§ 3. Formenbestand

1. Es gibt zwei Numeri (Zahlformen):
   Singular (Einzahl) und Plural (Mehrzahl):
   ich lobte (einer), *wir lobten* (mehrere).
2. Es gibt drei Personen im Singular: *ich, du, er (sie, es)*
   (die 3. Pers. Singular hat drei Geschlechter)
   und drei Personen im Plural: *wir, ihr, sie.*
3. Es gibt sechs Tempora (Zeitformen), und zwar:
   a) einfache (unmittelbar aus dem Stamm gebildete):
   Präsens: *ich lobe, ich gehe;* (ich tue es jetzt);
   Präteritum (Imperfekt): *er lobte, er ging;* (er tat es früher);
   b) mit Hilfsverben umschriebene (zusammengesetzte):
   Perfekt: *ich habe gelobt, ich bin gegangen;* (ich habe es getan und bin nun damit fertig);
   Plusquamperfekt: *ich hatte gelobt, ich war gegangen;* (ich war in der Vergangenheit schon damit fertig);
   Futur I: *ich werde loben, ich werde gehen;* (später einmal);
   Futur II: *ich werde gelobt haben, ich werde gegangen sein;* (womit ich in der Zukunft schon fertig sein werde).
4. Es gibt drei Modi (Aussageweisen):
   a) Indikativ (Wirklichkeitsform): *er lobt, er ging;*
   b) Konjunktiv (Möglichkeitsform): *er lobe! ginge er doch!*
   c) Imperativ (Befehlsform): *lobe! geh! lobt! geht!*
5. Über Aktionsarten und -richtungen vgl. §§ 2, 15; 52.
6. Eine Form des Verbs, die die Person ausdrückt,
   heißt finites Verb.
7. Dem stehen die Formen ohne Personenendungen gegenüber,
   die Nominalformen des Verbs:
   a) Infinitiv (Grundform, Nennform):
   Inf. Präs.: Aktiv: *loben, geh(e)n;* Passiv: *gelobt werden,* —.
   Inf. Perf.: Aktiv: *gelobt haben, gegangen sein;* Passiv: *gelobt worden sein,* —.
   b) Partizip (Mittelwort):
   Partizip I (auch Part. Präsens genannt): *lobend, gehend;*
   Partizip II (auch Part. Perfekt genannt): *gelobt, gegangen.*

a) DAS HILFSVERB (DAS HILFSZEITWORT)

§ 4. Die temporalen Hilfsverben

1. Die Hilfsverben (Hilfszeitwörter) zerfallen in
   a) temporale und b) modale Hilfsverben.
2. Temporale Hilfsverben sind:
   a) *haben*, b) *sein* und c) *werden*.
3. Sie dienen hauptsächlich zur Bildung der umschriebenen Konjugationsformen, und zwar
   a) *haben* zur Bildung aktiver Formen,
   b) *sein* und *werden* zur Bildung aktiver und passiver Formen.
4. Mit *haben* oder *sein* werden gebildet:
   im Aktiv: Perfekt und Plusquamperfekt; vgl. § 47.
   mit *werden*:
   im Aktiv: Futur I und Konditional I;
   im Passiv: Präsens, Präteritum, Futur I und Konditional I;
   mit *sein* und *werden*:
   im Passiv: Perfekt, Plusquamperfekt, Futur II, Kondit. II;
   mit *werden* und *haben* (oder *sein*):
   im Aktiv: Futur II und Kondit. II. Vgl. §§ 6—15; 20 ff.
5. *haben, sein* und *werden*
   können aber auch als Vollverben gebraucht werden:
   a) *haben* = besitzen, bekommen, erhalten;
   b) *sein* = bestehen, leben, verweilen; sich befinden;
   c) *werden* = entstehen; anfangen, etwas zu sein.
6. *haben* vor einem Infinitiv mit *zu* = verpflichtet sein, müssen.

B: zu 5a: *Ich habe keine Zeit, kein Geld. Wenn Sie die Freundlichkeit haben wollten! Das haben wir noch nicht gehabt (im Unterricht behandelt). Dieses Buch ist hier nicht zu haben (zu kaufen). Von jener Vorlesung habe ich nichts (keinen Nutzen). Die beiden haben etwas miteinander (sind Liebesleute, sind Feinde).*

zu 5b: *Er ist nichts (hat es zu nichts gebracht). Er ist nicht mehr (lebt nicht mehr). Die Vorstellung ist morgen (findet statt). — Sein oder Nichtsein, das ist hier die Frage. Mehr sein als scheinen!*

zu 5c: *Die Sache ist noch im Werden. Es wird schon werden. Die Sprache ist etwas Gewordenes. Alles Irdische wird und vergeht.*

zu 6: *Ich habe noch zu arbeiten. Ich habe Ihnen sehr zu danken.*

§ 5. Die modalen Hilfsverben

1. M o d a l e Hilfsverben sind:
   a) *k ö n n e n ,*   b) *d ü r f e n ,*   c) *m ö g e n ,*
   d) *m ü s s e n ,*   e) *s o l l e n ,*   f) *w o l l e n ;*
   g) als modales Hilfsverb dient auch *l a s s e n.* (32)
2. Sie dienen hauptsächlich zur Umschreibung der Modi.
3. Bei den modalen Hilfsverben steht das Vollverb stets im bloßen Infinitiv (ohne *zu*). Vgl. auch §§ 16; 151, 4.
4. Die modalen Hilfsverben können aber auch als V o l l v e r b e n gebraucht werden:
   a) *können* = *die Kraft, Erlaubnis, Fähigkeit haben, wissen;*
   b) *dürfen* = *die Erlaubnis haben, gestattet sein, nötig haben;*
   c) *mögen* = *wünschen, lieben, gerne tun;*
   d) *müssen* = *durch Natur oder Gesetz gezwungen sein;*
   e) *sollen* = *verpflichtet sein;*
   f) *wollen* = *beabsichtigen, im Begriff sein, bereit sein;*
   g) *lassen* = *loslassen, verlassen, unterlassen.*

B: z u 3 : *Er kann n i c h t lesen. Sie wollte a b r e i s e n. Ich habe nicht a n t w o r t e n mögen. Wir hatten f l i e h e n müssen. Du hättest dich s c h o n e n sollen!* Gelegentlich nehmen die modalen Hilfsverben eigentümliche (modifizierende) Bedeutungen an: *Fritz will von der Sache nichts geahnt haben* (= es klingt nicht glaubwürdig). *Seine Frau muß es vermutet haben* (= sicherlich ist es so). *Die Angaben sollen nachgeprüft worden sein* (angeblich).

z u 4 a : *Fritz hat seine Aufgabe g e k o n n t. Wer nicht k a n n , wie er w i l l , der m u ß w o l l e n , wie er k a n n. Ich k a n n ' s.*

z u 4 b : *D a r f s t du denn das?*

z u 4 c : *Ich m a g Bier lieber als Wein. Sie m o c h t e ihn nicht (leiden). Wir m ö c h t e n Urlaub (haben)! M ö c h t e s t du noch etwas?*

z u 4 d : *Wer nicht w i l l , der m u ß ! Kein Mensch m u ß m ü s s e n !*

z u 4 e : *Du k a n n s t , denn du s o l l s t ! Was soll all der Schmerz, die Lust? Was s o l l das alles?*

z u 4 f : *Wer w i l l , wie er k a n n , fängt nichts vergeblich an. Was du nicht w i l l s t , daß man dir tu, das füg' auch keinem andern zu!*

z u 4 g : *Ach, wie ist's möglich dann, daß ich dich l a s s e n kann? Die Katze l ä ß t das Mausen nicht.*

§ 6. Konjugation des Hilfsverbs HABEN

Indikativ

	Präsens	Perfekt		Präsens*	Perfekt*	
ich	habe	habe		(habe)	(habe)	
du	hast	hast		habest°	habest°	
er	hat	hat	gehabt	habe	habe	gehabt
wir	haben	haben		(haben)	(haben)	
ihr	habt	habt		(habet)	(habet)	
sie	haben	haben		(haben)	(haben)	

Konjunktiv

	Präteritum	Plusquamperf.		Präteritum	Plusquamperf.	
ich	hatte	hatte		hätte	hätte	
du	hattest	hattest		hättest	hättest	
er	hatte	hatte	gehabt	hätte	hätte	gehabt
wir	hatten	hatten		hätten	hätten	
ihr	hattet	hattet		hättet	hättet	
sie	hatten	hatten		hätten	hätten	

	Futur I	Futur II		Futur I*	Futur II*	
ich	werde	werde		(werde)	(werde)	
du	wirst	wirst		werdest°	werdest°	
er	wird	wird	gehabt	werde	werde	gehabt
wir	werden	werden	haben	(werden)	(werden)	haben
ihr	werdet	werdet		(werdet)	(werdet)	
sie	werden	werden		(werden)	(werden)	

(Futur I / Futur I*: ha-ben; Futur II / Futur II*: ha-ben gehabt)

Imperativ

Sing. habe! (Anrede: haben Sie!)
Plur. hab(e)t! (Anrede: haben Sie!)

Infinitiv

Präs. haben
Perf. gehabt haben

Partizip

I habend°
II gehabt

Konditional

I

ich	würde	
du	würdest	
er	würde	haben
wir	würden	
ihr	würdet	
sie	würden	

II

ich	würde	
du	würdest	
er	würde	gehabt
wir	würden	haben
ihr	würdet	
sie	würden	

Bemerkungen: Kein Passiv!
Vgl. auch § 16. *) Vgl. § 186, 6.

§ 7. Konjugation des Hilfsverbs SEIN

Indikativ

	Präsens	Perfekt	
ich	bin	bin	
du	bist	bist	
er	ist	ist	gewesen
wir	sind	sind	
ihr	seid	seid	
sie	sind	sind	

	Präteritum	Plusquamperf.	
ich	war	war	
du	warst	warst	
er	war	war	gewesen
wir	waren	waren	
ihr	war(e)t	war(e)t	
sie	waren	waren	

	Futur I		Futur II	
ich	werde		werde	
du	wirst		wirst	gewesen
er	wird	sein	wird	sein
wir	werden		werden	
ihr	werdet		werdet	
sie	werden		werden	

Konjunktiv

	Präsens	Perfekt	
ich	sei	sei	
du	sei(e)st	sei(e)st	
er	sei	sei	gewesen
wir	seien	seien	
ihr	seiet°	seiet°	
sie	seien	seien	

	Präteritum	Plusquamperf.	
ich	wäre	wäre	
du	wär(e)st	wär(e)st	
er	wäre	wäre	gewesen
wir	wären	wären	
ihr	wär(e)t	wär(e)t	
sie	wären	wären	

	Futur I		Futur II	
ich	(werde)		(werde)	
du	werdest°		werdest°	gewesen
er	werde	sein	werde	sein
wir	(werden)		(werden)	
ihr	(werdet)		(werdet)	
sie	(werden)		(werden)	

Imperativ

Sing. sei! (Anrede: seien Sie!)
Plur. seid! (Anrede: seien Sie!)

Infinitiv

Präs. sein
Perf. gewesen sein

Partizip

I   seiend°
II gewesen

Konditional

I

ich	würde	
du	würdest	
er	würde	sein
wir	würden	
ihr	würdet	
sie	würden	

II

ich	würde		
du	würdest		
er	würde	gewesen	sein
wir	würden		
ihr	würdet		
sie	würden		

Bemerkungen: Kein Passiv!
Vgl. auch § 16. — Die eingeklammerten Konjunktivformen werden nicht gebraucht. Vgl. § 186, 6.

§ 8. Konjugation des Hilfsverbs WERDEN

Indikativ

	Präsens	Perfekt		Präsens	Perfekt	
ich	werde	bin		(werde)	sei	
du	wirst	bist		werdest°	sei(e)st	
er	wird	ist	(ge-)wor-den*	werde	sei	(ge-)wor-den*
wir	werden	sind		(werden)	seien	
ihr	werdet	seid		(werdet)	seiet°	
sie	werden	sind		(werden)	seien	

Konjunktiv

	Präteritum	Plusquamperf.		Präteritum	Plusquamperf.	
ich	wurde**	war		würde	wäre	
du	wurdest**	warst		würdest	wärest	
er	wurde**	war	(ge-)wor-den*	würde	wäre	den* (ge-)wor-
wir	wurden	waren		würden	wären	
ihr	wurdet	war(e)t		würdet	wäret	
sie	wurden	waren		würden	wären	

	Futur I	Futur II		Futur I	Futur II	
ich	werde	werde		(werde)	(werde)	
du	wirst	wirst	(ge-)wor-den* sein	werdest°	werdest°	(ge-)wor-den* sein
er	wird	wird		werde	werde	
wir	werden wer-den	werden		(werden) wer-den	(werden)	
ihr	werdet	werdet		(werdet)	(werdet)	
sie	werden	werden		(werden)	(werden)	

Imperativ

Sing. werde! (Anrede: werden Sie!)
Plur. werdet! (Anrede: werden Sie!)

Infinitiv

Präs. werden
Perf. (ge)worden sein

Partizip

I werdend
II (ge)worden

Konditional

I

ich	würde	
du	würdest	
er	würde	werden
wir	würden	
ihr	würdet	
sie	würden	

II

ich	würde	
du	würdest	
er	würde	(ge-)worden* sein
wir	würden	
ihr	würdet	
sie	würden	

Bemerkungen: Kein Passiv!
Die eingeklammerten Konjunktivformen stimmen mit dem Indikativ überein und werden deshalb nicht gebraucht.
*) Die **volle** Form steht nach Nomen: er ist **Offizier geworden**; die **kurze** Form nach Partizipien: er ist **befördert worden**.
) Für **wurde kann **ward** stehen, für **wurdest wardst** (nur noch in der Dichtersprache).

§ 9. Fragende, verneinende und fragend-verneinte Formen

HABEN	SEIN	HABEN		SEIN	
Präsens	*Präsens*	*Perfekt*		*Perfekt*	
habe ich?	bin ich?	ich habe		ich bin	
hast du?	bist du?	du hast		du bist	
hat er?	ist er?	er hat	nicht	er ist	nicht
haben wir?	sind wir?	wir haben	gehabt	wir sind	gewesen
habt ihr?	seid ihr?	ihr habt		ihr seid	
haben sie?	sind sie?	sie haben		sie sind	
Präteritum	*Präteritum*	*Plusquamperfekt*		*Plusquamperfekt*	
hatte ich?	war ich?	ich hatte		ich war	
hattest du?	warst du?	du hattest		du warst	
hatte er?	war er?	er hatte	nicht	er war	nicht
hatten wir?	waren wir?	wir hatten	gehabt	wir waren	gewesen
hattet ihr?	wart ihr?	ihr hattet		ihr wart	
hatten sie?	waren sie?	sie hatten		sie waren	
Futur I	*(Futur I)*	*Futur II*		*(Futur II)*	
werde ich		ich werde nicht			
wirst du		du wirst nicht			
wird er	haben?	er wird nicht		gehabt haben	
werden wir	(sein?)	wir werden nicht		(gewesen sein)	
werdet ihr		ihr werdet nicht			
werden sie		sie werden nicht			

WERDEN

Präsens	*Perfekt*		*Futur I*		*Futur II*	
werde ich?	bin ich	nicht	werde ich	nicht	ich werde	nicht
wirst du?	bist du	gewor-	wirst du	wer-	du wirst	ge-
wird er?	ist er	den?	wird er	den?	er wird	wor-
werden wir?	sind wir		werden wir		wir werden	den sein

Präteritum	*Plusquamperfekt*		*Kondit. I*		*Kondit. II*	
wurde ich?	ich war		nicht würde ich	nicht	würde ich	nicht
wurdest du?	du warst		würdest du	wer-	würdest du	ge-
wurde er?	er war	gewor-	würde er	den?	würde er	wor-
wurden wir?	wir waren	den	würden wir		würden wir	den sein?

§ 10. Konjugation des Hilfsverbs KÖNNEN

Indikativ

Präsens	Perfekt*		
ich kann	habe		
du kannst	hast	gekonnt	
er kann	hat	oder	
wir können	haben	(—)	
ihr könnt	habt	können	
sie können	haben		

Präteritum	Plusquamperf.*		
ich konnte	hatte		
du konntest	hattest	gekonnt	
er konnte	hatte	oder	
wir konnten	hatten	(—)	
ihr konntet	hattet	können	
sie konnten	hatten		

Futur I			Futur II*		
ich werde			werde	gekonnt	
du wirst	(—)		wirst	haben	
er wird	kön-		wird	oder	
wir werden	nen		werden	haben	
ihr werdet			werdet	(—)	
sie werden			werden	können	

Konjunktiv

Präsens	Perfekt*		
könne	(habe)		
könnest°	habest°	gekonnt	
könne	habe	oder	
(können)	(haben)	(—)	
(könnet)	(habet)	können	
(können)	(haben)		

Präteritum	Plusquamperf.*		
könnte	hätte		
könntest	hättest	gekonnt	
könnte	hätte	oder	
könnten	hätten	(—)	
könntet	hättet	können	
könnten	hätten		

Futur I			Futur II*		
(werde)			(werde)	gekonnt	
werdest°	(—)		werdest°	haben	
werde	kön-		werde	oder	
(werden)	nen		(werden)	haben	
(werdet)			(werdet)	(—)	
(werden)			(werden)	können	

Imperativ

Sing. fehlt!
Plur. fehlt!

Infinitiv

Präs. können
Perf. gekonnt haben;
     haben (—) können

Partizip

I   könnend°
II gekonnt

Konditional

I

ich würde
du würdest
er würde   (—)
wir würden können
ihr würdet
sie würden

II*

ich würde   gekonnt
du würdest haben
er würde   oder
wir würden haben
ihr würdet (—)
sie würden können

Bemerkungen: *) Vgl. § 16, 3.
In obigen Formen ist der Strich durch den Infinitiv eines beliebigen Verbs zu ersetzen.
Die eingeklammerten Konjunktivformen stimmen mit dem Indikativ überein und werden deshalb nicht gebraucht. Vgl. § 53, 4.

§ 11. Konjugation des Hilfsverbs DÜRFEN

Indikativ

Präsens	Perfekt*		
ich darf	habe		
du darfst	hast	gedurft	
er darf	hat	oder	
wir dürfen	haben	(—)	
ihr dürft	habt	dürfen	
sie dürfen	haben		

Konjunktiv

Präsens	Perfekt*		
dürfe	(habe)		
dürfest	habest°	gedurft	
dürfe	habe	oder	
(dürfen)	(haben)	(—)	
(dürfet)	(habet)	dürfen	
(dürfen)	(haben)		

Präteritum	Plusquamperf.*		
ich durfte	hatte		
du durftest	hattest	gedurft	
er durfte	hatte	oder	
wir durften	hatten	(—)	
ihr durftet	hattet	dürfen	
sie durften	hatten		

Präteritum	Plusquamperf.*		
dürfte	hätte		
dürftest	hättest	gedurft	
dürfte	hätte	oder	
dürften	hätten	(—)	
dürftet	hättet	dürfen	
dürften	hätten		

Futur I		Futur II*		
ich werde		werde	gedurft	
du wirst	(—)	wirst	haben	
er wird	dürfen	wird	oder	
wir werden		werden	haben	
ihr werdet		werdet	(—)	
sie werden		werden	dürfen	

Futur I		Futur II*		
(werde)		(werde)	gedurft	
werdest°	(—)	werdest°	haben	
werde	dürfen	werde	oder	
(werden)		(werden)	haben	
(werdet)		(werdet)	(—)	
(werden)		(werden)	dürfen	

Imperativ

Sing. fehlt!
Plur. fehlt!

Infinitiv

Präs. dürfen
Perf. gedurft haben;
haben (—) dürfen

Partizip

I dürfend°
II gedurft

Konditional

I

ich würde
du würdest
er würde   (—)
wir würden   dürfen
ihr würdet
sie würden

II*

ich würde	gedurft
du würdest	haben
er würde	oder
wir würden	haben
ihr würdet	(—)
sie würden	dürfen

Bemerkungen: *) Vgl. § 16, 3.
In obigen Formen ist der Strich durch den Infinitiv eines beliebigen Verbs zu ersetzen.
Die eingeklammerten Konjunktivformen stimmen mit dem Indikativ überein und werden deshalb nicht gebraucht. Vgl. § 53, 4.

§ 12. Konjugation des Hilfsverbs MÖGEN

Indikativ

	Präsens	Perfekt*		
ich	mag	habe	⎫	
du	magst	hast	⎬ gemocht	
er	mag	hat	⎭ oder	
wir	mögen	haben	⎫ (—)	
ihr	mögt	habt	⎬ mögen	
sie	mögen	haben	⎭	

	Präteritum	Plusquamperf.*
ich	mochte	hatte ⎫
du	mochtest	hattest ⎬ gemocht
er	mochte	hatte ⎭ oder
wir	mochten	hatten ⎫ (—)
ihr	mochtet	hattet ⎬ mögen
sie	mochten	hatten ⎭

	Futur I		Futur II*
ich	werde ⎫		werde ⎫ gemocht
du	wirst ⎬		wirst ⎬ haben
er	wird ⎭ (—) mö-		wird ⎭ oder
wir	werden ⎫ gen		werden ⎫ haben
ihr	werdet ⎬		werdet ⎬ (—)
sie	werden ⎭		werden ⎭ mögen

Konjunktiv

	Präsens	Perfekt*
ich	möge	(habe) ⎫
du	mögest	habest° ⎬ gemocht
er	möge	habe ⎭ oder
wir	(mögen)	(haben) ⎫ (—)
ihr	(möget)	(habet) ⎬ mögen
sie	(mögen)	(haben) ⎭

	Präteritum	Plusquamperf.*
ich	möchte	hätte ⎫
du	möchtest	hättest ⎬ gemocht
er	möchte	hätte ⎭ oder
wir	möchten	hätten ⎫ (—)
ihr	möchtet	hättet ⎬ mögen
sie	möchten	hätten ⎭

	Futur I		Futur II*
ich	(werde) ⎫		(werde) ⎫ gemocht
du	werdest° ⎬		werdest° ⎬ haben
er	werde ⎭ (—) mö-		werde ⎭ oder
wir	(werden) ⎫ gen		(werden) ⎫ haben
ihr	(werdet) ⎬		(werdet) ⎬ (—)
sie	(werden) ⎭		(werden) ⎭ mögen

Imperativ

Sing. fehlt!
Plur. fehlt!

Infinitiv

Präs. mögen
Perf. gemocht haben;
haben (—) mögen

Partizip

I mögend°
II gemocht

Konditional

I

ich würde ⎫
du würdest ⎬
er würde ⎭ (—)
wir würden ⎫ mögen
ihr würdet ⎬
sie würden ⎭

II*

ich würde ⎫ gemocht
du würdest ⎬ haben
er würde ⎭ oder
wir würden ⎫ haben
ihr würdet ⎬ (—)
sie würden ⎭ mögen

Bemerkungen: *) Vgl. § 16, 3.
In obigen Formen ist der Strich durch den Infinitiv eines beliebigen Verbs zu ersetzen.
Die eingeklammerten Konjunktivformen stimmen mit dem Indikativ überein und werden deshalb nicht gebraucht. Vgl. § 53, 4.

§ 13. Konjugation des Hilfsverbs MÜSSEN

Indikativ

	Präsens	Perfekt*		Präsens	Perfekt*	
ich	muß	habe	⎫	müsse	(habe)	⎫
du	mußt	hast	⎬ gemußt	müssest	habest°	⎬ gemußt
er	muß	hat	oder	müsse	habe	oder
wir	müssen	haben	(—)	(müssen)	(haben)	(—)
ihr	müßt	habt	müssen	(müsset)	(habet)	müssen
sie	müssen	haben	⎭	(müssen)	(haben)	⎭

Konjunktiv

	Präteritum	Plusquamperf.*		Präteritum	Plusquamperf.*	
ich	mußte	hatte	⎫	müßte	hätte	⎫
du	mußtest	hattest	⎬ gemußt	müßtest	hättest	⎬ gemußt
er	mußte	hatte	oder	müßte	hätte	oder
wir	mußten	hatten	(—)	müßten	hätten	(—)
ihr	mußtet	hattet	müssen	müßtet	hättet	müssen
sie	mußten	hatten	⎭	müßten	hätten	⎭

	Futur I		Futur II*		Futur I		Futur II*	
ich	werde	⎫	werde	⎫ gemußt	(werde)	⎫	(werde)	⎫ gemußt
du	wirst		wirst	haben	werdest°		werdest°	haben
er	wird	(—) müssen	wird	oder	werde	(—) müssen	werde	oder
wir	werden		werden	haben	(werden)		(werden)	haben
ihr	werdet		werdet	(—)	(werdet)		(werdet)	(—)
sie	werden	⎭	werden	⎭ müssen	(werden)	⎭	(werden)	⎭ müssen

Imperativ

Sing. fehlt!
Plur. fehlt!

Infinitiv

Präs. müssen
Perf. gemußt haben;
haben (—) müssen

Partizip

I müssend°
II gemußt

Konditional

I

ich	würde	⎫
du	würdest	
er	würde	(—)
wir	würden	müssen
ihr	würdet	
sie	würden	⎭

II*

ich	würde	⎫ gemußt
du	würdest	haben
er	würde	oder
wir	würden	haben
ihr	würdet	(—)
sie	würden	⎭ müssen

Bemerkungen: *) Vgl. § 16, 3.
In obigen Formen ist der Strich durch den Infinitiv eines beliebigen Verbs zu ersetzen.
Die eingeklammerten Konjunktivformen stimmen mit dem Indikativ überein und werden deshalb nicht gebraucht. Vgl. § 53, 4.

§ 14. Konjugation des Hilfsverbs WOLLEN (SOLLEN)

Indikativ

Präsens
- ich will (soll)
- du willst (sollst)
- er will (soll)
- wir wollen
- ihr wollt
- sie wollen

Perfekt*
- ich habe ⎫
- du hast ⎪ (—)
- er hat ⎬ wollen
- wir haben ⎨ oder
- ihr habt ⎪ gewollt
- sie haben ⎭

Präteritum
- ich wollte
- du wolltest
- er wollte
- wir wollten
- ihr wolltet
- sie wollen

Plusquamperf.*
- ich hatte ⎫
- du hattest ⎪ (—)
- er hatte ⎬ wollen
- wir hatten ⎨ oder
- ihr hattet ⎪ gewollt
- sie hatten ⎭

Futur I
- ich werde ⎫
- du wirst ⎪ (—)
- er wird ⎬ wol-
- wir werden ⎨ len
- ihr werdet ⎪
- sie werden ⎭

Futur II*
- ich werde ⎫ haben
- du wirst ⎪ (—)
- er wird ⎬ wollen
- wir werden ⎨ oder
- ihr werdet ⎪ gewollt
- sie werden ⎭ haben

Konjunktiv

Präsens
- ich wolle
- du wollest
- er wolle
- wir (wollen)
- ihr wollet
- sie (wollen)

Perfekt*
- ich (habe) ⎫
- du habest° ⎪ (—)
- er habe ⎬ wollen
- wir (haben) ⎨ oder
- ihr (habet) ⎪ gewollt
- sie (haben) ⎭

Präteritum
- ich wollte
- du wolltest
- er wollte
- wir wollten
- ihr wolltet
- sie wollten

Plusquamperf.*
- ich hätte ⎫
- du hättest ⎪ (—)
- er hätte ⎬ wollen
- wir hätten ⎨ oder
- ihr hättet ⎪ gewollt
- sie hätten ⎭

Futur I
- ich (werde) ⎫
- du werdest° ⎪ (—)
- er werde ⎬ wol-
- wir (werden) ⎨ len
- ihr (werdet) ⎪
- sie (werden) ⎭

Futur II*
- ich (werde) ⎫ haben
- du werdest° ⎪ (—)
- er werde ⎬ wollen
- wir (werden) ⎨ oder
- ihr (werdet) ⎪ gewollt
- sie (werden) ⎭ haben

Imperativ

Sing. wolle!   (Imperativ für
Plur. woll(e)t!   SOLLEN fehlt!)

Infinitiv

Präs. wollen
Perf. gewollt haben;
       haben (—) wollen

Partizip

I   wollend°
II gewollt

Konditional

I
- ich würde ⎫
- du würdest ⎪
- er würde ⎬ (—)
- wir würden ⎨ wollen
- ihr würdet ⎪
- sie würden ⎭

II*
- ich würde ⎫ haben
- du würdest ⎪ (—)
- er würde ⎬ wollen
- wir würden ⎨ oder
- ihr würdet ⎪ gewollt
- sie würden ⎭ haben

Bemerkungen: *) Vgl. § 16, 3.
In obigen Formen ist der Strich durch den Infinitiv eines beliebigen Verbs zu ersetzen.
Die eingeklammerten Konjunktivformen stimmen mit dem Indikativ überein und werden deshalb nicht gebraucht. Vgl. § 53, 4.

§ 15. Konjugation des (Hilfs)verbs LASSEN

Indikativ

Präsens
- ich lasse
- du läßt
- er läßt
- wir lassen
- ihr laßt
- sie lassen

Perfekt*
- ich habe
- du hast
- er hat
- wir haben
- ihr habt
- sie haben

(—) lassen *oder* gelassen

Konjunktiv

Präsens
- ich (lasse)
- du lassest°
- er lasse
- wir (lassen)
- ihr lasset
- sie (lassen)

Perfekt*
- ich (habe)
- du habest°
- er habe
- wir (haben)
- ihr (habet)
- sie (haben)

(—) lassen *oder* gelassen

Präteritum
- ich ließ
- du ließ(es)t
- er ließ
- wir ließen
- ihr ließ(e)t
- sie ließen

Plusquamperf.*
- ich hatte
- du hattest
- er hatte
- wir hatten
- ihr hattet
- sie hatten

(—) lassen *oder* gelassen

Präteritum
- ich ließe
- du ließest
- er ließe
- wir ließen
- ihr ließet
- sie ließen

Plusquamperf.*
- ich hätte
- du hättest
- er hätte
- wir hätten
- ihr hättet
- sie hätten

(—) lassen *oder* gelassen

Futur I
- ich werde
- du wirst
- er wird
- wir werden
- ihr werdet
- sie werden

(—) lassen

Futur II*
- ich werde
- du wirst
- er wird
- wir werden
- ihr werdet
- sie werden

(—) lassen *oder* gelassen haben

Futur I
- ich (werde)
- du werdest°
- er werde
- wir (werden)
- ihr (werdet)
- sie (werden)

(—) lassen

Futur II*
- ich (werde)
- du werdest°
- er werde
- wir (werden)
- ihr (werdet)
- sie (werden)

(—) lassen *oder* gelassen haben

Imperativ

- *Sing.* laß!
- *Plur.* laßt! = lasset!

Infinitiv

- *Präs.* lassen
- *Perf.* gelassen haben
- haben (—) lassen

Partizip

- I   lassend°
- II gelassen

Bemerkungen: *) Vgl. § 16, 3.
In obigen Formen ist der Strich durch den Infinitiv eines beliebigen Verbs zu ersetzen.
Die eingeklammerten Konjunktivformen stimmen mit dem Indikativ überein und werden deshalb nicht gebraucht. Vgl. § 53, 4.

Konditional

I
- ich würde
- du würdest
- er würde
- wir würden
- ihr würdet
- sie würden

(—) lassen

II*
- ich würde
- du würdest
- er würde
- wir würden
- ihr würdet
- sie würden

(—) lassen *oder* gelassen haben

§ 16. Zur Konjugation der Hilfsverben

1. Die Hilfsverben haben **kein Passiv**,
   die modalen, außer *wollen* (und *lassen*), auch keinen Imperativ.
   Das Partizip I der Hilfsverben ist selten.
2. Zur Konjugation von *werden:*
   a) Als **Kurzform** des **Partizips II** steht *worden*
      in den mit *sein* umschriebenen Formen,
      wenn das **Partizip II** eines Vollverbs voraufgeht;
   b) dagegen steht die **Langform** *geworden*
      stets hinter einem **Nomen**
      oder wenn *werden* als Vollverb gebraucht ist.
3. In Verbindung mit dem **Infinitiv** eines Vollverbs
   bilden die **modalen** Hilfsverben
   ihre mit *haben* umschriebenen Zeitformen
   mit einem Partizip II, das dem **Infinitiv** formgleich ist;
   es folgen also **zwei** Infinitive auf das Hilfsverb *haben*.
   In den Übersichten sind in den fraglichen Zeiten die beiden möglichen Formen gegeben. Der Strich (—) dort ist durch den Infinitiv eines beliebigen Verbs zu ersetzen.
   (Ebenso werden *hören, helfen, heißen, sehen* behandelt.)
4. Wie *mögen* wird *vermögen* = *können, fähig sein* konjugiert.
   Es folgt ein Infinitiv mit *zu*.
5. Wie *dürfen* wird *bedürfen* = *brauchen, nötig haben* konjugiert.
   Es folgt ein Substantiv im Genitiv.

B: zu 2a: *Er ist **befördert** worden. Er ist zum Professor **ernannt** worden. Sie waren **geschlagen** worden.*

zu 2b: *Er ist **Professor** geworden. Nun ist er **klüger** geworden. Sie wird wohl **krank** geworden sein. Was ist nun geworden?*

zu 3: *Niemand hat diesen Vorschlägen **zustimmen wollen**. Jeder Mensch hat schon Unrecht **erleiden müssen**. Du hättest besser **achtgeben sollen**! — Ich habe dich **kommen sehen**.* Dagegen ohne Infinitiv gebraucht: *Das habe ich nicht **gewollt**. Hat er zum Arzt **gemußt**?*

zu 4: *Ich vermag viel **zu arbeiten**. Er vermochte an dem Ergebnis nichts mehr **zu ändern**.*

zu 5: *Die Gesunden bedürfen **des Arztes** nicht. Er bedurfte **meiner Hilfe** nicht mehr. Sie bedarf **deiner sehr**.*

b) DAS VOLLVERB

§ 17. Bildung der Konjugationsformen

1. Die **Grundform** des Verbs, der **Infinitiv Präsens Akt.**,
   ist durch Anhängen von *-en* an den **Stamm** gebildet;
   doch steht nach stammerweiterndem *-el* oder *-er* nur *-n* (58, 5, 6).
   B: *lach-en, läch-el-n, stott-er-n.* M.: *geh(e)n, seh(e)n, steh(e)n, tun.*

2. Die **Konjugationsformen** des Verbs entstehen, indem
   a) Endungen, Vor- oder Nachsilben zum Stamm treten
      (wobei sich Stammvokal und Stammauslaut ändern können) oder
   b) Nominalformen mit Hilfsverben umschrieben werden:

Stammformen:	Abgeleitete Formen:	Mit Hilfsverben umschriebene Formen:
Infinitiv Präsens	Präsens Indikativ Präsens Konjunktiv Imperativ Partizip I	Futur I Indikativ Futur I Konjunktiv Konditional I
1. Pers. Sing. Präteritum Ind.	Präteritum Ind. Präteritum Konj.	—
Partizip II	—	Perfekt Indikativ Perfekt Konjunktiv Plusquamperf. Ind. Plusquamperf. Konj. Futur II Indikativ Futur II Konjunktiv Konditional II Infinitiv Perfekt und das ganze Passiv.

3. Im Deutschen verteilen sich die selbständigen Verben
   auf **zwei Konjugationen**,
   die **schwache** und die **starke** Konjugation;
   nur wenige Verben werden gemischt oder unregelmäßig konjugiert.

4. In der **schwachen** Konjugation bleibt der **Stammvokal**,
   wie er im Infin. Präs. erscheint, in allen Formen **unverändert**;
   die Endungen des Präteritums beginnen mit *-t* oder *-et*,
   das Partizip II endet auf *-t* oder *-et: loben, lobte, gelobt.*

5. In der **starken** Konjugation jedoch wird der **Stammvokal**
   durch Ablaut oder Umlaut **verändert**;
   das Partizip II endet auf *-en: singen, sang, gesungen; er sänge.*

§ 18. Die schwache Konjugation

1. In der **s c h w a c h e n** Konjugation
bleibt der **S t a m m v o k a l**, wie er im Infinitiv Präs. erscheint, in allen Konjugationsformen **u n v e r ä n d e r t**;
die Endungen des **P r ä t e r i t u m s** beginnen mit -t oder -et,
das **P a r t i z i p I I** endet auf -t oder -et.

B: *loben, lobte, gelobt; fürchten, fürchtete, gefürchtet.*

2. Aus dem **I n f i n i t i v P r ä s e n s** werden folgende Formen des Aktivs hergeleitet:
   a) Präsens Ind. und Konj. durch Wegfall der Infinitivendung -en und Anhängen der Präsensendungen an den Stamm: l o b e n , i c h l o b e ;
   b) Präteritum Ind. und Konj. durch Wegfall der Infinitivendung -e n und Anhängen der Endungen des Präteritums an den Stamm: l o b e n , i c h l o b t e ; f ü r c h t e n , i c h f ü r c h t e t e ; doch vgl. § 24.
   c) Imperativ durch Wegfall der Infinitivendung und Anhängen der Imperativendungen an den Stamm: l o b e n , l o b e ! l o b (e) t !
   d) das Partizip I durch Anhängen von -(e) n d an den Stamm: l o b e n , l o b e n d ; l ä c h e l n , l ä c h e l n d ; s t o t t e r n , s t o t t e r n d ;
   e) das Partizip II durch Wegfall der Infinitivendung -e n und Anhängen von -t oder -e t an den Stamm, gewöhnlich auch durch Vorsetzung der Vorsilbe g e-: l o b e n , g e l o b t ; f ü r c h t e n , g e f ü r c h t e t ;
   f) Futur I Ind. und Konj. durch Umschreibung mit dem Präsens Ind. bzw. Konj. von w e r d e n : l o b e n , i c h w e r d e l o b e n ;
   g) Konditional I durch Umschreibung mit dem Konjunktiv des Präteritums von w e r d e n : l o b e n , i c h w ü r d e l o b e n .

3. Aus dem **P a r t i z i p I I** werden folgende Formen durch Umschreibung mit temporalen Hilfsverben gebildet:
   a) Perfekt Ind. und Konj. mit dem Präsens Ind. oder Konj. von h a b e n bzw. s e i n : g e l o b t , i c h h a b e g e l o b t ; g e r e i s t , i c h b i n g e r e i s t ; i c h s e i g e r e i s t ;
   b) Plusquamperfekt Ind. und Konj. mit dem Präteritum Ind. oder Konj. von h a b e n bzw. s e i n : g e l o b t , i c h h a t t e g e l o b t ; g e r e i s t , i c h w a r g e r e i s t , i c h w ä r e g e r e i s t ;
   c) Futur II Ind. und Konj. mit dem Futur von h a b e n bzw. s e i n : g e l o b t , i c h w e r d e g e l o b t h a b e n ; g e r e i s t , i c h w e r d e g e r e i s t s e i n ;
   d) Konditional II mit dem Kondit. I von h a b e n bzw. s e i n : g e l o b t , i c h w ü r d e g e l o b t h a b e n ; g e r e i s t , i c h w ü r d e g e r e i s t s e i n ;
   e) schließlich alle **P a s s i v f o r m e n** mit den Zeiten von w e r d e n : e r w i r d g e l o b t , w u r d e g e l o b t , i s t g e l o b t w o r d e n , w a r g e l o b t w o r d e n , w i r d g e l o b t w e r d e n ...

§ 19. Die Formen der schwachen Konjugation

1. Übersicht über die Endungen der schwachen Konjugation.

	Präsens		Präteritum
	Indikativ	Konjunktiv	Indikativ und Konjunktiv
ich	-e	-e	-te, -ete
du	-st, -est*	-est	-test, -etest
er	-t, -et*	-e	-te, -ete
wir	-en	-en	-ten, -eten
ihr	-t, -et*	-et	-tet, -etet
sie	-en	-en	-ten, -eten

Imperativ	Infinitiv	Partizip
-, -e (du) -t, -et** (ihr)	-en (-n)	I: -(e)nd II: (ge)—t, (ge)—et*

* Vgl. § 23, 1—3. ** Vgl. § 23, 3 u. 5.

Die Bildung des Partizips II

2. Einfache Verben mit Endbetonung, vor allem die auf *-ieren* (58, 7), bilden das Partizip II **ohne** die Vorsilbe *ge-*:

| *studieren* | Part. II: *studiert* | Perf.: *du hast studiert* |
| *probieren* | *probiert* | *er hat probiert.* |

Ebenso: *miauen, posaunen, trompeten, krakeelen, rumoren* u. a.

3. Das Partizip II **ohne** die Vorsilbe *ge-* bilden weiter:
   a) Verben mit den unbetonten Vorsilben *be-, emp-, ent-, er-, ge-, ver-, zer-*; vgl. § 60, 2 a!
   b) Verben, die mit einer (unbetonten) Präposition oder einem Adverb **untrennbar** zusammengesetzt sind; vgl. § 60 ff.
   c) Verben, die mit *voll-* untrennbar zusammengesetzt sind (60, 2b).

B: a) *belohnen* Part. II: *belohnt* Perf.: *ich habe belohnt*
     versagen   *versagt*   *er hat versagt*
     gehorchen   *gehorcht*   *wir haben gehorcht;*

   b) *unterstützen*   *unterstützt*   *ich habe unterstützt*
      übersetzen   *übersetzt*   *er hat übersetzt;*

   c) *vollenden*   *vollendet*   *wir haben vollendet*
      vollstrecken   *vollstreckt*   *ihr habt vollstreckt.*

4. Über die Umschreibung mit *haben* oder *sein* vgl. § 47.

§ 20 a. Konjugation des Verbs LOBEN (Aktiv)

Indikativ   Konjunktiv

	Präsens	Perfekt		Präsens	Perfekt	
ich	lobe	habe	⎫	(lobe)	(habe)	⎫
du	lobst	hast	⎪	(lobest)	habest°	⎪
er	lobt	hat	⎬ gelobt	lobe	habe	⎬ gelobt
wir	loben	haben	⎪	(loben)	(haben)	⎪
ihr	lobt	habt	⎪	(lobet)	(habet)	⎪
sie	loben	haben	⎭	(loben)	(haben)	⎭

	Präteritum	Plusquamperf.		Präteritum	Plusquamperf.	
ich	lobte	hatte	⎫	lobte	hätte	⎫
du	lobtest	hattest	⎪	lobtest	hättest	⎪
er	lobte	hatte	⎬ gelobt	lobte	hätte	⎬ gelobt
wir	lobten	hatten	⎪	lobten	hätten	⎪
ihr	lobtet	hattet	⎪	lobtet	hättet	⎪
sie	lobten	hatten	⎭	lobten	hätten	⎭

	Futur I		Futur II		Futur I		Futur II	
ich	werde	⎫	werde	⎫	(werde)	⎫	(werde)	⎫
du	wirst	⎪	wirst	⎪	werdest°	⎪	werdest°	⎪
er	wird	⎬ loben	wird	⎬ gelobt haben	werde	⎬ lo- werde	⎬ gelobt haben
wir	werden	⎪	werden	⎪	(werden)	⎪ ben (werden)	⎪
ihr	werdet	⎪	werdet	⎪	(werdet)	⎪	(werdet)	⎪
sie	werden	⎭	werden	⎭	(werden)	⎭	(werden)	⎭

Imperativ

Sing. lobe!
Plur. lob(e)t!

Infinitiv

Präs. loben
Perf. gelobt haben

Partizip

I   lobend
II   gelobt

Konditional

I

ich würde ⎫
du würdest ⎪
er würde ⎬ loben
wir würden ⎪
ihr würdet ⎪
sie würden ⎭

II

ich würde ⎫
du würdest ⎪
er würde ⎬ gelobt haben
wir würden ⎪
ihr würdet ⎪
sie würden ⎭

Bemerkungen: °) Vgl. § 57, 9.
Die eingeklammerten Konjunktivformen stimmen mit dem Indikativ überein und werden deshalb nicht gebraucht. Vgl. § 53, 4.

§ 20 b. Konjugation des Verbs LOBEN (Passiv)

Indikativ

Präsens

ich	werde	
du	wirst	
er	wird	gelobt
wir	werden	
ihr	werdet	
sie	werden	

Perfekt

ich	bin	
du	bist	
er	ist	gelobt worden
wir	sind	
ihr	seid	
sie	sind	

Präteritum

ich	wurde*	
du	wurdest*	
er	wurde*	gelobt
wir	wurden	
ihr	wurdet	
sie	wurden	

Plusquamperf.

ich	war	
du	warst	
er	war	gelobt worden
wir	waren	
ihr	war(e)t	
sie	waren	

Futur I

ich	werde	
du	wirst	
er	wird	gelobt werden
wir	werden	
ihr	werdet	
sie	werden	

Futur II

ich	werde	
du	wirst	
er	wird	gelobt worden sein
wir	werden	
ihr	werdet	
sie	werden	

Konjunktiv

Präsens

ich	(werde)	
du	werdest	
er	werde	gelobt
wir	(werden)	
ihr	(werdet)	
sie	(werden)	

Perfekt

ich	sei	
du	sei(e)st	
er	sei	gelobt worden
wir	seien	
ihr	seiet°	
sie	seien	

Präteritum

ich	würde	
du	würdest	
er	würde	gelobt
wir	würden	
ihr	würdet	
sie	würden	

Plusquamperf.

ich	wäre	
du	wär(e)st	
er	wäre	gelobt worden
wir	wären	
ihr	wär(e)t	
sie	wären	

Futur I

ich	(werde)	
du	werdest°	
er	werde	gelobt werden
wir	(werden)	
ihr	(werdet)	
sie	(werden)	

Futur II

ich	(werde)	
du	werdest°	
er	werde	gelobt worden sein
wir	(werden)	
ihr	(werdet)	
sie	(werden)	

Imperativ

Sing.   sei (werde°) gelobt!
Plur.   seid (werdet°) gelobt!

Infinitiv

Präs.   gelobt werden
Perf.   gelobt worden sein

Partizip

I   fehlt!
II   gelobt
Fut.   zu lobend   Vgl. § 57, 14.

Konditional

I

ich	würde	
du	würdest	
er	würde	gelobt werden
wir	würden	
ihr	würdet	
sie	würden	

II

ich	würde	
du	würdest	
er	würde	gelobt worden sein
wir	würden	
ihr	würdet	
sie	würden	

Bemerkungen: *) Statt wurde kann ward° stehen, statt wurdest: wardst°.
Die eingeklammerten Konjunktivformen stimmen mit dem Indikativ überein und werden deshalb nicht gebraucht. Vgl. § 53, 4.

§ 21. Konjugation des Verbs REISEN (Aktiv)

Indikativ

Präsens	Perfekt	
ich reise	bin	
du reis(es)t*	bist	
er reist	ist	ge-reist
wir reisen	sind	
ihr reist	seid	
sie reisen	sind	

Präteritum	Plusquamperf.	
ich reiste	war	
du reistest	warst	
er reiste	war	ge-reist
wir reisten	waren	
ihr reistet	war(e)t	
sie reisten	waren	

Futur I		Futur II	
ich werde		werde	
du wirst		wirst	
er wird	reisen	wird	ge-reist sein
wir werden		werden	
ihr werdet		werdet	
sie werden		werden	

Konjunktiv

Präsens	Perfekt	
(reise)	sei	
(reisest)	sei(e)st	
reise	sei	ge-reist
(reisen)	seien	
(reiset)	seiet°	
(reisen)	seien	

Präteritum	Plusquamperf.	
reiste	wäre	
reistest	wär(e)st	
reiste	wäre	ge-reist
reisten	wären	
reistet	wär(e)t	
reisten	wären	

Futur I		Futur II	
(werde)		(werde)	
werdest°		werdest°	
werde	reisen	werde	ge-reist sein
(werden)		(werden)	
(werdet)		(werdet)	
(werden)		(werden)	

Imperativ

Sing. reise!
Plur. reis(e)t!**

Infinitiv

Präs. reisen
Perf. gereist sein

Partizip

I reisend
II gereist

Konditional

I

ich würde	
du würdest	
er würde	reisen
wir würden	
ihr würdet	
sie würden	

II

ich würde	
du würdest	
er würde	ge-reist sein
wir würden	
ihr würdet	
sie würden	

Bemerkungen: Kein Passiv!
*) Vgl. § 23, 2. **) Vgl. § 23, 6.
Die eingeklammerten Konjunktivformen stimmen mit dem Indikativ überein und werden deshalb nicht gebraucht. Vgl. § 53, 4.

§ 22. Konjugation des Verbs REDEN (Aktiv)

Indikativ

Präsens	Perfekt	
ich rede	habe	
du redest	hast	
er redet	hat	ge-redet
wir reden	haben	
ihr redet	habt	
sie reden	haben	

Präteritum	Plusquamperf.	
ich redete	hatte	
du redetest	hattest	
er redete	hatte	ge-redet
wir redeten	hatten	
ihr redetet	hattet	
sie redeten	hatten	

Futur I		Futur II	
ich werde		werde	
du wirst		wirst	
er wird	re-den	wird	ge-redet haben
wir werden		werden	
ihr werdet		werdet	
sie werden		werden	

Konjunktiv

Präsens	Perfekt	
(rede)	(habe)	
(redest)	habest°	
rede	habe	ge-redet
(reden)	(haben)	
(redet)	(habet)	
(reden)	(haben)	

Präteritum	Plusquamperf.	
redete	hätte	
redetest	hättest	
redete	hätte	ge-redet
redeten	hätten	
redetet	hättet	
redeten	hätten	

Futur I		Futur II	
(werde)°		(werde)	
werdest°		werdest°	
werde	reden	werde	ge-redet haben
(werden)		(werden)	
(werdet)		(werdet)	
(werden)		(werden)	

Imperativ

Sing. rede!
Plur. redet!

Infinitiv

Präs. reden
Perf. geredet haben

Partizip

I redend
II geredet

Konditional

I

ich würde	
du würdest	
er würde	reden
wir würden	
ihr würdet	
sie würden	

II

ich würde	
du würdest	
er würde	geredet haben
wir würden	
ihr würdet	
sie würden	

Bemerkungen: Kein Passiv!
*) Vgl. § 57, 9.
Die eingeklammerten Konjunktivformen stimmen mit dem Indikativ überein und werden deshalb nicht gebraucht. Vgl. § 53, 4.

§ 23. Besonderheiten der schwachen Konjugation

1. Die Endung der 2. P e r s o n Sing. Präsens Ind. lautet meist -*st*; doch tritt die vollere Form -*est* ein:
   a) immer, wenn der Stamm mit *d* oder *t* schließt;
   b) häufig, wenn am Stammende *m* oder *n* nach einem anderen Konsonanten (ausgenommen *r*) steht.
2. Nach -*s*, -*ss*, -*ß*, -*x*, -*z*, -*tz* wird heute meist auf -*t* verkürzt.
3. Statt der E n d u n g -*t* (3. Pers. Sing. u. 2. Pers. Plur. Präsens Ind., Imperativ Plural und Partizip II)
   und der Endungen des Präteritums -*te*, -*test*, -*ten*, -*tet*
   werden die v o l l e r e n Formen auf -*et*, -*ete*, -*etest* usw. gebraucht, wenn die Bedingungen 1a) oder 1b) gegeben sind.
4. Endet das Verb mit den tonlosen Bildungssilben -*eln* oder -*ern*, so werden fast alle Konjugationsendungen v e r k ü r z t:
   -*n*, -*nd*, -*t*, -*st*, -*te*, -*test*, -*ten*, -*tet* statt -*en*, -*end* usw.
   Vor der Endung -*e* stoßen Verben auf -*eln* fast immer, die auf -*ern* häufig das vorangehende *e* der Bildungssilbe aus.
5. Der I m p e r a t i v Sing. vieler Verben bleibt heute oft ohne -*e*.
6. Der I m p e r a t i v Plural hat heute meist, besonders nach Zischlauten, nur die Endung -*t*.

B: z u 1 a: *reden: du redest; bluten: du blutest; retten: du rettest.*
z u 1 b: *ebnen (eben): du ebnest; zeichnen (Zeichen): du zeichnest.*
z u 2: *rasen — du rast (rasest); schwitzen — du schwitzt; spaßen — du spaßt (spaßest); hassen — du haßt.*
z u 3: Präsens: *ich warte, du wartest, er wartet; wir warten, ihr wartet, sie warten.* Imperativ: *warte! wartet!* Präteritum: *ich wartete, du wartetest, er wartete; wir warteten, ihr wartetet, sie warteten.* — Part. II: *gewartet.*
Ebenso: *bilden, enden, morden; leiten, schalten, schütten; haften, leuchten, rüsten; atmen, rechnen, zeichnen* u. a.
z u 4: Präsens Ind. u. Konj.: *ich handle, du handelst, er handelt; wir handeln, ihr handelt, sie handeln.* Prät.: *ich handelte* usw. Infin.: *handeln.* Imperat.: *handle! handelt!* Part. I: *handelnd.*
Ebenso: *klingeln, rütteln, schütteln, wackeln; — klettern, plaudern, rudern; erinnern, erschüttern, bewundern* u. a.
z u 5: *H o l' mir bitte die Zeitung! M a c h' schnell!*
z u 6: *legt! bewegt! — reizt! ritzt! schnitzt! Haßt euch nicht!*

§ 24. Die starke Konjugation

1. In der **starken** Konjugation
wird der **Stammvokal** in gewissen Konjugationsformen
durch **Ablaut** (25, 2) oder **Umlaut** (1, 5) verändert;
die 1. und die 3. Pers. Sing. des **Präteritums** Indikativ
bleiben **endungslos**,
das **Partizip II** endet auf *-en*.

B: *lesen, las, gelesen; du liest, er liest; läse sie doch!*
helfen, half, geholfen; du hilfst, er hilft; hülfe sie doch!

2. Für die **Bildung der Konjugationsformen**
gelten die Regeln des § 18, jedoch mit folgenden **Abweichungen**:
   a) Das Präteritum wird durch **Ablaut** des Stammvokals gebildet,
   bei einigen Verben verändert sich auch der Stammauslaut (Konsonant);
   die 1. und die 3. Pers. Sing. Indikativ bleiben ohne Endung.
   b) Das Präteritum bildet seinen **Konjunktiv**
   meist durch **Umlaut** aus dem Indikativ.
   c) In der 2. und 3. Pers. Sing. Präs. Ind. werden die Stammvokale *a, au, o*
   umgelautet. A: *schaffen, hauen, saugen, schnauben, kommen*.
   Ebenso wird der Stammvokal *e* dort zu *i (ie)*. A: *bewegen, denken,*
   gären, genesen, heben, pflegen, stecken, weben; gehen, stehen.
   d) Die 2. Pers. Sing. des Imperativs bleibt meist ohne die Endung *e*:
   der Stammvokal *e* verwandelt sich dann in *i (ie)*.

3. Die Regel des § 23, 1a gilt auch für starke Verben;
doch endet die 2. Pers. Sing. Präsens
nach **verändertem** Stammvokal immer nur auf *-st*.

4. Ebenso gilt die Regel des § 23, 2 (aber nicht für das Präteritum!).

5. Die Regel des § 23, 3 gilt gleichfalls mit der Einschränkung,
daß in der 3. Pers. Sing. Präs. nach **verändertem** Stammvokal
das *t* der Endung mit dem *t* des Stammes **verschmilzt**.

6. Bei einigen Verben sind Infin. und Part. II **formgleich**.

B : zu 2 a: *lesen — ich las, er las; finden — ich fand, sie fand.*
zu 2 b : *er las, er läse; es fand, es fände; sie wusch, sie wüsche.*
zu 2 c : *ich fahre, du fährst, er fährt; — ich lese, du liest, sie liest.*
zu 2 d : *lies! gib! nimm! wirf! iß! vergiß!*
zu 3 : *binden, du bindest; aber: halten, du hältst; flechten, du flichtst.*
zu 4 : *lesen: du liest (du lasest);*   *reißen: du reißt (du rissest);*
       blasen: du bläst (du bliesest);   *sitzen: du sitzt (du saßest).*
zu 5 : *reiten — er reitet; aber: braten — er brät.* — M: *laden — er lädt.*
zu 6 : *vergessen, verlassen, mißfallen, mißraten* u. ä. (60 M).

§ 25. Die Formen der starken Konjugation

1. Übersicht über die Endungen der starken Konjugation.

	Präsens		Präteritum	
	Indikativ	Konjunktiv	Indikativ	Konjunktiv
ich	-e	-e	—	⸚e
du	-st, -est*	-est	-st, -est	⸚est
er	-t, -et*	-e	—	⸚e
wir	-en	-en	-en	⸚en
ihr	-t, -et*	-et	-t, -et	⸚et
sie	-en	-en	-en	⸚en

Imperativ	Infinitiv	Partizip
-, -e (du) -t, -et* (ihr)	-en (-n)	I: -end II: (ge)—en**

*) Vgl. § 24, 3 u. 4.   **) Vgl. § 19, 3.

2. Der gesetzmäßige Wechsel des Stammvokals, der nicht durch einen benachbarten Laut veranlaßt wird, heißt A b l a u t.

3. Ordnet man die Ablautreihen der starken Konjugation ohne Rücksicht auf die geschichtliche Entwicklung* nach äußeren Gesichtspunkten, und zwar alphabetisch nach den heutigen Stammvokalen des Präteritums und denen des Part. II,
so ergeben sich z e h n A b l a u t r e i h e n :

Reihe	Stammvokal		
	im Infinitiv	im Präteritum Ind.	im Part. II
1.	e (i, ie)	a	e
2.	e (ä, o)	a	o
3.	i	a	o
4.	i	a	u
5.	ei	i	i
6.	ei	ie	ie
7.	a, o, u, au, ei	ie, i	a, o, u, au, ei
8.	ie (au, ü)	o	o
9.	e (ä, ö, i, a)	o	o
10.	a	u	a

5. Die Konjugation heißt s t a r k , weil sie stark genug ist, die Formen des Präteritums und das Part. II o h n e das eingeschobene *t* der schwachen Konjugation und n u r durch Ablaut zu bilden.

*) Die historische Grammatik unterscheidet 6 bzw. 7 Klassen der starken Verben. (36)

Die Reihen der starken Konjugation

Vorbemerkung: Die Übersicht des § 42 gibt darüber Auskunft, ob die nachfolgend in den einzelnen Reihen aufgeführten Verben ihre umschriebenen Zeiten mit h a b e n oder mit s e i n bilden.

§ 26. Erste Reihe

e (i, ie) — a — e

e, i, ie		a	e
1. lesen	(er liest)	las (ä)	(hat) gelesen
liegen	(er liegt)	lag (ä)	(hat) gelegen
2. messen	(er mißt)	maß (ä)	(hat) gemessen
sitzen	(er sitzt)	saß (ä)	(hat) gesessen
bitten	(er bittet)	bat (ä)	(hat) gebeten

1. G r u p p e : Der Stammvokal ist ü b e r a l l l a n g.
wie *lesen*: *sehen, geschehen (du siehst, es geschieht; lies!);*
liegen (du liegst, er liegt; liege!).
Auch in *du gibst, er gibt; gib!* (zu *geben*) ist das *i* lang;
mit kurzem *i* im Sing. Präsens Ind. und Imperativ:
treten (du trittst, er tritt; tritt!);
mit unverändertem Stammvokal im Präsens: *genesen (du genes(es)t).*

2. G r u p p e : Der Stammvokal ist n u r im Präteritum lang.
wie *messen*: *essen, fressen, vergessen (du ißt; vergiß!).*
f e r n e r : *sitzen (du sitzt, er sitzt; sitz(e)!)* und
bitten, das auch im Part. II langen Stammvokal hat: *gebeten.*
Präsens: *ich bitte, du bittest, er bittet; bitte!*

M: Das Partizip II von *essen* heißt *gegessen.*

B: *Vater liest die Zeitung. Wir lasen das Drama. Ich habe ihm die Freude aus den Augen gelesen. Lies lauter! Die Kinder werden morgen Brennholz lesen.* — *Ich kann vor Müdigkeit kaum aus den Augen sehen. Er sah den Wald vor lauter Bäumen nicht. Jeder sehe, wie er's treibe, jeder sehe, wo er bleibe!* — *Sie sprach zu ihm, sie sang zu ihm, da war's um ihn geschehn. Was heute nicht geschieht, ist morgen nicht getan.* — *Unsere Preise liegen unter den Selbstkosten. Es lag mir fern, dich zu beleidigen.* — *Rauhe Füllen geben gute Pferde. Der Brief wird morgen zur Post gegeben (werden). Hast du viel, so gib! Die Sache wird sich geben.* — *Nichts wird so heiß gegessen, wie's gekocht wird.*

§ 27. Zweite Reihe

e (ä, o) — a — o

e, ä, o	a	o
1. befehlen (er befiehlt)	befahl (ö)	(hat) befohlen
2. sprechen (er spricht)	sprach (ä)	(hat) gesprochen
kommen (er kommt)	kam (ä)	(ist) gekommen
3. helfen (er hilft)	half (ü)	(hat) geholfen

1. **Gruppe**: Der Stammvokal ist überall lang.
   wie *befehlen: empfehlen, stehlen (du empfiehlst, er stiehlt, empfiehl!), gebären (sie gebärt, gebiert; gebäre! gebier!)*.
2. **Gruppe**: Der Stammvokal ist nur im Präteritum lang.
   wie *sprechen: brechen, stechen; erschrecken, treffen, kommen.*
   Präteritum der drei letzten: *ich erschrak, traf, kam.*
3. **Gruppe**: Der Stammvokal ist überall kurz.
   wie *helfen: sterben, verderben, werben, werfen, bergen, bersten; gelten, schelten.*
   Einige der obigen Verben bilden den Konj. Prät. nicht mit *ä*, sondern mit *ö* oder *ü*; einige haben Doppelformen; vgl. § 42.
   ferner: *nehmen.* Präsens: *ich nehme, du nimmst, er nimmt; wir nehmen, ihr nehmt, sie nehmen.* Imperativ: *nimm! nehm(e)t!*
   hierher gehört auch *werden;* § 8.

B: Wer befehlen will, muß gehorchen lernen. — Dieses Geschäft ist mir sehr empfohlen worden. — Das Mädchen stiehlt wie ein Rabe. Er hat mir viel Zeit gestohlen. — Täglich gebiert er neue Gedanken, ohne sie zu verwirklichen. Sie gebar einen kräftigen Knaben. Ich bin am 13. Sept. 1926 geboren. — Sprich, was wahr ist; trink, was klar ist; iß, was gar ist! — Der Rekord wurde gebrochen. Er hat mit seiner Vergangenheit gebrochen. Unter der Schneelast ist der Baum gebrochen. — Er erstach ihn mit einem Messer. Die Sonne sticht. — Die Brandstätte bot einen erschreckenden Anblick. Ich bin vor ihm erschrocken. (Er hat mich erschreckt.) — Das Haus wurde vom Blitz getroffen. Wir haben unsere Vorbereitungen getroffen. — Er ist zu nichts gekommen. Hinter dem U kommt gleich das W, das ist die Ordnung im Abc. — Unkraut verdirbt nicht. Böse Beispiele verderben gute Sitten. — Er warf sich mit Eifer auf seine Arbeiten. — Alle Schiffbrüchigen wurden geborgen. — Der Prophet gilt nichts in seinem Vaterlande.

§ 28. Dritte Reihe

i — a — o

i	a	o
beginnen	begann (ö)	(hat) begonnen

wie *beginnen: gewinnen, rinnen, sinnen, spinnen; schwimmen.*
Der Konj. Prät. dieser Verben wird meist mit ö statt ä gebildet:
ich gewönne, sie spönne, seltener: *gewänne°, spänne°.*
Der Imperativ Sing. kann mit oder ohne e gebildet werden:
schwimme! schwimm! — spinne! spinn!

B: *Erst besinn's, dann beginn's! Wie gewonnen, so zerronnen. Die Milch war geronnen. — Er ist (hat) die Strecke in 12 Minuten geschwommen. — Ich habe auf Auswege aus dieser Lage gesonnen. Ich bin nicht gesonnen, in dieser Sache nachzugeben. — Flachs wird zu Leinen gesponnen. Spinn, spinn, o Tochter mein!*

§ 29. Vierte Reihe

i — a — u

i	a	u
trinken	trank (ä)	(hat) getrunken

wie *trinken: binden, finden, schwinden, winden; dingen, dringen, gelingen, mißlingen, klingen, ringen, schlingen, schwingen, singen, springen, wringen, zwingen; sinken, stinken; schinden* (Prät.: *schund*); ferner auch: *schrinden° — schrund° — geschrunden°.*
Die Verben dieser Reihe mit dem Stamm auf -nd nehmen die vollere Endung -est und -et (statt -st und -t) an:
du bindest, er bindet usw.
Die Verben dieser Reihe bilden den Imperativ Singular
gewöhnlich mit der Endung -e: *binde! finde! klinge!*

B: *Windet zum Kranze die goldenen Ähren! Ein Bach windet sich durchs Tal. Er wand ihm den Stock aus den Händen. — Gestern haben wir einen neuen Knecht gedungen. — Sie hatte ein Tuch um den Hals geschlungen. — Er zwang sich zu einer Freundlichkeit, einer gezwungenen Freundlichkeit. — Er schindet (quält) seine Untergebenen. Ich habe mich mein Leben lang schwer geschunden.*

§ 30. Fünfte Reihe

ei — i — i

ei	i	i
greifen	griff	(hat) gegriffen

wie *greifen: kneifen, pfeifen, schleifen; leiden, schneiden; gleiten, reiten, schreiten, streiten; beißen, befleißen, reißen, schmeißen; bleichen, gleichen, schleichen, streichen, weichen.*
Die Verben dieser Reihe, deren Stamm auf -d oder -t endet, müssen immer die volleren Endungen -est, -et statt -st, -t annehmen: *du schneidest, er schneidet* usw.
Da im Prät. und Part. II der Stammvokal stets kurz ist, wird der Schlußkonsonant des Stammes verdoppelt: *gleiten — glitt — geglitten.* M: *leiden — litt; schneiden — schnitt* usw.

B: *Der Hund kniff den Schwanz zwischen die Beine und lief davon. — Das Messer ist kürzlich geschliffen worden. (Der Fuhrmann wurde durch seine Pferde zu Tode geschleift.) — Der Schlitten glitt über den Schnee. — Er strich sich die Haare aus dem Gesicht. — Sie sind der Gewalt gewichen. — Er hat sehr gelitten.*

§ 31. Sechste Reihe

ei — ie — ie

ei	ie	ie
schreiben	schrieb	(hat) geschrieben

wie *schreiben: bleiben, reiben, treiben; meiden, scheiden; schreien, speien; schweigen, steigen; gedeihen, leihen, (ver)zeihen; scheinen; preisen, weisen.*
meiden und *scheiden* erhalten die volleren Endungen -est, -et statt -st, -t: *du meidest, er scheidet.*

B: *Der Schlummer meidet mich. Was man nicht kann meiden, das soll man willig leiden. — Die Ehe wurde geschieden. — Er spie (spuckte) ihm ins Gesicht. Das Meer hat ihn wieder ausgespien. — Bei diesem Wetter wird der Roggen gut gedeihen. Die blutge Saat gedieh zu blutger Ernte. — Ich pries mich glücklich, als mir jemand den rechten Weg wies.*

§ 32. Siebente Reihe

a, o, u, au, ei — ie, i — a, o, u, au, ei

a schlafen (er schläft) rufen (er ruft) u	ie rief schlief ie	a (hat) geschlafen (hat) gerufen u

Die Verben dieser Reihe haben im Part. II denselben Stammvokal, den sie im Infinitiv und Präsens haben. Zu ihnen zählen: *fallen, halten, schlafen, braten, raten, blasen, lassen; stoßen; rufen; laufen, hauen; heißen;* mit kurzem *i* im Imperfekt: *hangen, fangen.* Die Stammvokale *a* und *o* lauten im Präsens 2. u. 3. Pers. Sing. um: *du bläst, er bläst; du stößt, er stößt;* ebenso: *sie läuft;* jedoch nicht im Imperativ: *blase! stoße! lauf!*

B: *Wär' ich besonnen, hieß' ich nicht der Tell! Heiß' mich nicht reden, heiß' mich schweigen! — Er hieb mit der Faust zu.*

§ 33. Achte Reihe

ie (au, ü) — o — o

ie 1. fliegen 2. riechen	o flog (ö) roch (ö)	o (ist) geflogen (hat) gerochen

1. G r u p p e : Der Stammvokal im Prät. und Part. II ist **l a n g**.
wie *fliegen: biegen, wiegen; schieben, stieben; frieren, verlieren; bieten; schnauben* (auch schwach); *saugen* (auch schwach); *lügen, (be)trügen, (er)küren; fliehen;*
mit Veränderung des Schlußkonsonanten des Stammes: *ziehen: ziehen — zog — gezogen.*

2. G r u p p e : Der Stammvokal im Prät. und Part. II ist **k u r z**.
wie *riechen: kriechen; sieden; schliefen, triefen; fließen, genießen, gießen, schießen, schließen, sprießen, verdrießen; saufen.*

M: *sieden — sott — gesotten; saufen (du säufst) — soff — gesoffen.*

B: *Die Menschenmenge stob auseinander. — Er schnob° wie ein Flußpferd. — Der Schein trügt. — Er hat sie sich zur Braut erkoren.*

§ 34. Neunte Reihe

e (ä, ö, i, a) — o — o

e, ä	o	o
1. heben (er hebt)	hob (ö)	(hat) gehoben
gären (er gärt)	gor (ö)	(hat, ist) gegoren
2. quellen (er quillt)	quoll (ö)	(ist) gequollen

1. **G r u p p e :** Der Stammvokal ist ü b e r a l l l a n g.
   wie *heben: pflegen* (intrans.), *weben* (in gehobener Sprache); *bewegen* (= *veranlassen*); *scheren* (= *abschneiden*).
   wie *gären: wägen.* — entsprechend: *schwören.*
2. **G r u p p e :** Der Stammvokal ist ü b e r a l l k u r z.
   wie *quellen* (intrans.) (mit Stammvokal *i* in der 2. u. 3. Pers. Sing. Präs.): *dreschen, fechten, flechten, schmelzen, schwellen* (intrans.); *erlöschen;* — *melken* (im Präs. und Prät. auch schwach).
   ferner: *glimmen, klimmen;* — *erschallen (es erschallt)* (auch schwach).

B: *Der neue Leiter hob die Leistungen des Werkes. — Ich bewog ihn, von seinem Vorhaben abzustehen. (Der Sturm bewegte die Wellen.) — Mit geschorenen Haaren sah er sehr verändert aus. — Unter der Asche glomm das Feuer weiter. — Sein Ruhm erscholl in allen Ländern. (Ein Ruf erschallte.) — Das Wasser schwoll.*

§ 35. Zehnte Reihe

a — u — a

a	u	a
fahren (er fährt)	fuhr (ü)	(ist, hat) gefahren
schaffen (er schafft)	schuf (ü)	(hat) geschaffen

wie *fahren: graben, laden (er lädt, ladet), schlagen, tragen, waschen, wachsen* (= *größer werden*); (*wachsen* = *mit Wachs einreiben* ist schwach).
ferner: *backen* (in der Bedeutung *zusammenkleben* schwach).

B: *Wer gut schm(i)ert, der gut fährt. Der Zug fuhr um 3 Uhr ab. Wir haben (sind) die Strecke gemeinsam abgefahren. — Der Dichter schuf ein neues Werk. (Die Arbeiter schafften fleißig.) — Eine Hand wäscht die andere. — (Der Schnee ist zusammengebackt.)*

§ 36. Die Klassen der starken Verben

Die in den vorigen Paragraphen behandelten Verben lassen sich nach ihrer sprachgeschichtlichen Zusammengehörigkeit wie folgt ordnen:

Erste Klasse ei — i, ie — i, ie
befleißen, beißen, bleichen, gleichen, gleiten, greifen, kneifen, leiden, pfeifen, reißen, reiten, schleichen, schleifen, schleißen, schmeißen, schneiden, schreiten, spleißen, streichen, streiten, weichen; — bleiben, gedeihen, leihen, meiden, preisen, reiben, scheiden, scheinen, schreiben, schreien, schweigen, speien, steigen, treiben, weisen, zeihen.

Zweite Klasse ie, au — o — o
biegen, bieten, fliegen, fliehen, frieren, schieben, stieben, verlieren, wiegen, ziehen; lügen, trügen; — fließen, genießen, gießen, kriechen, riechen, schießen, schliefen, schließen, sieden, sprießen, triefen, verdrießen; — saufen, saugen, schnauben.

Dritte Klasse i, e — a, o — u, o
binden, dingen, dringen, finden, gelingen, klingen, mißlingen, ringen, schinden, schlingen, schwinden, schwingen, singen, sinken, springen, stinken, trinken, winden, wringen, zwingen; — beginnen, gewinnen, rinnen, schwimmen, sinnen, spinnen; — glimmen, klimmen; — bergen, gelten, helfen, schelten, sterben, verderben, werben, (werden), werfen; — melken, quellen, schmelzen, schwellen, (er)schallen.

Vierte Klasse e — a, o — o
bersten, brechen, dreschen, erschrecken, sprechen, stechen, treffen; nehmen; — fechten, flechten, scheren; — erlöschen; — gären, gebären, wägen; rächen; — befehlen, empfehlen, stehlen; — bewegen, pflegen, weben; — kommen.

Fünfte Klasse e, i — a — e
essen, fressen, messen, vergessen; sitzen; geben, genesen, geschehen, lesen, sehen, treten; — bitten, liegen.

Sechste Klasse a — u — a
backen, schaffen, wachsen, waschen; fahren, graben, laden, schlagen, tragen; — stehen, heben, schwören.

Siebente Klasse
blasen, braten, raten, schlafen; — fallen, halten, lassen, gehen, fangen, hängen (hangen°); — heißen; — rufen; — hauen, laufen, stoßen.

Die Stammformen dieser Verben sind aus der Übersicht des § 42 zu entnehmen; dort ist auch die Stelle angegeben, wo die Verben in diesem Buch im einzelnen behandelt sind.

§ 37 a. Konjugation des Verbs WERFEN (2. Reihe) — Aktiv

Indikativ

Präsens	Perfekt		
ich werfe	habe		
du wirfst	hast		
er wirft	hat	ge-	
wir werfen	haben	worfen	
ihr werft	habt		
sie werfen	haben		

Präteritum	Plusquamperf.		
ich warf	hatte		
du warfst	hattest		
er warf	hatte	ge-	
wir warfen	hatten	worfen	
ihr warft	hattet		
sie warfen	hatten		

Futur I		Futur II	
ich werde		werde	
du wirst		wirst	
er wird	wer-	wird	ge-worfen
wir werden	fen	werden	haben
ihr werdet		werdet	
sie werden		werden	

Konjunktiv

Präsens*	Perfekt*		
(werfe)	(habe)		
werfest°	habest°		
werfe	habe	ge-	
(werfen)	(haben)	worfen	
(werfet)	(habet)		
(werfen)	(haben)		

Präteritum	Plusquamperf.		
würfe	hätte		
würfest	hättest		
würfe	hätte	ge-	
würfen	hätten	worfen	
würfet	hättet		
würfen	hätten		

Futur I*		Futur II*	
(werde)		(werde)	
werdest°		werdest°	
werde	wer-	werde	ge-worfen
(werden)	fen	(werden)	haben
(werdet)		(werdet)	
(werden)		(werden)	

Imperativ

Sing. wirf!
Plur. werf(e)t!

Infinitiv

Präs. werfen
Perf. geworfen haben

Partizip

I   werfend
II** geworfen

Konditional

I

ich würde
du würdest
er würde   } werfen
wir würden
ihr würdet
sie würden

II

ich würde
du würdest
er würde   } geworfen haben
wir würden
ihr würdet
sie würden

Bemerkungen:
*) Vgl. § 186, 6.
**) Vgl. § 57, 9.

§ 37 b. Konjugation des Verbs WERFEN (2. Reihe) — Passiv

Indikativ

Präsens

ich werde	
du wirst	
er wird	ge-
wir werden	worfen
ihr werdet	
sie werden	

Perfekt

ich bin	
du bist	ge-
er ist	wor-
wir sind	fen
ihr seid	wor-
sie sind	den

Konjunktiv

Präsens

(werde)	
werdest°	
werde	ge-
(werden)	worfen
(werdet)	
(werden)	

Perfekt

sei	
sei(e)st	ge-
sei	wor-
seien	fen
seiet	wor-
seien	den

Präteritum

ich wurde*	
du wurdest*	
er wurde*	ge-
wir wurden	worfen
ihr wurdet	
sie wurden	

Plusquamperf.

war	
warst	ge-
war	wor-
waren	fen
war(e)t	wor-
waren	den

Präteritum

würde	
würdest	
würde	ge-
würden	worfen
würdet	
würden	

Plusquamperf.

wäre	
wärest	ge-
wäre	wor-
wären	fen
wäret	wor-
wären	den

Futur I

ich werde	
du wirst	
er wird	geworfen
wir werden	werden
ihr werdet	
sie werden	

Futur II

werde	ge-
wirst	wor-
wird	fen
werden	wor-
werdet	den
werden	sein

Futur I

(werde)	
werdest°	
werde	ge-
(werden)	worfen
(werdet)	werden
(werden)	

Futur II

(werde)	ge-
werdest°	wor-
werde	fen
(werden)	wor-
(werdet)	den
(werden)	sein

Imperativ

Sing. sei (werde°) geworfen!
Plur. seid (werdet°) geworfen!

Infinitiv

Präs. geworfen werden
Perf. geworfen worden sein

Partizip

I fehlt!
II geworfen
Fut. zu werfend   Vgl. § 57, 14.

Konditional

I

ich würde	
du würdest	ge-
er würde	worfen
wir würden	werden
ihr würdet	
sie würden	

II

ich würde	
du würdest	ge-
er würde	worfen
wir würden	worden
ihr würdet	sein
sie würden	

Bemerkung:
*) Statt wurde kann ward° stehen, statt wurdest: wardst°.

§ 38 a. Konjugation des Verbs FAHREN (10. Reihe) — Aktiv

Indikativ

	Präsens	Perfekt	
ich	fahre	bin**	
du	fährst	bist	
er	fährt	ist	ge-fah-ren
wir	fahren	sind	
ihr	fahrt	seid	
sie	fahren	sind	

Konjunktiv

	Präsens*	Perfekt	
ich	(fahre)	sei	
du	fahrest°	sei(e)st	
er	fahre	sei	ge-fah-ren
wir	(fahren)	seien	
ihr	(fahret)	seiet	
sie	(fahren)	seien	

Indikativ

	Präteritum	Plusquamperf.	
ich	fuhr	war	
du	fuhrst	warst	
er	fuhr	war	ge-fah-ren
wir	fuhren	waren	
ihr	fuhr(e)t	war(e)t	
sie	fuhren	waren	

Konjunktiv

	Präteritum	Plusquamperf.	
ich	führe	wäre	
du	führest	wärest	
er	führe	wäre	ge-fah-ren
wir	führen	wären	
ihr	führet	wäret	
sie	führen	wären	

Indikativ

	Futur I		Futur II	
ich	werde		werde	
du	wirst		wirst	ge-fah-ren sein
er	wird	fah-ren	wird	
wir	werden		werden	
ihr	werdet		werdet	
sie	werden		werden	

Konjunktiv

	Futur I		Futur II	
ich	(werde)		(werde)	
du	werdest°		werdest°	ge-fah-ren sein
er	werde	fah-ren	werde	
wir	(werden)		(werden)	
ihr	(werdet)		(werdet)	
sie	(werden)		(werden)	

Imperativ

Sing.	fahr(e)!
Plur.	fahr(e)t!

Infinitiv

Präs.	fahren
Perf.	gefahren sein

Partizip

I	fahrend
II	gefahren

Konditional

I

ich	würde	
du	würdest	
er	würde	fahren
wir	würden	
ihr	würdet	
sie	würden	

II

ich	würde	
du	würdest	
er	würde	gefahren sein
wir	würden	
ihr	würdet	
sie	würden	

Bemerkungen:
*) Vgl. § 186, 6.
**) Als transitives Verb wird FAHREN mit HABEN konjugiert. Vgl. auch § 47, 4.

§ 38 b. Konjugation des Verbs FAHREN (10. Reihe) — Passiv

Indikativ

Präsens
ich werde }
du wirst }
er wird } gefahren
wir werden }
ihr werdet }
sie werden }

Perfekt
bin }
bist }
ist } gefahren worden
sind }
seid }
sind }

Präteritum
ich wurde* }
du wurdest }
er wurde* } gefahren
wir wurden }
ihr wurdet }
sie wurden }

Plusquamperf.
war }
warst }
war } gefahren worden
waren }
war(e)t }
waren }

Futur I
ich werde }
du wirst }
er wird } gefahren werden
wir werden }
ihr werdet }
sie werden }

Futur II
werde }
wirst }
wird } gefahren worden sein
werden }
werdet }
werden }

Konjunktiv

Präsens
(werde) }
werdest° }
werde } gefahren
(werden) }
(werdet) }
(werden) }

Perfekt
sei }
sei(e)st }
sei } gefahren worden
seien }
seiet }
seien }

Präteritum
würde }
würdest }
würde } gefahren
würden }
würdet }
würden }

Plusquamperf.
wäre }
wärest }
wäre } gefahren worden
wären }
wäret }
wären }

Futur I
(werde) }
werdest° }
werde } gefahren werden
(werden) }
(werdet) }
(werden) }

Futur II
(werde) }
werdest° }
werde } gefahren worden sein
(werden) }
(werdet) }
(werden) }

Imperativ

Sing. werde gefahren!
Plur. werdet gefahren!

Infinitiv

Präs. gefahren werden
Perf. gefahren worden sein

Partizip

I   fehlt!
II gefahren
Fut. zu fahrend Vgl. § 57, 14.

Konditional

I
ich würde }
du würdest }
er würde } gefahren werden
wir würden }
ihr würdet }
sie würden }

II
ich würde }
du würdest }
er würde } gefahren worden sein
wir würden }
ihr würdet }
sie würden }

Bemerkungen:
*) Statt w u r d e kann w a r d° stehen.
Die eingeklammerten Konjunktivformen stimmen mit dem Indikativ überein und werden deshalb nicht gebraucht. Vgl. § 53, 4.

§ 39. Konjugation des Verbs FINDEN (4. Reihe) — Aktiv

Indikativ

	Präsens	Perfekt	
ich	finde	habe	
du	findest	hast	
er	findet	hat	ge-
wir	finden	haben	fun-
ihr	findet	habt	den
sie	finden	haben	

	Präteritum	Plusquamperf.	
ich	fand	hatte	
du	fandest	hattest	
er	fand	hatte	ge-
wir	fanden	hatten	fun-
ihr	fandet	hattet	den
sie	fanden	hatten	

	Futur I		Futur II	
ich	werde		werde	
du	wirst		wirst	ge-
er	wird	fin-	wird	fun-
wir	werden	den	werden	den
ihr	werdet		werdet	haben
sie	werden		werden	

Konjunktiv

	Präsens*	Perfekt*	
ich	(finde)	(habe)	
du	(findest)	habest°	
er	finde	habe	ge-
wir	(finden)	(haben)	fun-
ihr	(findet)	(habet)	den
sie	(finden)	(haben)	

	Präteritum	Plusquamperf.	
ich	fände	hätte	
du	fändest	hättest	
er	fände	hätte	ge-
wir	fänden	hätten	fun-
ihr	fändet	hättet	den
sie	fänden	hätten	

	Futur I*		Futur II*	
ich	(werde)		(werde)	
du	werdest°		werdest°	ge-
er	werde	fin-	werde	fun-
wir	(werden)	den	(werden)	den
ihr	(werdet)		(werdet)	haben
sie	(werden)		(werden)	

Imperativ

Sing. finde!
Plur. findet!

Infinitiv

Präs. finden
Perf. gefunden haben

Partizip

I findend
II** gefunden

Konditional

I

ich	würde	
du	würdest	
er	würde	finden
wir	würden	
ihr	würdet	
sie	würden	

II

ich	würde	
du	würdest	
er	würde	gefunden
wir	würden	haben
ihr	würdet	
sie	würden	

Bemerkungen:
FINDEN kann ein Passiv bilden.
*) Vgl. § 186, 6. Die eingeklammerten Konjunktivformen werden nicht gebraucht. Vgl. § 53, 4.
**) Vgl. § 57, 9.

§ 40. Konjugation des Verbs ZWINGEN (4. Reihe) — Zustandspassiv

Indikativ

Präsens

ich bin	
du bist	
er ist	gezwungen
wir sind	
ihr seid	
sie sind	

Perfekt

ich bin		
du bist		
er ist	gezwungen	gewesen
wir sind		
ihr seid		
sie sind		

Präteritum

ich war	
du warst	
er war	gezwungen
wir waren	
ihr war(e)t	
sie waren	

Plusquamperf.

ich war		
du warst		
er war	gezwungen	gewesen
wir waren		
ihr war(e)t		
sie waren		

Futur I

ich werde	
du wirst	
er wird	gezwungen sein
wir werden	
ihr werdet	
sie werden	

Futur II

ich werde gezwungen gewesen sein (ungebräuchlich)

Konjunktiv

Präsens

ich sei	
du sei(e)st	
er sei	gezwungen
wir seien	
ihr seiet	
sie seien	

Perfekt

ich sei		
du sei(e)st		
er sei	gezwungen	gewesen
wir seien		
ihr seiet		
sie seien		

Präteritum

ich wäre	
du wärest	
er wäre	gezwungen
wir wären	
ihr wäret	
sie wären	

Plusquamperf.

ich wäre		
du wärest		
er wäre	gezwungen	gewesen
wir wären		
ihr wäret		
sie wären		

Futur I

(werde)°	
werdest°	
werde	gezwungen sein
(werden)	
(werdet)	
(werden)	

Futur II

er werde gezwungen gewesen sein (ungebräuchlich)

Imperativ

Sing. sei gezwungen!
Plur. seid gezwungen!

Infinitiv

Präs. gezwungen sein
Perf. gezwungen gewesen sein

Partizip

I (gezwungen seiend)
II gezwungen gewesen

Konditional

I

ich würde	
du würdest	
er würde	gezwungen sein
wir würden	
ihr würdet	
sie würden	

II

ich würde gezwungen gewesen sein (ungebräuchlich)

Bemerkung: Die eingeklammerten Konjunktivformen stimmen mit dem Indikativ überein und werden deshalb nicht gebraucht. Vgl. § 53, 4.

§ 41. Gemischte und unregelmäßige Konjugationen

Nur wenige Verben, schwache und starke,
zeigen g e r i n g e A b w e i c h u n g e n in ihrer Konjugation:

1.
| kennen | kannte (e) | (hat) gekannt |
| senden | sandte (sendete) | (hat) gesandt |

Diese Verben der s c h w a c h e n Konjugation, deren Stammvokal *e*
im Infinitiv und Präsens durch Umlaut aus *a* entstanden ist, haben
im Prät. und Part. II den ursprünglichen Laut *a* behalten.
wie *kennen: brennen, nennen, rennen;*
wie *senden: wenden* (beide auch regelmäßig: *wendete, gewendet*).

2.
mahlen	mahlte	(hat) gemahlen
salzen	salzte	(hat) gesalzen
spalten	spaltete	(hat) gespalten

Diese heute schwach konjugierten Verben
bilden das Partizip II nicht auf *-t*, sondern auf *-en;*
jedoch bilden *salzen, spalten* auch *gesalzt, gespaltet*.

3.
bringen	brachte (ä)	(hat) gebracht
denken	dachte (ä)	(hat) gedacht
dünken	deuchte°	(hat) gedeucht°

Das schwache Verb *dünken* hat auch regelmäßige Formen: *dünken —
dünkte — gedünkt;* weiter bildet es ein unpersönliches Präsens:
es deucht mir, es deucht mich, und eine rückbezügliche Form:
er dünkt sich, sie dünken sich.

4.
geh(e)n	ging	(ist) gegangen
steh(e)n	stand (ü, ä)	(hat) gestanden
tun	tat (tät°)	(hat) getan

Diese Verben der s t a r k e n Konjugation
sind im e i g e n t l i c h e n Sinne u n r e g e l m ä ß i g.
steh(e)n bildet den Konjunktiv Prät. mit *ü* und *ä: stünde, stände;*
altertümlich ist der Indikativ Prät. *stund.*

5. Unregelmäßig sind auch die Hilfsverben *haben* (6), *sein* (7), *können*
(10), *dürfen* (11), *mögen* (12), *müssen* (13), *sollen* (14), *wollen* (14);
ihrer Konjugation folgt auch das Verb *wissen.*

B: zu 1: *Kennen* Sie Herrn Hopf? Früher *kannte* ich einen Herrn dieses Namens. Ich dachte, daß Sie ihn näher *kennten.* Wer hat das Buch *gesandt?* Mein Bruder studiert *angewandte* Physik. Sind seine Fähigkeiten richtig *angewendet?* Er hat viel Fleiß auf seine Vorbereitung *gewendet.* Dann hat er sich Spezialstudien *zugewandt.* — Wann hat der Rundfunk das Hörspiel *gesendet?* Mein Rock wurde *gewendet.*

zu 2: Grobe Steine *mahlen* nicht fein. Das Brot ist *versalzen.* Ich habe ihm die Suppe *versalzt.* Das nenne ich eine *gesalzene* Rechnung! Der Blitz hat den Baum *gespalten.*

zu 3: Alles Gescheite ist schon *gedacht* worden. Wir haben die Versandkosten nicht in Anrechnung *gebracht.* Ich *dächte,* das gehöre sich so. Nicht zehn Pferde *brächten* mich an den Ort zurück! Mich *dünkt* dein Entschluß richtig. Er *dünkte* sich klug. Mich *deucht,* das hätte ich früher schon gehört.

zu 4: Der Zug *geht* um 12 Uhr. Der Redner *ging* sehr ins einzelne. Behauptung *stand* gegen Behauptung. Ich *dachte,* die Sache *stände (stünde)* fest? Der Arzt *tat* sein Bestes. *Getan* ist *getan!* Jung gewohnt, alt *getan!* Was *tun* Sie da?

zu 5:

Konjugation des Verbs WISSEN			
Indikativ		*Konjunktiv*	
Präsens	*Präteritum*	*Präsens**	*Präteritum*
ich weiß	wußte	wisse°	wüßte
du weißt	wußtest	wissest°	wüßtest
er weiß	wußte	wisse	wüßte
wir wissen	wußten	(wissen)	wüßten
ihr wißt	wußtet	(wisset)	wüßtet
sie wissen	wußten	(wissen)	wüßten

Infinitiv	*Partizip*	*Imperativ*
Präs.: wissen	I: wissend	Sing.: wisse!
Perf.: gewußt haben	II: gewußt	Plur.: wißt! (wisset!)

*) Vgl. § 186, 6.

Ach *wüßtest* du, wie wohl ich mich fühle hier im Hochgebirge! Ich habe von der Sache nichts *gewußt.* Wer's *weiß,* wird's *wissen!* Er *wußte* sich gut auszudrücken (151, 4c).

§ 42. Alphabetisches Verzeichnis der starken und der unregelmäßigen Verben

Vorbemerkungen:
1. Mit » ist eine Auswahl von wichtigen Verben bezeichnet; sie kommen häufig vor. Dagegen ist auch hier ein ° seltenen Formen nachgesetzt.
2. Die mit einem * versehenen Verben haben auch schwache bzw. regelmäßige Formen, oft aber mit anderer Bedeutung.
3. Nach dem Infinitiv steht die 3. Person Sing. des Präsens in Klammern, wenn sie Besonderheiten zeigt; diese gelten dann auch für die 2. Pers. Sing.
4. Nach dem Prätcritum steht der Stammvokal des Konj. Prät. in Klammern, wenn er von dem des Indikativs abweicht.
5. Das Zeichen ! bedeutet, daß der Imperativ Sing. die Endung e nicht haben kann. Dann wird der Stammvokal e zu i (ie).
6. Wenn das Partizip II nicht besonders bezeichnet ist, wird das Verb mit *haben* konjugiert. Doch beachte besonders § 47, 3!
7. Die römische Zahl am Zeilenende bezeichnet die Klasse, der das Verb angehört (36), die arabische den Paragraphen, wo es behandelt ist.

Infinitiv	Präteritum		Partizip II	
*backen (bäckt)	backte, buk° (ü)		gebacken	VI, 35
befehlen (befiehlt)!	befahl (ö, ä°)		befohlen	IV, 27
sich befleißen°	befliß°		beflissen°	I, 30
»beginnen	begann (ö, ä°)		begonnen	III, 28
»beißen	biß		gebissen	I, 30
bergen (birgt)!	barg (ä)		geborgen	III, 27
bersten (berstest, birst)!	barst (ä)	(ist)	geborsten	IV, 27
*bewegen	bewog(ö)(= veranlaßte)		bewogen	IV, 34
»biegen	bog (ö)	(ist, hat)	gebogen	II, 33
»bieten	bot (ö)		geboten	II, 33
»binden	band (ä)		gebunden	III, 29
»bitten	bat (ä)		gebeten	V, 26
blasen (bläst)	blies		geblasen	VII, 32
»bleiben	blieb	(ist)	geblieben	I, 31
*bleichen	blich	(ist)	geblichen	I, 30
braten (brät)	briet		gebraten	VII, 32
brechen (bricht)!	brach (ä)	(ist, hat)	gebrochen	IV, 27
brennen	brannte (e°)		gebrannt	—, 41
»bringen	brachte (ä)		gebracht	—, 41
»denken	dachte (ä)		gedacht	—, 41
*dingen	dang (ä)		gedungen	III, 29

Infinitiv	Präteritum		Partizip II	
dreschen (drischt)!	drosch, drasch° (ö, ä°)		gedroschen	IV, 34
dringen	drang (ä)	(hat, ist)	gedrungen	III, 29
*dünken	deuchte°		gedeucht°	—, 41
»dürfen (ich darf, er darf)	durfte (ü)		gedurft	—, 5
empfehlen (empfiehlt)!	empfahl (ö, ä)		empfohlen	IV, 27
»essen (ißt)!	aß (ä)		gegessen	V, 26
»fahren (fährt)	fuhr (ü)	(ist, hat)	gefahren	VI, 35
»fallen (fällt)	fiel	(ist)	gefallen	VII, 32
»fangen (fängt)	fing		gefangen	VII, 32
fechten (ficht)!	focht (ö)		gefochten	IV, 34
»finden	fand (ä)		gefunden	III, 29
flechten (flicht)!	flocht (ö)		geflochten	IV, 34
»fliegen	flog (ö)	(ist, hat)	geflogen	II, 33
fliehen	floh (ö)	(ist, hat)	geflohen	II, 33
»fließen	floß (ö)	(ist)	geflossen	II, 33
fressen (frißt)!	fraß (ä)		gefressen	V, 26
»frieren	fror (ö)	(hat, ist)	gefroren	II, 33
*gären	gor (ö)	(ist, hat)	gegoren	IV, 34
*gebären (gebiert)!	gebar (ä)		geboren	IV, 27
»geben (gibt)!	gab (ä)		gegeben	V, 26
gedeihen	gedieh	(ist)	gediehen	I, 31
»geh(e)n	ging	(ist)	gegangen	VII, 41
gelingen, mißlingen (es g.)	gelang (ä)	(ist)	gelungen	III, 29
gelten (gilt)!	galt (ö, ä)		gegolten	III, 27
genesen	genas (ä)	(ist)	genesen	V, 26
genießen	genoß (ö)		genossen	II, 33
geschehen (es geschieht)	geschah (ä)	(ist)	geschehen	V, 26
gewinnen	gewann (ö, ä°)		gewonnen	III, 28
gießen	goß (ö)		gegossen	II, 33
gleichen	glich		geglichen	I, 30
*gleiten	glitt	(ist)	geglitten	I, 30
*glimmen	glomm (ö)		geglommen	III, 34
»graben (gräbt)	grub (ü)		gegraben	VI, 35
»greifen	griff		gegriffen	I, 30
»haben (du hast, er hat)	hatte (ä)		gehabt	—, 4
»halten (hält)	hielt		gehalten	VII, 32
hangen°, »*hängen	hing (intrans.)		gehangen	VII, 32

Infinitiv	Präteritum		Partizip II	
*hauen	hieb; haute = prügelte		gehauen	VII, 32
»heben	hob (ö)		gehoben	VI, 34
»heißen	hieß		geheißen	VII, 32
»helfen (hilft)!	half (ü, ä°)		geholfen	III, 27
kennen	kannte (e°)		gekannt	—, 41
*klimmen	klomm (ö)	(ist)	geklommen	III, 34
»klingen	klang (ä)		geklungen	III, 29
kneifen	kniff		gekniffen	I, 30
»kommen	kam (ä)	(ist)	gekommen	IV, 27
»können, ich kann, er kann	konnte (ö)		gekonnt	—, 5
kriechen	kroch (ö)	(ist)	gekrochen	II, 33
*küren (= kiesen°)	kor° (ö)		gekoren°	II, 33
»laden (lädt, ladet°)	lud (ü)		geladen	VI, 35
»lassen (läßt)!	ließ		gelassen	VII, 32
»laufen (läuft)	lief	(ist, hat)	gelaufen	VII, 32
»leiden	litt		gelitten	I, 30
leihen	lieh		geliehen	I, 31
»lesen (liest)!	las (ä)		gelesen	V, 26
»liegen	lag (ä)		gelegen	V, 26
(er-)*löschen (erlischt)!	erlosch (ö)	(ist)	erloschen	IV, 34
»lügen	log (ö)		gelogen	II, 33
mahlen	mahlte		gemahlen	—, 41
meiden	mied		gemieden	I, 31
*melken (milkt°, melkt)!	molk (ö)		gemolken	III, 34
messen (mißt)!	maß (ä)		gemessen	V, 26
»mögen (ich mag, er mag)	mochte (ö)		gemocht	—, 5
»müssen (ich muß, er muß)	mußte (ü)		gemußt	—, 5
»nehmen (nimmt) nimm!	nahm (ä)		genommen	IV, 27
»nennen	nannte (e°)		genannt	—, 41
pfeifen	pfiff		gepfiffen	I, 30
*pflegen	pflog° (ö) (intrans.)		gepflogen°	IV, 34
preisen	pries		gepriesen	I, 31
*quellen (quillt)!	quoll (ö) (intrans.)	(ist)	gequollen	III, 34
»raten (rät)	riet		geraten	VII, 32
reiben	rieb		gerieben	I, 31
reißen	riß	(hat, ist)	gerissen	I, 30
reiten	ritt	(ist, hat)	geritten	I, 30

Infinitiv	Präteritum	Partizip II	
rennen	rannte (e°)	(ist) gerannt	—, 41
»riechen	roch (ö)	gerochen	II, 33
ringen	rang (ä)	gerungen	III, 29
rinnen	rann (ä)	(ist) geronnen	III, 28
»rufen	rief	gerufen	VII, 32
*salzen	salzte	gesalzen	—, 41
saufen (säuft)	soff (ö)	gesoffen	II, 33
*saugen	sog (ö)	gesogen	II, 33
*schaffen	schuf (ü) (= gestaltete)	geschaffen	VI, 35
*(er)schallen	erscholl (ö)	(ist) erschollen	III, 34
scheiden	schied	(hat, ist) geschieden	I, 31
»scheinen	schien	geschienen	I, 31
schelten (schilt)!	schalt (ö)	gescholten	III, 27
*scheren (schert, schiert)	schor (ö) (= schnitt ab)	geschoren	IV, 34
schieben	schob (ö)	geschoben	II, 33
schießen	schoß (ö)	geschossen	II, 33
schinden	schund (ü), schindete°	geschunden	III, 29
»schlafen (schläft)	schlief	geschlafen	VII, 32
»schlagen (schlägt)	schlug (ü)	geschlagen	VI, 35
schleichen	schlich	(ist) geschlichen	I, 30
*schleifen	schliff (= schärfte)	geschliffen	I, 30
*schleißen	schliß	geschlissen	I, 30
»schließen	schloß (ö)	geschlossen	II, 33
schlingen	schlang (ä)	geschlungen	III, 29
schmeißen	schmiß	geschmissen	I, 30
*schmelzen (schmilzt)!	schmolz (ö)	(hat, ist) geschmolzen	III, 34
*schnauben	schnob° (ö)	geschnoben°	II, 33
»schneiden	schnitt	geschnitten	I, 30
»*(er)schrecken(schrickt)!	erschrak (ä) (intrans.)	(ist) erschrocken	IV, 27
»schreiben	schrieb	geschrieben	I, 31
»schreien	schrie	geschrien	I, 31
schreiten	schritt	(ist) geschritten	I, 30
»schweigen	schwieg	geschwiegen	I, 31
*schwellen (schwillt)!	schwoll (ö) (intrans.)	(ist) geschwollen	III, 34
schwimmen	schwamm (ö, ä°)	(ist, hat) geschwommen	III, 28
schwinden	schwand (ä)	(ist) geschwunden	III, 29
schwingen	schwang (ä)	geschwungen	III, 29

Infinitiv	Präteritum		Partizip II	
schwören	schwor, schwur° (ö, ü°)		geschworen	VI, 34
»seh(e)n (sieht)!	sah (ä)		gesehen	V, 26
»sein (du bist, er ist), sei!	war (ä)	(ist)	gewesen	—, 4
*senden	sandte (e°)		gesandt	—, 41
*sieden	sott (ö)		gesotten	II, 33
»singen	sang (ä)		gesungen	III, 29
sinken	sank (ä)	(ist)	gesunken	III, 29
sinnen	sann (ä, ö°)		gesonnen	III, 28
»sitzen	saß (ä)		gesessen	V, 26
»sollen	sollte		gesollt	—, 5
*spalten	spaltete		gespalten	—, 41
speien	spie		gespie(e)n	I, 31
spinnen	spann (ö, ä)		gesponnen	III, 28
spleißen	spliß		gesplissen	I, 30
»sprechen (spricht)!	sprach (ä)		gesprochen	IV, 27
sprießen	sproß (ö)	(ist)	gesprossen	II, 33
»springen	sprang (ä)	(ist)	gesprungen	III, 29
stechen (sticht)!	stach (ä)		gestochen	IV, 27
*stecken	stak (ä)		gesteckt	IV, 26
»steh(e)n	stand (ä, ü)		gestanden	VI, 41
stehlen (stiehlt)!	stahl (ä, ö)		gestohlen	IV, 27
»steigen	stieg	(ist)	gestiegen	I, 31
»sterben (stirbt)!	starb (ü)	(ist)	gestorben	III, 27
*stieben	stob (ö)	(ist)	gestoben	II, 33
stinken	stank (ä)		gestunken	III, 29
»stoßen (stößt)	stieß	(hat, ist)	gestoßen	VII, 32
streichen	strich	(hat, ist)	gestrichen	I, 30
streiten	stritt		gestritten	I, 30
»tragen (trägt)	trug (ü)		getragen	VI, 35
»treffen (trifft)!	traf (ä)		getroffen	IV, 27
treiben	trieb	(hat, ist)	getrieben	I, 31
»treten (tritt)!	trat (ä)	(hat, ist)	getreten	V, 26
*triefen	troff° (ö)		getroffen°	II, 33
»trinken	trank (ä)		getrunken	III, 29
»trügen	trog (ö)		getrogen	II, 33
tun (tut)	tat (ä)		getan	—, 41
verderben (verdirbt)!	verdarb (ü)	(hat, ist)	verdorben	III, 27

Infinitiv	Präteritum		Partizip II	
verdrießen	verdroß (ö)		verdrossen	II, 33
»vergessen (vergißt)	vergaß (ä)		vergessen	V, 26
»verlieren	verlor (ö)		verloren	II, 33
wachsen (wächst)	wuchs (ü)	(ist)	gewachsen	VI, 35
*wägen	wog (ö)		gewogen	IV, 34
»waschen (wäscht)	wusch (ü)		gewaschen	VI, 35
*weben	wob (ö)		gewoben	IV, 34
*weichen	wich (= gab nach)	(ist)	gewichen	I, 30
weisen	wies		gewiesen	I, 31
*wenden	wandte (e°)		gewandt	—, 41
werben (wirbt)!	warb (ü)		geworben	III, 27
»werden (du wirst, er wird)	wurde (ü), ward°	(ist)	geworden	III, 4
werfen (wirft)!	warf (ü)		geworfen	III, 27
*wiegen	wog (ö)		gewogen	II, 33
winden	wand (ä)		gewunden	III, 29
»wissen (ich weiß, er weiß)	wußte (ü)		gewußt	—, 41
»wollen (ich will, er will)	wollte		gewollt	—, 5
wringen°	wrang (ä)		gewrungen	III, 29
(ver)zeihen	verzieh		verziehen	I, 31
ziehen	zog (ö)	(hat, ist)	gezogen	II, 33
zwingen	zwang (ä)		gezwungen	III, 29

M: Einige Verben sind von zusammengesetzten Substantiven so abgeleitet, daß im Infinitiv ein sonst starkes Verb als Bestandteil erscheint; derart abgeleitete Verben werden s c h w a c h konjugiert (60, 4 a).

B: tragen   trug   getragen, aber:
beantragen (Antrag)   beantragte   beantragt;
lassen   ließ   gelassen, aber:
veranlassen (Anlaß)   veranlaßte   veranlaßt; ebenso:
beauftragen, bemitleiden (Mitleid), ratschlagen, willfahren u. a.

Der Student b e a n t r a g t e seine Zulassung zum Examen. Haben Sie Ihr Stipendium schon b e a n t r a g t? — Ein Anwalt wurde mit der Durchführung der Klage b e a u f t r a g t. — Über Ihr Angebot haben wir lange b e r a t s c h l a g t. — Die Eltern w i l l f a h r t e n ihrem Kinde. — Ich habe sie b e m i t l e i d e t.

Alle wirklich z u s a m m e n g e s e t z t e n Verben verbleiben aber in der starken Konjugation. Doch beachte §§ 19, 3 u. 59—62!

§ 43. Reflexive Verben

1. Wenn bei einem Verb
Objekt und Subjekt zusammenfallen (identisch sind), wenn also Zustand oder Tätigkeit auf den Gegenstand selbst zurückwirken, so spricht man von reflexiven (rückbezüglichen) Verben. (52, 1c)

2. Reflexive Verben stehen mit der reflexiven Form des Personalpronomens (110, 3) als Akkusativ- oder Dativobjekt;
es wird aber nicht mehr als selbständiges Objekt empfunden und gilt als Bestandteil des Prädikats (181, 3).

3. Manche Reflexiva werden daher wie subjektive Verben gebraucht, andere erfordern noch ein Objekt.

4. Zu den e i g e n t l i c h e n reflexiven Verben zählen:

   a) mit dem Akkusativ des Reflexivpronomens:
   sich befleißigen, sich begnügen, sich behelfen, sich bemächtigen, sich besinnen, sich bewerben, sich bücken, sich entschließen, sich erdreisten, sich ereignen, sich erholen, sich erkühnen, sich erkundigen, sich erstrecken, sich gedulden, sich schämen, sich sehnen, sich sputen, sich verbeugen, sich verneigen, sich weigern, sich widersetzen; (*ich widersetze mich, du widersetzt dich, er widersetzt sich, wir widersetzen uns* usw.);

   b) mit dem Dativ des Reflexivpronomens:
   sich anmaßen, sich ausbitten, sich aneignen; (*ich eigne mir an, du eignest dir an, er eignet sich an, wir eignen uns an* usw.).

5. Eine z w e i t e G r u p p e reflexiver Verben
kommt a u c h o h n e Reflexivpronomen vor,
wenn auch in veränderter Bedeutung:

   a) mit dem Akkusativ: *sich aufhalten, sich beeilen, sich befinden, sich bedenken, sich beklagen, sich bemühen, sich benehmen, sich beschweren, sich betragen, sich entfernen, sich entscheiden, sich erheben, sich erinnern, sich freuen, sich irren, sich setzen, sich wundern* u. a. — (*ich wundere mich, du wunderst dich*);

   b) mit dem Dativ: *sich schmeicheln, sich vorstellen* (= denken), *sich vornehmen* (= beabsichtigen), *sich einbilden, sich erlauben, sich gestatten:* — (*ich gestatte mir, du gestattest dir* usw.).

6. Eine d r i t t e G r u p p e (subjektiver) Verben schließlich kann m i t oder o h n e Reflexivpronomen gebraucht werden:
sich flüchten, sich nahen, sich ausruhen, sich schleichen u. a.

§ 44. Gebrauch der reflexiven Verben

1. Reflexive Verben verbleiben in ihrer Konjugationsart.
2. Reflexive Verben werden mit *haben* konjugiert.
3. Reflexive Verben haben k e i n P a s s i v.

SICH SCHÄMEN (schwache Konjugation)

Präsens
ich schäme mich
du schämst dich
er schämt sich

Perfekt
wir haben uns geschämt
ihr habt euch geschämt
sie haben sich geschämt

Präteritum
ich schämte mich
du schämtest dich
er schämte sich

Plusquamperfekt
wir hatten uns geschämt
ihr hattet euch geschämt
sie hatten sich geschämt

Futur I
ich werde mich schämen
du wirst dich schämen
er wird sich schämen

Futur II
wir werden uns geschämt haben
ihr werdet euch geschämt haben
sie werden sich geschämt haben

Imperativ
schäme dich! schämt euch!

Die übrigen Formen
werden entsprechend gebildet.

SICH BEWERBEN (starke Konjugation)

Präsens
ich bewerbe mich

Perfekt
wir haben uns beworben

Präteritum
du bewarbst dich

Plusquamperfekt
ihr hattet euch beworben

Futur I
er wird sich bewerben

Futur II
sie werden sich beworben haben

Imperativ
bewirb dich! bewerbt euch!

Die übrigen Formen
werden entsprechend gebildet.

---

4. Auch andere Verben können gelegentlich reflexiv gebraucht sein.
5. Die reflexive Form kann zum Ausdruck des P a s s i v s stehen.
6. Ebenso kann die reflexive Form nach einem Subjekt im Plural das Verhältnis der W e c h s e l w i r k u n g ausdrücken, wozu sonst das reziproke Pronomen *einander* (111, 5) dient.

B: z u 4: *Ich w a s c h e m i c h. Dieses Buch k a u f e i c h m i r.*

z u 5: *Der Himmel ü b e r z i e h t s i c h m i t Wolken* (= wird von Wolken überzogen). *Der Brief hat s i c h w i e d e r g e f u n d e n* (= ist wiedergefunden worden). Vgl. die Beispiele zu § 52, 11!

z u 6: *Die Parteiführer s t r i t t e n s i c h* (= stritten miteinander) *und machten s i c h* (= einander) *den Vorrang streitig.* Ebenso: *sich begegnen, sich treffen, sich versöhnen, sich verständigen* u. a.

§ 45. Unpersönliche Verben

1. Unpersönliche Verben (Impersonalia) drücken einen Vorgang aus, der ohne ein bestimmtes, bekanntes Subjekt gedacht wird.
2. Sie stehen mit dem indefiniten *es* anstatt des Subjekts und werden nur im Infinitiv und Partizip und in der 3. Pers. Singular der übrigen Konjugationsformen gebraucht, aber nicht im Passiv.
3. Unpersönliche Verben sind:
   a) die Verben des Wetters und anderer Naturerscheinungen:
   es blitzt, donnert, friert, graut, hagelt, regnet, reift, taut, weht, wetterleuchtet, zieht; es nebelt, tagt, dunkelt, dämmert u. a.
   ein Objekt erfordern diese Verben nicht;
   b) das Verb *es gibt (= vorhanden sein, entstehen);*
   es hat ein Akkusativobjekt bei sich,
   welches als das wirkliche (logische) Subjekt aufzufassen ist.
   c) die Verben des Mangels: *es fehlt, gebricht, mangelt;*
   sie haben die Person, die den Mangel empfindet, im Dativ und den Gegenstand, dessen Fehlen festgestellt wird, mit der Präposition *an* ebenfalls im Dativ bei sich;
   d) die Verben der Gemütsbewegungen und der Lust und Unlust:
   es ahnt mir, ärgert mich, behagt mir, freut mich, fröstelt mich, gefällt mir, gelüstet mich, graut mir, hungert mich, jammert mich, reut mich, träumte mir, wundert mich u. a.
   Sie haben die Person, die diese Gefühle empfindet, im Dativ oder Akkusativ bei sich.
   M: Wird bei dieser Gruppe das Pronomen *es*
   von der ersten Stelle des Satzes verdrängt, so fällt es ganz aus.
4. Impersonalia werden mit *haben* konjugiert. A: *es ist geschehen.*

B: zu 3a: **Es blitzte und donnerte die ganze Nacht. Später hat es gestürmt und gehagelt. Jetzt regnet es.**

zu 3b: **Es gibt in unseren Läden vielerlei Waren. Bei dem Unfall gab es viele Verletzte. Es wird Regen geben.**

zu 3c: **Es fehlt mir an gutem Schuhwerk. Es gebrach ihm an jeder selbstverständlichen Höflichkeit. An Sachverständigen auf diesem Gebiet mangelt es uns.**

zu 3d: *Es hungert* **mich** *= mich hungert. Es fror* **ihn** *sichtlich in seinem dünnen Kleid = ihn fror sichtlich. Es hat* **mir** *geträumt, du seist gekommen. Es liegt* **mir** *nicht viel an ihm.*

§ 46. Unpersönlicher Gebrauch anderer Verben

1. Die verschiedensten Verben können das indefinite *es* als Subjekt annehmen und damit u n p e r s ö n l i c h gebraucht werden:
   a) *sein, werden, bleiben* + (nichtverbales) Prädikativum (152) entsprechend den Verben des § 45, 3 a:
   es ist kalt; es wird Herbst; es bleibt kühl u. a.;
   b) Verben, die eine Sinneswahrnehmung ausdrücken können:
   es braust, heult, klopft, pfeift, zwitschert, schlägt vier;
   es flimmert, glänzt, strahlt, wimmelt; es duftet, riecht u. a.;
   c) in gewissen Verbindungen die Verben:
   es geht, es bessert sich, es kommt darauf an, es verhält sich,
   es braucht, es bedarf, es genügt, es setzt, es eilt u. a.;
   d) wenn ein an sich bekanntes Subjekt als noch unbekannt bezeichnet werden soll (oft in der Dichtersprache);
   e) beim unpersönlichen Passiv intransitiver Verben (2, 9).
   M: In diesem Falle muß *es* ganz wegfallen, wenn es durch veränderte Satzstellung vom ersten Platz verdrängt wird.
2. Wo etwas ohne bestimmtes Subjekt allgemein festgestellt wird, aber Personen als handelnd gedacht werden, steht *man*.
3. Nur s c h e i n b a r liegt unpersönlicher Gebrauch vor, wenn *es* als Vorläufer des Subjekts steht (150, 7; 156, 3) oder auf einen folgenden Infinitiv oder Gliedsatz hinweist.
4. In vielen Ausdrücken steht das indefinite *es* als O b j e k t.

B: z u 1 a: *es wird Tag = es tagt. es wird dunkel = es dunkelt.*

z u 1 b: *Hat es nicht geklopft? Hier wimmelt es von Ameisen. Da schlägt's doch dreizehn! Wonach riecht es denn hier? Hier duftet es nach Rosen. Mir flimmert's vor den Augen. Es dämmert mir.*

z u 1 c: *Nun, wie geht es Ihnen? Danke, es geht mir von Tag zu Tag besser. Jetzt bedarf es nur noch einer kleinen Operation. Wie verhält es sich eigentlich mit dem vermißten Paket?*

z u 1 d: *Und horch! da sprudelt es silberhell ganz nahe wie rieselndes Rauschen (... ein Q u e l l).*

z u 1 e: *Es wurde viel gelacht. Dort wurde viel getanzt. — Es wird um 1 Uhr gegessen. Um 1 Uhr wird gegessen.*

z u 2: *Man trägt jetzt längere Kleider.* Vgl. § 52, 12!

z u 4: *Er hat es eilig, nötig, gut, leicht. Mach dir's bequem! Er meint es gut mit dir! Sie hat es weit gebracht. Sie treiben es gar zu arg. Er nimmt es sehr genau. Ich weiß es* (65, 2; 68, 5).

c) DER GEBRAUCH DER KONJUGATIONSFORMEN

§ 47. Umschreibung mit HABEN und SEIN in der Konjugation

1. Die meisten deutschen Verben bilden ihre umschriebenen (zusammengesetzten) Tempora mit *haben*. Es sind dies vor allem:
    a) alle transitiven Verben;
    b) alle reflexiven Verben;
    c) die wirklich unpersönlichen Verben; A: *es ist geschehen;*
    d) das Hilfsverb *haben* und die modalen Hilfsverben;
    e) jene intransitiven Verben, die den unvollendeten Verlauf (die Dauer) eines Geschehens ausdrücken; doch vgl. 2 b und 4!
2. Mit *sein* bilden ihre umschriebenen Tempora:
    a) die intransitiven Verben der Zustandsveränderung;
    b) darunter die meisten intransitiven Verben der Bewegung;
    c) die Hilfsverben *sein* und *werden* und das Verb *bleiben*.
3. Einige Verben, die transitiv und auch intransitiv gebraucht werden, nehmen in ihrer transitiven Bedeutung *haben* zu sich,
    werden dagegen mit *sein* konjugiert, wenn sie vorwiegend eine Zustandsveränderung, einen neuen vollendeten Zustand, ausdrücken.
4. Ebenso können einige Verben der Bewegung mit *haben* oder mit *sein* konjugiert werden, je nachdem sie nur den Verlauf (die Dauer) des Geschehens oder den Abschluß (vollendeten Zustand) ausdrücken.
5. Am Schluß von Gliedsätzen können *haben* und *sein* wegfallen, wenn sie zur Bildung des Perfekts oder Plusquamperfekts dienen; aber nur in der gehobenen und der Dichtersprache.

B: zu 1 a: *beißen, erkennen, öffnen, schlagen; erbauen, ersinnen, machen, schreiben* und viele andere. — Ich habe das Tor geöffnet. Er hatte zuvor ein neues Verfahren ersonnen.

zu 1 b: *sich besinnen, sich bücken, sich erkundigen; sich irren, sich erinnern, sich freuen* u. a. (43) — Sie hat sich sehr geschämt. Ich habe mir schon gute Deutschkenntnisse angeeignet.

zu 1 c: *es regnet, es schneit; es fehlt; es tut mir leid* u. a. — Vgl. § 45. Diese Nacht hat es stark geregnet. Ob es ihm leid getan hat? — Was ist vorhin auf der Straße geschehen?

zu 1 e: *gleichen, helfen; bedürfen; spotten* u. a.; — Er hat mir geholfen. Du hättest eines guten Ratgebers bedurft. Hat sie wirklich über den Redner gespottet?

B: zu 2a: Intransitive Verben der Zustandsveränderung (Vorgangsverben) sind: *bersten, platzen, reifen, scheitern, schwinden, sterben, wachsen; erkranken, erlöschen, erschlaffen, erstarren; gedeihen, gelingen, genesen, geraten, gerinnen, geschehen; verblühen, verwesen; zerfließen, zergehen, zerstieben; einschlafen, aufwachen, anbrennen, abfaulen, zufrieren* u. a.
*Das Schiff **ist** geborsten. Das Obst **war** noch nicht gereift. Die Verhandlungen **sind** gescheitert. Er **ist** gestorben. Das Konto wird beträchtlich angewachsen **sein**. Meine Frau **ist** erkrankt. Der Plan **war** gelungen. Und wie vom Sturm zerstoben **ist** all der Hörer Schwarm. Der Rhein **war** zugefroren.*

zu 2b: Derartige intransitive Verben der Bewegung sind: *begegnen, fallen, fließen, gehen, gelangen, gleiten, kommen, laufen, quellen, rinnen, schleichen, schlüpfen, schreiten, schwimmen, sinken, springen, steigen, weichen; entfallen, entfliehen; abprallen, absteigen, ankommen, anlangen, eintreffen, einkehren, herbeieilen, heimkehren, niederknien, umziehen, umherirren* u. a.
*Ich **bin** ihm begegnet. Er **ist** vom Stuhl gefallen. Wir **sind** ans Ziel gelangt. Der Verbrecher **ist** sehr schnell gelaufen. Er **ist** ins Haus geschlüpft. Das Schiff **ist** gesunken. Die Briefe **sind** nicht eingetroffen. In diesem Gasthaus **ist** er eingekehrt. Wann **sind** Sie hier angekommen?*

zu 3: *brechen, heilen, schmelzen, trocknen; ersticken, verderben, veröden, zerbrechen; abbrechen* u. a.
*Er **hat** den Vertrag gebrochen. Das Eis **ist** gebrochen. Der Arzt **hat** den Kranken geheilt. Die Wunde **ist** gut geheilt. Der Forscher **hat** die Erze geschmolzen. Der Schnee **ist** geschmolzen. Schlechter Umgang **hatte** den Jungen verdorben. Die Lebensmittel **sind** verdorben. Die Wäscherin **hat** die Wäsche getrocknet; in der Sonne **ist** alles gut getrocknet.* Vgl. auch § 52, 4.

zu 4: *eilen, fahren, hüpfen, reisen, reiten, rennen, rudern, schwimmen, springen* u. a.
*Er **hat, ist** geschwommen; er **hat** (die) 100 m in einer Minute geschwommen; er **ist** 100 m weit geschwommen. Früher **habe** ich viel gerudert. Die Burschen **sind** über den See gerudert.*

zu 5: *Der Politiker, der so lange **verfemt gewesen** (war), gelangte nun endlich zu Ansehen und Macht. Ein Mann von Ehre hält, was er **versprochen** (hat).*

GEBRAUCH DER TEMPORA (ZEITFORMEN)

§ 48. Das Präsens

1. Das Präsens (Aktiv und Passiv) steht zunächst für die D a u e r einer Handlung oder eines Zustandes i n d e r G e g e n w a r t; dabei kann der Beginn des Geschehens in der Gegenwart oder in der Vergangenheit liegen.
2. So kann das Präsens auch die gerade erst vergangene Zeit bezeichnen (meist auf die 1. Person beschränkt).
3. Häufig steht das h i s t o r i s c h e P r ä s e n s
als erzählende Zeit der V e r g a n g e n h e i t,
wenn besonders lebhaft und anschaulich erzählt werden soll.
4. Das Präsens bezeichnet ferner die u n b e g r e n z t e Zeit
in zeitlich nicht begrenzten Urteilen, Sprichwörtern und Sentenzen.
5. Oft tritt das Präsens für die Z u k u n f t ein,
vor allem, wenn eine Z e i t b e s t i m m u n g ohnehin auf die Zukunft hinweist
oder wenn die G e w i ß h e i t des zukünftigen Geschehens ausgedrückt werden soll.
6. In diesem Sinn steht das Präsens auch im strengen Befehl.

B: z u 1 : *Ich s c h r e i b e einen Brief* (gerade jetzt). *Es regnet* (es beginnt zu regnen; oder: es regnet schon seit einiger Zeit). — *Wie lange lernen Sie schon Deutsch? Ich l e r n e es s e i t einem Jahr.*

z u 2 : *Ich h ö r e, Sie waren in Ihrem Urlaub in Norwegen. Wie wir e r f a h r e n, möchten Sie Ihre seitherige Stellung aufgeben.*

z u 3 : *Unlängst g i n g ich in den Anlagen spazieren, als plötzlich ein Mann von einer Bank a u f s p r i n g t, auf mich z u e i l t, mich u m a r m t und an sich d r ü c k t. Erst an seiner Stimme e r k e n n e ich ihn: es w a r ein Jugendfreund, der lange verschollen war.*

z u 4 : *Ich l e s e Goethes Dramen* (auch wenn ich es im Augenblick nicht tue). *Die Nachtigall s i n g t schön* (auch im Winter kann man das sagen). *Drei hoch zwei ist neun* (immer ist das so). —
Wer Pech angreift, besudelt sich. Der kluge Mann baut vor.

z u 5 : *Wann r e i s e n Sie ab? Anfang Juli r e i s e ich an die Adria.
— Deinen Brief b e a n t w o r t e ich ausführlich, wenn ich aus meinen Sommerferien z u r ü c k bin.*

z u 6 : *Sie verlassen sofort das Zimmer! Du schweigst jetzt!*

§ 49. Das Perfekt

1. In seiner **eigentlichen** Anwendung hat das Perfekt immer **Bezug auf die Gegenwart**. Es bezeichnet
   a) eine in der **Gegenwart vollendete** Handlung oder
   b) einen gegenwärtigen Zustand als **Folge** eines Geschehens.
2. Daneben hat das Perfekt auch **ankündigende** Kraft und den Charakter der **Allgemeingültigkeit**, wenn eine Erkenntnis oder ein Geschehen überhaupt ohne Angabe von Nebenumständen ausgesagt werden soll.
3. Weiter kann es vergangenes Geschehen **vermutend** aussprechen.
4. Eine Erzählung im Präteritum kann im Perfekt **abschließen**.
5. In der Umgangssprache, besonders in West- und Süddeutschland, steht das Perfekt allgemein für das Präteritum (50,4).
6. Wie das Präsens für die Zukunft, so wird das Perfekt auch häufig für die **vollendete** Zukunft gebraucht.
7. Es kann auch ein zukünftiges Geschehen als **gewiß** voraussagen.

B : z u 1 a : *Vater **ist** von seiner Reise **zurückgekehrt*** (also gegenwärtig anwesend). *Es **hat geregnet*** (man sieht es an den nassen Straßen). *Er ist eingeschlafen.* (Er schläft jetzt. Dieser Satz ist ganz verschieden von: *er schlief ein,* wodurch ein in der Vergangenheit liegendes Geschehen erzählt wird.) Ebenso: *Er ist aufgewacht. Die Sonne ist schon untergegangen. Wir haben uns verspätet. Das habe ich vorausgesehen.*

z u 1 b : *Der Fluß ist übergetreten. Die Schuld ist getilgt* (52, 4).

z u 2 : *Mitgegangen, mitgehangen.* — *Gutenberg **hat** die Buchdruckerkunst **erfunden**. Spanier und Portugiesen **sind** die ersten Weltumsegler und großen Entdecker **gewesen**.*

z u 3 : *Sie **ist** doch wohl nicht **verunglückt**?*

z u 4 : *„Der Alte **folgte** der Leiche ... Handwerker **trugen** ihn. Kein Geistlicher **hat** ihn **begleitet**."* (Goethe, Werther)

z u 5 : *Gestern **haben** wir einen Ausflug ins Gebirge **gemacht**. Er **hat** das Land **vor vielen Jahren bereist**.*

z u 6 : *Ich bringe dir dieses Buch zurück, wenn ich es gelesen habe* (statt des ungebräuchlichen: *werde es zurückbringen, wenn ich es gelesen haben werde*).

z u 7 : *Lege den Brief vor, und du **hast** den Prozeß **gewonnen**!*

§ 50. Präteritum und Plusquamperfekt

1. Das **Präteritum** (Imperfekt) bezeichnet Handlungen und Zustände, die der **Vergangenheit** angehören.
2. Zunächst bezeichnet es die **Dauer in der Vergangenheit** und ist dabei vorzüglich **schildernd** und **beschreibend**.
3. Das Präteritum ist weiter das Tempus
der **unbegrenzten Vergangenheit**;
in dieser Anwendung ist es vorzüglich **erzählend**
und das wahre historische Tempus der deutschen Sprache.
4. Als erzählendes Tempus steht das Präteritum dem Perfekt nahe, woher die Vertauschung der beiden Tempora rührt (49).
5. Über das Präteritum im **Gedankenbericht** vgl. § 185, 5.
6. Das **Plusquamperfekt** bezeichnet ein Geschehen als in der **Vergangenheit** schon **vollendet**, und zwar meistens in bezug auf eine andere Handlung.
7. Es steht daher fast immer in Gliedsätzen, selten in Hauptsätzen, für etwas, was dem eigentlichen Gegenstand der Erzählung voraufging, und ist deshalb (ebenso wie das Fut. II) ein **relatives** Tempus.

B: zu 2: *Ich las, während er schrieb. — „Die Verbindung mit Neapel setzte das Reich in unmittelbare Beziehung zum Orient. Auch nach dieser Richtung hegte Heinrich die kühnsten Pläne und scheute keine Mittel, um sie durchzusetzen. Er dachte daran, das griechische Reich zu erobern."* (Hier sind die Vergangenheitsformen nicht sowohl erzählend, als vielmehr den **dauernden Zustand** des Mannes **schildernd**.)

zu 3: *„Friedrich entschied eine streitige Frage über die dänische Krone; der von ihm anerkannte König Sven erschien als sein Lehnsmann und trug in Merseburg das Schwert vor ihm her. Im Jahre 1157 unternahm er einen Zug gegen Polen..."* (Hier drücken die Vergangenheitsformen eigentlich **geschichtliche Vorgänge** aus, sind also **erzählend**.)

zu 4: *Er ist gestern zu mir gekommen und hat mir erzählt...* (statt: *Er kam gestern und erzählte mir.*)

zu 6: *Ich hatte meinen Brief gerade beendet, als sie kam. — „Nun geschah es, daß der König von Leinster, Diarmait, der einem seiner Nachbarn die Gemahlin geraubt hatte, sich an Heinrich II. wandte und sein Lehnsmann wurde."*

§ 51. Futur I und II

1. Das **Futur I** bezeichnet eine Handlung oder einen Zustand als in der **Zukunft** stattfindend. Vgl. aber § 48, 5.
2. Es wird ferner oft **statt des Präsens** gebraucht, wenn der Satz eine bloße **Vermutung** ausdrücken soll.
    Dabei nimmt das temporale Hilfsverb *werden* den Charakter eines **modalen** Hilfsverbs an. Im selben Sinne kann das Fut. II stehen; die Aussage bezieht sich dann auf die **Vergangenheit**.
3. Das Futur kann auch einen dringenden **Befehl** ausdrücken.
4. Statt des Futurs steht oft das mit *wollen* umschriebene Verb.
5. Das **Futur II** bezeichnet eine Handlung oder einen Zustand als gegenwärtig noch bevorstehend, aber vor einer zukünftigen Handlung **vollendet**.
6. Das Futur II wird wegen seiner Umständlichkeit im Deutschen nur **selten** gebraucht und meist durch das Perfekt ersetzt (49, 6).

B : zu 1 : *Ich werde meine Maßnahmen ganz nach den seinen einrichten. Diese Politik wird bestimmt zu einer Besserung unserer Lage führen. Wir werden sehen.*

zu 2 : *Er hört mein Klopfen nicht, er wird noch schlafen. Nicht möglich; du wirst dich irren!*
Fut. II: *Das Flugzeug ist überfällig; es wird verunglückt sein. Sie werden wohl davon gehört haben?*

zu 3 : *Du wirst nun deine Schulaufgaben machen! Werdet ihr nun endlich mit eurem Lärm aufhören?!*

zu 4 : *Morgen will ich mich mit dieser Sache befassen. Es scheint regnen zu wollen. Es will Abend werden.*

zu 5/6 : *Bis du zurückkehren wirst, werde ich diesen Brief beendet haben. Bis du zurückkommst, habe ich ihn beendet.*

Schlußbemerkung zum Gebrauch der Tempora.
    Die **Folge und Verbindung von Zeitformen** richtet sich im Deutschen **nicht** nach einer feststehenden Regel, sondern lediglich nach den in ihnen enthaltenen Zeitbegriffen.
    Doch verbindet man vorzugsweise Zeiten derselben **Zeitstufe** miteinander: Präsens mit Perfekt (nicht mit Präteritum), Präteritum mit Plusquamperfekt (nicht mit Perfekt):
    Er hilft mir, weil ich ihm geholfen habe (nicht: *half*); *ich lobte ihn, weil er es verdiente, verdient hatte* (nicht: *verdient hat*).

GEBRAUCH DER AKTIONSRICHTUNGEN

§ 52. Aktiv und Passiv

1. Wir unterscheiden **vier** Handlungs- oder Aktionsrichtungen:
   a) die **Normrichtung**, das **Aktiv** (die sog. Tatform),
   b) die **Umkehrrichtung**, das **Passiv** (die sog. Leideform),
   c) die **Rückrichtung** beim **reflexiv** gebrauchten Verb und
   d) die **Vollendungsform**, das **Zustandspassiv**.

2. Im **Aktiv** steht der Urheber des Geschehens als Subjekt, im **Passiv** wird das Ziel des Geschehens als Subjekt gesetzt, bei der **reflexiven** Form decken sich Urheber und Ziel, das **Zustandspassiv** stellt ein vollendetes Geschehen fest.

3. Das **Passiv** wird durch Zusammensetzung des Hilfsverbs *werden* mit dem Partizip II des Vollverbs gebildet
   und kommt in allen Zeiten vor.
   Dabei steht als Part. II von *werden* die Kurzform *worden* (16, 2).

4. Das **Zustandspassiv** wird mit *sein* gebildet. Dabei hat das Partizip adjektivischen Charakter, ist also Prädikativum (152, 1).

5. Nur **transitive** Verben, aber nicht alle, können ein vollständiges **persönliches** Passiv bilden.

6. Doch können viele intransitive Verben, aber auch transitive, ein **unpersönliches** Passiv mit dem Subjekt *es* bilden.

7. Reflexive, unpersönliche und Hilfsverben bilden kein Passiv.

B : zu 2 : Aktiv: *Ein Fachmann repariert die Schreibmaschine.* Passiv: *Die Maschine wird von einem Fachmann repariert.* Zustandspassiv: *Sie ist jetzt gründlich durchrepariert.* Reflexive Form: *Überzeugen Sie sich davon!* (43; 44)

zu 3: *pflegen: sie wird gepflegt, wurde gepflegt, ist gepflegt worden, war gepflegt worden* usw.

zu 4: *Der Tisch wird gedeckt. Der Tisch ist gedeckt. — Das Gehöft wurde vernichtet. Das Gehöft war vernichtet; jetzt ist es wieder aufgebaut* (40).

zu 5: *prüfen: ich werde geprüft, du wirst geprüft, er wird geprüft; wir werden geprüft* usw. in allen Zeiten.

zu 6: *streiten: Es wird gestritten. reden: Es wurde viel geredet. —* Auch ohne *es: Ihm wird gehorcht. Da ward scharf gekämpft.*

8. Futur des Aktivs und Präsens des Passivs dürfen nicht verwechselt werden: *ich werde prüfen* (mit dem Infinitiv gebildet); *ich werde geprüft* (mit dem Partizip II gebildet).
9. Bei der Umwandlung eines Satzes aus dem Aktiv ins Passiv wird das bisherige Akkusativobjekt zum Subjekt.
10. Das Subjekt des Aktivsatzes steht im Passivsatz gewöhnlich mit der Präposition *von* oder *durch*.

Umschreibungen des Passivs

11. An Stelle des Passivs stehen öfters reflexiv gebrauchte Verben.
12. Der Ersatz des Passivs durch das sog. „Aktiv mit *man*" ist nicht zu empfehlen und sollte nur ausnahmsweise erfolgen.
13. Unschön und nicht zu empfehlen ist auch die Umschreibung des Passivs durch ein Verbalsubstantiv in Verbindung mit einem Verb der Bewegung (*kommen, gelangen*).
14. Passivisch sind auch gewisse präpositionale Redewendungen, bei denen oft *begriffen* steht. Sie drücken einen Dauerzustand aus.
15. Viele Adjektive auf *-lich* und *-bar* haben passivischen Sinn.

B : zu 9/10: *Das Radio verbreitete den Aufruf.*
Passiv: *Der Aufruf wurde d u r c h den Rundfunk verbreitet.*
Vgl. auch die Beispiele zu 2 auf der Gegenseite!

zu 11 : *Der Brief f a n d s i c h zwischen Büchern = Der Brief w u r d e g e f u n d e n. Das Buch l i e s t s i c h leicht. Die Sache w i r d s i c h k l ä r e n. Das v e r s t e h t s i c h von selbst. — Es t r ä g t Verstand und rechter Sinn mit wenig Kunst s i c h selber vor. — Das l ä ß t s i c h nicht l e u g n e n.*

zu 12 : Nicht: *Man muß den Brief suchen,* sondern: *Der Brief muß gesucht werden; unser Lehrling muß (soll) ihn suchen.*
Doch: *Dem Friedlichen gewährt man gern den Frieden.* Vgl. § 46, 2.

zu 13 : *zur Aufführung kommen, zur Ausgabe gelangen, zur Verteilung kommen, zur Verteilung gelangen* u. dergl. —
Also nicht: *Die neue Oper kommt heute abend zur Uraufführung,* sondern: *Die Oper wird heute abend uraufgeführt, erstmals aufgeführt.* Nicht: *Die Zeugnisse gelangen morgen zur Ausgabe,* sondern: *werden morgen ausgegeben.*

zu 14: *Das Haus ist i m B a u begriffen. Das Buch ist i m D r u c k.*
zu 15 : *Der Lärm ist unerträglich* = *ist nicht zu ertragen* (57, 14).

GEBRAUCH DER MODI (AUSSAGEWEISEN)

§ 53. Indikativ und Konjunktiv

1. Der Indikativ (die Wirklichkeitsform) ist der Modus (die Aussageweise) der Wirklichkeit und Gewißheit;
   er gibt der Aussage objektiven Charakter.

2. Der Konjunktiv (die Möglichkeitsform) ist der Modus der Möglichkeit und Ungewißheit, auch der Unwirklichkeit;
   er gibt der Aussage subjektiven Charakter.

3. Die Konjunktivformen zerfallen in zwei Gruppen:
   a) die Präsensformen:
   Aktiv und Passiv des Präsens, Perfekts, Futurs I und II;
   b) die Präteritalformen:
   Aktiv und Passiv des Präteritums, Plusquamperfekts, Kondit. I u. II.

4. Präsensformen des Konjunktivs, die mit dem Indikativ übereinstimmen, werden immer durch die entsprechenden Präteritalformen ersetzt. Vgl. die Beispiele zu § 54, 4.
   Im übrigen drücken die Präteritalformen
   die Unwirklichkeit des Ausgesagten in verstärktem Maße aus.
   Es steht dann der Konjunktiv
   a) des Präteritums für die Gegenwart oder die Zukunft,
   b) des Plusquamperfekts für die Vergangenheit.

5. Der Gebrauch der beiden Modi hängt nicht
   von der äußeren Satzform oder einzelnen Konjunktionen,
   auch nicht von dem Begriff des Verbs im Hauptsatz,
   sondern allein von den Absichten des Sprechenden ab.

6. Demnach kann in demselben Satz sowohl der Indikativ als auch der Konjunktiv stehen (womit jedoch keine Willkür im Gebrauch der beiden Modi zugelassen ist).

7. Jedoch müssen Präsensformen des Konjunktivs stehen:
   a) zur Umschreibung des Imperativs;
   b) in Konzessivsätzen;
   c) in Wunschsätzen dann,
   wenn die Erfüllung des Wunsches als möglich gedacht wird.

8. Präteritalformen des Konjunktivs müssen stehen:
   a) in Wunschsätzen dann,
   wenn die Erfüllung des Wunsches das Gegenteil der Wirklichkeit bedeutet oder als unmöglich betrachtet wird (irreale Wunschsätze);
   b) in irrealen Bedingungssätzen;
   c) in Sätzen, die eine Behauptung mit Zweifel oder als Vermutung aussprechen (Potentialsätze).

9. Über den Konjunktiv in der nichtwörtlichen Rede vgl. § 186.

B : z u 1/2 : objektiv: *er lebt; er arbeitet.*
subjektiv: *man sagt, er lebe noch; es wird erzählt, er arbeite wieder; ich glaubte, er verstünde mich besser.* — *Dr. Müller entdeckte, daß die Ursache der Krankheit ein besonderer Bazillus* i s t. *Die Ursache der Krankheit* i s t *ein besonderer Bazillus.* (In beiden Sätzen wird die Gewißheit ausgesprochen.) — *Man sagt, daß die Ursache der Krankheit ein besonderer Bazillus* s e i. (Hier wird die Aussage noch als ungewiß genommen. Der Sprechende erwartet noch die endgültige Bestätigung.) Vgl. auch die Beisp. zu 8c!

z u 3 a : *er schreibe, er habe geschrieben, er werde schreiben, er werde geschrieben haben.* — *er gehe, er sei gegangen, er werde gehen, er werde gegangen sein.*

z u 3 b : *er schriebe, er hätte geschrieben, er würde schreiben, er würde geschrieben haben.* — *er ginge, er wäre gegangen, er würde gehen, er würde gegangen sein.*

z u 5/6 : *Ich habe gehört, daß Herr Schulze zum Bürgermeister ernannt worden* i s t. (Ich zweifle nicht an der Tatsache.) — *Ich habe gehört, daß er zum Bürgermeister ernannt worden* s e i. (Ich habe die Richtigkeit der Nachricht nicht nachgeprüft und möchte die Wahrheit noch offenlassen.)

z u 7 a : *Das Geburtstagskind* l e b e *hoch! Alle guten Geister* s e i e n *willkommen! Unser Vertreter* r e i s e *sofort ab!*

z u 7 b : *Wer es auch* s e i, *er möge eintreten! Was er auch* w ü n s c h e, *alles sei ihm gewährt!*

z u 7 c : *Das Schicksal* b e h ü t e *uns vor einem neuen Krieg! Des* r ü h m e *der blut'ge Tyrann sich nicht!*

z u 8 a : *W ä r e ich doch bei dir!* (Ich bin es aber nicht.) — *H ä t t e ich diesen Fehler doch nicht* g e m a c h t! (Ich habe ihn aber leider begangen.) — *Frommer Stab, o hätt' ich nimmer mit dem Schwerte dich vertauscht! O, wären wir weiter, o wär' ich zu Haus!*

z u 8 b : *Ich* w ä r e *glücklich, wenn ich gesund* w ä r e. (Ich bin nicht glücklich, weil ich nicht gesund bin.)

z u 8 c : *Ich* w ü ß t e *wohl, was zu geschehen* h ä t t e. Zum Ausdruck großer Wahrscheinlichkeit dient heute vielfach der Konj. Prät. von *dürfen: Die Ursache der Krankheit* d ü r f t e *ein besonderes Virus sein. Das Parlament* d ü r f t e *das Gesetz morgen* v e r a b - s c h i e d e n. — Hierher gehört auch der sog. bestätigende Konjunktiv: *Da* w ä r e n *wir endlich! Das* h ä t t e n *wir* g e s c h a f f t!

§ 54. Der Konditional

1. Der Konditional (die Bedingungsform)
ist keine eigentliche Zeitform, sondern als Abart des Konjunktivs der Modus der bedingten Möglichkeit.
2. Diese Bedingung wird oft durch ein Wort des Satzes oder einen Gliedsatz ausdrücklich ausgesprochen.
3. Der Konditional wird aus dem Konj. Präteritum von *werden* und dem Infinitiv Präsens bzw. Perfekt des Vollverbs gebildet. Der Konditional I bezieht sich auf die Gegenwart oder die Zukunft, der Konditional II auf die Vergangenheit.
4. Der Kondit. dient zunächst als Ersatz für solche mit *werden* gebildeten Konjunktivformen, die mit dem Indikativ übereinstimmen, dann allgemein zur Hervorhebung der bedingten Möglichkeit.
5. Der Konditional I ist dem Konjunktiv Präteritum gleichbedeutend, der Konditional II dem Konjunktiv Plusquamperfekt.
6. Können erkennbare Konjunktivformen des Präteritums bzw. des Plusquamperfekts gebildet werden, so sind diese Formen denen des Konditionals vorzuziehen.
7. Unzulässig ist der Konditional in Gliedsätzen der Bedingung oder Vergleichung, zulässig aber im Hauptsatz. (194, 3)

B : zu 2 : *Ohne Einladung würden wir nicht hingehen. Wenn ich genau Bescheid wüßte, würde ich mich sofort entscheiden.*

zu 3 : Kondit. I: *ich würde abreisen, würde mitfahren* (heute oder übermorgen); Kondit. II: *wir würden abgereist sein, sie würden geschrieben haben* (gestern oder noch früher).

zu 4 : Konj. Fut. I: *daß ich komme würde, du kommen werdest, er kommen werde, wir kommen würden, ihr kommen würdet, sie kommen würden.* Vgl. § 53, 4!

zu 5 : *ich würde schlafen = ich schliefe; du würdest tragen = du trügest; er würde rechnen = er rechnete; wir würden reden = wir redeten. — ich würde geschrieben haben = ich hätte geschrieben; er würde gekommen sein = er wäre gekommen.* — Da die Konjunktivformen des Plusquamperfekts immer als solche erkennbar sind, ist der Kondit. II also überhaupt entbehrlich.

zu 7 : Falsch: *Wenn Albert kommen würde, dann...* Richtig: *Wenn Albert käme, dann...* Auch: *Wenn Albert kommen sollte, dann...*

§ 55. Der Imperativ

1. Der I m p e r a t i v (die Befehlsform)
   ist d e r M o d u s d e r (subjektiven) N o t w e n d i g k e i t.
2. Der Imperativ hat nur für die 2. Person Sing. besondere Formen; für die 2. Pers. Plur. dient die Form des Indikativs als Imperativ. Der Imperativ steht o h n e Pronomen;
   doch wird das Pronomen gesetzt, und zwar nachgestellt,
   wenn eine besondere Hervorhebung beabsichtigt ist. Vgl. § 159, 3!
3. Häufig wird der Imperativ mit *sollen* umschrieben.
4. Diese Umschreibung muß immer erfolgen, wenn der Befehlssatz in einen a b h ä n g i g e n Satz verwandelt wird.
5. Zur Umschreibung eines d r i n g e n d e n Befehls
   wird das Hilfsverb *werden*, gelegentlich auch *wollen*, benutzt,
   oder es steht der reine Indikativ.
6. Aufforderungen, die der 1. oder 3. Pers. Sing. oder Plur. gelten, werden mit *lassen, mögen, sollen* u m s c h r i e b e n
   oder durch den Konjunktiv Präsens ausgedrückt.
7. Auch der Infinitiv wie das Partizip II steht als Befehlsform.
8. V e r b o t e werden oft durch das verneinte Hilfsverb *dürfen* oder den verneinten I n f i n i t i v ausgedrückt.

B: z u 2 : *Lies laut! Beachte die Satzzeichen! Geht nach Hause! Achtet auf die Verkehrszeichen! Seid vorsichtig! Sei du es nur!*

z u 3 : *Du sollst endlich fleißig sein! Ihr sollt gewissenhafter arbeiten! Du sollst nicht töten!* Auch im Prät.: *Du solltest genauer zuhören!*

z u 4 : *Sie sagte: „Fritz, kaufe Brot ein!" Sie sagte, Fritz s o l l e Brot einkaufen.* Vgl. § 187, 10.

z u 5 : *Du w i r s t nun endlich deine Aufgaben machen! W e r d e t (wollt) ihr endlich Ruhe halten?! — Du bleibst! Ihr geht!*

z u 6 : *Laßt uns Freunde sein! Lassen wir uns nicht einschüchtern! Er mag eintreten! Sollen sie nur kommen! — Seien Sie ganz beruhigt! Treten Sie näher! Haben Sie bitte Geduld!* (Diese sog. Anrede- oder Höflichkeitsform hat immer das nachgestellte Pronomen *Sie*.) *— Gehen wir! Fangen wir an!*

z u 7 : *Setzen! Aufstehn! — Aufgestanden! Aufgepaßt! Zugehört! Weggetreten! — Die Trommel gerührt! Das Pfeifchen gespielt!*

z u 8 : *Du darfst den Mut nicht verlieren! Ihr dürft nicht ungeduldig werden! — Nicht aus dem Fenster lehnen! Nicht abspringen!*

GEBRAUCH DER NOMINALFORMEN

§ 56. Der Infinitiv (Die Grundform)

1. Der Infinitiv steht auf der Grenze zwischen Verb und Substantiv.
2. Die deutsche Sprache kennt z w e i Infinitive:
   a) Infinitiv Präsens: *loben* (Aktiv),   *gelobt werden* (Passiv);
   b) Inf. Perfekt: *gelobt haben* (Aktiv), *gelobt worden sein* (Passiv).
   Doch werden Aktiv u. Passiv beim Inf. Präs. oft nicht auseinandergehalten.
3. Über die Rolle des Infinitivs in der Konjugation vgl. § 18, 2.
4. Der I n f i n i t i v o h n e *zu* steht:
   a) als S u b j e k t ;
   b) bei den m o d a l e n H i l f s v e r b e n ;
   c) bei den V e r b e n
   heißen (= befehlen), helfen, lehren, lernen, machen;
   d) bei den Verben der S i n n e s w a h r n e h m u n g
   wie *fühlen, hören, sehen* und anderen;
   e) bei den Verben des V e r h a l t e n s im Raum
   bleiben, fahren, gehen, reiten, sich legen
   und in gewissen Redewendungen bei *haben.*
5. Der I n f i n i t i v m i t *zu* steht:
   a) bei allen übrigen Verben und Adjektiven;
   b) nach den Präpositionen *ohne* und *statt;*
   c) nach Substantiven wie *Lust, Mut, Eifer, Gelegenheit, Zeit;*
   d) auch als Subjekt; vgl. § 150, 5.
6. Der I n f i n i t i v m i t *um zu* steht:
   a) zum Ausdruck der A b s i c h t und des Z w e c k s ;
   b) nach gewissen Wendungen zum Ausdruck der F o l g e.
7. Als Subjekt oder Objekt kann der Infinitiv sowohl verbal wie substantivisch gebraucht werden und daher Objekte und adv. Bestimmungen oder Attribute zu sich nehmen. Vgl. § 200.
8. Der zum S u b s t a n t i v erhobene Infinitiv ist ein N e u t r u m , kommt nur im S i n g u l a r vor,
   wird m i t oder o h n e Artikel gebraucht
   und nach der 1. Deklinationsgruppe (84) stark dekliniert.
9. Die substantivierten Infinitive dürfen nicht mit den Verbalsubstantiven gleichbedeutend gebraucht werden:
   jene bezeichnen die T ä t i g k e i t , diese das E r g e b n i s.

B: zu 2: *Wir hören den Sänger s i n g e n* (Präs. Aktiv). *Das kann er g e w e s e n s e i n* (Perf. Akt.). *Ich hörte das Lied s i n g e n* (Passiv).

zu 4a: *Dem Feind (zu) v e r z e i h e n ist edel.* Von diesem als Subjekt gebrauchten Infinitiv ist jedoch der Infinitiv zu unterscheiden, der gänzlich zum Substantiv geworden ist: L ü g e n und B e t r ü g e n sind nahe verwandt. D a s E s s e n war ausgezeichnet und billig. Aber: *Unreife Früchte e s s e n ist ungesund.*

zu 4b: *Er k a n n gut deutsch s p r e c h e n. Er s o l l lieber a r - b e i t e n als s p i e l e n ! Sie w o l l t e bald k o m m e n.*

zu 4c: *Er h i e ß sie s c h w e i g e n. Er h a l f mir a r b e i t e n. Mein Freund l e h r t e mich s c h w i m m e n. Diese Schüler l e r n e n z e i c h n e n. Das Wort m a c h t e sie e r r ö t e n.*

zu 4d: *Ich f ü h l e meinen Puls schwächer s c h l a g e n. Man h ö r t e ihn in der Kammer r u m o r e n. H a s t du ihn vom Baum f a l l e n s e h e n ? Ja, ich s a h ihn s t ü r z e n.*

zu 4e: *Er b l i e b s i t z e n. Wir f u h r e n s p a z i e r e n. Ich h a b e dein Bild auf meinem Schreibtisch s t e h e n.*

zu 5a: *Ich r a t e z u w a r t e n. Sind Sie nicht b e r e i t z u h e l f e n ? Das i s t nicht z u v e r s t e h e n.* — Der Infinitiv mit *zu* nach dem Verbum *sein* hat passivische Bedeutung. *Der Turm ist auf große Entfernung zu sehen* (= *kann gesehen werden*). *Die Anordnung ist zu befolgen* (= *muß befolgt werden*).

zu 5b: *S t a t t h e r b e i z u e i l e n und z u h e l f e n, stand sie un- schlüssig da, o h n e einen Finger z u r ü h r e n.*

zu 5c: *Wir haben keine L u s t z u k o m m e n. Er zeigte keine N e i - g u n g n a c h z u g e b e n. Ich habe erst morgen Z e i t, Sie a n - z u h ö r e n und mich mit der Sache z u b e s c h ä f t i g e n.*

zu 5d: *Es ziemt dem Manne, t ä t i g z u s e i n. Für ihre Kinder z u s o r g e n ist die vornehmste Pflicht jeder Mutter.*

zu 6a: *Wir gehen zum Bahnhof, u m die Gäste dort a b z u h o l e n. Höre genau zu, u m besser z u v e r s t e h e n !* (193, 6)

zu 6b: *Er ist alt g e n u g, um das allein zu wissen.* (196, 2)

zu 9: *Das Fahren* — *die Fahrt; das Singen* — *der (Ge)sang; das Hoffen* — *die Hoffnung; das Lärmen* — *der Lärm. H o f f e n und H a r - r e n macht manchen zum Narren. Am Grabe noch pflanzt er die H o f f n u n g auf.* — *Lautes L ä r m e n drang durch die Stille. Der L ä r m war unerträglich.*

§ 57. Das Partizip (Das Mittelwort)

1. Das Partizip bildet den Übergang vom Verb zum Adjektiv und wird auch als Substantiv und als Adverb gebraucht.
2. Seiner Natur nach kann das Partizip daher, wenn auch mit Einschränkungen, sowohl p r ä d i k a t i v als auch a t t r i b u t i v stehen,
3. besonders, wenn es ganz zum Adjektiv geworden ist.
4. Die deutsche Sprache kennt z w e i Partizipien:
   a) P a r t i z i p I   (Part. Präsens): *tragend;*
   b) P a r t i z i p II (Part. Perfekt): *getragen, gefragt*
   (über seine Bildung vgl. §§ 19; 60; 61).
5. Das P a r t i z i p I (Mittelwort der Gegenwart) bezeichnet die Dauer oder die Gleichzeitigkeit mit dem Prädikatsverb oder einer Zeitbestimmung im Satz.
6. Es hat in der Regel a k t i v e Bedeutung.
7. Ein Partizip I mit überwiegend v e r b a l e r Bedeutung kann n u r attributiv und nicht prädikativ stehen.
8. Das P a r t i z i p II bezeichnet die Vollendung und den daraus hervorgegangenen Zustand.
9. Das Partizip II t r a n s i t i v e r Verben hat in der Regel p a s s i v e Bedeutung;
10. es kann daher nicht attributiv im aktiven Sinn stehen.
11. Das Partizip II solcher i n t r a n s i t i v e n Verben, die mit *sein* konjugiert werden, hat a k t i v e Bedeutung
12. und kann daher attributiv und prädikativ stehen;
13. jedoch nicht das Partizip II der mit *haben* konjugierten; es erscheint nur in umschriebenen Konjugationsformen.
14. Das Partizip des Futurs des Passivs (das G e r u n d i v u m) ist selten und nur von transitiven Verben gebräuchlich. Es wird n u r a t t r i b u t i v gebraucht und mit *zu* aus dem Infinitiv gebildet, der die Endung *-d* erhält: *beziehen, zu beziehend.* P r ä d i k a t i v steht dafür der Infinitiv mit *zu,* der dann p a s s i v e Bedeutung hat. Vgl. die Beisp. zu § 56, 5a.
15. Partizipien werden wie Adjektive dekliniert, auch wenn sie als Substantive gebraucht werden.
16. Partizipien, die als Adverbien gebraucht werden, sind unveränderlich.
17. Im allgemeinen können Partizipien nicht gesteigert werden. Wenn es doch geschieht, nehmen z u s a m m e n g e s e t z t e Partizipien ihre Steigerungsendungen an das G r u n d wort, wenn die Zusammensetzung als Einheit empfunden wird, sonst an das B e s t i m m u n g s wort.

B: zu 1: *Haben dich deine Eltern Ordnung g e l e h r t? — ein g e l e h r t e r Mann; er ist g e l e h r t; ein G e l e h r t e r; ein g e l e h r t geschriebenes Buch.*

zu 2: *die Gefahr ist drohend, die drohende Gefahr; das Buch ist verloren, das verlorene Buch. — Das Land ist befreit.*

zu 3: *dies Bild ist entzückend, ein entzückendes Bild; jenes Mädchen ist reizend, ein reizendes Mädchen. — ein erfahrener Arzt, er ist erfahren; ein verschwiegener Diener; ein gefährdetes Bauwerk.*

zu 5: *die liebende Mutter sorgt, sorgte, wird sorgen. — eine ehemals blühende Stadt; der morgen eintreffende Gast.*

zu 6: *die sorgende Mutter: sie sorgt; das spielende Kind: es spielt.* Passivisch aber sind: *die betreffende Stelle: sie wird betroffen; die stillschweigende Voraussetzung: darüber wird geschwiegen.*

zu 7: *das schlafende Kind;* jedoch nicht: *das Kind ist schlafend,* sondern: *das Kind schläft;* ebenso nicht: *das Wasser ist kochend.*

zu 8/9: *ein beladener Wagen* (befindet sich im Zustand der Beladung); *ein geschlagener Mann* (*geschlagen* ist der, welcher *geschlagen worden ist,* nicht der, der *geschlagen hat*).

zu 10: zwar: *der geschriebene Brief,* aber nicht: *der geschriebene Mann.* Notfalls könnte das nur durch *der geschrieben habende Mann* ausgedrückt werden, was aber undeutsch ist; dafür steht: *der Mann, der geschrieben hat* (s. Anmerk.!).

zu 11/12: *die verblühte Blume, die Blume ist verblüht. — der erwachsene Sohn; mein entschlafener Freund.*

zu 13: weder: *die geblühte Blume,* noch: *die Blume ist geblüht,* sondern nur: *die Blume hat geblüht.*

zu 14: *eine sofort z u b e z i e h e n d e Wohnung: die Wohnung ist sofort z u b e z i e h e n = k a n n sofort b e z o g e n w e r d e n.*

zu 15: *der Verwandte, des, dem, den Verwandten; die Verwandten* usw. *ein Verwandter, eines, einem, einen Verwandten* usw.

zu 16: *mit s i e d e n d heißem Wasser übergießen; ein b e z a u b e r n d schönes Bildnis; ein g e s u c h t modernes Kleid, eines gesucht modernen Kleides, einem gesucht modernen Kleid* usw.

zu 17: Aber: *das schreiendste Unrecht. — die schwerwiegendsten Gründe,* aber: *der höchstgelegene Kurort, der bestbezahlte Arbeiter.*

M: Ein zusammengesetztes Part. II Aktiv *(gesprochen habend)* ist dem Deutschen fremd. (Französisch: *ayant parlé;* Englisch: *having spoken.*)

3. DIE BILDUNG DER VERBEN

Nach der B i l d u n g der Verben unterscheidet man:
 a) u r s p r ü n g l i c h e Bildungen,
 b) a b g e l e i t e t e Verben,
 c) z u s a m m e n g e s e t z t e Verben.

§ 58. Ursprüngliche und abgeleitete Verben

1. U r s p r ü n g l i c h e B i l d u n g e n
 sind die nicht zusammengesetzten Verben der s t a r k e n Konjugation (42),
 aber auch einige der schwachen Konjugation.
2. A b g e l e i t e t e Verben
 gehören der s c h w a c h e n Konjugation an.
 Sie entstehen
   a) aus starken Verben durch Umlaut des Stammvokals,
   b) aus Stämmen von Substantiven und Adjektiven,
   c) aus Stämmen verschiedener Wortarten durch Annahme der Endsilben *-en, -eln, -ern, -sen, -schen, -zen, -igen, -ieren.*
3. Durch die Ableitung kann die B e d e u t u n g des Ursprungswortes in verschiedener Weise verändert werden.
4. B e w i r k u n g s verben (kausative od. faktitive Verben) drücken aus, daß das im Ursprungswort Ausgesagte hervorgerufen, veranlaßt oder bewirkt wird. Sie sind deshalb in der Regel transitiv.
   a) Bei ihrer Ableitung von V e r b e n wird der Stammvokal umgelautet;
   b) bei einigen ändert sich auch der Stammauslaut (Konsonant);
   c) bei ihrer Ableitung von S u b s t a n t i v e n oder von A d j e k t i v e n steht die einfache Infinitivendung oder die Endung *-igen;*
   d) einige sind aus der 2. Stufe des gesteigerten Adjektivs abgeleitet.
5. Die V e r s t ä r k u n g des ursprünglichen Begriffes (intensive Verben), oft auch die Wiederholung der Handlung (iterative Verben),
 können ausgedrückt sein durch
   a) die Veränderung des Stammauslautes (des Konsonanten), oft zugleich auch durch Umlaut;
   b) die Endsilben *-ern, -sen, -schen, -zen.*
6. Die M i l d e r u n g des ursprünglichen Begriffes,
 oft auch Wiederholung oder Nachahmung,
 können durch die Endsilbe *-eln* ausgedrückt sein.
 Solche Verben haben gelegentlich einen verächtlichen Sinn.
7. Die Endsilbe *-ieren* ist ursprünglich fremder Herkunft
 und dann auch auf deutsche Wörter übergegangen.
 Sie ist immer voll betont.

B: zur Einleitung: a) *fallen* — b) *fällen* — c) *überfallen;*
a) *fahren* — b) *führen* — c) *verführen.*

zu 1: *fließen, trinken, beißen* u. a. — *recken, reden, sagen* u. a.

zu 2 a: vgl. unten 4—7!

zu 2 b: aus Substantiven: *schneidern, schustern, lotsen; fischen, grasen, hausen, pflügen* u. a.; vgl. unten 4 c und 6!
aus Adjektiven: *irren, kranken, lahmen, tollen;* vgl. unten 4 c!

zu 4 a: *fällen = zu Fall bringen; säugen = saugen lassen; tränken = zum Trinken veranlassen;* ebenso: *drängen (dringen), führen (fahren), hängen (hangen), lähmen (lahmen), legen (liegen), schellen (schallen), schwemmen (schwimmen), senken (sinken), setzen (sitzen), sprengen (springen), wälzen (walzen)* u. a.

zu 4 b: *ätzen (essen), beizen (beißen), schwenken (schwingen), schwitzen (schweißen)* u. a.

zu 4 c: von Substantiven: *narren = zum Narren halten; ängstigen = Angst machen.* ebenso: *bahnen (Bahn), dampfen (Dampf), enden, qualmen, rauchen, rosten, rußen, spielen, wirtschaften* u. a. — *bändigen (Band), peinigen (Pein), schädigen (Schaden)* u. a.
von Adjektiven: *öffnen = offen machen; reinigen = rein machen.* ebenso: *bleichen, grünen, röten, schwächen, stärken, wärmen; kürzen, lösen, runden, töten, trüben; füllen (voll), leuchten (licht), netzen (naß).* — *festigen, sättigen; (be)schönigen, (be)friedigen.*

zu 4 d: *bessern, lindern, mindern, nähern, schmälern* u. a. *(ver)größern, (ver)kleinern* u. a.

zu 5 a: *bücken (biegen), henken (hängen), nicken (neigen), placken (plagen), rupfen (raufen), ritzen (reißen), schnitzen (schneiden), schwenken (schwingen), sticken (stechen), zücken (ziehen)* u. a.

zu 5 b: -ern: *räuchern (Rauch), schläfern (Schlaf), stochern (stechen), stänkern (stinken);* — *glitzern (gleißen), stottern (stoßen);*
-sen: *hopsen (hüpfen), grausen (grauen);*
-schen: *herrschen (Herr), feilschen (feil); quatschen (quak, quaken);*
-zen: *schluchzen (schlucken); ächzen (ach), jauchzen (juch); duzen (du).*

zu 6: *hüsteln (husten), lächeln (lachen);* ebenso: *bröckeln (brocken), grübeln (graben), häkeln (haken), klingeln (klingen), schnüffeln (schnaufen), spötteln (spotten), sticheln (stechen), tänzeln (tanzen);*
von Substantiven: *frösteln (Frost), näseln (Nase), züngeln (Zunge);*
verächtlich sind: *frömmeln, klügeln, künsteln (Kunst), witzeln.*

zu 7: *studieren, marschieren; amtieren, halbieren, hofieren, hausieren.*

§ 59. Zusammengesetzte Verben

1. **Zusammengesetzte Verben** entstehen aus
   a) ursprünglichen oder
   b) abgeleiteten Verben
   durch Zusammensetzung mit
   α) Vorsilben oder
   β) selbständigen Wörtern.
2. Im zusammengesetzten Verb,
   sofern es aus selbständigen Wörtern entsteht,
   unterscheidet man **Grundwort** und **Bestimmungswort**.
3. Das **Grundwort** ist immer ein **Verb**.
4. Das **Bestimmungswort** steht im Infinitiv
   vor dem Grundwort und ist meist eine Präposition
   oder ein Adverb, selten ein Substantiv oder Adjektiv.
5. Bleibt die Zusammensetzung in allen Konjugationsformen unauflöslich **erhalten**,
   so heißt das Verb **untrennbar** zusammengesetzt (60),
   zerfällt sie aber in einigen Konjugationsformen wieder,
   so heißt das Verb **trennbar** zusammengesetzt (61);
   einige Verben zeigen wechselnden Gebrauch (62).

B: z u 1 a : von *fallen:* α) *befallen, gefallen, entfallen, mißfallen, verfallen, zerfallen;* β) *anfallen, auffallen, überfallen; danebenfallen, herunterfallen, hinauffallen.*
von *nehmen:* α) *benehmen, entnehmen, vernehmen;* β) *abnehmen, annehmen, vornehmen, zunehmen; entgegennehmen.*

z u 1 b : von *sprengen* (zu *springen*): α) *be-, ver-, zersprengen;*
von *führen:* β) *überführen, vollführen, vorführen, aufführen;*
von Verben, die bereits durch Vorsilben erweitert sind:
bestellen — abbestellen; erkennen — anerkennen; berufen — zurückberufen; enthalten — vorenthalten.

z u 2 : Grundwort: *brechen;* Bestimmungswort: *ab, durch, unter, Ehe, Rad;* zusammengesetztes Verb: *abbrechen, durchbrechen, unterbrechen, ehebrechen, radebrechen.*

z u 4 : Verben mit einem Substantiv oder Adjektiv als Bestimmungswort: *mutmaßen, lobsingen;* — *vollenden, vollbringen, vollziehen;* — *preisgeben, stattfinden, teilnehmen, ehebrechen;* — *inachtnehmen, instandsetzen.* Weitere Beispiele in den §§ 60—62.

6. Durch die Art der Zusammensetzung kann bei manchen Verben
   a) der **Beginn** der Handlung oder
   b) der **Abschluß** der Handlung bezeichnet werden.
   Dem ersten Zweck dienen *ent-*, *er-*, auch *ab-*, *an-*, *auf-*, dem zweiten *ge-*, *er-*, *ver-* (inchoative bzw. resultative Verben).
7. Die **gegenteilige** Handlung
   kann durch *ent-*, *miß-*, *ver-* bezeichnet werden.
8. Intransitive Verben können durch Zusammensetzung mit Vorsilben transitiv werden.
9. Bei manchen Verben, die von Adjektiven abgeleitet sind, bezeichnen
   a) *er-*, *ver-* die Herausbildung der betr. Eigenschaft,
   b) *be-*, *ent-*, *er-*, *ver-* das Bewirken des betr. Zustandes.
10. Bei manchen Verben, die von Substantiven abgeleitet sind, wird durch *be-* oder *ver-* bezeichnet, daß der Gegenstand mit dem versehen wird, was das Grundwort enthält.

B: zu 6a: *ent-brennen, -flammen, -zünden; ent-schlafen, -schlummern; — er-blühen, -glänzen, -glühen, -wachen; er-beben; -brausen; — ab-fahren, -reisen, -flauen; — an-fangen, -laufen, -zünden; — auf-blühen, -flammen, -jauchzen, -schreien, -wachen* (2, 18a).

zu 6b: *ge-frieren, -rinnen; sich ge-haben, sich ge-stellen. — er-blicken, -sehen; er-klimmen, -steigen; er-arbeiten, -denken, -sinnen, -betteln, -schleichen, -stehen; er-saufen, -trinken. — ver-blühen, -brennen, -schlingen, -tilgen, -tun, -wirken; ver-schlafen, -spielen; ver-gehen, -wesen, -heilen, -wachsen; ver-binden* (2, 18b).

zu 7: *ent-ehren, -falten, -färben, -laden, -schädigen, -waffnen. — miß-achten, -glücken, -trauen, -lingen, -raten. — ver-achten, -kennen.*

zu 8: *Wir wohnen schön. Wir bewohnen ein* **Landhaus.** *— Die Preise steigen. Die Wanderer erstiegen* **den Berggipfel.**

zu 9a: *er-blinden, -blassen, -grauen, -kalten, -kranken, -lahmen, -müden, -matten, -röten, -schlaffen, -starken, -starren. — ver-alten, -armen, -dummen, -flachen, -lauten, -leiden, -sauern, -stummen, -welken, -zagen* (2, 18).

zu 9b: *be-engen, -feuchten, -freien, -schweren, -täuben; be-reichern; be-ruhigen, -schleunigen, -festigen. — ent-blößen, -fernen, -fremden. — er-bittern, -frischen, -heitern; er-möglichen, -müden* (2, 18).

zu 10: *be-dachen, -grenzen, -herbergen, -schatten, -sohlen, -urlauben; be-geistern, -völkern. — ver-nageln, -mauern, -golden, -schleiern.*

§ 60. Untrennbar zusammengesetzte Verben

1. Die u n t r e n n b a r zusammengesetzten Verben
   zerfallen in z w e i G r u p p e n.
2. Die e r s t e G r u p p e bilden:
   a) alle Verben mit den Vorsilben
      be-, emp-, ent-, er-, ge-, ver-, zer- und *miß-;*
   b) die fünf Verben
      vollbringen, vollenden, vollführen, vollstrecken, vollziehen;
   c) alle Verben mit einer Präposition oder einem Adverb
      als unbetontem Bestimmungswort.
3. Die Verben der ersten Gruppe
   werden wie ihre G r u n d wörter konjugiert
   und nehmen im Partizip II die Vorsilbe *ge-* n i c h t an.
4. Die z w e i t e G r u p p e bilden:
   a) die Verben, die nur s c h e i n b a r zusammengesetzt,
      tatsächlich aber aus zusammengesetzten Substantiven oder Adjektiven a b g e l e i t e t sind;
   b) einige Verben, deren Bestimmungswort ein Substantiv oder ein Adjektiv ist.
5. Die Verben der zweiten Gruppe
   werden s c h w a c h konjugiert
   und nehmen im Partizip II die Vorsilbe *ge-* (das Augment),
   wenn überhaupt*, an den A n f a n g der Zusammensetzung.
6. Die Verben der ersten Gruppe werden auf dem G r u n d wort,
   die der zweiten Gruppe auf dem B e s t i m m u n g s wort betont*.

B: z u 2 a : *besuchen, entführen, empfinden, erleben, gebrauchen, vernehmen, zerstören, *mißbilligen, mißlingen;*
auch solche, die aus Substantiven oder Adjektiven entstanden sind:
befreunden (Freund), belauben, entlauben (Laub), enträtseln (Rätsel), gestatten (Statt), verschlammen (Schlamm); verarmen (arm), vergrößern (groß), zerkleinern (klein), entblößen (bloß) u. a.
z u 4 a : *frühstücken (Frühstück), langweilen (Langweile), maßregeln (Maßregel), urteilen (Urteil), wehklagen (Wehklage), wetteifern (Wetteifer); *offenbaren (offenbar), rechtfertigen (rechtfertig)* u. a.
z u 4 b : *brandschatzen, lobhudeln, lustwandeln, mutmaßen, radebrechen, wetterleuchten, *willfahren;* —
*frohlocken, *liebkosen, weissagen u. a.

---
*) Vgl. die Schlußbemerkung auf der Gegenseite!

B: zu 2/5: Konjugationsformen und Gebrauch der untrennbar zusammengesetzten Verben.

Infinitiv:	Infin. mit *zu*:	Part. II:
3: *besuchen* (schwach)	*zu besuchen*	*besucht*
empfinden (stark)	*zu empfinden*	*empfunden*
vollstrecken (schw.)	*zu vollstrecken*	*vollstreckt*
widersprechen (st.)	*zu widersprechen*	*widersprochen*
5: *frühstücken* (schw.)	*zu frühstücken*	*gefrühstückt*
wirtschaften (schw.)	*zu wirtschaften*	*gewirtschaftet*
mutmaßen (schw.)	*zu mutmaßen*	*gemutmaßt*
liebkosen (schw.)	*zu liebkosen*	*(ge)liebkost***

Präsens:	Präteritum	Imperativ:
3: *ich besuche*	*ich besuchte*	*besuche!*
du empfindest	*du empfandest*	*empfinde!*
er vollstreckt	*er vollstreckte*	*vollstrecke!*
sie widerspricht	*sie widersprach*	*widersprich!*
5: *es frühstückt*	*es frühstückte*	*frühstückt!*
wir wirtschaften	*wir wirtschafteten*	*wirtschaftet!*
ihr mutmaßt	*ihr mutmaßtet*	*mutmaßt!*
sie liebkosen	*sie liebkosten*	*liebkost!*

Anwendungen: Erste Gruppe: *Er b e s u c h t seinen Freund, besuchte seinen Freund, hat ihn besucht, will ihn besuchen; beabsichtigt, ihn zu besuchen. — Sie e m p f i n d e t Schmerzen, empfand Schmerzen, hat Schmerzen empfunden, soll Schmerzen empfinden; behauptet, Schmerzen zu empfinden.*

Zweite Gruppe: *Ich f r ü h s t ü c k e eben, habe noch nicht gefrühstückt, möchte frühstücken. Ich habe mir vorgenommen, nicht zu frühstücken. — Der Vater l i e b k o s t sein Kind, liebkoste es, hat es liebkost (hat es geliebkost)*. — Der Angestellte hat das in ihn gesetzte Vertrauen nicht g e r e c h t f e r t i g t. Die Studenten hatten in ihren Leistungen g e w e t t e i f e r t. Die Frau hat schlecht g e w i r t s c h a f t e t. Ich habe es g e m u t m a ß t.*

---

*) Für die Annahme der Vorsilbe ge- im Partizip II ist letzten Endes die Betonung des Verbs entscheidend: Zu einer unbetonten Vorsilbe kann die Vorsilbe ge- nicht treten! — Bei den mit * bezeichneten Verben schwanken jedoch Betonung und Sprachgebrauch, woraus sich die Abweichung von der Regel erklärt, wenn sie mit und ohne das Augment ge- vorkommen. Vgl. auch § 61, 3.

§ 61. Trennbar zusammengesetzte Verben

1. T r e n n b a r zusammengesetzt sind alle Verben,
   a) deren Bestimmungswort ein b e t o n t e s Adverb ist;
   b) deren Bestimmungswort ein Adjektiv ist (A: 60, 2 b u. 4 b);
   c) die Verben *achtgeben, danksagen, fehlschlagen, haltmachen, haushalten, hofhalten, maschineschreiben, preisgeben, standhalten, stattfinden, statthaben, teilhaben, teilnehmen;* ferner: *radfahren, kehrtmachen, hohnlachen* und einige ähnliche.
2. Die trennbar zusammengesetzten Verben werden wie ihre G r u n d wörter konjugiert;
   doch nehmen sie im Partizip II die Vorsilbe *ge-* z w i s c h e n ihre beiden Teile
   und ebendorthin auch die Präposition *zu* beim Infinitiv.
3. Beginnt aber das G r u n d w o r t mit einer t o n l o s e n Vorsilbe, so kann die Vorsilbe *ge-* zur Bildung des Partizips II n i c h t gebraucht werden.
4. Trennbar zusammengesetzte Verben stellen im Präsens, Präteritum und Imperativ das Bestimmungswort h i n t e r das Grundwort;
5. jedoch bleiben Präsens und Präteritum des Verbs u n g e t r e n n t, wenn dieses im abhängigen Satz in E n d stellung tritt.
6. Trennbar zusammengesetzte Verben werden auf dem B e s t i m m u n g s wort betont.

B: z u 1 a : (e i n f a c h e s Bestimmungswort) *ab-reisen, an-kommen, auf-stehen, aus-halten, bei-stehen, dar-stellen, ein-führen, fort-fahren, heim-kehren, her-stellen, hin-halten, inne-haben, mit-fühlen, nach-laufen, vor-lesen, weg-nehmen, zu-schließen* u. ä.;
(z u s a m m e n g e s e t z t e s Bestimmungswort:) *aufrechterhalten, bevorstehen, daherkommen, einhergehen, emporheben, entgegenschicken, entzweischlagen, voraussetzen* u. a.,
ferner alle Zusammensetzungen mit *herab-, hinab-, heran-, hinan-, herauf-, hinauf-, heraus-, hinaus-, herbei-, herein-, hinein-, herum-, umher-, herzu-, hinzu-*.

z u 1 b : *festbinden, festhalten, freisprechen, hochachten, loslassen, totschlagen, wahrnehmen* u. a.

z u 2 : *vorgehen, vorzugehen, vorgegangen* (stark); — *vorstellen, vorzustellen, vorgestellt* (schwach).

z u 3 : *aufstehen — aufgestanden*; aber: *auferstehen — auferstanden*; ebenso: *abstellen — abgestellt; abbestellen — abbestellt* u. a.

B: zu 2/5: **Konjugationsformen und Gebrauch der trennbar zusammengesetzten Verben.**

Infinitiv:		Infin. mit *zu*:	Part. II:
2: *voraussagen*	(schwach)	*vorauszusagen*	*vorausgesagt*
abschreiben	(stark)	*abzuschreiben*	*abgeschrieben*
darstellen	(schwach)	*darzustellen*	*dargestellt*
stattfinden	(stark)	*stattzufinden*	*stattgefunden*
3: *abbestellen*	(schwach)	*abzubestellen*	*abbestellt*
anerziehen	(stark)	*anzuerziehen*	*anerzogen*
vorbereiten	(schwach)	*vorzubereiten*	*vorbereitet*
mitempfinden	(stark)	*mitzuempfinden*	*mitempfunden*

Präsens:	Präteritum:	Imperativ:
2: *ich sage voraus*	*ich sagte voraus*	*sage voraus!*
du schreibst ab	*du schriebst ab*	*schreibe ab!*
er stellt dar	*er stellte dar*	*stelle dar!*
sie findet statt	*sie fand statt*	*finde statt!*
3: *es bestellt ab*	*es bestellte ab*	*bestellt ab!*
wir erziehen an	*wir erzogen an*	*erziehet an!*
ihr bereitet vor	*ihr bereitet vor*	*bereitet vor!*
sie empfinden mit	*sie empfanden mit*	*empfindet mit!*

Anwendungen: *Der Schüler s c h r e i b t den Aufsatz a b. Er s c h r i e b das Gedicht a b. S c h r e i b e die Lehrsätze a b! Der Lehrer sagte, die Schüler sollten die Regeln a b s c h r e i b e n. — Die Vorstellung f a n d gestern abend s t a t t. Weißt du, ob sie s t a t t f a n d? — Der Professor b e r e i t e t einen Versuch v o r. Wenn er den Versuch v o r b e r e i t e t, will er nicht gestört sein. — Der Versuch s t e l l t ein Wagnis d a r. Vorsicht ist geboten, weil der Versuch ein Wagnis d a r s t e l l t. — Mein Freund n a h m an der Festaufführung t e i l. Ich freue mich, daß er daran t e i l n a h m. Man soll beim Überqueren der Straße a c h t g e b e n. G e b e n S i e beim Überqueren der Straße a c h t! Der Fahrer hat beim Kreuzen der Bahngeleise nicht a c h t g e g e b e n. — Du solltest dir deine Untugenden a b g e w ö h n e n! G e w ö h n e dir deine Bummelei a b! Statt sich seine Fehler a b z u g e w ö h n e n, hat er sich noch mehr a n g e w ö h n t. — Du sollst das Leid deiner Mitmenschen m i t e m p f i n d e n! E m p f i n d e das doch m i t!*

§ 62. Zusammengesetzte Verben mit wechselndem Gebrauch

1. Einige Verben werden mit wechselnder Bedeutung
sowohl t r e n n b a r als auch u n t r e n n b a r gebraucht.
2. Es sind dies die Verben,
die mit den Präpositionen *durch, über, um, unter,* auch *hinter,*
zusammengesetzt sind.
3. In ihrer ursprünglichen (räumlichen) Bedeutung
werden diese Verben auf ihrem B e s t i m m u n g s wort
betont (z. B. ü b e r *setzen*)
und sind t r e n n b a r (61);
im übertragenen (geistigen) Sinne
werden sie auf ihrem G r u n d wort betont (z. B. *über s e t z e n*)
und sind u n t r e n n b a r (60);
4. doch ist diese Unterscheidung nicht immer streng durchgeführt.

B : z u 3 : *durch*brechen, *durch b r e c h e n* ; *durch schneiden,
durch s c h n e i d e n* ; *d u r c h* setzen, *durch s e t z e n* ; *über*-
nehmen, *über n e h m e n* ; *über*setzen, *über s e t z e n* ; *über*-
treten, *über t r e t e n* ; *um*kleiden, *um k l e i d e n* ; *um*wandeln,
um w a n d e l n ; *u n t e r* halten, *unter h a l t e n* ; *unter* schlagen,
unter s c h l a g e n u. a. — M : *wieder*holen, *wieder h o l e n.*
*In einem Nachen s e t z t e n sie ans andere Ufer ü b e r. Sie wur-
d e n ü b e r g e s e t z t. In gemeinsamer Arbeit ü b e r s e t z t e n
sie das Buch. Die Schrift w u r d e ü b e r s e t z t. Setz ü b e r,
Fährmann! Ü b e r s e t z e das Buch!* — *Der Junge b r a c h den
Stab d u r c h. Die Feuerwehr d u r c h b r a c h die störenden
Zäune. Das Kind hat seinen Federhalter d u r c h g e b r o c h e n.
Die Menge hat die Absperrung d u r c h b r o c h e n.* — *B r i c h
das Holz d u r c h ! D u r c h b r e c h t die Absperrung!* — *Augen-
blicklich k l e i d e t sie sich u m. Er u m k l e i d e t den Heiz-
körper mit einem Gitter.* — *Er t r a t in die Dienste einer anderen
Gesellschaft ü b e r. Sie ü b e r t r a t leichtsinnig die geltenden
Gesetze.* — *Er saß mit u n t e r g e s c h l a g e n e n Beinen. Sie floh
mit u n t e r s c h l a g e n e n Geldern.* — *Ich habe mich in eurer
Gesellschaft gut u n t e r h a l t e n. Ich habe dem Verletzten meinen
Arm u n t e r g e h a l t e n. Ich h i e l t dem Verunglückten meinen
Arm u n t e r. Dabei u n t e r h i e l t er sich weiter mit mir.*

z u 4 : *Sie hat sich d u r c h g e b e t t e l t. Er hat das ganze Land
d u r c h b e t t e l t.*

4. DIE REKTION DER VERBEN

§ 63. Übersicht

1. Viele Verben müssen oder können eine nähere Ergänzung haben, meist ein Nomen oder Pronomen; dabei bestimmt das Verb den Kasus, in dem das Nomen (Pronomen) stehen muß.
2. Dieser Einfluß des Verbs auf den Kasus des Nomens (Pronomens) heißt die R e k t i o n des Verbs.
3. Derart können Verben regieren:
    a) den Akkusativ,
    b) den doppelten Akkusativ,
    c) den Dativ,
    d) den Dativ und Akkusativ,
    e) den Genitiv,
    f) den Akkusativ und Genitiv,
    g) eine Präposition nebst zugehörigem Kasus.
    Weiter können Ergänzungen dieser Art zu mehreren zusammentreten. Vgl. besonders §§ 166 ff.
4. Einige Verben stehen mit dem Nominativ als unabhängigem Kasus.

§ 64. Verben mit dem Nominativ

1. Mit dem Nominativ als unabhängigem Kasus stehen die Verben *sein, bleiben, werden, sich dünken, heißen* und die Passivformen *genannt, gerufen, gescholten, geschimpft, geheißen, getauft werden.*
2. Bei den Verben des Zustandes und der Zustandsveränderung steht gewöhnlich die Konjunktion *als* mit dem Nominativ.

B : z u 1 : *Mein Vater war K a u f m a n n. Ich hätte nicht d e r V e r - a n t w o r t l i c h e sein mögen. Er blieb auch im Unglück m e i n F r e u n d. Er beabsichtigt, M a l e r zu werden. Mein Sohn heißt E r n s t* (152,1). — *Sie ist M a t h i l d e getauft, wird aber H i l d e gerufen. Nach diesen Diebereien wurde er mit Recht e i n un- verbesserlicher D i e b gescholten. Diese Erzeugnisse werden d i e b e s t e n (ihrer Art) genannt* (152, 5).

z u 2 : *Er scheiterte a l s S t a a t s m a n n. Als ein munterer und gesunder J u n g e wuchs er unter den Augen seiner Eltern heran. Sie führte ihr Leben a l s stille H e l d i n. A l s lichterloh brennende F a c k e l stürzte das Flugzeug ab* (152, 5).

§ 65. Verben mit dem Akkusativ

1. Alle t r a n s i t i v e n Verben regieren den Akkusativ (2, 5).
   Frage: *wen oder was?*
2. Statt des Akkusativs kann ein Infinitiv mit oder (selten) ohne *zu*, eine Infinitivgruppe oder ein abhängiger Satz stehen; auf dessen Inhalt wird im Hauptsatz meist mit *es* (Akk.) hingewiesen.
3. Aktivsätze mit transitivem Verb lassen sich meist ins Passiv umkehren: der bisherige Akkusativ wird zum Nominativ,
   der bisherige Nominativ steht nach der Präposition *von* oder *durch*.
4. Die meisten reflexiven Verben haben das Reflexivpronomen im Akkusativ bei sich (oft noch mit einer zweiten Ergänzung): *ich ärgere mich (über), er bedankt sich (für), sie gewöhnt sich (an)* u. a.
5. Viele unpersönliche Verben der Gemütsbewegung haben den Akkusativ: *es befremdet mich, erstaunt dich, beruhigt ihn, reizt uns.*
6. Das unpersönliche *es gibt* verlangt den Akkusativ (45, 3b).
7. Manche subjektiven Verben können einen Akkusativ des I n h a l t s zu sich nehmen; er wiederholt umschreibend den Inhalt des Verbs.
8. Als a d v e r b i a l e B e s t i m m u n g steht der Akkusativ
   a) des M a ß e s auf die Frage: *wieviel? wie viele? wie weit?* u. a.;
   b) der R i c h t u n g auf die Frage: *wo? wohin? woher?*
   c) der Z e i t auf die Frage: *wann? wie lange?*

B : z u 1 : *Der Meister tadelte d e n gleichgültigen A r b e i t e r.* Transitiv sind auch die Bewirkungsverben: *fällen, hängen* u. a. (58, 4).

z u 2 : *Ich rate z u w a r t e n. Er lernt l e s e n. Sie haßt e s , nur Ausreden z u h ö r e n. Er liebt e s nicht, d a ß du rauchst.*

z u 3 : *Der Hund biß d e n J u n g e n. D e r J u n g e wurde von dem Hund gebissen* (52, 9). Unmöglich oder ungebräuchlich aber ist die Umkehrung in den Fällen 4—7 und wenn Subjekt und Objekt irgendwie eins sind: *Sie neigte den Kopf, schlug die Augen nieder* u. ä. *Meine Augen brennen mich. — Auch bekommen, erhalten, behalten, haben = besitzen* sind nicht umkehrbar: *Ich bekam Besuch. Wir haben ein Auto.*

z u 5 : *Es befremdet u n s , daß Sie den Vertrag nicht einhalten* (45, 3d).

z u 7 : *Er geht einen schweren Gang, weint bittere Tränen, läuft Sturm.*

z u 8 a : *Der Tank faßt e i n halbes H e k t o l i t e r* (107; 172, 4).

z u 8 b : *Er fuhr d e n B e r g hinauf. Geh d i e s e n W e g!*

z u 8 c : *Ich war d e n ganzen A b e n d zu Hause* (172, 4).

§ 66. Verben mit dem doppelten Akkusativ

Akkusativ und Infinitiv

1. Die beiden Verben *lehren* und *kosten*
   können einen doppelten Akkusativ (Person + Sache) haben;
   kosten kann aber auch mit einem Dativ der Person
   und einem Akkusativ der Sache verbunden werden.
2. Nach *fragen* und *bitten* kann ein doppelter Akkusativ stehen.
3. Die aktiven Formen der Verben *nennen, rufen, schelten, schimpfen, schmähen, heißen* (= *nennen*), *taufen* (= *benennen*), *titulieren* verlangen den d o p p e l t e n Akkusativ.
   Der zweite Akkusativ ist p r ä d i k a t i v, d. h. Komplement (169, 1b).
4. Im Passiv werden beide Akkusative zu Nominativen (52, 9; 64, 1).
5. Zahlreiche Verben, die in anderen Sprachen den doppelten Akkusativ regieren, verlangen im Deutschen vor dem zweiten Akkusativ
   die Konjunktion *als* oder die Präposition *für*
   oder nehmen statt dessen die Präposition *zu* mit dem Dativ.
6. Nach den Verben des Veranlassens und des Wahrnehmens kann dem Akkusativ ein Infinitiv folgen (a. c. i.). Inhaltlich verhält sich der Infinitiv zum Akkusativ wie ein Prädikat zu seinem Subjekt (169, 1d).

B : z u 1 : *Sein Bruder lehrte i h n d i e s e n T r i c k. Es kostet d i c h nur e i n e n T e l e f o n a n r u f, mir Nachricht zu geben.*

z u 2 : *Er fragte m i c h d i e unmöglichsten D i n g e. Ich bitte d i c h e i n e s : Schweig endlich stille!*

z u 3 : *Nach diesen Spitzbübereien nannte man i h n mit Recht e i n e n S c h u r k e n. Wegen seiner Fehler schimpfte (schalt) das Volk d e n F e l d h e r r n e i n e n V e r r ä t e r. Goethes Eltern tauften i h r e n S o h n J o h a n n W o l f g a n g.*

z u 4 : *D a s K i n d wurde J o h a n n W o l f g a n g getauft.*

z u 5 : *rühmen als, preisen als, erklären für, halten für, nehmen für; wählen zu, ernennen zu, machen zu, annehmen als, zu u. a.*
Man rühmt Dr. Schulz a l s d e n besten C h i r u r g e n der Stadt.
Ich halte ihn f ü r e i n e n E r z s c h e l m; f ü r e i n e n N a r r e n.
Der Verein wählte Herrn Meier z u m V o r s i t z e n d e n.

z u 6 : *heißen, lassen, machen u. a.; — fühlen, hören, sehen u. a. — Das Wort machte s i e e r r ö t e n (sie errötete). Lassen Sie mich gehen! — Ich höre i h n k o m m e n (er kommt). Sahst du ihn stürzen?*

§ 67. Verben mit dem Dativ

1. Der Dativ der Person, seltener der Dativ der Sache (167, 2), steht namentlich nach den Verben des **persönlichen Bereiches** und des **räumlichen Verhaltens**, d. h. der Zu- und Abneigung, des Nutzens und Schadens, der Gemeinschaft und Trennung, der Näherung und Entfernung, auch des Sagens und Zuhörens, z. B.:

ähneln	*entsagen*	*gehorchen*	*grollen*	*schaden*
antworten	*fehlen*	*gehören*	*helfen*	*schmecken*
begegnen	*fluchen*	*gelingen*	*huldigen*	*schmeicheln*
danken	*folgen*	*genügen*	*mißfallen*	*(ver)trauen*
dienen	*frommen*	*glauben*	*nahen*	*trotzen*
drohen	*frönen*	*gleichen*	*nützen*	*winken*
entfliehen	*gefallen*	*glücken*	*passen*	*zürnen* u. a.

2. Ebenso werden zahlreiche **trennbar** zusammengesetzte Verben gebraucht, die mit *ab, an, auf, bei, ein, entgegen, nach, bevor, zu, zuvor* gebildet sind, z. B.:

angehören	*beistehen*	*entgegengehen*	*zuhören*
anstehen	*beistimmen*	*nachgeben*	*zugehören*
auffallen	*beiwohnen*	*nachstellen*	*zukommen*
aufwarten	*einfallen*	*vorbeugen*	*zureden*
beipflichten	*einleuchten*	*(zu)vorkommen*	*zusagen* u. a.

3. Auch folgende **untrennbar** zusammengesetzte Verben werden mit dem Dativ verbunden:

unterliegen	*widerfahren*	*widerstehen*	*widerstreiten*
widersprechen	*widerraten*	*widerstreben*	*willfahren.*

4. Einige **unpersönliche** Verben (45) nehmen den Dativ:

es ahnt mir	*es (er)geht*	*es scheint*	*es tut — leid*
es beliebt	*es gelingt*	*es schmeckt*	*es ist — zumute*
es ekelt	*es liegt*	*es schwindelt*	*es kommt — vor* u. a.

5. Über den **freien** Dativ nach anderen Verben vgl. § 167, 3.

B: zu 1: *Ich antwortete* **ihm**. *Er hat jetzt völlig* **dem Alkohol** *entsagt. Das Haus gehört* **mir**. *Die Sache paßte* **ihr** *nicht.*

zu 2: *Sie gehörte zahlreichen* **Vereinen** *an. Alle Anwesenden stimmten* **den Vorschlägen** *zu. Ich wohnte* **der Feier** *bei.*

zu 3: *Der Plan widerstrebt* **mir**. *Willfahre* **seinem Flehen** *nicht!*

zu 4: *Geht es* **Ihnen** *gut? Das liegt* **mir** *nicht. Es gelang* **ihm**, ...

§ 68. Verben mit dem Dativ und Akkusativ

1. Zahlreiche Verben erfordern zugleich einen Dativ und einen Akkusativ. Vgl. bes. § 168, 2. — Frage: *wem?* + *wen oder was?*
2. Hierher zählen viele ursprüngliche und abgeleitete Verben, z. B.:

bieten	gönnen	nehmen	schenken	stehlen	melden
borgen	leihen	opfern	schicken	stiften	raten
bringen	leisten	rauben	schulden	widmen;	sagen
geben	liefern	reichen	senden	deuten	zeigen u. a.

3. Ferner gehören viele Verben mit den Vorsilben *be-, ent-, er-, ge-, ver-* hierher, unter vielen anderen:

bereiten	gewähren	vergeben;	erlauben	gestehen
entwenden	verschaffen	befehlen	erzählen	verbieten
entziehen	verwehren	berichten	geloben	versprechen
erweisen	verweigern	bewilligen	gestatten	verzeihen u. a.

4. Zahlreiche t r e n n b a r zusammengesetzte Verben, die mit *ab, an, auf, bei, ein, entgegen, nach, unter, vor, zu* gebildet sind, erfordern ebenfalls den Dativ und Akkusativ:

abschlagen	beimischen	unterschieben	entgegensetzen
abtreten	einhändigen	vorlegen	vorhalten
aufbürden	eintragen	zuwenden;	vortragen
beifügen	nachweisen	antragen	zumuten u. a.

5. Nach einigen dieser Verben kann ein Infinitiv mit *zu* oder ein abhängiger Satz den Akkusativ vertreten; darauf darf im Hauptsatz mit *es* hingewiesen werden.

B: zu 2: *Dieser Mann hat d e m L a n d e e i n e n g r o ß e n D i e n s t geleistet. Man bot i h m e i n gutes G e h a l t.*

zu 3: *Das Parlament bewilligte d e n B e a m t e n e i n e G e h a l t s - e r h ö h u n g. Die Eltern verziehen i h r e m S o h n e s e i n e U n - t a t e n. Er gelobte i h n e n wirkliche B e s s e r u n g.*

zu 4: *Der Kaufmann mischte d e m K a f f e e 50 v. H. E r s a t z - s t o f f e bei. Der Angestellte legte s e i n e m C h e f den V e r - t r a g vor. Die Arbeit trug i h m e i n e n guten L o h n ein.*

zu 5: *Der Richter schlug (es) d e m A n g e k l a g t e n ab, weitere Zeugen zu hören. Man sah (es) i h m an, daß er überarbeitet war. Man kann m i r nicht zumuten, daß ich diese Behauptung stillschweigend übergehe. Ich versprach i h m, die Sache zu prüfen.*

§ 69. Verben mit dem Genitiv

1. Folgende Verben nehmen einen Genitiv zu sich (Frage: *wessen?*):
   bedürfen   entraten   ermangeln   gedenken.
2. In einigen Redewendungen steht der Genitiv ferner noch nach:
   entbehren   pflegen   spotten   walten   es braucht.
3. Nach folgenden Verben steht der Genitiv in gehobener Sprache; sonst steht der Akkusativ[1] oder eine Präposition[2] mit ihrem Kasus.
   achten[2]   *begehren*[1]   *harren*[2]   *lachen*[2]   *vergessen*[1].
4. Nach einigen subjektiven Verben steht in gewissen Redewendungen ein **a d v e r b i a l** gebrauchter unabhängiger Genitiv, um die **A r t** der Tätigkeit auszudrücken (172, 3).
5. Nach den Verben *sein, bleiben, scheinen, werden* kann ein unabhängiger, und zwar **p r ä d i k a t i v e r** Genitiv stehen, um eine **B e s c h a f f e n h e i t** des Subjekts auszudrücken (152, 2 d).
6. Vereinzelt steht ein Genitiv des Besitzers nach dem Verb *sein*.
7. Über den Genitiv nach reflexiven Verben vgl. § 70, 3.

B: zu 1: *Ich bedarf dringend **I h r e r   H i l f e**; **I h r e s   B e i s t a n - d e s** kann ich nicht entraten. Seine Ausführungen ermangeln **j e d e r   L o g i k**. Das bedarf **k e i n e s   B e w e i s e s**. Die Versammelten gedachten **d e r   T o t e n**.*

z u 2: *Seine Behauptungen entbehren **j e d e r   G r u n d l a g e**. Herr M. ist nicht zu sprechen: er pflegt **d e r   R u h e**. Das Ausmaß der Verwüstungen spottete **j e d e r   B e s c h r e i b u n g**. Walten Sie **I h r e s   A m t e s**! Dazu braucht's nur **e i n e s   W o r t e s**.*

z u 3: *Wir achten nicht **d e s   W e g e s**, den wir treten. (Wir achten nicht **a u f** den Weg.) Ich lache **s e i n e r   l e e r e n   D r o h u n g e n** (**ü b e r** seine Drohungen). Wie könnt' ich **d e i n** vergessen!* (110, 2 M)

z u 4: *Ein Wanderer zog **s e i n e s   W e g e s** dahin. Gehen Sie **I h r e r   W e g e**! Der große Maler ist **H u n g e r s** gestorben. Ebenso: eines langsamen, plötzlichen, schrecklichen Todes sterben; der Hoffnung leben; seines Glaubens leben, eines Kindes genesen u. a.*

z u 5: *Er und ich waren in dieser Frage **d e r s e l b e n   A n s i c h t**. Dann wurde er **a n d e r e n   S i n n e s**. Ebenso: guter Dinge sein, reines Herzens sein, guter Hoffnung sein, schlechter Laune scheinen, frohes (frohen) Mutes werden, willens sein, des Glaubens sein u. a.*

z u 6: *Schweig stille, sonst bist du **d e s   T o d e s**!*

§ 70. Verben mit dem Akkusativ und Genitiv

1. Ebenso wie bei den Adjektiven, die den Genitiv regieren (104), wird auch bei den Verben der Gebrauch des Genitivs zurückgedrängt; oft steht statt dessen eine Präposition¹ mit ihrem Kasus, oder das Verb ist in der Umgangssprache ungebräuchlich° geworden.
2. Folgende Verben haben neben einem Akkusativ der P e r s o n noch einen Genitiv der S a c h e (168, 2b):

anklagen¹	berauben	entsetzen¹	versichern
beschuldigen	entbinden°	überführen	verweisen¹
bezichtigen	entheben	überheben°	würdigen
zeihen°	entkleiden°	überzeugen	belehren.

3. Bei folgenden r e f l e x i v e n Verben steht neben dem Akkusativ des Pronomens der Genitiv der Sache:

sich annehmen	sich entäußern	sich erbarmen¹	sich schämen¹
bedienen	enthalten	erfreuen	unterwinden°
befleiß(ig)en	entledigen	erinnern¹	(ver)lohnen
bemächtigen	entsinnen¹	erwehren	versehen°
besinnen	entwöhnen	rühmen	versichern.

4. Auch die u n p e r s ö n l i c h e n Verben der Gemütsbewegung *es dauert°, es erbarmt°, es gelüstet¹, es gereut°, es jammert* (45, 3d) stehen mit dem Akkusativ der Person und dem Genitiv der Sache.

B: zu 2: *jemand(en) des L a n d e s v e r r a t s anklagen (w e g e n Landesverrates). — Sie bezichtigte (zieh) i h n d e r L ü g e. Man enthob i h n s e i n e r Ä m t e r und entkleidete i h n a l l e r seiner W ü r d e n. Der Chef versicherte den A n g e s t e l l t e n s e i n e s W o h l w o l l e n s. Ich überzeugte (belehrte) i h n e i n e s B e s s e r e n. Man würdigte ihn k e i n e s B l i c k e s. Der Minister hat d e n P r o f e s s o r s e i n e r V e r p f l i c h t u n g e n entbunden (v o n seinen Verpflichtungen).*

z u 3: *Er enthielt sich j e d e r Ä u ß e r u n g. Leider kann ich mich d e s V o r f a l l e s nicht entsinnen und I h r e r nicht erinnern. Sie haben sich I h r e s A u f t r a g e s geschickt entledigt. Der Gelehrte erfreute sich e i n e s h o h e n A n s e h e n s. Er konnte sich d e r H u l d i g u n g e n kaum erwehren. Er rühmte sich d e s s e n. Sie schämte sich I h r e r H e r k u n f t.*

z u 4: *Es jammert mich d i e s e s unglücklichen M e n s c h e n.*

§ 71. Verben mit Präposition nebst zugehörigem Kasus

1. Viele Verben müssen oder können eine Präposition nebst zugehörigem Kasus, d. h. ein präpositionales Objekt, bei sich haben.
2. Wichtige Verben mit Präposition und A k k u s a t i v sind:
(Die Verben mit * können auch eine andere Rektion haben.)

*denken an	sinnen auf	sich beklagen über
sich erinnern an	sich verlassen auf	gebieten über
*glauben an	*(ver)trauen auf	grübeln über
sich machen an	verzichten auf	jammern über, um
sich gewöhnen an;	warten auf;	klagen über
*achten auf	sich bedanken für	lachen über
sich belaufen auf	sich entscheiden für	nachdenken über
sich berufen auf	sich interessieren für	scherzen über
sich beschränken auf	sorgen für;	*verfügen über
sich besinnen auf	einschreiten gegen	wachen über
sich beziehen auf	verstoßen gegen	sich wundern über;
sich freuen auf, über	sich wehren gegen;	sich (be)kümmern um
hoffen auf	einwilligen in	sich bemühen um
*rechnen auf	sich fügen in	kämpfen um, für
*schelten auf, über	sich vertiefen in	streiten um, über
*schimpfen auf, über	sich verwandeln in;	trauern um, über
*schwören auf	sich ärgern über	weinen um, über u. a.

3. Wichtige Verben mit Präposition und zugehörigem D a t i v sind:

arbeiten an	sich befassen mit	abhängen von
sich beteiligen an	*beginnen mit, von	sich erholen von
sich (er)freuen an	sich begnügen mit	schwärmen von
erkranken an	umgehen mit	träumen von;
leiden an, unter	zögern mit	sich auszeichnen vor, in
mitwirken an, bei	*angeln, fischen nach	erschrecken vor
sterben an	aussehen nach	*fliehen, flüchten vor
teilhaben an	duften, riechen nach	sich fürchten vor
teilnehmen an	fahnden nach	sich hüten vor
sich vergreifen an	fiebern, gieren nach	sich schämen vor
zweifeln an;	forschen nach	(sich) scheuen vor;
bestehen aus, in;	*fragen nach	beitragen zu
sich irren in;	greifen nach	*dienen zu
*anfangen mit, von	streben, trachten nach	stehen zu
aufhören mit	*suchen nach	taugen zu u. a.

4. Viele Verben verlangen außer dem präpositionalen Objekt noch einen A k k u s a t i v (der Person oder der Sache), z. B.:

abhalten von	gewöhnen an	verkaufen an
auffordern zu	hindern an	verleiten zu
benutzen zu	hinweisen auf	verlocken zu
bitten um	mißbrauchen zu	verpflichten zu
drängen zu	nötigen zu	verraten an
einladen zu	plagen mit	verurteilen zu
erinnern an	schreiben an	verwenden zu
erkennen an	schützen vor	warnen vor
ernennen zu	übertreffen in, an	zwingen zu
fragen nach	überzeugen von	und andere.

5. Einige Verben haben neben dem präpositionalen Objekt noch einen D a t i v bei sich, z. B.:

antworten auf	es fehlt ... an
berichten über	es mangelt ... an
erzählen von	es gebricht ... an
raten zu	es dient (nützt, nutzt) ... zu
abraten von	es graut (bangt) ... vor (selten mit Akk.)
verhelfen zu;	es ekelt (schaudert) ... vor (auch mit Akk.).

B : z u 2 : *Sie klagt oft ü b e r i h r e n C h e f. Man erinnert sich heute kaum noch a n d e n d a m a l i g e n V o r f a l l. Ich vertraue a u f Ihre Verschwiegenheit = Ich vertraue d a r a u f, daß Sie verschwiegen sind. Vgl. bes. S. 156, M.*

z u 3 : *Die Studenten wetteiferten i n i h r e n L e i s t u n g e n. Ich fürchte mich nicht v o r d e r S c h w i e r i g k e i t dieser Aufgabe = Ich fürchte mich keineswegs d a v o r, daß diese Aufgabe schwierig ist. Vgl. bes. S. 156, M.*

z u 4 : *Er bat m i c h um einen Rat. Ich erinnerte i h n an sein Versprechen. Ich mußte i h n auf die Folgen hinweisen. Plagt er auch S i e mit seinen Nörgeleien? M e i n e n W a g e n habe ich an einen Freund verkauft. Verwenden Sie am besten d i e s e s M i t t e l zur Wagenpflege!*

z u 5 : *Er hat m i r auf meinen Brief noch nicht geantwortet. Ich mußte m e i n e m C h e f darüber berichten. Von diesem Vorhaben muß ich I h n e n abraten. — (45, 3c, d) Es fehlt i h m am guten Willen. Dieses Werkzeug dient (nützt, nutzt) m i r zu vielerlei Zwecken. Es ekelt m i r vor dieser Unsauberkeit dort.*

II. Der Artikel (Das Geschlechtswort)
§ 72. Arten und Deklination des Artikels

1. Es gibt z w e i A r t e n des Artikels:
   a) den b e s t i m m t e n Artikel:
      Sing.: *der* (m.), *die* (f.), *das* (n.); Plur.: *die* (m., f., n.);
   b) den u n b e s t i m m t e n Artikel:
      Sing.: *ein* (m.), *eine* (f.), *ein* (n.); Plural fehlt!   Vgl. § 109, Anm.
2. Der b e s t i m m t e (bestimmende) Artikel bezeichnet
   a) (individualisierend:) Einzelwesen oder -dinge aus einer Gattung,
   b) (generalisierend:) eine ganze Gattung als bestimmt oder bekannt und verdeutlicht Genus, Numerus und Kasus des Substantivs.
3. Der u n b e s t i m m t e Artikel bezeichnet (individualisierend) Einzelwesen oder Einzeldinge als unbestimmt oder unbekannt. Auch der unbestimmte Artikel kann generalisieren.
4. Übersicht über die Deklination des Artikels:

1. Der bestimmte Artikel

	Singular m.	n.	f.	Plural m. n. f.
Nom.	der	das	die	die
Gen.	des	des	der	der
Dat.	dem	dem	der	den
Akk.	den	das	die	die

2. Der unbestimmte Artikel

	Singular m.	n.	f.	Plural
Nom.	ein	ein	eine	
Gen.	eines	eines	einer	fehlt!
Dat.	einem	einem	einer	
Akk.	einen	ein	eine	

B: z u 2 a : *Wer ist draußen?* — Singular: *Der Briefträger ist draußen.* Plural: *Wo sind die Kinder? — Die Kinder spielen im Garten.*

z u 2 b : *Der Löwe ist der König der Tiere. Die Wiederholung ist die Mutter der Wissenschaften. Das Leben ist kurz.*

z u 3 : Singular: *Ein Mann steht vor der Tür. An der Tür sitzen eine Frau und ein Kind.* Plural: *Männer stehen auf der Straße.* (generalisierend:) *Ein Kind kann das begreifen (= jedes Kind).*

§ 73. Gebrauch des Artikels

1. Der Artikel steht im Deutschen v o r dem Substantiv; hat es noch nähere Bestimmungen vor sich, so steht er v o r diesen.
2. Steht aber ein Substantiv im Genitiv als nähere Bestimmung vor einem anderen Substantiv, so fällt d e s s e n Artikel ganz weg.
3. Der Artikel hebt einen oder mehrere Gegenstände (Personen oder Sachen) aus einer Menge hervor. Wo das nicht beabsichtigt oder überflüssig ist, kann oder muß er also wegbleiben. Vgl. § 74.
4. Zur Vermeidung von Unklarheiten wird der Artikel aber bei Aufzählungen vor jedem Substantiv wiederholt, besonders wenn die Verschiedenheit der Personen oder Geschlechter betont werden soll.
5. Für den unbestimmten Artikel steht in der v e r n e i n e n d e n Form *kein* (m.), *keine* (f.), *kein* (n.).
Die Deklinationsendungen sind im Singular dieselben wie beim unbestimmten Artikel *ein, eine, ein* (72);
im Plural lauten die Formen für die drei Geschlechter gleich:
N. *keine*, G. *keiner*, D. *keinen*, A. *keine*.
6. Oft werden Artikel und Präposition zusammengezogen.

B: z u 1: *der Herr, der fremde Herr, die große Stadt, das bekannte Buch; ein berühmter Schriftsteller, die beiden Tage.*

z u 2: *des Sängers Fluch = der Fluch des Sängers.*

z u 4: *Er ist der Freund und Berater der Familie.* (Eine Person.)
Der Freund und der Nachbar kamen zu Besuch. (Zwei Personen.)

z u 5: *Kein Student, keine Studentin fehlte. — Der Student besuchte keine Vorlesungen. Sie ist sich keiner Fehler bewußt.*

z u 6: (Dativ):

am	= an dem	beim	= bei dem	hinterm	= hinter dem
im	= in dem	überm	= über dem	unterm	= unter dem
vom	= von dem	zum	= zu dem	zur	= zu der u. a.

(Akkusativ):

ans	= an das	aufs	= auf das	durchs	= durch das
fürs	= für das	hinters	= hinter das	ins	= in das
übers	= über das	ums	= um das	unters	= unter das
untern	= unter den	vors	= vor das	widers	= wider das.

Vater ist i m Garten. Er kommt v o m Hof. Er geht h i n t e r s Haus und von dort a u f s Feld. Vgl. bes. § 140.

§ 74. Nichtgebrauch des Artikels

Der Artikel wird **nicht** gebraucht:
1. wenn ein Substantiv in verallgemeinerndem Sinn steht;
2. bei E i g e n n a m e n, die ohne Beifügung stehen;
3. bei S t o f f n a m e n, die für eine unbestimmte Menge stehen, wo die romanischen Sprachen den Teilungsartikel gebrauchen;
4. bei G a t t u n g s n a m e n, die für eine unbestimmte Menge stehen, wo die romanischen Sprachen den Teilungsartikel gebrauchen;
5. in bestimmten feststehenden D o p p e l u n g e n;
6. in einigen R e d e w e n d u n g e n mit Präpositionen;
7. in einigen R e d e w e n d u n g e n mit dem Akkusativ;
8. in gewissen präpositionalen Fügungen.

B: zu 1: *Lüge vergeht, Wahrheit besteht (jede L., jede W.). Auch im Prädikat: Er ist A r z t ; sie wird L e h r e r i n.*

zu 2: *Karl, Österreich, Wien. — Ich habe K a r l gesehen. Er hat eine Reise durch Ö s t e r r e i c h gemacht und dabei W i e n besucht. Aber: das Österreich der Nachkriegsjahre; das schöne Wien.*
A: Vor allen Berg-, Gebirgs-, Fluß-, Meeres- und Seenamen und vor einigen Ländernamen wird jedoch das Geschlechtswort gesetzt: *der Rhein, die Elbe; der Feldberg, der Montblanc; der Balkan, die Eifel; der Atlantik, die Adria; der Bodensee, die Ostsee; — die Schweiz, die Türkei, das Pandschab. D e r R h e i n fließt in d i e N o r d s e e. B e l g i e n grenzt a n d i e N i e d e r l a n d e.*

zu 3: *B u t t e r wird aus M i l c h hergestellt.*

zu 4: *Die Mutter wird das Kissen neu mit F e d e r n füllen.*

zu 5: *Leib und Leben, Sommer und Winter, Tag und Nacht, Land und Meer, Berg und Tal, Feld und Wald, Herz und Hand, Kopf und Kragen, Schlag auf Schlag. — Er wagte L e i b u n d L e b e n.*

zu 6: *zu Fuß, zu Lande, zu Wasser, bei Tag, bei Nacht, auf Borg, aus Schwäche, zu Hause. — Wer a u f B o r g lebt, lebt teuer.*

zu 7: *Achtung gebieten, Angst bekommen, Atem holen, Frieden schließen, von etwas Gebrauch machen, Jagd auf etwas machen, Luft schöpfen, Stillschweigen beobachten, Wurzel schlagen, Zeit haben.*

zu 8: *nach Feststellung des Schadens, zu Beginn der Verhandlungen, auf Weisung des Arztes; — mit Partizipien: bei passender Gelegenheit, vor versammelter Mannschaft, in geschlossener Gesellschaft.*

III. Das Substantiv (Das Hauptwort)

§ 75. 1. DIE ARTEN DER SUBSTANTIVE

Man unterscheidet konkrete und abstrakte Substantive.

I. **Konkrete Substantive** (Konkreta)
bezeichnen sinnlich Wahrnehmbares, Gegenständliches:

1. **Eigennamen** benennen Einzelwesen oder -dinge, z. B. bestimmte Menschen, Tiere, Orte, Länder, Flüsse, Gebirge usw., auch geistige Schöpfungen: *Kurt, Anna, Goethe, Phönix; Hamburg, England, die Donau, der Montblanc; „Wilhelm Tell".*

2. **Gemeinnamen**, und zwar:
   a) **Gattungsnamen** benennen eine ganze Gattung und die zugehörigen Einzelwesen oder -dinge: *Mensch, Italiener, Tier, Hase, Baum, Tanne, Lied, Hymne.*
   b) **Sammelnamen** fassen gleichartige Einzelwesen oder -dinge zu einem Ganzen zusammen: *Familie, Gebirge, Heer, Vieh, Volk, Küchengerät, Studentenschaft.*
   c) **Stoffnamen**: *Butter, Milch, Wein, Eisen, Wasser.*

II. **Abstrakte Substantive** (Abstrakta)
bezeichnen Gedachtes und betrachten es als Dingliches, z. B.:

1. **Eigenschaften**: *Fleiß, Sorgfalt, Schönheit, Tugend.*
2. **Zustände**: *Ruhe, Stille, Frieden, Jugend.*
3. **Vorgänge**: *Reife, Verwesung, Schlaf.*
4. **Handlungen**: *Biß, Hieb, Hilfe, Streik.*
5. **Beziehungen**: *Feindschaft, Entfernung, Ursache.*
6. **Menschliche Vorstellungen**: *Geist, Begriff.*
7. **Künste, Wissenschaften**: *Malerei, Physik.*
8. **Maßbegriffe**: *Jahr, Monat, Meter, Pferdestärke.*

M: Im Deutschen werden alle Substantive **groß** geschrieben, auch Wörter anderer Wortarten, wenn sie in die Klasse der Substantive übertreten: *das Lesen; das Wahre, Gute, Schöne; das Wenn und Aber.*

Umgekehrt werden Substantive, die nicht als solche gebraucht sind, klein geschrieben, besonders in adverbialen und präpositionalen Ausdrücken: *ein paar Kinder, ein bißchen Geduld, angesichts, anfangs.* Man ziehe ein gutes Wörterbuch zu Rate!

2. DAS GESCHLECHT DER SUBSTANTIVE

§ 76. Grammatisches Geschlecht

Die deutsche Sprache kennt **drei** grammatische Geschlechter: das **männliche**, das **weibliche** und das **sächliche** Geschlecht; dementsprechend ist ein Substantiv entweder ein **Maskulinum**, ein **Femininum** oder ein **Neutrum**.

Das **grammatische** Geschlecht stimmt sehr oft mit dem **natürlichen** Geschlecht **nicht** überein. Deshalb erlerne man mit jedem neuen Substantiv auch dessen Artikel.

1. **Maskulina (männlich)** sind:
    - a) die männlichen **Lebewesen**:
      der Mann, Sohn, Vater; der Hahn, Löwe, Stier;
    - b) die **Jahreszeiten, Monate, Tage**:
      der Frühling, Sommer, Winter; der Februar, August, Dezember; der Hornung, Lenz; der Sonntag, Mittwoch, Donnerstag;
    - c) die **Himmelsgegenden und Winde**:
      der Norden, Süden, Osten, Westen; der Föhn, Passat, Taifun;
    - d) die **Witterungserscheinungen**:
      der Frost, Hagel, Schnee; der Nebel, Reif, Tau; der Regen;
    - e) die **Mineralien und Gesteine**:
      der Feldspat, Quarz, Glimmer; der Granit, Kalk, Schiefer;
    - f) die **Berge**:
      der Brocken, Montblanc, Vesuv; der Meißner, Säntis;
    - g) die **Geldbezeichnungen**:
      der Pfennig, Dollar, Schilling; der Gulden, Franken, Rubel;
      A: **die** *Mark;* **das** *Pfund;* die auf -e, -a: **die** *Rupie, Lira;*
    - h) die meisten einsilbigen Verbalsubstantive:
      der Fall, Knall, Haß; der Bruch, Bund; der Kauf, Lauf u. a.
    - i) die meisten Substantive auf *-el, -en, -er;* alle auf *-ig, -ich* und *-ling: der Himmel, Hobel, Meißel; der Besen, Segen, Wagen; der Bohrer, Drücker, Löscher;* — *der Essig, Honig, Käfig; der Bottich, Rettich, Teppich; der Jüngling, Kümmerling, Sperling.*
      A: **die** *Achsel, Gabel, Kugel* u. a.; **das** *Bündel, Mittel, Siegel* u. a.; **das** *Becken, Kissen, Zeichen* u. a.; die substantivierten Infinitive (vgl. u. 3f); — **die** *Ader, Butter, Feder* u. a.; **das** *Alter, Feuer, Fieber;* **das** *Messer, Feuer, Zimmer* u. a.

2. **Feminina** (weiblich) sind:
- a) die weiblichen **Lebewesen**:
  die Frau, Tochter, Schwester, Magd; die Ente, Kuh;
  A: d a s *Weib, Mädchen, Fräulein;*
  hierher gehören auch die Substantive auf *-in* (Plural: *-innen*):
  die Füchsin, Häsin, Löwin; die Lehrerin, Schneiderin, Tänzerin;
- b) die meisten deutschen **Flüsse**:
  die Ruhr, Weser, Elbe; die Lahn, Nahe, Sieg;
  A: d e r *Rhein, Main, Neckar;* d e r *Lech, Inn, Regen;*
- c) die meisten außerdeutschen **Flüsse** auf *-e* und *-a:*
  die Rhone, Seine, Themse; die Morawa, Adda, Wolga;
  Die übrigen außerdeutschen Flußnamen sind meist männlich:
  d e r *Nil, Tiber, Mississippi;* d e r *Ganges, Hoangho;*
- d) die **Schiffsnamen**:
  die „Vaterland", „Bismarck", „Braunschweig";
  dagegen: d e r *Schnelldampfer „Vaterland",* d a s *Linienschiff „Nelson";* auch: d e r *„Panther", „Sturmvogel";*
- e) die **Waldbäume**:
  die Buche, Eiche, Fichte; die Erle, Ulme, Tanne; die Pappel, Kiefer, Rüster; die Linde, Birke, Espe;
  A: d e r *Ahorn;* ebenso die Einzelbäume: d e r *Flieder, Holunder;*
- f) die **Ziffern** und **Zahlen**:
  die Eins, Zehn, Zwölf, Dreizehn; die Hundert, Tausend;
  aber: d a s *Hundert, Tausend* (als Mengenbezeichnung);
  d e r *Einer, Zehner, Hunderter* usw. (Einheiten im Zahlensystem);
- g) die von Adjektiven der Ausdehnung abgeleiteten Substantive auf *-e*: *die Breite, Größe, Länge; die Dicke, Schwere, Dichte;*
- h) die übrigen **abgeleiteten** Substantive auf *-t, -st, -de, -e*:
  die Fahrt, Flucht, Pracht; die Brunst, Gunst, Kunst; die Bürde, Erde, Zierde; die Gabe, Sprache, Stube;
  A: d e r *Durst, Frost, Verlust* u. a.; d a s *Auge, Ende, Erbe;* die mit schwankender Endung: d e r *Glaube(n), Friede(n)* (84, M);
  die mit der Vorsilbe *Ge-*: d a s *Gebirge, Gelände, Geschrei;*
- i) die Substantive auf *-ei, -heit, -keit; -schaft* und *-ung*:
  die Bücherei, Metzgerei, Reiterei; die Einheit, Schönheit, Vergangenheit; die Eitelkeit, Herrlichkeit, Übelkeit; die Eigenschaft, Freundschaft, Verwandtschaft; die Hoffnung, Neigung, Übung.

3. **Neutra** (sächlich) sind:
   a) die **jungen Lebewesen**:
      das Kind, Kalb, Lamm; das Fohlen, Füllen, Ferkel;
   b) manche **Tiernamen**, die für **beide** Geschlechter gelten:
      das Pferd, Schwein, Schaf; das Huhn, Rind;
   c) **Städte-, Länder-** und **Gebietsnamen**:
      das historische Berlin, das schöne Frankfurt, das sonnige Italien, das ferne Australien; das Banat;
      A: *der Irak, Iran, Jemen; der Balkan, Peloponnes, Sudan;* die auf *-ie, -ei, -e: die Normandie, Türkei, Ukraine;* auch: *die Schweiz, Pfalz, Krim;* Plurale sind: *die Niederlande, USA;*
   d) die **Metalle**:
      das Blei, Eisen, Gold; das Kupfer, Platin, Silber;
      A: *der Stahl; die Bronze;*
   e) die chemischen **Elemente**:
      das Helium, Kalium, Wolfram; das Brom, Chlor, Natrium;
   f) die **Substantivierungen** aus anderen Wortarten:
      Infinitive: *das Hören, Sehen, Verstehen;* sonstige: *das Wenn und Aber; dieses Drum und Dran; alles Weh und Ach;*
   g) die substantivierten **Adjektive**:
      das Gute, Neue, Schlechte; das Blau, Grün, Rot;
      A: vgl. § 76, 2 g! Ebenfalls nicht: *die Bläue, Güte* u. a.;
   h) die Substantive auf *-chen* und *-lein*:
      das Mädchen, Stühlchen, Türchen; das Kindlein, Männlein, Weiblein; das Bündelchen, Wägelchen;
   i) die meisten Substantive auf *-sel, -sal, -tum* und *-nis*:
      das Häcksel, Rätsel, Überbleibsel; das Labsal, Schicksal, Scheusal; das Altertum, Eigentum; das Ereignis (die Ereignisse);
      A: *der Stöpsel; die Drangsal, Mühsal, Trübsal; der Irrtum, Reichtum; die Empfängnis, Erkenntnis, Erlaubnis; Fäulnis, Finsternis, Kenntnis* u. a.;
   k) die von **Zahlen** abgeleiteten Substantive auf *-tel* (Bruchzahlen):
      das Drittel, Sechstel, Viertel; das Hundertstel;
   l) die Namen der **Buchstaben**:
      das A, das Z, jemand ein X für ein U vormachen.

M: Das grammatische Geschlecht eines **zusammengesetzten** Substantivs richtet sich immer nach dem **Grund**wort (94, 3).

§ 77. Gleichlautende Substantive mit gleicher Bedeutung

Einige Substantive haben bei annähernd gleicher Form und Bedeutung zwei verschiedene Geschlechter und Endungen.

Singular	Plural	Singular	Plural
der Backen	die Backen	das Rohr	die Rohre
die Backe	die Backen	die Röhre	die Röhren
die Ecke	die Ecken	der Scherben	die Scherben
das Eck	die Ecke	die Scherbe	die Scherben
der Karren	die Karren	der Schurz	die Schurze
die Karre	die Karren	die Schürze	die Schürzen
der Knollen	die Knollen	der Socken	die Socken
die Knolle	die Knollen	die Socke	die Socken
der Muff	die Muffe	der Spalt	die Spalte
die Muffe	die Muffen	die Spalte	die Spalten
der Pfosten	die Pfosten	der Spann	die Spanne
die Pfoste	die Pfosten	die Spanne	die Spannen
der Pfropf	die Pfropfe	der Striemen	die Striemen
der Pfropfen	die Pfropfen	die Strieme	die Striemen
der Possen	die Possen	der Trupp	die Trupps
die Posse	die Possen	die Truppe	die Truppen
der Quast	die Quaste	der Zacken	die Zacken
die Quaste	die Quasten	die Zacke	die Zacken
der Quell	die Quelle	der Zeh	die Zehen
die Quelle	die Quellen	die Zehe	die Zehen
der Ritz	die Ritze	der Zinken	die Zinken
die Ritze	die Ritzen	die Zinke	die Zinken.

Schwankendes Geschlecht haben: das, der° Meter; das, der° Liter (auch: Thermometer, Hektoliter u. ä.); — der, die° Abscheu; der, das° Bereich; der, das° Bruch (Sumpfland); der, das Dotter; die, das° Drangsal; das, der° Erbteil; das, der° Katheder; der, das Knäuel; der, das Sims; der, die Spachtel, Spatel; das, die° Versäumnis; der, die Wulst und andere.

§ 78. Gleichlautende Substantive mit verschiedener Bedeutung

Einige Substantive haben verschiedene Bedeutung,
 die sich teilweise durch verschiedenes Geschlecht im Singular,
 teilweise durch verschiedene Pluralbildung ausdrückt.
 (Die mit ° bezeichneten Wortpaare sind verschiedener Herkunft.)

Erste Gruppe: Verschiedenes Geschlecht im Singular,
 die Pluralformen sind gleich.

Singular		Plural
der °*Bulle*	(Stier)	die *Bullen*
die °*Bulle*	(Urkunde, Gesetz)	die *Bullen*
der *Chor*	(Sängergruppe, Lied)	die *Chöre*
das, der *Chor*	(Platz in der Kirche)	die *Chöre, Chore*
die *Erkenntnis*	(Einsicht)	die *Erkenntnisse*
das *Erkenntnis*	(Richterspruch)	die *Erkenntnisse*
der °*Heide*	(Ungläubiger)	die *Heiden*
die °*Heide*	(Landstrich)	die *Heiden*
der *Junge*	(Knabe)	die *Jungen*
das *Junge*	(Tierjunges)	die *Jungen*
das *Maß*	(z. B. Metermaß)	die *Maße*
die *Maß*	(Flüssigkeitsmaß)	die *Maße*
der °*Mast*	(eines Schiffes)	die *Maste(n)*
die °*Mast*	(Fütterung)	die *Masten*
der °*Messer*	(Person, z. B. Landmesser,	die *Messer*
das °*Messer*	(Werkzeug) [oder Gerät]	die *Messer*
der *Moment*	(Augenblick)	die *Momente*
das *Moment*	(Umstand)	die *Momente*
der *See*	(Binnensee)	die *Seen*
die *See*	(Meer, Wellengang)	die *Seen*
der *Teil*	(eines Ganzen)	die *Teile*
das *Teil*	(Anteil)	die *Teile*
der *Weise*	(kluger Mensch)	die *Weisen*
die *Weise*	(Melodie)	die *Weisen*
der *Wurm*	(Tier)	die *Würmer*
das *Wurm*	(volkstüml.: Kleinkind)	die *Würmer.*

Zweite Gruppe: Verschiedenes Geschlecht im Singular, nur eines der Wörter bildet einen Plural.

Singular		Plural
der Ekel	(Gefühl)	—
das Ekel	(widerlicher Mensch)	die Ekel
der Erbe	(erbende Person)	die Erben
das Erbe	(Erbschaft)	—
der Gehalt	(Wert)	—
das Gehalt	(Besoldung)	die Gehälter
der Gift	(volkstümlich: Zorn)	—
die Gift	(veraltet: Gabe, Mitgift)	—
das Gift	(todbringendes Mittel)	die Gifte
der °Harz	(Gebirgsname)	—
das °Harz	(Ausfluß aus Bäumen)	die Harze
der Hut	(Kopfbedeckung)	die Hüte
die Hut	(Schutz)	—
der °Koller	(Pferdekrankheit, Wutausbruch)	—
das °Koller	(Kleidungsstück)	die Koller
der Kunde	(Käufer)	die Kunden
die Kunde	(Nachricht)	—
das °Mark	(im Knochen)	—
die °Mark	(Geldbezeichnung)	—
die °Mark	(Grenzland)	die Marken
der °Ohm	(Oheim)	die Ohme
das °Ohm	(Flüssigkeitsmaß)	(die Ohme)
das °Ohm	(physik. Maß)	—
der °Reis	(Getreide)	—
das °Reis	(Zweiglein)	die Reiser
der Schwulst	(Wortschwall)	—
die Schwulst	(Geschwür)	die Schwülste
der °Tau	(Witterungserscheinung)	—
das °Tau	(Halteseil)	die Taue
der Verdienst	(Einkommen)	—
das Verdienst	(rühmliche Tat)	die Verdienste.

Dritte Gruppe: Verschiedenes Geschlecht im Singular und verschiedene Pluralformen.

Singular		Plural
der °Alp	(Gespenst)	die Alpe
die °Alp(e)	(Bergtrift)	die Alpen
der Band	(Buch)	die Bände
das Band	(zum Binden, vgl. auch 4. Gruppe!)	die Bänder
der Bauer	(Landmann)	die Bauern
das, der° Bauer	(Käfig)	die Bauer
der Bund	(Bündnis)	die Bünde
das Bund	(Bündel)	die Bunde
der Flur	(Hausdiele)	die Flure
die Flur	(freies Feld)	die Fluren
der °Kiefer	(Kinnbacken)	die Kiefer
die °Kiefer	(Nadelbaum)	die Kiefern
der °Leiter	(Führer)	die Leiter
die °Leiter	(zum Steigen)	die Leitern
der °Mangel	(Entbehrung, Fehler)	die Mängel
die °Mangel	(Gerät zum Wäscheglätten)	die Mangeln
der °Marsch	(Gang, Wanderung)	die Märsche
die °Marsch	(Küstenstreifen)	die Marschen
der Mensch	(allgemein)	die Menschen
das Mensch	(verächtl. für Frau)	die Menscher
der Otter	(Marderart)	die Otter
die Otter	(Schlange)	die Ottern
der Schild	(Schutzwaffe)	die Schilde
das Schild	(Tafel)	die Schilder
der Sproß	(Nachkomme)	die Sprosse
die Sprosse	(Leiterstufe)	die Sprossen
die Steuer	(Abgabe)	die Steuern
das Steuer	(Lenkvorrichtung)	die Steuer
der Stift	(Nagel, Bleistift)	die Stifte
das Stift	(Kloster, Stiftung)	die Stifte(r)
der °Tor	(Narr)	die Toren
das °Tor	(große Tür)	die Tore
die Wehr	(Bewaffnung, Armee)	die Wehren
das Wehr	(Damm im Fluß)	die Wehre.

Vierte Gruppe: Der Bedeutungsunterschied tritt erst durch die verschiedenen Pluralformen hervor.

Singular	Plural I und II	
das Band	die Bänder	(Gewebestreifen)
	die Bande	(Fesseln)
die Bank	die Bänke	(Sitzgeräte)
	die Banken	(Geldinstitute)
der Bau	die Baue	(Tierwohnungen)
	die Bauten	(Bauwerke)
der Bogen	die Bögen, Bogen	(Kurven)
	die Bogen	(Papierbogen)
das Ding	die Dinge	(Sachen)
	die Dinger	(verächtlich: Sachen)
das Gesicht	die Gesichter	(Antlitze)
	die Gesichte	(Visionen)
der Laden	die Läden	(Verkaufsräume)
	die Laden	(Vorfenster)
das Licht	die Lichter	(Flammen)
	die Lichte	(Kerzen)
der Mann	die Männer	(beliebige Personen)
	die Mannen	(Gefolgsleute)
die Mutter	die Mütter	(Personen)
	die Muttern	(Schrauben)
der Ort	die Örter	(geometrischer Ausdruck)
	die Orte	(geographischer Ausdruck)
der Rat	die Räte	(Ratgeber)
	die Ratschläge	(Meinungen)
die Sau	die Säue	(zahme Schweine)
	die Sauen	(Wildschweine)
der Strauß	die °Sträuße	(Blumensträuße)
	die °Strauße	(Vögel)
das Tuch	die Tücher	(kleinere)
	die Tuche	(schwere Stoffe)
das Wort	die Wörter	(grammatischer Ausdruck)
	die Worte	(zusammenhängende)
der Zoll	die Zölle	(Abgaben)
	die Zolle	(Längenmaße).

§ 79. Geschlecht der Fremdwörter

1. **M a s k u l i n a** (männlich) sind die Fremdwörter auf
   a) *-us:* der *Kasus, Organismus, Realismus;* der *Optimismus;*
      A: d a s *Genus, Opus, Tempus, Virus;*
   b) *-ent, -ant:* der *Kontinent, Konvent, Resident;* der *Konsonant, Praktikant, Musikant;* M: der *Moment (Augenblick);*
      A: die auf *-ment:* d a s *Ferment, Firmament, Parlament*
      und: d a s *Äquivalent, Patent* u. a.; M: das *Moment (Umstand);*
   c) *-an:* der *Orkan, Ozean, Vulkan.*

2. **F e m i n i n a** (weiblich) sind die Fremdwörter auf
   a) *-e:* die *Fregatte, Matratze, Zigarre;*
      M: d i e *Etage, Garage, Courage, Reportage;*
   b) *-ion, -tion:* die *Mission, Passion;* die *Nation, Redaktion, Station;*
      A: d e r *Skorpion;* d a s *Stadion;*
   c) *-ät:* die *Diät, Spezialität, Universität;* die *Fakultät;*
      A: d a s *Porträt;*
   d) *-ie:* die *Kolonie, Lotterie, Regie;* die *Komödie, Tragödie;*
      A: d a s *Genie;*
   e) *-ur:* die *Figur, Kultur, Literatur, Struktur;*
   f) *-ik:* die *Ethik, Lyrik, Politik;* die *Dialektik, Physik;*
   g) *-isse:* die *Kulisse, Narzisse, Prämisse;*
   h) *-anz, -enz:* die *Allianz, Ordonnanz;* die *Differenz, Frequenz.*

3. **N e u t r a** (sächlich) sind die Fremdwörter auf
   a) *-ment:* das *Fragment, Ornament, Parlament;*
   b) *-um:* das *Pensum, Sanatorium, Territorium;*
      A: d e r *Konsum;*
   c) *-ett:* das *Lazarett, Sonett, Skelett;*
   d) *-al, -all, -el, -ell:* das *Kapital, Lineal, Pedal;* das *Metall, Intervall;* das *Hotel, Modell, Rondell;*
      A: d e r *Kanal, Konditional, Pokal, Krawall* u. a.;
   e) *-at:* das *Diktat, Legat, Zitat;* das *Dezernat, Referat;*
      A: d e r *Magistrat, Renegat, Salat;*
   f) *-a:* das *Klima, Komma, Thema;* das *Sofa, Plasma;*
      A: d i e *Villa, Veranda, Hazienda, Propaganda;*
   g) *-är:* das *Militär, Salär.*

3. DIE ZAHLFORMEN DER SUBSTANTIVE

§ 80. Pluralbildung der Substantive

Es gibt zwei Zahlformen der Substantive:
Singular (Einzahl) und Plural (Mehrzahl).
Nach der Art der Pluralbildung werden folgende Gruppen unterschieden [das Zeichen (—) bedeutet, daß der Stammvokal im Plural nicht umlautet, während (⸚) anzeigt, daß er umlautet]:
Übersicht über die Arten der Pluralbildung der Substantive.

1. Art	2. Art	3. Art	4. Art	5. Art
(—) (⸚)	(—e) (⸚e)	(⸚er)	(—n, —en)	(—s)

1. Plural ist endungslos
   a) Stamm ohne Umlaut: (—)   der Wagen, die Wagen;
   b)   mit   : (⸚)   der Vater, die Väter;
2. Pluralendung -e
   a) Stamm ohne Umlaut: (—e)   der Hund, die Hunde;
   b)   mit   : (⸚e)   die Hand, die Hände;
3. Pluralendung -er
   Stammvokal wird umgelautet: (⸚er)   das Haus, die Häuser;
4. Pluralendung -n oder -en
   Stamm immer ohne Umlaut: (—n, —en)   die Frau, die Frauen;
5. Pluralendung -s   (—s)   der Trupp, die Trupps.

Vergleiche auch die Übersichtstafel § 83.

M: 1. Die Pluralbildungen der 1.—3. Art heißen starke, die der 4. Art schwache Plurale.
Der Umlaut kommt nur bei der starken Pluralbildung vor.

    2. Die Pluralbildung mit -s kommt nur vereinzelt vor. Sie ist nur in solchen deutschen Wörtern erlaubt, die auf einen volltönenden Vokal ausgehen oder aus dem Niederdeutschen oder einer anderen Sprache kommen: *der Uhu, die Uhus;* — *das Dock, die Docks; das Wrack, die Wracks;* — *die Jungens; die Kerls; die Mädels.* Schriftsprachlich ist auch: *die Häuserblocks.*

§ 81. Besonderheiten der Zahlformen

1. **Keinen Singular** haben:
   a) einige **Verwandtschaftsnamen**:
      die Eltern, die Geschwister, die Gebrüder;
   b) einige **Gebirgsnamen**:
      die Alpen, die Karpaten, die Pyrenäen;
   c) die Namen der **Feiertage**:
      die Ostern, die Pfingsten, die Weihnachten;
   d) einige **Krankheiten**:
      die Masern, die Pocken, die Röteln;
   e) **einzelne Substantive**:
      die Briefschaften, Einkünfte, Fasten, Gewissensbisse, Gliedmaßen, Kosten (Unkosten), Leute, Ränke, Spesen, Treber, Trümmer, Wehen, Wirren, Zeitläufte; — die Annalen, Diäten, Effekten, Ferien, Mobilien, Naturalien, Personalien u. a.

2. **Keinen Plural** bilden im allgemeinen:
   a) **Eigennamen**:
      Berlin, Stuttgart, Deutschland, Schwarzwald;
   b) **Stoffnamen**:
      der Flachs, das Fleisch, der Honig, das Gold;
   c) **Sammelnamen**:
      das Gesinde, das Laub, das Ungeziefer, das Vieh; der Schmuck;
   d) die meisten **abstrakten** Substantive:
      die Furcht, der Haß, die Liebe, der Neid, das Glück;
   e) **substantivierte Infinitive**:
      das Lernen, das Vergessen, das Wissen;
   f) **substantivierte Adjektive** sächlichen Geschlechts:
      das Blau, das Gute, das Schöne;
   g) **Maß- und Gewichtsbezeichnungen** nach Zahlwörtern: vier Glas Wein, tausend Mann Besatzung, sechs Paar Schuhe, zwei Sack Zement, vier Blatt Kohlepapier (92).

3. **Unregelmäßige** Pluralbildung
   findet sich bei den mit -*mann* zusammengesetzten Substantiven, die einen Stand bezeichnen; sie bilden ihren Plural mit -*leute*:
   der Kaufmann, die Kaufleute; der Edelmann, die Edelleute.
   Vergleiche auch die Substantive des § 78, die bei verschiedener Bedeutung verschiedene Pluralformen haben!

Die Regeln dieses Abschnittes erleiden jedoch mancherlei Ausnahmen:

zu 1a: Die Naturwissenschaften kennen auch den Singular *das, der Elter* für *ein Elternteil*, wie man sonst sagt.

zu 1c: Die Namen der Feiertage werden aber heute meist als Singularbegriffe gebraucht: *Weihnachten i s t ein schönes Fest.*

zu 2a: Vgl. § 90.

zu 2b: Manche Stoffnamen können zur Bezeichnung zählbarer Einzeldinge oder verschiedener Arten einen Plural bilden; daneben gebraucht man Zusammensetzungen: *die Weine, die Flachsarten, die Tabaksorten* u. a. — *Unsere Familie hat einen täglichen Bedarf von vier B r o t e n. Viele edle H ö l z e r kommen aus Südamerika. Die Weine der Pfalz. Virginia exportiert mehrere Tabaksorten.*

zu 2c: Manche Sammelnamen können als Einzeldinge aufgefaßt werden und dann einen Plural bilden: *das Gebirge, die Gebirge; das Heer, die Heere; das Volk, die Völker; der Wald, die Wälder; — das Gerät, die Geräte; das Haar, die Haare.*

zu 2d: Wenn abstrakte Substantive einen konkreten Sinn annehmen, können sie einen Plural bilden: *Dummheiten machen, Torheiten begehen.* — *Er hat sich durch seine D u m m h e i t e n und T o r - h e i t e n sein ganzes Leben verdorben.*
Andere abstrakte Substantive bilden ihren Plural durch Worterweiterungen oder -zusammensetzungen: *der Betrug, die Betrügereien; der Streit, die Streitigkeiten; das Unglück, die Unglücksfälle.*

zu 2e: Auch hier ist ein Plural möglich, wenn das Substantiv im konkreten Sinne gebraucht wird: *das Schreiben* (Brief), *die Schreiben; das Andenken* (Gegenstand), *die Andenken* u. a. — *Vor Geschäftsschluß sind noch mehrere S c h r e i b e n zu beantworten.*

zu 2g: Die weiblichen Maßbezeichnungen auf -e bilden jedoch einen Plural: *die Elle, Kanne, Meile, Tonne* u. a.: *zwei Ellen Stoff, fünf Kannen Öl, acht Meilen, vier Tonnen Zement* usw. Ebenso die Zeitmaße: *vier Jahre, Monate, Tage, Stunden, Minuten* usw. Vgl. § 92. Man unterscheidet *10 Pfennige* (die einzelnen Pfennigstücke) von *10 Pfennig* (dem Wertbetrag). Vgl. engl. *pennies — pence!*

zu 3: Jedoch bildet man: *der Staatsmann, die Staatsmänner; der Schulmann, die Schulmänner; die Ehemänner.*
Der Schneemann, der Strohmann haben natürlich den Plural *Schneemänner, Strohmänner*, denn sie bezeichnen keinen Stand.

4. DIE DEKLINATION DER SUBSTANTIVE

§ 82. Übersicht

1. Die deutsche Sprache besitzt drei Deklinationen, und zwar:
   - I. die starke,
   - II. die schwache,
   - III. die gemischte Deklination.
2. Die Deklination (Beugung) der Substantive erfolgt
   durch Anhängen von Endungen an den Nominativ;
   ein Teil der Substantive der starken Deklination
   nimmt im Plural außerdem den Umlaut des Stammvokals an.
   Der Artikel wird mitdekliniert, auch das adjektivische Attribut.
3. Jedes Substantiv,
   das im Genitiv des Singulars auf -s oder -es ausgeht
   und die Endung -(e)n nur im Dativ des Plurals hat,
   geht nach der starken Deklination.
4. Jedes Substantiv,
   das in allen Fällen außer dem Nominativ des Singulars
   die Endung -(e)n hat,
   geht nach der schwachen Deklination.
5. Doch sind weibliche Substantive im Singular immer endungslos.
6. Substantive der gemischten Deklination
   deklinieren im Singular stark, im Plural schwach.
7. Fremdwörter und Eigennamen
   haben zum Teil eigene Deklinationen.
8. Auch die Substantive mit der Pluralendung -s
   haben eine Sonderstellung in der Deklination. Vgl. § 83, 5.
9. Für Ausländer empfiehlt sich eine Gruppierung der Substantive nach äußeren Gesichtspunkten:
   Nach Geschlecht, Endung, Silbenzahl und Pluralbildung der Substantive unterscheidet man
   fünf Deklinationsgruppen:
   1. männliche und sächliche Substantive auf *-el, -en, -er;*
   2. männliche Substantive auf *-e;*
   3. die übrigen männlichen Substantive;
   4. weibliche Substantive;
   5. sächliche Substantive.

   Über die Einzelheiten dieser Einteilung vgl. §§ 83—88.

§ 83. Übersichtstafel: Deklination der Substantive

Die Übersichtstafel auf den beiden nächsten Seiten zeigt die Einordnung der Substantive in die drei Deklinationen der deutschen Sprache; sie wird folgendermaßen benutzt:

Aus dem Nominativ des Singulars und dem Nominativ des Plurals stellt man die V e r ä n d e r u n g des Substantivs im Plural fest und ordnet es nach dieser Veränderung in die zutreffende Spalte ein.

B e i s p i e l e :
(Das Zeichen ⸚ bedeutet Umlaut.)

1. *das Buch, die Bücher*. Das Wort ist s ä c h l i c h und hat im Plural die Endung *-er* angenommen und außerdem den U m l a u t. Folglich gehört es in Spalte 3 rechts: s t a r k e Deklination.

2. *der Garten, die Gärten*. Das Wort ist m ä n n l i c h. Im Plural ist es endungslos geblieben, hat aber U m l a u t. Es gehört in Spalte 1 rechts und damit zur s t a r k e n Deklination.

3. *die Lampe, die Lampen*. Das Wort hat im Plural die Endung *-n* angenommen und keinen ⸚. Nach seiner Pluralform paßt es also sowohl in Spalte 4a als auch in Spalte 4b. Da aber die Spalte 4a keine weiblichen Wörter aufweist, kann es nur in Spalte 4b links untergebracht werden: s c h w a c h e Deklination.

4. *der Strahl, die Strahlen*. Das Wort ist m ä n n l i c h, hat im Plural die Endung *-en* und keinen ⸚. Es könnte sowohl in Spalte 4a als auch in Spalte 4b untergebracht werden.
Das bedeutet, daß in diesem Fall der Nominativ des Singulars und der Nominativ des Plurals zur Bestimmung n i c h t ausreichen: Es muß noch der Genitiv des Singulars herangezogen werden: *des Strahl(e)s*. Folglich gehört das Wort in Spalte 4a und zur g e - m i s c h t e n Deklination.

5. Wörter mit der Pluralendung *-s* können in der Übersicht nicht untergebracht werden. Vgl. § 80, Anm. 2. In solchen Fällen wird die Deklination nach dem Genitiv Sing. bestimmt oder nach etwa vorhandenen Nebenformen mit regelmäßigen Endungen: *der Streik, die Streiks, die Streike* (Spalte 2 links).

M: Beim Erlernen neuer Substantive lerne man außer dem Nominativ des Singulars stets auch den Genitiv des Singulars und den Nominativ des Plurals mit! Durch diese d r e i Formen ist die Deklination eines Substantivs e i n d e u t i g festgelegt.

zu § 83. Übersichtstafel

Deklination:			I. stark	
Spalte:	1		2	
Nominativ des Plurals:	— oder ⸚		—e oder ⸚e	
Maskulinum	der Onkel	Bruder	Tag	Sohn
	des Onkels	Bruders	Tag(e)s	Sohnes
	dem Onkel	Bruder	Tag(e)	Sohn(e)
	den Onkel	Bruder	Tag	Sohn
	die Onkel	Brüder	Tage	Söhne
	der Onkel	Brüder	Tage	Söhne
	den Onkeln	Brüdern	Tagen	Söhnen
	die Onkel	Brüder	Tage	Söhne
Femininum	die	Tochter*	Kenntnis	Hand
	der	Tochter	Kenntnis	Hand
	der	Tochter	Kenntnis	Hand
	die	Tochter	Kenntnis	Hand
	die	Töchter	Kenntnisse	Hände
	der	Töchter	Kenntnisse	Hände
	den	Töchtern	Kenntnissen	Händen
	die	Töchter	Kenntnisse	Hände
Neutrum	das Messer	Kloster*	Jahr	Floß*
	des Messers	Klosters	Jahr(e)s	Floßes
	dem Messer	Kloster	Jahr(e)	Floß(e)
	das Messer	Kloster	Jahr	Floß
	die Messer	Klöster	Jahre	Flöße
	der Messer	Klöster	Jahre	Flöße
	den Messern	Klöstern	Jahren	Flößen
	die Messer	Klöster	Jahre	Flöße

1. Die Endung -s oder -es im Genitiv des Singulars ist K e n n z e i c h e n der s t a r k e n Deklination.
2. Die Endung -n oder -en im Genitiv des Singulars ist K e n n z e i c h e n der s c h w a c h e n Deklination.
3. Der U m l a u t kommt n u r in der starken Deklination vor.
4. Im Plural sind Nominativ, Genitiv und Akkusativ immer gleich; der Dativ des Plurals hat immer -n oder -en.
5. Wenn der Genitiv des Singulars oder der Nominativ des Plurals -n oder -en hat, so b l e i b t diese Endung in allen f o l g e n d e n Fällen.

klination der Substantive

3 ⸚er		III. gemischt 4a —n oder —en		II. schwach 4b —n oder —en	
Geist	Mann	Vetter	Staat	Bote	Mensch
Geistes	Mannes	Vetters	Staates	Boten	Menschen
Geist(e)	Mann(e)	Vetter	Staat(e)	Boten	Menschen
Geist	Mann	Vetter	Staat	Boten	Menschen
Geister	Männer	Vettern	Staaten	Boten	Menschen
Geister	Männer	Vettern	Staaten	Boten	Menschen
Geistern	Männern	Vettern	Staaten	Boten	Menschen
Geister	Männer	Vettern	Staaten	Boten	Menschen
				Schule	Frau
				Schule	Frau
				Schule	Frau
				Schule	Frau
				Schulen	Frauen
				Schulen	Frauen
				Schulen	Frauen
				Schulen	Frauen
Kind	Volk	Auge	Bett		
Kind(e)s	Volkes	Auges	Bettes		
Kind(e)	Volk(e)	Auge	Bett(e)	*) An den mit * bezeich-	
Kind	Volk	Auge	Bett	neten Stellen der Übersicht stehen nur einzelne Wör-	
Kinder	Völker	Augen	Betten	ter und nicht Gruppen von Wörtern.	
Kinder	Völker	Augen	Betten		
Kindern	Völkern	Augen	Betten		
Kinder	Völker	Augen	Betten		

6. **Männliche** Substantive,
   die den Plural anders als mit der Endung -n oder -en bilden,
   und alle **sächlichen** Substantive
   bilden den Genitiv Singular mit der Endung -(e)s,
   den Dativ mit oder ohne -e;
   der Akkusativ stimmt mit dem Nominativ überein.
7. **Weibliche** Substantive bleiben im Singular immer **unverändert**.
8. Über die verkürzte Genitivform ohne -e und den Wegfall des Dativ-e vgl. § 93.

§ 84. Erste Deklinationsgruppe

R: **Männliche** Substantive auf *-el, -en, -er*,
sächliche Substantive auf *-el, -en, -er; -chen, -lein, -sel*,
auch derartige Fremdwörter, werden **stark** dekliniert,
und zwar ohne Endung im Nominativ des Plurals (Spalte 1).

B: a) **männliche**
auf *-el*: *der Beutel, Buckel, Engel, Esel, Flügel, Gipfel, Himmel, Hobel, Löffel, Riegel, Schlüssel, Spiegel, Stengel, Stiefel, Strudel, Tadel, Teufel, Ziegel, Zweifel* u. a.;
auf *-en*: *der Balken, Ballen, Besen, Braten, Busen, Daumen, Gaumen, Groschen, Haken, Posten, Schatten, Stecken, Wagen* u. a.;
auf *-er*: *der Adler, Donner, Fischer* u. a.; *der Käfer, Koffer, Sommer, Zucker; der Italiener, Österreicher, Europäer, Wiener* u. ä.
Den **Umlaut** verlangen:
der Apfel, Handel, Mangel, Mantel, Nagel, Sattel, Schnabel, Vogel; der Boden, Faden, Garten, Graben, Hafen, Laden, Ofen, Schaden; der Acker, Bruder, Hammer, Schwager, Vater.

b) **sächliche**
auf *-el*: *das Segel, Siegel, Übel; das Mädel;*
auf *-en*: *das Becken, Eisen, Kissen, Zeichen, Wappen;* auch die substantivierten Infinitive: *das Leben, Schlafen* usw.;
auf *-er*: *das Fenster, Messer, Wunder; Gewässer* u. a.;
auf *-chen, -lein*: *das Bübchen, Büchlein, Büchelchen* u. a.;
auf *-sel*: *das Füllsel, Häcksel, Streusel, Rätsel;*
ferner die Neutra mit dem Präfix *Ge-*: *Gebirge, Gebüsch* u. a.

c) **weibliche**; nur: *die Mutter, Tochter.*

d) **Fremdwörter**: *der Artikel, Perpendikel; der Geometer, Karabiner, Zylinder* u. a.; *das Exempel, Almosen, Zepter* u. a.

M: Folgende Substantive auf *-en* haben im Nom. Sing. Nebenformen auf *-e*; sonst deklinieren sie regelmäßig: *Friede(n), Funke(n), Gedanke(n), Glaube(n), Haufe(n), Name(n), Same(n), Schade(n), Wille(n).*
Merke auch: *der Felsen, des Felsens; der Fels, des Felsen; der Schrecken, des Schreckens; der Schreck, des Schreckes.*
Nach *-en, -chen, -lein* steht im Dativ Plur. keine Kasusendung.

A: Die Substantive *der Muskel, Pantoffel, Stachel; der Bauer, Hummer, Vetter, Gevatter* werden **gemischt** dekliniert (Spalte 4a); jedoch kann *der Bauer* auch im Singular schwache Formen haben. — Völkernamen, bei denen das *-er* zum Stamm gehört, werden **schwach** dekliniert: *der Bayer, Pommer, Kaffer.*

§ 85. Zweite Deklinationsgruppe

R: M ä n n l i c h e Substantive auf -e, die Lebewesen bezeichnen,
eine Reihe meist einsilbiger männlicher Substantive,
die früher das e besaßen,
männliche Fremdwörter für Personen auf -d, -e, -k, -p, -st, -t,
ferner die auf -arch, -graph, -krat, -log, -nom, -phag, -soph
werden s c h w a c h dekliniert: Pluralendung ist -n oder -en,
Umlaut ist nicht vorhanden (Spalte 4b).

B: a) a u f -e:
der *Affe, Barde, Bote, Bracke, Bube, Buhle, Bulle, Bürge, Bursch(e), Drache, Erbe, Falke, Farre, Ferge, Gatte, Gefährte, -hilfe, -nosse, -selle, -spiele, Götze, Halunke, Hase, Heide, Hirt(e), Insasse, Junge, Kämpe, Knabe, Knappe, Kunde, Laffe, Laie, Löwe, Nachkomme, Neffe, Ochs(e), Pate, Pfaffe, Rabe, Rappe, Recke, Riese, Scherge, Schöffe, Schulze, Schurke, Schütz(e), Senne, Sklave, Sprosse, Zeuge* u. a.

b) mit k o n s o n a n t i s c h e m Auslaut:
der *Bär, Christ, Fink, Fürst, Geck, Graf, Greif, Held, Lump, Mensch, Mohr, Narr, Prinz, Schelm, Schenk, Spatz, Tor, Zar* u. a.
— der *Schultheiß, Steinmetz, Vorfahr* u. a.

c) F r e m d w ö r t e r wie:
der *Doktorand, Konfirmand, Vagabund;*
der *Antipode, Bonze, Eleve, Kollege, Novize;*
der *Bosniak, Katholik;* der *Satrap, Misanthrop, Philanthrop;*
der *Bassist, Optimist, Phantast, Sozialist, Artist;*
der *Agent, Klient, Architekt, Bandit, Patriot, Poet;*
der *Monarch, Patriarch, Lithograph, Stenograph, Autokrat, Demokrat, Bürokrat, Philolog(e), Astronom, Ökonom, Philosoph.*

d) F e r n e r einige Tier- und Sachbegriffe: der *Diamant, Elefant, Konsonant, Quotient, Automat, Komet, Planet;* der *Telegraph.*

e) Auch die V ö l k e r n a m e n auf -e und -ar gehören hierher:
der *Däne, Deutsche, Schwede;* der *Ungar,* der *Barbar, Tatar.*

M: *Der Herr, des Herrn, dem Herrn, den Herrn;
die Herren, der Herren, den Herren, die Herren.*

Die Substantive *der Nachbar, Untertan* werden schwach oder gemischt (Spalte 4b oder 4a), *der Ahn* wird heute gemischt dekliniert.

§ 86. Dritte Deklinationsgruppe

R: Alle **männlichen** Substantive (neben denen der ersten und außer denen der zweiten Deklinationsgruppe), insbesondere die auf *-ig, -ich, -icht; -ing, -ling, -is;* fast alle männlichen Fremdwörter auf *-l, -n, -r,* insbesondere die mit betonter Endsilbe für Personen, werden **stark** dekliniert: Pluralendung ist *-e* (Spalte 2).

B: a) *der Käfig, Habicht, Hering, Jüngling, Kürbis;* ferner: *der Abend, Monat; der Brief, Fisch, Schritt, Stein, Freund; der Bericht, Entscheid, Erwerb, Vergleich* und andere;
Fremdwörter: *der Kapitän, Offizier, Sekretär* u. a.

b) **ohne** Umlaut im Plural: *der Aal, Aar, Barsch, Grad, Halm, Pfad, Spalt, Tag; der Docht, Dolch, Dom, Molch, Mond, Mord, Rost, Stoff, Strolch, Thron; der Huf, Hund, Punkt, Ruf, Schluck, Schuh; der Bau, Gau, Laut* u. a.; *der Gemahl, Erfolg, Besuch, Verlust, Versuch* u. a.

Fremdwörter: *der Plural, Termin, Skorpion, Talar, Damast, Salat, Sarkophag, Admiral, General* (auch: *Generäle*), *Dekan;*

c) **mit** Umlaut im Plural: *der Arzt, Ast, Bach, Ball, Band, Bart, Brand, Damm, Draht, Fall, Gast, Hahn, Hals, Kamm, Pfahl, Platz, Saal, Sack, Satz, Schatz, Schlag, Schrank, Schwanz, Stall, Stamm; der Block, Bock, Frosch, Frost, Hof, Knopf, Kopf, Korb, Lohn, Rock, Sohn, Stock, Stoß, Ton; der Bruch, Bund, Busch, Duft, Dunst, Fluß, Fuß, Grund, Gruß, Hut, Kuß, Schluß, Stuhl, Sturm, Turm, Wunsch, Zug; der Baum, Brauch, Gaul, Kauf, Lauf, Schlauch, Traum, Zaun;* — *der Anfang, Anlaß, Antrag, Beitrag, Betrag, Einwand, Vorwand; der Verstoß; der Ausdruck, Auswuchs, Genuß, Geruch; der Gebrauch* u. a.

Fremdwörter: *der Kanal, der Palast* u. a.; *der Papst* u. a.

M: *der Kürbis, des Kürbisses* usw.; ebenso: *Firnis, Iltis.* — Einige Wörter bilden den Plural mit *-er*, wobei die Stammvokale *a, o, u* umlauten (Spalte 3): *der Geist, Leib; der Mann, Rand, Wald; der Gott, Wurm, Vormund,* ebenso: *der Irrtum, Reichtum,* zuweilen auch: *der Bösewicht, der Ort.*

A: Zu dieser Deklinationsgruppe gehören aber nicht: *der Dorn, Lorbeer, Mast, Schmerz, See, Sporn, Staat, Strahl, Zins;* auch nicht die Fremdwörter wie *Dóktor, Doktóren; Proféssor, Professóren; Mótor, Motóren;* auch *Magnet, Konsul;* sie werden **gemischt** dekliniert (Spalte 4a).

§ 87. Vierte Deklinationsgruppe

R: Die meisten w e i b l i c h e n Substantive
und alle weiblichen Fremdwörter
werden s c h w a c h dekliniert (Spalte 4b).
A u s g e n o m m e n davon bleiben
die weiblichen Substantive auf *-nis* und *-sal*
und eine Gruppe meist einsilbiger Substantive,
die s t a r k dekliniert werden.

B: S c h w a c h mit P l u r a l e n d u n g *-n* oder *-en*,
also nach Spalte 4b, gehen:
  a) e i n s i l b i g e : *die Art, Bahn, Bank, Bucht, Burg, Fahrt, Flur, Flut, Form, Frau, Frist, Furt, Glut, Jagd, Last, Pflicht, Post, Qual, Saat, Schar, Schlacht, Schlucht, Schrift, Schuld, Spur, Stirn, Tat, Tracht, Tür, Uhr, Wahl, Welt, Zahl, Zeit* u. a.
  b) z w e i s i l b i g e auf *-e*: *die Achse, Amme, Beere, Biene, Blume, Brücke, Decke, Eiche, Erde, Farbe, Henne, Hütte, Kirche, Kirsche, Nase, Sache, Schule, Seite, Straße, Stunde, Tasse, Wunde* u. a.
  c) z w e i s i l b i g e auf *-el* oder *-er*: *die Achsel, Gabel, Insel, Kugel, Nadel, Schachtel, Schüssel, Wurzel, Zwiebel; die Ader, Leber, Mauer, Schwester* u. a.
  d) s o n s t i g e : *die Gefahr, Gewalt, Geburt; die Gerberei, Schmeichelei, Weberei; die Arbeit, Neuheit, Flüssigkeit; Unvorsichtigkeit; die Freundschaft, Wohnung, Heimat, Tugend* u. a.
  e) F r e m d w ö r t e r : *die Apotheke, Sirene, Zisterne; die Grammatik, Republik; die Nation; die Zensur; die Parabel; die Majuskel* u. a.

A: S t a r k mit P l u r a l e n d u n g *-e*,
also nach Spalte 2, gehen:
  a) alle a u f *-nis* und *-sal*; z. B.: *die Betrübnis, Finsternis, Kenntnis; die Mühsal, Trübsal;*
  b) m i t U m l a u t : *die Angst, Axt, Bank, Braut, Brunst, Faust, Frucht, Gans, Gruft, Hand, Haut, Kluft, Kraft, Kuh, Kunst, Laus, Luft, Lust, Macht, Magd, Maus, Nacht, Naht, Not, Nuß, Sau, Schnur, Schwulst, Stadt, Wand, Wurst, Zunft*; ferner: *die Ausflucht, die Geschwulst, die Zusammenkunft.*

M: Substantive auf *-in* bilden den Plural auf *-innen*. Substantive auf *-is* bilden den Plural auf *-isse*. Die Substantive *die Mutter* und *die Tochter* deklinieren nach Spalte 1 (84 B c).

§ 88. Fünfte Deklinationsgruppe

R: Alle s ä c h l i c h e n Substantive
neben denen der ersten Deklinationsgruppe
und die meisten sächlichen Fremdwörter
werden ebenfalls s t a r k dekliniert (Spalte 2 und 3).

B: M i t P l u r a l e n d u n g -er (Spalte 3),
die den Umlaut der Stammvokale *a, o, u, au* bewirkt:

a) e i n s i l b i g e :
das Amt, Bad, Band, Blatt, Dach, Fach, Faß, Glas, Grab, Gras, Kalb, Lamm, Land, Pfand, Rad, Tal, Wams; das *Dorf, Holz, Horn, Korn, Loch, Schloß, Volk, Wort;* das *Buch, Gut, Huhn, Tuch;* das *Haupt, Haus, Kraut, Maul;*
das Brett, Feld, Geld, Nest, Schwert; das *Bild, Glied, Kind, Licht, Lid, Lied, Rind, Schild, Stift;* das *Ei, Kleid, Reis, Weib.*

b) einige mit der V o r s i l b e *Ge-,*
das Gemach, Gemüt, Geschlecht, Gesicht, Gespenst, Gewand.

c) die auf *-tum* (Plural: *-tümer*):
das Bistum, Fürstentum u. a.; *Brauchtum, Volkstum* (Plural selten).

M i t P l u r a l e n d u n g -e und ohne Umlaut (Spalte 2, links);
hierher gehören alle bisher nicht ausdrücklich aufgeführten:

d) e i n s i l b i g e :
das Beil, Bein, Blech, Boot, Erz, Fest, Gas, Gift, Haar, Heft, Jahr, Kreuz, Kinn, Knie, Maß, Meer, Moor, Paar, Pfund, Reich, Roß, Salz, Schiff, Schwein, Spiel, Stück, Tor, Werk, Ziel u. a.

e) mit den V o r s i l b e n *Ge-, Ver-, Be-* gebildete:
das Gebet, Gebot, Gefäß, Gelenk, Geschäft, Gesetz u. a.
das Verbot, Verdienst, Verhör, Verlies; das *Besteck.*

f) auf *-nis* und *-sal:*
das Erlebnis, Gefängnis, Zeugnis; das *Scheusal, Schicksal* u. a.

g) F r e m d w ö r t e r : *das Element, Magazin, Metall, Konsulat* u. a.

A: Die Substantive *das Bett, Hemd, Leid, Ohr, das Auge, Ende*
werden aber g e m i s c h t dekliniert (Spalte 4a).
Ebenso die Fremdwörter *das Insekt, Interesse, Juwel, Statut.*

M: *Das Herz* hat seine besondere Deklination:
das Herz, des Herzens, dem Herzen, das Herz; die Herzen.
Die Fremdwörter *das Hospital, Regiment* gehen nach Spalte 3.

§ 89. Deklination der Fremdwörter

R: Fremdwörter werden möglichst wie deutsche Wörter dekliniert. Sie stoßen ihre fremde Endung ab und nehmen eine deutsche an. (Vergleiche die fünf Deklinationsgruppen!) Behalten Fremdwörter ihre fremde Endung und lassen sie sich nicht in die fünf Deklinationsgruppen einordnen, so setzt man im Genitiv des Singulars ein -s (-es) und in den übrigen Fällen in Singular und Plural den Nominativ.

B: Pluralbildung einiger Fremdwörter.
(Gibt es von einem Fremdwort mehrere Pluralformen, so ist die gebräuchlichste zuerst genannt.)

a u f -um:
das Album, die Alben; das Faktum, die Fakten, Fakta; das Individuum, die Individuen; das Minimum, die Minima; das Substantiv(um), die Substantive, Substantiva; das Verb(um), die Verben, Verba.

a u f -ium:
das Evangelium, die Evangelien; das Gymnasium, die Gymnasien; das Ministerium, die Ministerien; das Seminar, die Seminare, Seminarien; das Studium, die Studien; das Territorium, die Territorien; ebenso: *das Prinzip, die Prinzipien.*

a u f -us:
der Rhythmus, die Rhythmen; der Globus, die Globen; der Modus, die Modi; der Kasus, die Kasus; das Genus, die Genera.

a u f -al:
das Kapital, die Kapitalien; das Material, die Materialien; das Mineral, die Mineralien; ohne Sing.: *die Naturalien, Personalien.*

a u f -il:
das Fossil, die Fossilien; das Reptil, die Reptilien; das Projektil, die Projektile; ohne Sing.: *die Mobilien.*

a u f -a:
das Drama, die Dramen; das Thema, die Themen, Themata; das Klima, die Klimate; das Komma, die Kommas, Kommata; das Schema, die Schemata, Schemas.

a u f -o:
das Konto, die Konten, Kontos, Konti; das Porto, die Porti.

Mit Plural auf -s:
das Genie, die Genies; das Sofa, die Sofas; das Dock, die Docks u. a.

M: *der Charákter, die Charaktére; der Atlas, die Atlánten, Atlasse.*

§ 90. Deklination der Personennamen

Singular

1. Personennamen m i t Artikel oder Pronomen bleiben ohne Endung.
2. Personennamen, die im Nominativ o h n e Artikel stehen,
bleiben im D a t i v und A k k u s a t i v heute endungslos
   a) und erhalten im G e n i t i v ein -s, doch erhalten
   b) m ä n n l i c h e Namen auf -s, -ß, -x, -z, -tz
      die Endung -ens oder ein Auslassungszeichen (beides veraltet;
      besser setzt man die Präposition *von* mit dem Dativ
      oder den (deklinierten) Artikel nach der 1. Regel).
   c) w e i b l i c h e auf -e ebenso -ns.
3. Folgen m e h r e r e N a m e n einer Person aufeinander,
so erhält nur der l e t z t e eine Deklinationsendung.
4. a) Geht dem Namen ein Titel m i t Artikel vorauf,
      so erhält n u r d e r T i t e l Deklinationszeichen
      (der Titel *Dr. (Doktor)* gilt als Namensbestandteil);
   b) steht jedoch der Titel o h n e Artikel,
      so erhält n u r d e r N a m e (und Beiname) Deklinationszeichen.

Plural

5. M ä n n l i c h e V o r n a m e n, die auf einen Konsonanten enden,
haben im Plural gewöhnlich die Endung -e,
manchmal -s, manchmal keine Endung.
6. W e i b l i c h e V o r n a m e n, die auf unbetontes -e ausgehen,
haben die Pluralendung -n, die auf -a, -o, -i (-y) aber -s;
konsonantisch endende (nicht aber auf S-Laute) haben -en.
7. Allgemein nehmen Namen, die auf einen vollen Vokal ausgehen,
im Plural fast immer ein -s an;
doch erhalten einige Geschlechternamen auf -o die Endung -nen.
8. F a m i l i e n n a m e n bleiben in der Regel unverändert.

Namenszusätze

9. Steht bei einem Namen die O r d n u n g s z a h l in Ziffern,
so steht sie in demselben Fall wie der Name,
erhält aber keine äußeren Deklinationszeichen.
10. Nach Jahreszahlen wird die Abkürzung *n. Chr.* heute meist im Nominativ
gelesen: *nach Christus*.
11. *Jesus Christus* wird heute nur noch selten dekliniert,
man gebraucht in allen Fällen den Nominativ.

B: zu 1: *der, des, dem, den Karl; die, der, der, die Droste.*
ein Lessing, eines Lessing, einem Lessing, einen Lessing;
auf seines Werner Gesicht (auch: *auf seines Werners Gesicht*).

zu 2a: *Karls, Luthers, Schillers, Goethes; Friedrichs, Berthas.*

zu 2b: *Hansens, Fritzens, Felixens, Maxens;* auch: *Hans', Fritz'* usw.
besser: *v o n Hans, von Fritz* usw.
Tacitus' Schriften = die Schriften des Tacitus; Voß' (Voßens) Luise;

zu 2c: *Mariens, Sophiens, Mathildens* usw.

zu 3: *Friedrich von Schillers Dramen, die Werke Gotthold Ephraim Lessings, Angelus Silesius' Sinnsprüche = die Sinnsprüche d e s Angelus Silesius.* Ähnlich: *die Gedichte v o n Voß und Claudius.*
Bei A d e l s n a m e n empfiehlt es sich, den Namen zu deklinieren, der dem regierenden Substantiv am n ä c h s t e n steht: *das Werk Wolframs von Eschenbach, Wolfram von Eschenbachs Leben.*

zu 4a: *die Regierung des Kaisers Friedrich, die Forschungen des Professors Dr.* (= *Doktor*) *Schultze, des Lizentiaten Götz.*

zu 4b: *Kaiser Friedrichs Tod, Professor Schultzes Vorlesungen.*
A: Der Titel *Herr* wird i m m e r dekliniert, mag das Geschlechtswort voraufgehen oder nicht: *die wissenschaftlichen Veröffentlichungen des Herrn Beutler, Herrn Beutlers wissenschaftliche Veröffentlichungen.* —
Folgt nach *Herr* noch ein anderer Titel, so muß er nur dann dekliniert werden, wenn er der s c h w a c h e n Deklination angehört: *des Herrn Präsidenten Lehmann;* aber: *des Herrn Rektor Klein, des Herrn Professor Naumann* (auch: *des Herrn Professors N.*).

zu 5: *z w e i Wilhelme, Friedriche, Karls; zwei Alexander.*

zu 6: *zwei Marien, Julien; — zwei Emmas, Lillys; — zwei Agnes.*

zu 7: *die Tassos; die Ottonen, die Scipionen.*

zu 8: *die beiden Grimm, die beiden Humboldt, das Haus der Fugger;* aber: *die Salzmanne und die Lessinge sind selten* (hierbei handelt es sich um Namen, die zu Gattungsnamen geworden sind).
Heute wird der mit *s* gebildete Genitiv von Familiennamen zur Bezeichnung der ganzen Familie gebraucht: *Ich war bei Müllers zu Besuch. Wir werden Buchholzens einladen.*

zu 9: *die Gesetze König Friedrichs II.,* lies: *Friedrichs des Zweiten; die Franzosen erzählen von Heinrich IV.* (*dem Vierten*); *die Anklage gegen Ludwig XVI.* (*den Sechzehnten*).

zu 10: Alte Lesart: *nach Christo, nach Christi Geburt.*

zu 11: Alte Deklination: *Jesus Christus, Jesu Christi, Jesu Christo, Jesum Christum,* Vokativ (Anredefall): *Jesu Christe.*

§ 91. Deklination geographischer Namen

1. Geographische Namen, die im Nominativ m i t Artikel stehen, werden wie alle anderen Substantive dekliniert, z. B.:
   a) solche L ä n d e r namen, die männlich oder weiblich sind;
   b) L ä n d e r namen, die im Plural gebraucht werden;
   c) Namen der G e b i r g e , B e r g e , F l ü s s e , S e e n , M e e r e. Doch fehlt das Beugungs-*s* heute oft, besonders bei fremden Namen.
2. Ebenso werden die Namen der J a h r e s z e i t e n , M o n a t e und T a g e dekliniert; doch stehen Monatsnamen auch ohne Genitiv-*s*.
3. Sächliche O r t s - und L ä n d e r namen (o h n e Artikel gebraucht), erhalten im Genitiv ein -*s* und bleiben sonst unverändert.
4. Orts- und Ländernamen auf -*s*, -*ß*, -*z*, -*tz*, -*x* bilden keinen Genitiv, sondern drücken ihn durch Vorsetzung der Präposition *von* oder des Genitivs der Wörter *Stadt, Dorf* usw. aus.

B : z u 1 a : *der Sudan, des Sudan(s), dem Sudan, den Sudan; die Schweiz, der Schweiz, der Schweiz, die Schweiz*. Ebenso einige s ä c h l i c h e Landschaftsnamen: *das Banat, des Banats, dem Banat, das Banat; das Pandschab, des Pandschab(s), dem Pandschab* usw.

z u 1 b : *die Niederlande, der Niederlande, den Niederlanden, die Niederlande;* auch Inselgruppen: *die Azoren, der, den, die Azoren;* — bei nur gelegentlichem pluralischem Gebrauch: *die beiden Amerika(s)*.

z u 1 c : *der Spessart, des Spessarts; der Harz, des Harzes; des Montblanc(s); des Baikal(s); des Atlantiks; die Ägäis, der Ägäis*.

z u 2 : *des Frühlings, des Herbstes; des Montags, eines Sonntags;* — *die letzten Tage des Oktobers = des Oktober*.

z u 3 : *B e r l i n s Umgebung, die Flüsse D e u t s c h l a n d s , die Gebirge S p a n i e n s , die Wälle M a g d e b u r g s ; — in D e u t s c h l a n d , von B e r l i n nach H a m b u r g* usw.

z u 4 : *die Einwohner v o n M a i n z , die Behörden d e r S t a d t K o b l e n z , die Bewohner v o n P a r i s , die Anlagen d e r S t a d t P a r i s , die Bauern d e s D o r f e s S t e i n e f r e n z* usw.

M: Bei geographischen Namen ist der Genitiv mit -*s* dem endungslosen Genitiv vorzuziehen: *Die Industrie des heutigen F r a n k r e i c h s ist hoch entwickelt* ist besser als: *Die Industrie des heutigen F r a n k r e i c h ist hoch entwickelt*. Ebenso: *Die Urwälder des weiten Brasiliens sind noch wenig erforscht. Auf beiden Seiten des Kongos . . .*

§ 92. Deklination der Maß- und Mengenbezeichnungen

1. Maßbezeichnungen **männlichen** und **sächlichen** Geschlechts in Verbindung mit Zahlwörtern bleiben im Plural endungslos.
   Doch erhalten *Meter, Liter* und ihre Zusammensetzungen, auch *Zentner, Klafter, Taler* u. ä., im Dativ Plur. oft ein *-n*.
2. Maßbezeichnungen **weiblichen** Geschlechts behalten **meist**, die auf *-e* **immer** ihre Deklinationsendungen.
3. Geldbezeichnungen auf *-e* erhalten Pluralendungen, andere nicht.
4. Zeitangaben jeden Geschlechts werden regelmäßig dekliniert.
5. Fremdwörter als Maßbezeichnungen werden regelmäßig dekliniert.
6. Maßbezeichnungen usw. werden aber regelmäßig dekliniert, wenn sie nicht den Mengenwert, sondern die Einzelgegenstände angeben.
7. Das Wort, das bei Maßangaben den gezählten Gegenstand angibt, richtet sich oft nach dem Kasus der Maßbezeichnung;
8. in gehobener Sprache **muß** es jedoch in den Genitiv gesetzt werden, besonders, wenn es mit einem Adjektiv verbunden ist.

B : zu 1 : *Sie kaufte sieben P a a r Strümpfe. Stoffe verkaufen wir im Kleinhandel von 10 M e t e r(n) an. Der Raum war 6 F u ß hoch. Zu diesem Kleid benötige ich vier D u t z e n d Knöpfe.* Ähnlich: *Die Besatzung war hundert M a n n stark; eine Mauer von drei M e t e r Höhe; in einer Breite von zwei M e t e r(n), K l a f t e r(n).*

zu 2 : *Das Band ist zwei H ä n d e breit = zwei H a n d breit.* Aber nur: *zwei E l l e n, zwei S p a n n e n lang; zwei M e i l e n weit, drei K a n n e n Öl; fünf U n z e n Gold.*

zu 3 : *20 Drachmen, Rupien, Kronen; 5 Mark, Pfennig, Dollar, Rubel.*

zu 4 : *drei Tage lang, nach einigen Monaten, in fünf Minuten, nach vier Nächten, in unseren Jahren, in diesen Jahrzehnten.*

zu 5 : *3 Millionen Einwohner, 4 Portionen Essen.*

zu 6 : *viele F ä s s e r Wein; er schenkte zwei G l ä s e r voll Wein; einige P f e n n i g e klimperten in seiner Tasche.*

zu 7 : *Sie arbeitet an sechs Paar w o l l e n e n S t r ü m p f e n* (D). *Er trank zwei Glas s t a r k e n W e i n* (A). *Hier ist ein Glas f e i n e r W e i n* (N).

zu 8 : *Er schenkte zwei Flaschen f e i n e n W e i n e s, ein Paar s c h ö n s t e r H a n d s c h u h e. Er bot ein Glas e r f r i s c h e n d e r L i m o n a d e.*

§ 93. Volle und kurze Genitiv- und Dativformen

Viele Substantive der starken Deklination haben im Genitiv und Dativ neben den v o l l e n Formen auf -es und -e k u r z e Formen ohne -e. Die vollen Formen werden immer weniger gebraucht.

In der gehobenen Sprache sind die vollen Formen h ä u f i g e r als in der Umgangssprache, doch gibt es keine allgemeingültigen Regeln für den Gebrauch der beiden Formen. Oft ist der Wohllaut des ganzen Satzes und der Klang des nächsten Wortes maßgebend.

In Zweifelsfällen beachte man folgende G r u n d s ä t z e :

Genitiv

1. Die v o l l e Form -es steht i m m e r bei Substantiven auf -s, -ß, -x, -z, -tz: *des Glases, Flusses, Holzes, Schatzes.*
2. Sonst steht die volle Form b e v o r z u g t bei Substantiven
   a) auf -ld, -lg, -nd; -sch, -st: *des Wildes, Windes, Busches, Astes;*
   b) die einsilbig oder auf der Endsilbe betont sind: *des Kopfes, Buches, Schrankes; des Betrages, Entwurfes;*
   c) die mit einer Konsonantenhäufung enden: *des Arztes.*
3. Die k u r z e Form -s steht i m m e r bei Substantiven
   a) auf -el, -em, -en, -er: *des Vogels, Atems, Balkens, Koffers;*
   b) auf -chen, -lein: *des Mädchens, Fräuleins;*
   c) auf -ig, -ing, -ling: *des Käfigs, Herings, Frühlings.*
4. Sonst steht die kurze Form b e v o r z u g t bei Substantiven,
   a) die auf einen Vokal enden: *des Tees, Magmas, Lottos, Kanus;*
   b) die auf einen Vokal + h enden: *des Strohs, Schuhs;*
   c) die auf einen Diphtong enden: *des Baus, Bleis, Heus;*
   d) die nicht auf der letzten Silbe betont sind: *des Urlaubs;*
   also auch bei den zusammengesetzten: *des Bienenschwarms;*
   e) die eine Farbe oder Sprache bezeichnen: *dieses Rots, Lateins.*

Dativ

5. Die k u r z e Form ohne -e steht i m m e r bei Substantiven
   a) auf -el, -em, -en, -er: *dem Beutel, Harem, Faden, Lehrer;*
   b) auf -chen, -lein: *dem Häuschen, Büblein;*
   c) die auf einen Vokal (+ h) enden: *dem Schnee, Schuh;*
   d) die auf einen Diphtong enden: *dem Blei, Leu, Gau;*
   e) die unmittelbar einer Präposition folgen: *aus Erz, von Gold;*
   aber nicht in vielen festen Ausdrücken: *zu Rate ziehen.*

§ 94. 5. DIE BILDUNG DER SUBSTANTIVE

Nach ihrer Bildung teilt man die Substantive ein in:
1. ursprüngliche Bildungen,
2. abgeleitete Bildungen.
   Diese zerfallen in:
   a) eigentliche Ableitungen und
   b) Worterweiterungen durch Vor- oder Nachsilben.
3. Wortzusammensetzungen.

1. **Ursprüngliche Bildungen** (meist einsilbig): *der Bach, Baum, Fisch; die Braut, Hand, Welt; das Herz, Kleid, Meer.*

2a. **Eigentliche Ableitungen** entstanden aus Verbalstämmen durch Ablaut oder Anfügung einzelner Mitlaute oder durch beides: *das, der Band, das, der Bund (binden), das Mehl (mahlen), der Spruch (sprechen), der Trank, Trunk (trinken), der Bogen (biegen); die Fahrt, Furt (fahren), die Jagd (jagen), die Schrift (schreiben), die Flucht (fliehen), die Tat (tun), die Gunst (gönnen).*

2b. **Worterweiterungen** entstanden durch
    Vor- oder Nachsilben (Präfixe—Suffixe).

Die wichtigsten Nachsilben (Suffixe).

a) **Unbetonte** Nachsilben mit *-e:*

-*de* bildet Substantive aus Verbalstämmen: *die Freude* (zu: *froh, freuen), die Schande* (zu: *Scham, schämen), die Zierde (zieren); die Beschwerde (beschweren), das Gebäude (bauen), das Gemälde (malen);*

-*e* bildet Substantive aus Verben: *die Ehre, Falte, Liebe; die Pflege, Reue, Sorge; die Fuhre (fahren), Gabe (geben), Grube (graben);*
ferner Bezeichnungen für das Mittel oder den Ort einer Tätigkeit: *die Decke (decken), die Falle (fallen), die Schmiede (schmieden), die Tränke (tränken), die Warte (warten);*
ferner häufig abstrakte Substantive aus Adjektiven: *die Breite, Güte, Treue; die Bläue, Röte, Schwärze; die Hitze (heiß);*

-*el* bildet Substantive aus Verben, um Werkzeuge zu bezeichnen: *der Deckel (decken), der Hebel (heben), der Stachel (stechen);*
mit Umlaut: *der Stößel (stoßen);*
mit Ablaut: *der Flügel (fliegen), der Schwengel (schwingen);*

-er für Berufs- und Herkunftsbezeichnungen: *der Lehrer, Ritter, Schreiner; der Hamburger, Nassauer, Norweger;*
mit Umlaut: *der Jäger, Sänger, Schüler; der Engländer;*
für Werkzeuge: *der Bohrer, Drücker, Zeiger;*
für ein Geschehen und dessen Ergebnis: *der Jauchzer, Walzer;*
aus Zahlwörtern: *der Einser, Fünfziger, Achtziger;*

-ler für Personen: *der Künstler, Tischler, Frömmler;*

-ner für Personen: *der Pförtner, Redner, Schuldner;*

-chen und -lein sind Verkleinerungssilben: *das Blümchen, Häschen; das Blümlein, Mütterlein;* ebenso -el: *das Bündel, der Knöchel;* doppelte Verkleinerung in: *das Büchelchen, Tüchelchen, Knöchelchen, das Bündelchen, Wägelchen, die Sächelchen* u. a.

β) Die ü b r i g e n Nachsilben:

-icht für Sammelnamen: *das Dickicht, Röhricht, Kehricht;*

-in (Plural: -innen) bildet von männlichen Personen- und Tiernamen Bezeichnungen für das weibliche Geschlecht: *die Botin, Erbin, Gattin; die Lehrerin, Reiterin, Schneiderin; die Berlinerin, Französin, Schwedin; die Häsin, Löwin, Wölfin;*

-ing oder -ling bezeichnet Personen, auch Sachen, nach ihrer Abkunft oder einem Zustand, in dem sie sich befinden;
-ling wird oft verächtlich gebraucht;
von Substantiven: *der Karolinger, Merowinger, Thüringer; der Flüchtling, Häftling, Sträfling; der Keimling, Sämling;*
von Adjektiven: *der Jüngling, Liebling, Neuling,* auch *Frühling;*
von Verben: *der Lehrling, Mischling, Säugling;*
stark verächtlich: *der Dichterling, Mietling, Weichling;*

-nis (Plural -nisse) bildet Benennungen für Zustände oder Beschaffenheiten: *die Finsternis, Betrübnis, das Verhältnis;*
für Handlungen oder Begebenheiten: *das Begräbnis, Ereignis; das Geschehnis, Vorkommnis, Zugeständnis;*
für Gegenstände: *das Hindernis, Verzeichnis, Bildnis;*

-rich für männliche Personen oder Tiere: *der Fähnrich, Wüterich; der Enterich, Gänserich, Täuberich;*

-sal, -sel für Zustände oder das den Zustand Bewirkende: *die* und *das Drangsal, das Schicksal, die Trübsal; das Labsal, Rinnsal;*
-sel ist zugleich verkleinernd: *das Füllsel, Häcksel, Überbleibsel; das Anhängsel, Mitbringsel, Rätsel; der Stöpsel;*

-*ung* bildet Verbalsubstantive für das Werden einer Handlung: *die Fütterung, Heizung, Stärkung;*
für die bewirkte Handlung: *die Erfindung, Ladung, Mischung;*
und leitet Sammelnamen aus Substantiven oder Adjektiven her: *die Waldung, Kleidung, Festung;*

-*heit* bildet Substantive von Gattungsnamen zur Bezeichnung des Zustandes oder einer Gesamtheit: *die Gottheit, Kindheit, Torheit; die Christenheit, Menschheit;*
und bildet von Adjektiven abstrakte Substantive: *die Faulheit, Dunkelheit, Klugheit;*

-*keit* ist Nebenform zu -*heit*: *die Geistlichkeit, Männlichkeit, Weiblichkeit; die Dankbarkeit, Sauberkeit, Sparsamkeit;*
ebenso: *igkeit: die Frömmigkeit, Müdigkeit, Schnelligkeit;*

-*schaft* bedeutet die Würde oder den Stand einer Person: *die Herrschaft, Knechtschaft, Verwandtschaft;*
eine Gesamtheit von Personen: *die Bürgerschaft, Kaufmannschaft, Priesterschaft; die Genossenschaft, Gewerkschaft;*
auch einen Sammelbegriff von Sachen: *die Barschaft, Erbschaft, Gerätschaft; die Ortschaft, Landschaft;*

-*tum* (Plural: -*tümer*) wie -*schaft*: *das Christentum, Königtum, Kaisertum; das Brauchtum, Bürgertum, Volkstum;*
oder nach Verbalstämmen und Adjektiven den Zustand: *das Wachstum, Eigentum; der Irrtum, Reichtum;*

-*ei* ist fremden Ursprungs und voll betont; davon: -*elei, -erei;*
für wiederholte oder anhaltende Tätigkeiten, oft verächtlich: *die Bettelei, Heuchelei, Schmeichelei; die Liebelei, Lauferei, Schreiberei, Schwätzerei; die Büberei, Fremdtümelei;*
zur Berufs- oder Standesbezeichnung, auch für den Gewerbebetrieb: *die Jägerei, Fischerei, Malerei; die Bäckerei, Buchdruckerei, Metzgerei.*

Einige Nachsilben bestimmen das G e s c h l e c h t :

a) m ä n n l i c h sind die meisten Substantive auf -*el, -er;* alle auf -*ig, -ich, -ing* und -*ling;*

b) w e i b l i c h sind die Substantive auf -*in; -ei, -heit, -keit; -schaft* und -*ung;*

c) s ä c h l i c h sind die Substantive auf -*chen* und -*lein* und die meisten auf -*sel, -sal, -tum* und -*nis.*

Die wichtigsten Vorsilben (Präfixe).

a) Unbetonte Vorsilben.

> (Von den Substantiven dieser Gruppe sind nur diejenigen mit der Vorsilbe *Ge-* eigentliche Substantivbildungen; die anderen sind aus den entsprechenden, bereits abgeleiteten Verben entstanden.)

be-: *der Beruf, die Begier, das Besteck;*

ent-, emp-: *der Entschluß, die Entführung, das Entsetzen; der Empfang, die Empfehlung, das Empfinden;*

er-: *der Ersatz, die Erfüllung, das Erstaunen; der Erfolg, die Erfindung, das Ergebnis;*

ge- bezeichnet häufig das Zusammensein oder eine Gesamtheit: *der Gefährte, Genosse, Geselle; das Gesinde, Getier, Gewölk; der Gebrauch, die Gestalt, das Gedicht;*

ver-: *der Verband, die Verbeugung, das Verbrechen; der Verdruß, die Verpackung, das Verschulden;*

zer- bedeutet die Trennung, Teilung: *der Zerfall, die Zerstreuung, das Zerwürfnis; der Zerstörer, die Zersetzung.*

β) Betonte Vorsilben.

aber-, after- bedeutet *hinter, nach* und etwas Gegenteiliges: *der Aberglaube, Aberwitz; der Aftermieter, die Afterrede;*

ant-: *die Antwort, das Antlitz;*

erz- von dem griechischen *archi* = sehr alt, sehr hoch: *der Erzbischof, Erzherzog, Erzkanzler;* als Verstärkung steht es in: *der Erzbösewicht, Erzgauner, Erzschelm; die Erzlügnerin;*

miß-, misse- bezeichnet etwas Gegensätzliches, Falsches oder Schlechtes: *der Mißmut, die Mißgunst, das Mißverständnis; der Missetäter; der Mißbrauch, die Mißgeburt, das Mißjahr;*

un- bezeichnet 1. die Verneinung oder das Gegenteil des im Stammwort ausgedrückten Begriffs: *der Undank, die Untreue, das Unglück; der Unmensch;* 2. die Steigerung ins Maßlose: *die Unmenge, Untiefe, Unzahl; das Untier;*

ur- bedeutet *sehr alt;* kann aber auch die Vorsilbe *er-* vertreten: *der Urahn, die Urgroßmutter, der Urwald; der Urenkel; das Urteil (erteilen), der Urlaub (erlauben), die Urkunde (erkennen).*

R: Vorsilben beeinflussen das grammatische Geschlecht n i c h t.

3. Wortzusammensetzungen.

1. Zusammengesetzte Substantive entstehen aus selbständigen Wörtern.
2. Innerhalb der Zusammensetzung unterscheidet man **Bestimmungs-** und **Grundwort**.
3. Das **Grundwort** ist immer ein Substantiv, dem das Bestimmungswort **vorgesetzt** wird.
4. Das **Bestimmungswort** kann ein Substantiv, Adjektiv, Verb, Adverb, eine Präposition oder ein Zahlwort sein.
5. In Zusammensetzungen nimmt das Bestimmungswort zuweilen Endungen *(-e, -s, -es, -n, -en, -er)* als **Bindelaute** an.
6. **Verben** werfen als Bestimmungswort die **Infinitivendung** ganz oder teilweise ab.
7. Das **Geschlecht** zusammengesetzter Substantive richtet sich nach dem **Grundwort**.
8. In Zusammensetzungen liegt der **Hochton** auf der Stammsilbe des **Bestimmungswortes**.
   In mehrfach zusammengesetzten Substantiven liegt ein **Nebenton** auf der Stammsilbe des Grundwortes.

B: zu 1: *der Schlafsaal, die Haustür, das Kellerfenster;* mehrfach zusammengesetzt: *der Haustürschlüssel, die Teerfarbenfabrik.*

zu 3: Grundwort: *der Schirm;* Bestimmungswort: *der Regen, die Sonne, das Kind, die Seide, klappen, Röntgen;*
Zusammengesetztes Wort: *der Regenschirm, Sonnenschirm, Kinderschirm, Seidenschirm, Klappschirm, Röntgenschirm.*

zu 4: *der Küchentisch, die Bretterwand, das Kindermädchen; der Schwarzhändler, das Rotkehlchen; der Schreibtisch, die Putzfrau; der Nebenraum, die Hinterlist, das Vorderhaus; der Dreiklang.*

zu 5: *-e: der Badearzt, das Herzeleid; -s: der Amtsrichter, die Vergnügungsreise;* (nicht immer ist dieses Binde-*s* ein Genitiv-*s*!); *-es: der Landesvater, die Kindespflicht; -n: der Wochentag, das Taschentuch; -en: der Sternenglanz, die Bärenhaut; -er: der Kinderwagen.*

zu 6: *die Schreibmaschine, der Zeigefinger, das Rechenbuch.*

zu 7: *die Tischlampe* usw. A: **der** *Mittwoch,* **die** *Anmut* u. a.

zu 8: *der Kúrort, Lúftkuròrt, Höhenluftkuròrt; der Gebúrtsort.*

A: Von der Erstbetonung wird abgewichen, wenn der zweite Bestandteil der eigentliche Bedeutungsträger ist: *das Jahrzéhnt, die Viertelstúnde, der Prinzgemáhl, das Lebewóhl.*

6. DIE REKTION DER SUBSTANTIVE

§ 95. Die genitivische Rektion des Substantivs

1. Die **Unterordnung** eines Substantivs unter ein anderes oder unter ein als Substantiv gebrauchtes Wort
heißt **Rektion** und erfolgt oft im **Genitiv**; doch vgl. § 96.
2. Dieser Genitiv kann **verschiedene Verhältnisse** zum regierenden Substantiv ausdrücken; so enthält er z. B.:
   a) dessen Zugehörigkeit: possessiver Genitiv;
   b) dessen übergeordnetes Ganzes: partitiver Genitiv;
   c) dessen Eigenschaft oder Art: qualitativer Genitiv;
   d) dessen Erläuterung: explikativer Genitiv;
   e) zu dessen Geschehensinhalt (der verbal gedacht wird) das Subjekt oder Objekt: subjektiver bzw. objektiver Genitiv.
3. Über die **Beiordnung** von Substantiven vgl. § 165.

B: zu 2 a: *der Garten der Bäuerin, Ottos Bücher, die Frau meines Freundes, die Vögel des Waldes;* — aber: *der Oberbürgermeister v o n Bonn, die Kirchen i n Würzburg* u. ä. (96, 2)

zu 2 b: *ein Drittel des Weges, eine Masse Volkes, eine Schar fröhlicher Kinder, eine Zucht edler Pferde; ein Dutzend der besten Bleistifte, zwei Pfund (des) besten Mehls;* nach substantivisch gebrauchten Wörtern: *zwei seiner Bücher, einige meiner Freunde, viele dieser Menschen. Welches seiner Bücher hat Ihnen gefallen? Keines seiner Bücher.* Oft aber: *keines v o n seinen Büchern.*

zu 2 c: *ein Mann unseres Standes* (= *aus, von unserem Stande*); *eine Frau edler Denkungsart* (= *von edler D.*). — *das Land der Verheißung* (*das verheißene Land*); *die Jahre der Not.*

zu 2 d: *die Tugend der Nächstenliebe* (*Nächstenliebe = Tugend*), *die Untugend der Geschwätzigkeit, das Laster des Opiumrauchens.*

zu 2 e: subjektiv: *das Spiel d e s K i n d e s* (*d a s K i n d spielt*); *die Warnungen meines Freundes* (*der Freund warnte*); *die Ratschläge des Arztes* (*er gab Ratschläge*).—objektiv: *der Erbauer d e r S t a d t* (*er erbaute d i e S t a d t*); *die Besitzerin des Hauses* (*sie besitzt das Haus*); *die Beanspruchung der Straße* (*sie wird beansprucht, man beansprucht sie*).* — Der Kauf eines Gebrauchtwagens ist Vertrauenssache* (objektiv: *der Wagen wird gekauft*). — *Der Kauf meines Vaters war wohlüberlegt* (subjektiv: *er kaufte*).

§ 96. Die präpositionale Rektion des Substantivs

1. Einem Substantiv kann ein anderes auch so untergeordnet sein, daß dieses nach einer Präposition in dem betr. Kasus steht: präpositionale Rektion.
2. Mit der Präposition *von* (und nicht im poss. Genitiv) stehen:
   a) Orts- und Ländernamen auf *-s, -ß, -z, -tz, -x* immer, da sie keinen Genitiv bilden können (90, 2b; 91, 4);
   b) auch andere Orts- und Ländernamen in Benennungen von Personen oder Institutionen.
3. Überhaupt stehen heute Orts- und Ländernamen selbst dort gerne mit Präposition, wo der poss. Genitiv möglich wäre.
4. Präpositionale Rektion statt genitivischer tritt ferner ein, wenn das unterzuordnende Substantiv
   a) nach einem nichtdeklinierbaren Zahlwort und ohne Artikel oder sonstiges Bestimmungswort steht;
   b) verallgemeinernd (ohne Artikel od. Bestimmungswort) steht;
   c) ausdrücklich den Urheber, nicht den Besitzer, nennen soll.
5. Zahlwörtern, Superlativen und Pronomen folgt heute zunehmend statt des part. Genitivs die Präposition *von (unter, aus);*
6. auch sonst kann dies nach Mengenbegriffen geschehen, oder es wird einfach im gleichen Kasus nebengeordnet.

B: **zu 2b**: *die Königin v o n England* (aber: *die Parklandschaften E n g l a n d s), der Magistrat v o n Rüsselsheim.*

zu 3: *die Straßen v o n Köln, i n Köln (Kölns), die Einwohner v o n Rom (Roms), die Straßenbahnen i n München.*

zu 4a: *der Besitzer v o n fünf H o t e l s* (aber: *der Besitzer fünf g r o ß e r Hotels, der Besitzer d e r fünf Hotels).*

zu 4b: *der Verfasser v o n G e d i c h t e n* (aber: *der Verf. d i e s e r Gedichte, der Verf. s c h ö n e r Gedichte); ein Mann v o n G e i s t , ein Schimmer von Hoffnung, ein Funke von Licht.*

zu 4c: *ein Bildnis v o n T i z i a n* (ist von ihm gemalt); *ein Bildnis T i z i a n s* (gehörte ihm oder stellt ihn dar).

zu 5: *zwei v o n meinen Bekannten, einige a u s der Gesellschaft, das schönste v o n diesen Büchern; welches u n t e r diesen Büchern?*

zu 6: *eine Schar v o n Kindern, eine Schar Kinder, eine Kinderschar; eine Menge von Leuten, eine Menge Leute; — ein Schluck Wasser, ein Bissen Brot, mit einem Haufen Papier.*

7. **Gebräuchliche Substantive mit präpositionaler Rektion.**

Ähnlich wie beim objektiven Genitiv (95, 2e) handelt es sich bei der präpositionalen Unterordnung unter folgende Substantive zumeist darum, durch dieses Attribut eine Art von Objektverhältnis auszudrücken; viele von ihnen verlangen dieselbe Präposition wie das entsprechende Verb oder Adjektiv (vgl. bes. 71 u. 108).

Doch kann der Inhalt des abhängigen präpositionalen Ausdrucks auch dem einer Umstandsbestimmung nahekommen oder entsprechen (164, 6).

die Achtung vor (Dat.)	*die Ahnung von* (Dat.)
die Verehrung für (Akk.)	*die Angst vor* (Dat.)
die Neigung zu (Dat.)	*die Furcht vor* (Dat.)
die Abneigung gegen (Akk.)	*der Ärger über* (Akk.)
die Liebe zu (Dat.)	*der Glaube an* (Akk.)
die Vorliebe für (Akk.)	*die Hoffnung auf* (Akk.)
der Geschmack an (Dat.)	*die Sucht nach* (Dat.)
das Vorurteil gegen (Akk.)	*die Sorge um, über* (Akk.)
der Abscheu vor (Dat.)	*die Fürsorge für* (Akk.)
der Haß gegen, auf (Akk.)	*die Strenge gegen* (Akk.)
die Hetze gegen (Akk.)	*der Trotz gegen* (Akk.)
die Begegnung mit (Dat.)	*das Anrecht auf* (Akk.)
die Neugierde auf (Akk.)	*die Pflicht zu* (Dat.)
die Zwiesprache mit (Dat.)	*das Abkommen über* (Akk.)
die Besinnung auf (Akk.)	*die Verantwortung für* (Akk.)
die Erinnerung an (Akk.)	*die Herrschaft über* (Akk.)
das Vertrauen auf (Akk.)	*das Eigentum an* (Dat.)
die Bereitschaft zu (Dat.)	*der Streit um, über* (Akk.)
die Zurückhaltung von (Dat.)	*der Überblick über* (Akk.)
die Empfänglichkeit für (Akk.)	*der Auftakt zu* (Dat.)
die Beteiligung an (Dat.)	*der Eingriff in* (Akk.)
die Einbuße an (Dat.)	*der Eid auf* (Akk.)
der Mangel an (Dat.)	*der Anschluß an* (Akk.)
der Widerspruch gegen (Akk.)	*der Zugang zu* (Dat.)
die Meisterschaft in (Dat.)	*das Lied auf* (Akk.)

Im Sinne von Umstandsbestimmungen stehen: *der Überblick über die Landschaft, unsere Reise nach Spanien, die Ausfahrt aus dem Hafen, der Weg in den Abgrund, der Ausweg aus dieser Lage* u. a.

IV. Das Adjektiv (Das Eigenschaftswort)
§ 97. 1. ÜBERSICHT

1. Adjektive (Eigenschaftswörter) bezeichnen Merkmale,
   und zwar innewohnende oder beigelegte, und stehen
   attributiv (beifügend) oder **prädikativ** (aussagend).
   Über ihren **adverbialen** Gebrauch im Deutschen vgl. § 128, 4 d B.
2. Ein Adjektiv steht **attributiv**,
   wenn es unmittelbar mit dem Substantiv verbunden wird,
   also gleich vor oder nach ihm steht.
3. Ein Adjektiv steht **prädikativ**,
   wenn es zusammen mit einem Verb (Hilfsverb) das Prädikat bildet.
4. Das **attributive** Adjektiv ist **veränderlich**.
   Es steht fast immer **vor** dem Substantiv
   und richtet sich in Genus, Numerus und Kasus nach ihm (163, 3).
5. Das attributive Adjektiv kann
   stark, schwach oder **gemischt** dekliniert werden (98—100).
   Dabei ist die Deklination des vorhergehenden Wortes bestimmend.
6. Das **prädikative** Adjektiv ist **unveränderlich**,
   wenn es ohne Artikel steht (anders als in anderen Sprachen) (152, 2a).
7. Adjektive können gesteigert werden, aber nicht alle.

B: zu 2 u. 4: *ein reifer Apfel, eine reife Birne, reifes Obst; reife Äpfel. Er ißt einen reifen Apfel, eine reife Birne.*
Nur attributiv stehen: *dortig, hiesig, heutig, gestrig* u. ä. — Adjektive, die einen Stoff bezeichnen, stehen selten prädikativ: *irden, bleiern, silbern* u. a. *Der silberne Löffel = der Löffel ist aus Silber.*
Ebenso Herkunftsbezeichnungen: *westfälischer Schinken.*

zu 3 u. 6: *Der Apfel ist reif. Die Birne ist reif. Das Obst ist reif. Die Äpfel sind reif. Das Wetter bleibt heiter.*
Nur prädikativ stehen: *angst, brach, feind, freund, gram, kund, leid, not, nütz, quer, quitt, schade, schuld; abhold, abspenstig, abwendig, anheischig, ansichtig, ausfindig, eingedenk, gewahr, gewärtig, habhaft, handgemein, teilhaftig, unpaß, untertan, verlustig.*

M: Bei **zusammengesetzten** Substantiven bezieht sich das Adjektiv immer auf das **Grundwort**. — *Ein schwarzer Schuhkremfabrikant* wäre also *ein schwarzer Fabrikant von Schuhkrem*, nicht *ein Fabrikant von schwarzer Schuhkrem.*

2. DIE DEKLINATION DER ADJEKTIVE

§ 98. Die starke Adjektivdeklination

1. Adjektive werden s t a r k dekliniert, wenn sie
   a) o h n e Artikel, Pronomen oder Zahlwort oder
   b) nach e n d u n g s l o s e n Pronomen oder Zahlwörtern stehen,
   c) aber auch nach den Pronomen *dessen, deren*.
2. In der starken Adjektivdeklination nehmen die Adjektive die D e -
   k l i n a t i o n s e n d u n g e n d e s b e s t i m m t e n A r t i k e l s an:

Singular

	Mask.	Neutr.	Fem.
Nom.	guter Wein	gutes Feld	gute Ernte
Gen.	*guten(es) Weines	*guten(es) Feldes	guter Ernte
Dat.	gutem Wein	gutem Feld	guter Ernte
Akk.	guten Wein	gutes Feld	gute Ernte

Plural

	Mask.	Neutr.	Fem.
Nom.	gute Weine,	Felder,	Ernten
Gen.	guter Weine,	Felder,	Ernten
Dat.	guten Weinen,	Feldern,	Ernten
Akk.	gute Weine,	Felder,	Ernten

* Im Genitiv Sing. des männlichen und sächlichen Geschlechtes setzt man meist -en: D i e L a g e r u n g g u t e n a l t e n W e i n e s e r f o r d e r t b e s o n d e r e S o r g f a l t. D e r V e r s a n d e d l e n O b s t e s. In einigen Redewendungen steht noch -es: r e i n e s H e r z e n s, g u t e s M u t e s u. a.

3. Stehen m e h r e r e attribute Adjektive, so werden sie g l e i c h a r t i g dekliniert, haben also g l e i c h e E n d u n g e n.

B : z u 1 c : *das Buch, von dessen k l a r e m Aufbau jeder spricht; die Frau, mit deren ä l t e s t e m Sohn ich reise.*

z u 3 : *Nach g u t e m a l t e m Brauche machten wir einen Maiausflug, der bei s c h ö n e m, w a r m e m Wetter gut verlief* (204, 8a B).

A : z u 1 a : Wenn die Z a h l w ö r t e r *zwei* oder *drei* im Genitiv die Endung *-er* annehmen, wird das folgende Adjektiv meist stark, selten schwach dekliniert: *die Vertreter dreier g r o ß e r Firmen, die Grenzen zweier europäischer Länder* (= *zweier europäischen L.*).

z u 1 b : Statt der regelmäßigen starken Deklination hat sich heute nach *wir* und *ihr* die schwache Form fast ganz durchgesetzt: *wir frohen Menschen, ihr fleißigen Kinder.* — *Wir Deutschen* = *wir Deutsche.*

§ 99. Die schwache Adjektivdeklination

1. Adjektive werden s c h w a c h dekliniert, wenn sie nach
   a) dem b e s t i m m t e n Artikel oder
   b) den Pronomen *dieser, jener, derjenige, derselbe, solcher, aller, jeder, jeglicher, mancher, irgendwelcher, welcher?* stehen.
2. In der schwachen Adjektivdeklination haben die Adjektive die Endung -*en;* nur in folgenden 5 Formen steht -*e:*
   Nom. Sing. Mask., Fem., Neutr.; Akk. Sing. Fem., Neutr.:

   Singular
	Mask.	Neutr.	Fem.
Nom.	der gute Rat	das gute Wort	die gute Tat
Gen.	des guten Rates	des guten Wortes	der guten Tat
Dat.	dem guten Rat(e)	dem guten Wort(e)	der guten Tat
Akk.	den guten Rat	das gute Wort	die gute Tat

   Plural
	Mask.	Neutr.	Fem.
Nom.	die guten Ratschläge,	Worte,	Taten
Gen.	der guten Ratschläge,	Worte,	Taten
Dat.	den guten Ratschlägen,	Worten,	Taten
Akk.	die guten Ratschläge,	Worte,	Taten

B: *diese schöne rote Rose, dieser schönen roten Rose, dieser schönen roten Rose, diese schöne rote Rose; diese schönen roten Rosen* usw. *jener junge Mann, jenes jungen Mannes, jenem jungen Mann, jenen jungen Mann; solche jungen Männer, solcher jungen Männer* usw. *welchen jungen Männern? solchen jungen Männern.*

3. S c h w a n k u n g e n zwischen schwacher und starker Deklination gibt es nach manchen der genannten Pronomen und nach *beide, all-, sämtlich-;* doch ist es nie falsch, schwach zu deklinieren. Aber vorwiegend stark dekliniert man im Sing. u. Plur. nach *einig-, etlich-, wenig-,* im Plur. nach *manche* und *viele* (beachte § 98, 1b):
beide alten Frauen, beider alten Frauen; aller eiserne Fleiß, bei allem eisernen Fleiß, alles gute Geld, alle guten Geister; sämtlicher alte Kram, sämtliches alte Mobiliar, sämtliche kostbaren Bilder; — einiger sichtbarer Erfolg, die Aussprache einiger schwieriger Wörter; manche (viele) alte Sitten.
Aber nur schwach: *bei einigem (wenigem) guten Willen.*

M: Auch wenn der Artikel mit einer Präposition verschmolzen ist, folgt die schwache Adjektivdeklination: *im ganzen Land, durchs ganze Land, zur gleichen Stunde, im selben Augenblick* usw.

§ 100. Die gemischte Adjektivdeklination

1. Adjektive werden g e m i s c h t dekliniert, wenn sie nach
   a) dem u n b e s t i m m t e n Artikel oder
   b) den Possessivpronomen *mein, dein, sein, unser, euer, ihr* oder
   c) den Zahlwörtern *ein, kein* stehen.
2. In der gemischten Adjektivdeklination
   nehmen die Adjektive s t a r k e Endungen in den Fällen,
   in denen das vorhergehende Wort e n d u n g s l o s bleibt
   (Nom. Sing. Mask., Neutr., Akk. Sing. Neutr.);
   in allen anderen Fällen nehmen sie s c h w a c h e Endungen an:

	Singular		
	Mask.	Neutr.	Fem.
Nom.	ein guter Sohn	mein gutes Kind	keine gute Tochter
Gen.	eines guten Sohnes	meines guten Kindes	keiner guten Tochter
Dat.	einem guten Sohn(e)	meinem guten Kind(e)	keiner guten Tochter
Akk.	einen guten Sohn	mein gutes Kind	keine gute Tochter
	Plural		
	Mask.	Neutr.	Fem.
Nom.	meine guten Söhne,	Kinder,	Töchter
Gen.	meiner guten Söhne,	Kinder,	Töchter
Dat.	meinen guten Söhnen,	Kindern,	Töchtern
Akk.	meine guten Söhne,	Kinder,	Töchter

Allgemeine Bemerkungen zu den Adjektivdeklinationen

3. Die Adjektive auf *-el*, gelegentlich auch die auf *-er, -en,* stoßen bei ihrer Deklination das *e* dieser Bildungssilbe aus.
4. Werden Adjektive (auch Partizipien und Zahlwörter) substantiviert, so werden sie in der Regel wie attributive Adjektive dekliniert.

B : z u 3 : *edel: edler, edle, edles; edlen; — heiter: heitrer, heitre* usw.; *heitrem = heiterem; offen: offner, offne, offnes = offenes.*
Vereinzelt fällt das Endungs-e aus: *bis zum bittern Ende.*

z u 4 : *fremd: der, die, das Fremde; ein Fremder, eine Fremde, ein Fremdes; Fremdes; die Fremden, Fremde. — der Kranke.*
reisend: der Reisende, ein Reisender, die Reisenden, Reisende.
der Gelehrte, Gefangene; der Zweite, des, dem, den Zweiten.
Manche substantivierte Adjektive werden ganz als Substantive empfunden und behandelt: *der Invalide, Junge;* andere schwanken: *der Beamte, Angestellte, die Elektrische, Parallele, Waagrechte.*

3. DIE STEIGERUNG DER ADJEKTIVE

§ 101. Bildung und Deklination der Steigerungsformen

1. Das Adjektiv hat drei Steigerungsstufen:
   die erste, die zweite und die dritte Stufe:
   Positiv, Komparativ und Superlativ.
   Steht die 3. Stufe ohne Vergleichsglied, so heißt sie Elativ.
2. Der Komparativ wird durch Anhängen von *-er*,
   der Superlativ durch Anhängen von *-(e)st* an den Positiv gebildet.
3. Im Komparativ stoßen Adjektive auf *-el* immer, die auf *-en*, *-er* oft das *e* dieser Bildungssilbe aus, wenn sie dekliniert werden.
4. Die Superlativendung wird meist verkürzt gesetzt *(-st)*, bleibt aber unverkürzt *(-est)* nach *d, t (st), s, ß, x, z (tz)*.
5. Den Umlaut erhalten: *alt (älter, ältest), arg, arm, hart, kalt, krank, lang, nahe, scharf, schwach, schwarz, stark, warm; grob, groß, hoch; dumm, klug, kurz, jung;* — schwankend sind: *bang, blaß, glatt, karg, naß, schmal; fromm, rot; krumm, gesund*.
6. Attributiv gebrauchte Adjektive werden in der zweiten und dritten Stufe wie in der ersten dekliniert.
7. Prädikativ gebrauchte Adjektive sind im Komparativ unveränderlich, im Superlativ jedoch erhalten sie den Artikel und die Endungen der schwachen Deklination (*-e* im Singular, *-en* im Plural) oder das Wörtchen *am* und die Endung *-en*.

B: zu 1: Elativ: *Er arbeitet mit größtem Fleiß und besten Erfolgen. Jedes kleinste Problem reizt ihn. Mit den besten Wünschen!*

3. dunkel,	dunkler-e,	dunkelst;	tapfer,	tapf(e)rer-e,	tapferst;
trocken,	trock(e)ner-e,	trockenst;	bitter,	bitt(e)rer-e,	bitterst;
4. reich,	reicher,	reichst;	schön,	schöner,	schönst;
treu,	treuer,	treu(e)st;	genau,	genauer,	genau(e)st;
wild,	wilder,	wildest;	bunt,	bunter,	buntest;
heiß,	heißer,	heißest;	stolz,	stolzer,	stolzest;

zu 6: (stark:) *kühles Bier, kühleres Bier, kühlstes Bier;* (schwach:) *das schöne Bild, das schönere Bild, das schönste Bild;* (gemischt:) *deine junge Schwester, deine jüngere, deine jüngste Schwester.*

zu 7: (Komparativ:) *dieses Bild ist schön, jenes aber ist schöner; jene Bilder sind schöner;* (Superlativ:) *dieses Bild ist das schönste, ist am schönsten; jene Gemälde sind die schönsten, sind am schönsten.*

§ 102. Besonderheiten und Gebrauch der Steigerungsformen

1. **Unregelmäßig** gesteigert werden **gut, viel** und **wenig**:
   gut, besser, best (der beste, am besten);
   viel, mehr, meist (der meiste, am meisten);
   viele (Plur.), mehr, die meisten;
   wenig, minder, mindest (der mindeste, am mindesten);
   auch regelmäßig:
   wenig, weniger, wenigst.

2. **Geringe Unregelmäßigkeiten** haben:
   nah, näher, nächst;
   hoch, höher, höchst;
   groß, größer, größt.

3. Nur **zwei** Steigerungsstufen haben acht Adjektive:
   der äußere, äußerste; der innere, innerste;
   ebenso: der obere, untere, vordere, hintere, niedere.
   — M: der mittlere, (mittelste = mittlere).

4. Der Positiv kann durch *ziemlich, recht, besonders, sehr, ungemein, außerordentlich, äußerst, höchst, überaus, zu, allzu, mehr als,*
   der Komparativ durch *etwas, wenig, weit, ungleich, noch, viel,*
   der Superlativ durch *aller-, weitaus, denkbar* **abgestuft** werden.

5. In Vergleichen steht beim Positiv **so** (*ebenso, genauso* u. ä.) ... **wie**, beim Komparativ **als** (ebenso nach *anders, umgekehrt, keiner* u. ä.).

6. Auf den Superlativ folgt der **Genitiv** oder die Präposition *von, unter* mit dem **Dativ**.

B: zu 1: *Das Bessere ist der Feind des Guten. Prüfet alles und behaltet das Beste! Kein Volk soll minderen Rechtes sein. Minder ist oft mehr. Er hatte nicht den mindesten Erfolg. Von allen Menschen traue dir (selbst) am wenigsten!*

zu 2: *Jeder ist sich selbst der Nächste. Das Leben ist der Güter höchstes nicht. Stroh gibt größere Haufen als Korn.*

zu 3: *die äußersten Bedingungen, von äußerster Wichtigkeit.*

zu 4: *Es ist ungemein bedeutsam, überaus zerbrechlich. — Das ist noch wichtiger. — (aller)allerliebst, das weitaus beste, denkbar beste.*

zu 5: *Ich bin* **so groß wie** *er. Sie ist* **größer als** *er. Die Lage ist* **anders als** *früher.* **Keiner als** *du ist schuld.*

zu 6: *Goethe ist der bedeutendste aller deutschen Dichter (von allen deutschen Dichtern, unter den deutschen Dichtern).*

§ 103. 4. DIE BILDUNG DER ADJEKTIVE

Nach ihrer B i l d u n g teilt man die Adjektive ein in:
1. ursprüngliche Bildungen,
2. abgeleitete Bildungen und
3. zusammengesetzte Adjektive.

1. Ursprüngliche Bildungen (meist einsilbig):
bar, gar, zahm; jung, alt; arm, reich; klein, groß; schlecht, gut; kurz, lang; böse, leise, müde u. a. (Manche der heute als ursprünglich empfundenen Bildungen enthalten einen alten Verbalstamm.)

2. Eigentliche Ableitungen (zwei- oder mehrsilbig).
(Die Ableitung von Adjektiven erfolgt fast ausschließlich durch Nachsilben.)

Nachsilben (Suffixe) zur Bildung abgeleiteter Adjektive
sind *-en, -ern, -ig, -icht°, -isch.*

-*en*, -*n* bildet Adjektive aus S t o f f - und G a t t u n g s n a m e n, um die stoffliche Beschaffenheit zu bezeichnen: *golden, gülden°, leinen, metallen, wollen; irden, kupfer-n, ledern, silbern;*

-*ern* bildet entsprechend der letzten Gruppe (mit Umlaut): *bleiern, eisern, gläsern; hölzern, steinern, wächsern; beinern, lüstern;*

-*ig* kommt sehr häufig vor und bildet aus verschiedenen Wortarten Adjektive, die den Besitz der Eigenschaften des Stammbegriffs oder die Ähnlichkeit damit bezeichnen:
aus S u b s t a n t i v e n : *blutig, eckig, rostig; andächtig, günstig, lästig; gütig, spitzig, völlig (Fülle); blumig, sonnig, waldig; barfüßig, langohrig, schwarzäugig; großmäulig;*
aus V e r b e n : *brummig, findig, wack(e)lig, beliebig, ergiebig;*
aus A d v e r b i e n , P r ä p o s i t i o n e n und Z a h l w ö r t e r n : *abermalig, baldig, jetzig; gestrig, heutig, hiesig; niedrig, übrig, widrig; einig, einzig;*
M: *mühselig, saumselig, trübselig* sind nicht von *selig*, sondern von *Mühsal, Saumsal, Trübsal* abgeleitet.

-*icht°* bildet Adjektive aus S t o f f - und G a t t u n g s n a m e n, um eine dem Stoff ä h n l i c h e Beschaffenheit zu bezeichnen: *holzicht°, ölicht°, steinicht°* = *holz-, öl-, steinartig; töricht;*

-*isch* bildet Adjektive zur Bezeichnung der H e r k u n f t oder A r t aus O r t s - , L ä n d e r - , V ö l k e r n a m e n : *berlinisch, himmlisch, irdisch, städtisch; französisch, spanisch;* auch: *deut-sch.*

aus Personen- und Tiernamen: *goethisch, kantisch, lutherisch; diebisch, kaufmännisch, närrisch; dichterisch, künstlerisch, malerisch; hündisch, tierisch, wölfisch;*
aus Verben oder daraus abgeleiteten Substantiven: *mürrisch, neidisch, zänkisch; höhnisch, launisch, spöttisch;*
aus Fremdwörtern: *katholisch, logisch, poetisch; dramatisch, lyrisch, physisch; demokratisch, sozialistisch;*
M: *-isch* gibt dem Adjektiv oft einen verächtlichen Sinn: *herrisch* (aber: *herrlich*), *kindisch* (aber: *kindlich*), *weibisch* (aber: *weiblich*); ebenso: *hündisch, bübisch, linkisch, selbstisch;*

- *-end, -en, -et, -t* finden sich bei den zu Adjektiven erstarrten Partizipien (Infinitive oft ungebräuchlich): *abwesend, himmelschreiend, zuvorkommend; entlegen, erwachsen, verschollen; unbeholfen, gediegen, gedunsen; gebildet, besaitet, berüchtigt; bemoost, verschmitzt, vertrackt; unentwegt, erpicht, verdutzt.*

Nachsilben (Suffixe), die früher selbständige Wörter waren, sind *-lich, -sam, -bar* und *-haft.*

- *-lich* (von einem alten Substantiv für *Leib*) bezeichnet bei heute breiter Anwendung ursprünglich die Gleichheit oder Ähnlichkeit im Wesen: *kindlich, männlich, weiblich; ärmlich, gelblich, weichlich; ältlich, fröhlich, wirklich; gedeihlich, sterblich; gewöhnlich, häuslich;* passivisch: *nützlich, entbehrlich* u. a.; M: Früher mehr als jetzt diente *-lich* zur Bildung des Adverbs aus dem Adjektiv: *hoch, höchlich; klar, klärlich; sauber, säuberlich; weise, weislich;* rein adverbial sind noch jetzt: *ernstlich, freilich; gewißlich; kürzlich, neulich, schwerlich;*
- *-sam* (vgl. engl. *same*) bezeichnet die Übereinstimmung, Fähigkeit oder Neigung: *gemeinsam, langsam, sattsam; arbeitsam, furchtsam, gewaltsam; bedachtsam, mühsam, tugendsam; aufmerksam, duldsam, empfindsam; biegsam, schmiegsam, wirksam; einsam, zweisam, genügsam;*
- *-bar* (*tragend*, vgl. *gebären*) bezeichnet die innewohnende Fähigkeit: *offenbar; dankbar, dienstbar, fruchtbar;* passivischen Sinn haben: *brennbar, eßbar, genießbar; unbrauchbar, undenkbar, unschätzbar;*
- *-haft* (= *haben, anhaftend, behaftet mit*) bezeichnet die Art: *ekelhaft, mangelhaft, schamhaft; namhaft, meisterhaft, pöbelhaft; naschhaft, schmeichelhaft, zaghaft; boshaft, krankhaft, wahrhaft.*

Vorsilben (Präfixe) zur Bildung von Adjektiven
sind *be-, ge-, miß-, un-, ur-, erz-* (S. 138);
sie kommen fast alle nur gleichzeitig mit Nachsilben vor.

be-: *bereit, bequem, beständig; befreundet, bekannt, beschlagen;*
ge-: *gemein, genau, gesund; gewiß, geständig, geschmückt;*
miß-: *mißgünstig, mißmutig, mißtrauisch, mißgestimmt;*
un-: *unartig, ungezogen, unwürdig; unbedenklich, uneben; unfrei;*
ur-: *uralt, uranfänglich, urkomisch; ureigen, urgelungen;*
erz-: *erzböse, erzdumm, erzfaul; erzfremd, erzgescheit, erzverlogen.*

3. Zusammengesetzte Adjektive.
   1. Erste Gruppe. Bei den meisten zusammengesetzten Adjektiven ist einem Adjektiv (Partizip) als übergeordnetem Grundwort ein untergeordnetes Bestimmungswort vorgesetzt, das aus den verschiedensten Wortarten herkommen kann.
      Man spricht von determinativer Zusammensetzung.
   2. Bei einer zweiten Gruppe von zusammengesetzten Adjektiven sind gleichgeordnete Adjektive zusammengezogen (addiert).
      Man spricht von kopulativer Zusammensetzung.
   3. Daneben gibt es noch andere Arten der Zusammensetzung.
   4. Manche Adjektive sind nur scheinbar zusammengesetzt, tatsächlich aber aus zusammengesetzten Substantiven abgeleitet.
   5. Die Deklination zusammengesetzter Adjektive trifft nur das Grundwort. Für die Steigerung gilt § 57, 17.

B: zu 1: Grundwort: *reich;* Bestimmungswort: *Kind, Stein, Wort, über, neu;* zusammengesetztes Wort: *kinderreich, steinreich, wortreich, geistreich, waldreich, überreich, neureich.* In der Wortfuge können Bindelaute stehen: *lieblos, liebevoll, liebeskrank, liebenswert; hilflos, hilfesuchend, hilfsbereit.*

zu 2: *feuchtwarm* (gleicherweise *feucht* und *warm*), *taubstumm, sauersüß, frischfröhlich; schwarzrotgolden; dreizehn* u. ä.

zu 3: *barfuß, barhaupt (-häuptig), blauäugig, blaßwangig, breitspurig* (der 2. Bestandteil kommt nicht selbständig vor).

zu 4: *trübselig* (S. 149), *dickköpfig, großmäulig; sauertöpfisch, angeberisch, selbstquälerisch.*

zu 5: *der kerngesunde Mann, des kerngesunden Mannes; ein kerngesunder Mensch, eines kerngesunden Menschen* usw.;
die *hochtrabendsten Worte*, das *höchstbesteuerte Einkommen.*

5. DIE REKTION DER ADJEKTIVE

Viele Adjektive fordern ein **O b j e k t** (eine Ergänzung).

In zahlreichen Fällen verlangen sie einen **b e s t i m m t e n** Kasus; man sagt dann: sie **r e g i e r e n** diesen Kasus,
und nennt diesen Einfluß des Adjektivs seine **R e k t i o n.**

§ 104. Adjektive mit dem Genitiv

Viele Adjektive wurden früher mit einem Objekt im Genitiv verbunden. Heute schwindet der Gebrauch des Genitivs immer mehr; an seine Stelle ist in manchen Fällen der Akkusativ[1] getreten oder ein präpositionales Objekt[2] (Präposition mit Dativ oder Akkusativ). Häufig wird ein zusammengesetztes Adjektiv[3] bevorzugt.

Solche Adjektive sind:

ansichtig	*fähig*[2 3]	*habhaft*	*satt*[1 2]	*verdächtig*
bar	*froh*[3]	*kundig*[3]	*schuldig*[1]	*verlustig*
bedürftig[3]	*gewahr*[1]	*ledig*[2]	*sicher*	*voll*[2 3]
bewußt[3]	*gewärtig*	*mächtig*	*teilhaftig*	*(un)wert*[1 3]
eingedenk	*gewiß*	*müde*[2 3]	*überdrüssig*[1]	*(un)würdig*

B: *Nach vielen Irrwegen wurden wir endlich* **d e s D o r f e s a n s i c h t i g.** *Ich bin mir* **k e i n e r S c h u l d b e w u ß t** *(nicht schuldbewußt). Die fleißige Arbeiterin ist* **e i n e r U n t e r s t ü t z u n g b e d ü r f t i g** *(unterstützungsbedürftig). Die Pflegerin ist* **h ö c h s t e r A u f o p f e r u n g** *(zu jeder Aufopferung)* **f ä h i g** *(ist aufopferungsfähig). Man kann* **s e i n e s L e b e n s** *nicht* **f r o h** *werden (lebensfroh). Das Mündel war* **d e r Z u s t i m m u n g** *seines Vormundes* **g e w i ß.** *Die Polizei konnte* **d e s V e r b r e c h e r s** *nicht* **h a b h a f t** *werden. Mein Begleiter war* **d e s W e g e s k u n d i g** *(wegekundig).* **A l l e r S o r g e n l e d i g** *konnten wir die Ferienreise antreten (ledig von allen Sorgen). Der Kranke war* **s e i n e r S i n n e** *nicht mehr* **m ä c h t i g.** *Ach, ich bin des* **T r e i b e n s m ü d e** *(müde von all dem Treiben, lebensmüde). Wer Blut vergießt, ist* **d e s T o d e s s c h u l d i g.** *In der unruhigen Nachkriegszeit war man* **s e i n e s L e b e n s** *nicht* **s i c h e r.** **V o l l M u t s** *(mutvoll) griff der Ritter den Drachen an. Eigner Herd ist* **G o l d e s w e r t.** *Der Erfolg war* **d e r (die) M ü h e w e r t.** *— lebensfähig, arbeitsfähig, amtsmüde, ehrenwert, liebenswürdig, unliebenswürdig u. a.*

§ 105. Adjektive mit dem Dativ

Folgende Adjektive (auch Partizipien) mit der Bedeutung *gleich—ungleich, nützlich—schädlich, nah—fern, möglich—unmöglich, gemeinsam—getrennt, freundlich—feindlich* regieren den Dativ;
meist bezeichnet er eine Person, seltener eine Sache.

Einige können aber auch mit den Präpositionen *für** oder *gegen*** und dem Akkusativ verbunden werden.

abhold	*dienlich*	*gleich*	*recht, billig*
ähnlich	*dienstbar*	*gleichgültig*	*schädlich**
angeboren	*eigen(tümlich*)*	*gnädig***	*schuldig*
angemessen	*ergeben*	*gram*	*schwer**
angenehm*	*erinnerlich*	*günstig**	*teuer = lieb*
anstößig*	*erwünscht*	*heilsam**	*treu*
ärgerlich*	*feind(lich)*	*hold*	*untertan*
begreiflich	*fern*	*lästig**	*verbunden*
behaglich	*freund*	*leicht**	*verderblich**
behilflich	*fremd*	*leid*	*verhaßt*
bekannt	*gefährlich**	*lieb*	*vorteilhaft**
bekömmlich*	*gehorsam*	*möglich**	*wert = lieb*
benachbart	*geläufig*	*nachteilig**	*widerlich*
bequem*	*gelegen**	*nahe*	*willkommen*
beschwerlich*	*gemein(sam)*	*nötig**	*zugetan*
bewußt	*genehm*	*notwendig**	*zuträglich*
dankbar***	*gewogen*	*nützlich**	*zuwider.*

Ebenso: *unähnlich, unangenehm* usw.; ferner viele auf *-bar* und *-lich* mit passivischer Bedeutung: *faßbar, entbehrlich* und ihre Gegenteile: *unfaßbar, unentbehrlich, unbegreiflich* usw.

B: *Er wurde **seinem Herrn** abtrünnig. Die Qualität der Ware ist **ihrem Preis** angemessen. Das ist **mir** angenehm. Solche Reden sind **seinem Ohr** anstößig. Die Arbeit war **ihr** beschwerlich, beschwerlich **für sie**. Leichter Sinn ist **Kindern** eigen(tümlich). Ihr Besuch kommt **mir** sehr gelegen. Seine Ansichten sind **mir** gleichgültig. Ihre Lehrer sind **ihr** wohlgewogen. Diese Lehre wird **ihm** heilsam sein. Was **dem einen** recht ist, ist **dem andern** billig. Sie war **ihm** sehr zugetan. Dieses Buch ist **mir** unentbehrlich, ist unentbehrlich **für mich**. Dein Leichtsinn ist **mir** unbegreiflich.*

§ 106. Adjektive mit dem Dativ und einer Präposition nebst zugehörigem Kasus

Einige Adjektive und Partizipien können neben dem Dativ noch eine Präposition nebst zugehörigem Kasus, d. h. ein präpositionales Objekt, haben; der Dativ bezeichnet die beteiligte Person oder Sache, das präpositionale Objekt den Sachverhalt, auf den die Aussage bezogen oder beschränkt wird.

gleich(wertig)   *ebenbürtig*   *ähnlich*   *überlegen*   *unterlegen.*

B: *Fritz ist seinem Bruder an Größe gleich. Die beiden Dreiecke sind einander zwar in der Form gleich, nicht aber in der Größe: sie sind einander ähnlich. Unsere Kunststoffplatten sind an Widerstandsfähigkeit jeder Naturfaserplatte gleichwertig, wenn nicht gar überlegen. Unsere Fußballmannschaft ist der euren in jeder Hinsicht ebenbürtig, wenn auch unser Tormann dem euren an Wendigkeit unterlegen ist. In ihrem ganzen Verhalten ist Erna ihrem Bruder sehr ähnlich. Auch in ihrem Charakter scheint sie ihm gleich zu sein.*

§ 107. Adjektive mit dem Akkusativ

Mit dem Akkusativ stehen die Adjektive:

los   *quitt*   *satt*   *müde*   *gewohnt.*

Folgende Adjektive des **Raumes**, der **Zeit**, der **Schwere** oder des **Wertes** stehen mit dem (adverbialen) Akkusativ des Maßes:

alt   *breit*   *dick*   *groß*   *hoch*
lang   *schwer*   *tief*   *weit*   *wert.*

B: *Gut, daß wir diesen unangenehmen Menschen endlich los sind! Ich bin (habe) den lärmenden Betrieb hier satt. Sind Sie ihn denn noch nicht gewohnt? Nein, ich bin ihn schon seit langem müde.* Vgl. § 104.
Der Stock ist einen Meter lang. Die Grube war einen Klafter tief. Sie ist drei Monate und einen Tag alt. Die Maschine ist mehr als einen Zentner schwer. Jenes Buch ist keinen Pfennig, keinen Batzen, keinen Heller wert. Karl ist einen Kopf größer als sein Bruder.

§ 108. Adjektive mit Präposition nebst zugehörigem Kasus

(un)abhängig	von (Dat.)	gefaßt	auf (Akk.)
angewiesen	auf (Akk.)	gefühllos	gegen (Akk.)
ärgerlich	über (Akk.)	geneigt	zu (Dat.)
arm, reich	an (Dat.)	geschaffen	für (Akk.), zu (Dat.)
aufgebracht	über (Akk.)	gesund, krank	an (Dat.)
aufmerksam	auf (Akk.)	gewandt	in (Dat.)
begierig	auf (Akk.)	(be)gierig	nach (Dat.)
(un)bekannt	mit (Dat.)	gleichgültig	gegen (Akk.)
(un)beliebt	bei (Dat.)	(un)glücklich	über (Akk.)
bereit	zu (Dat.)	grausam	gegen (Akk.)
beschämt	über (Akk.)	hart, streng	gegen (Akk.)
(un)bescheiden	in (Dat.)	(un)interessiert	an (Dat.)
besorgt	um (Akk.)	mildtätig	gegen (Akk.)
bestürzt	über (Akk.)	nachlässig	in (Dat.)
(un)bewandert	in (Dat.)	(un)nachsichtig	gegen (Akk.)
bezeichnend	für (Akk.)	nachteilig	für (Akk.)
blaß, rot	vor (Dat.)	neidisch	auf (Akk.)
böse, zornig	auf, über (Akk.)	neugierig	auf (Akk.)
ehrgeizig	nach (Dat.)	nützlich	für (Akk.)
eifersüchtig	auf (Akk.)	(un)schädlich	für (Akk.)
einfach	in (Dat.)	schmerzlich	für (Akk.)
einverstanden	mit (Dat.)	sicher	vor (Dat.)
(un)empfänglich	für (Akk.)	stolz	auf (Akk.)
(un)empfindlich	gegen (Akk.)	taub	gegen (Akk.)
entrüstet	über (Akk.)	traurig	über (Akk.)
(un)entschlossen	zu (Dat.)	überzeugt	von (Dat.)
erbost, ergrimmt	über (Akk.)	verderblich	für (Akk.)
erhaben	über (Akk.)	vergleichbar	mit (Dat.)
erstaunt	über (Akk.)	verliebt	in (Akk.)
(un)fähig	zu (Dat.)	verlobt	mit (Dat.)
feil	um (Akk.)	verschieden	von (Dat.)
(un)fertig	mit (Dat.)	verschwenderisch	mit (Dat.)
frei	von (Dat.)	vertraut	mit (Dat.)
freigebig	gegen (Akk.)	voll	von (Dat.)
(un)freundlich	gegen (Akk.)	(un)wesentlich	für (Akk.)
froh	über (Akk.)	(un)wichtig	für (Akk.)
(un)geeignet	zu (Dat.)	(un)zufrieden	mit (Dat.) u. a.

Vgl. die Beisp. auf der nächsten Seite!

B: (zu § 108): *Griechenland ist* **arm an Erzen** *und* **auf Einfuhren** *angewiesen. Ich bin* **ärgerlich über den dummen Fehler**; *wäre ich doch früher* **aufmerksam darauf** *gewesen! Der Kranke war* **begierig nach Wasser**. *Ich bin* **um sein Ergehen** *sehr* **besorgt**. **Auf neue Nachrichten** *sind wir* **begierig**. **Mit Ihrem Vater** *war ich gut* **bekannt**. *Wir alle sind* **bestürzt über den** *bedauerlichen* **Vorfall**.

Albrecht Dürer war **in vielen Künsten bewandert**. *Sie wurde abwechselnd* **blaß und rot vor Zorn**. *Alexander war* **ehrgeizig nach eitlem Ruhm**. *Künstler sind oft* **eifersüchtig auf Kollegen**. *Er ist* **einfach in seiner Kleidung**. *Sei* **empfänglich für das Gute und Schöne**! *Seien Sie nicht* **überempfindlich gegen Tadel**! *Er ist* **feil um Geld** *und* **zu allem fähig**.

Sei **freundlich und freigebig gegen jeden**! **Über das Ergebnis** *kannst du* **froh** *sein! Ich bin* **auf jede Überraschung gefaßt**. *Er war* **zu keiner Unterhaltung geneigt**. *Halte dich* **gesund an Leib und Seele**! **Gegen Arme** *ist meine Freundin* **mildtätig**. *Karl ist* **verschieden von seinem Bruder**. *Sie war* **zornig auf ihn**.

Vertretung der Präposition durch ein Pronominaladverb

M: Manche der genannten Adjektive können auch durch einen Gliedsatz näher bestimmt sein;
dann steht im Hauptsatz statt der Präposition das entsprechende hinweisende Pronominaladverb (117):
Er kann stolz **auf seinen Erfolg** *sein = Er kann wirklich stolz* **darauf** *sein, daß er dieses Ziel erreicht hat. Auch wir sind* **glücklich darüber**, *daß ihm die Lösung des Problems gelungen ist.*

Ebenso zum Rückweis auf eine früher genannte Bestimmung:
Wir alle können zufrieden **damit** *sein.* **Davon** *bin ich überzeugt. Wir müssen ihm dankbar* **dafür** *sein.*

Sinngemäß steht das entsprechende fragende Pronominaladverb (119, 9), wenn nach der Bestimmung gefragt wird:
Worauf *ist er denn so stolz?* **Worin** *sind Sie besonders* **bewandert**? **Worüber** *ist sie denn so traurig?*

Dasselbe gilt für die Verben, die ein präpositionales Objekt fordern (71).
Womit *beschäftigen Sie sich? Ich denke* **darüber** *nach, wie in der Sache zu verfahren ist.* **Darauf** *habe ich gewartet.*

V. Das Pronomen (Das Fürwort)

§ 109. Übersicht

1. Die Pronomen (Fürwörter) vertreten oder begleiten Substantive, indem sie gewisse formale Beziehungen derselben ausdrücken.
2. Es gibt sechs Klassen von Pronomen:
   a) das Personalpronomen (persönliche Fürwort)
      mit dem Reflexiv- und dem reziproken Pronomen:
      ich, du, er, sie, es; wir, ihr, sie; — sich; — einander;
   b) das Possessivpronomen (besitzanzeigende Fürwort):
      mein, dein, sein; unser, euer, ihr u. a.;
   c) das Demonstrativpronomen (Hinweisefürwort):
      dieser, jener u. a.;
   d) das Relativpronomen (bezügliche Fürwort):
      der, die, das; welcher, welche, welches;
      und das Korrelativpronomen (wechselbezügliche Fürwort): *derjenige, der; derselbe, der; der, der; solcher, der;*
   e) das Interrogativpronomen (Fragefürwort):
      wer? was? welcher? was für ein?
   f) das Indefinitivpronomen (unbestimmte Fürwort):
      man, jemand, niemand u. a.
      mit den Zahlpronomen: *jeder, keiner* u. a.
3. Viele Pronomen drücken das Genus aus und sind deklinierbar.
4. Manche Pronomen werden nur substantivisch,
   andere dagegen adjektivisch oder substantivisch gebraucht.
5. Nicht alle Klassen der Pronomen sind scharf gegeneinander abgegrenzt; es gibt verschiedene Übergänge, auch zu anderen Wortarten.
6. Nach ihrer Bildung können die Pronomen sein:
   a) ursprüngliche Bildungen: *ich, du, er, sie, es; wir, ihr, sie; mein, dein, sein* usw.; — *der, die, das;* — *wer, was;*
   b) abgeleitete Bildungen: *der meinige, deinige, unsrige* usw.;
   c) zusammengesetzte Wörter:
      jemand, niemand; derjenige, derselbe; auch: *solch, welch.*

M: Der in Abschnitt II behandelte bestimmte Artikel ist nichts anderes als das unbetonte adjektivisch gebrauchte Demonstrativpronomen *der, die, das;* der unbestimmte Artikel ist das attributiv gebrauchte, unbetonte Indefinitpronomen *einer.*

1. DAS PERSONALPRONOMEN
(PERSÖNLICHES FÜRWORT)

§ 110. Arten und Deklination

1. Man unterscheidet **drei Personen**:   Singular   Plural
   a) die **erste** (die sprechende) Person: *ich*   *wir*
   b) die **zweite** (die angesprochene) Person: *du*   *ihr*
   c) die **dritte** (die besprochene) Person: { m. *er* / f. *sie* / n. *es* }   *sie*
   (Die 3. Pers. Singular hat 3 Geschlechter)

2. Übersicht über die Deklination der Personalpronomen:

	Erste Person	Zweite Person	Dritte Person		
		Singular	m.	n.	f.
Nom.	ich	du	er	es	sie
Gen.	meiner*	deiner*	seiner*		ihrer
Dat.	mir	dir	ihm		ihr ⎫
Akk.	mich	dich	ihn	es ⎭	sie ⎭ sich
		Plural			
Nom.	wir	ihr			sie
Gen.	unser	euer			ihrer
Dat.	uns	euch			ihnen ⎫
Akk.	uns	euch			sie ⎭ sich

*) Im Genitiv des Singulars sind auch noch kürzere Formen des Personalpronomens erhalten: **mein, dein, sein**: Vergiß mein nicht! Dein gedenk ich allerorten! Sie gedachte sein. Beachte: meinetwegen, deinethalben, um unsertwillen u. a. § 136, 4. — Steht es nicht personen-, sondern sachbezogen, so hat es den Genitiv **dessen**: Ich erinnere mich dessen.

3. Das Personalpronomen heißt **reflexiv** (rückbezüglich), wenn es sich auf das Subjekt zurückbezieht. Die deutsche Sprache bildet eine **besondere** reflexive Form nur für den Dativ und Akkusativ der 3. Pers. Sing. u. Plur.; sie lautet immer *sich* (43, 2).

B: zu 1: *ich spreche, du hörst, er, sie, es schläft; wir schreiben.*

zu 2: *Erbarmet euch unser! Wir bedürfen euer! Niemand erbarmte sich seiner, ihrer. Folge ihm! Schreibe ihr! Ich kenne euch.*

zu 3: Dativ: *ich schade mir, du schadest dir, er schadet sich (selbst); wir schaden uns, ihr schadet euch, sie schaden sich (selbst).*
Akkusativ: *ich freue mich, du freust dich, er freut sich; wir freuen uns, ihr freut euch, sie freuen sich (selber).*
Unterscheide: *er spricht von sich, von ihm; er verteidigt sich, ihn.*

§ 111. Zum Gebrauch des Personalpronomens

1. **A n r e d e f o r m e n** der deutschen Sprache:

	Singular	Plural
a) vertrauliche Anrede:	du	ihr
b) übliche Anrede:	Sie	Sie (3. Pers. Plur.)
c) ehrende Anrede für ältere Leute (veraltet):	Ihr	Ihr (2. Pers. Plur.)
d) veraltet und ungebräuchlich, heute beleidigend:	Er, Sie, Es (3. Pers. Sing.)	

2. In **B r i e f e n** werden **a l l e** Anredeformen und ihre Ableitungen **g r o ß** geschrieben, das Reflexivpronomen *sich* aber immer klein.
3. Personalpronomen (auch reflexive) können durch *selbst* oder *selber* **v e r s t ä r k t** werden. Vgl. Beisp. zu § 110, 3.
4. Nach sächlichen Substantiven wie *Mädchen, Mägdlein, Fräulein, Weib, Gretchen, Hänschen* u. ä.
richten sich Personal- und Possessivpronomen
oft nach dem natürlichen, nicht dem grammatischen Geschlecht;
das gilt aber nicht für Relativpronomen.
5. Als **r e z i p r o k e s** (wechselbezügliches) Pronomen dient das Reflexivpronomen oder das undeklinierbare *einander* (44, 6).

B: **zu 1a**: *Es freut mich, daß du mich besuchst, ihr mich besucht.* Im Brief: *daß Du mich besuchst, daß Ihr mich besuchen wollt.*

zu 1b: *Mein Herr, Sie irren sich! Meine Damen und Herren, Sie erwarten, daß ich Ihnen genau über den Vorfall berichte.*

zu 1c: *Liebe Mutter, Ihr wißt, daß ich sehr krank gewesen bin. Guter Mann, könnt Ihr Euch denn nicht selber helfen?*

zu 1d: *Was will Er? Mach Er, daß Er fortkommt! Hab' ich Ihr nicht gesagt, Sie solle sich fortscheren?*

zu 4: *D a s Mägdlein barg **i h r e** Klagen im stillen Kämmerlein, und **s i e** durft' es keinem sagen. Fräulein, **d a s** gut kochen kann, gesucht; **s i e** muß mit allen häuslichen Arbeiten vertraut sein und das **i h r** unterstellte Personal führen können. — Wie geht es Hänschen? **E r** ist gesund und munter.*

zu 5: *wir begegneten uns (= einander), ihr schmeichelt einander (= euch), sie lieben einander (= sich); einander steht besonders mit Präpositionen verbunden: sie stritten miteinander, fielen übereinander her, schlugen aufeinander ein, rissen sich voneinander los.*

§ 112. 2. DAS POSSESSIVPRONOMEN (BESITZANZEIGENDES FÜRWORT)

1. Das Possessivpronomen (besitzanzeigende Fürwort) zeigt an, wer B e s i t z e r eines bestimmten B e s i t z t u m s ist.
2. Es richtet sich zunächst (im Stamm)
   nach Person, Genus und Numerus des B e s i t z e r s
   und weiter (in seinen Endungen)
   nach Numerus, Genus und Kasus des B e s i t z t u m s.
3. Possessivpronomen sind entweder
   a) a d j e k t i v i s c h oder b) s u b s t a n t i v i s c h.

§ 113. Das adjektivische Possessivpronomen

Geschlecht des Besitztums:	Singular Geschlecht des Besitzers:				Plural			Anrede (Sing. und Plur.):
	ich	du	er, es, sie		wir	ihr	sie	Sie
mask. neutr. fem.	mein	dein	sein	ihr	unser	euer	ihr	Ihr
	meine	deine	seine	ihre	uns(e)re	eure	ihre	Ihre

1. Das a d j e k t i v i s c h e Possessivpronomen steht entweder
   a) a t t r i b u t i v beim Substantiv: *Dort liegt mein Hut, deine Mütze, sein Buch, ihr Buch;* oder
   b) p r ä d i k a t i v (nur noch in gehobener Sprache oder in betonter Stellung): *Dein ist das Reich. Die Rache ist mein ... — Der Sieg ist unser! —* Sonst sagt man: *Die Bücher gehören mir, das sind meine Bücher* usw.
2. Das a t t r i b u t i v gebrauchte Possessivpronomen
   hat die Endungen der s t a r k e n Adjektivdeklination.
   Es steht ohne Artikel und immer vor dem Substantiv (163, 1 ff.).
3. Das p r ä d i k a t i v gebrauchte Possessivpronomen
   bleibt unverändert (siehe oben 1b!),
4. nimmt aber nach dem Subjekt *es* oder *das* die Endungen der starken Adjektivdeklination an: *Wem gehört der Hut, die Mütze, das Buch? Es ist meiner. Das ist deine. Es ist seines (seins°). Es ist Ihrer.*

Beispiele zur Deklination der Possessivpronomen

1. Singular des Besitzers
a) Singular des Besitztums

	m.	n.	m. n.	f.	f. n.
Nom.	mein (Bruder)	dein (Kind)	seine (Tochter)		ihr (Bett)
Gen.	meines	deines	seiner		ihres
Dat.	meinem	deinem	seiner		ihrem
Akk.	meinen	dein	seine		ihr

b) Plural des Besitztums

	m.	n.	m. n.	f.	f. n.
Nom.	meine (Brüder)	deine (Kinder)	seine (Töchter)		ihre (Betten)
Gen.	meiner	deiner	seiner		ihrer
Dat.	meinen	deinen	seinen		ihren
Akk.	meine	deine	seine		ihre

2. Plural der Besitzer

a) Singular des Besitztums   b) Plural des Besitztums

	m.	m.	m.	m. n. f.
Nom.	unser (Sohn)	euer (Vetter)	ihr (Onkel)	uns(e)re (...)
Gen.	uns(e)r(e)s	eures	ihres	uns(e)rer
Dat.	uns(e)r(e)m	eurem	ihrem	uns(e)r(e)n
Akk.	uns(e)r(e)n	euren	ihren	uns(e)re

	n.	n.	n.	
Nom.	unser (Pferd)	euer (Volk)	ihr (Haus)	eure (...)
Gen.	uns(e)r(e)s	eures	ihres	eurer
Dat.	uns(e)r(e)m	eurem	ihrem	euren
Akk.	unser	euer	ihr	eure

	f.	f.	f.	
Nom.	uns(e)re (Uhr)	eure (Mutter)	ihre (Zeit)	ihre (...)
Gen.	uns(e)rer	eurer	ihrer	ihrer
Dat.	uns(e)rer	eurer	ihrer	ihren
Akk.	uns(e)re	eure	ihre	ihre

---

1. Von den eingeklammerten e, z. B. in u n s(e)r(e)m, kann jeweils nur e i n e s ausfallen; u n s e r m oder u n s r e m. Vgl. § 100, 3.
2. Vor Deklinationsendungen stößt e u e r das e aus; jedoch kommen auch die unverkürzten Formen e u e r e, e u e r e n usw. vor, daneben auch Formen mit fehlendem e in der Endung: e u e r m.

B: D e r Vater liebt s e i n e n Sohn, s e i n e Tochter, s e i n Enkelkind.
D i e Mutter liebt i h r e n Sohn, i h r e Tochter, i h r Enkelkind.
D a s Kind liebt s e i n e n Vater, s e i n e Mutter, s e i n Brüderchen.

§ 114. Das substantivische Possessivpronomen

1. Das **substantivisch** gebrauchte Possessivpronomen steht in der Regel **mit** Artikel und folgt der **schwachen** Adjektivdeklination.

	kurze (gebräuchliche) Form		lange (seltene) Form	
(ich)		meine		meinige
(du)		deine		deinige
(er, es)	der	seine	der	seinige
(sie)	die	ihre	die	ihrige
(wir)	das	unsre	das	unsrige
(ihr)		eure		eurige
(sie)		ihre		ihrige

Deklination: der meinige, des meinigen, dem meinigen, den meinigen; die meinigen, der meinigen, den meinigen, die meinigen. Entsprechend: der meine, des meinen, dem meinen usw.

2. Obige Formen werden **klein** geschrieben, wenn sie sich auf einen kurz vorher genannten Gegenstand beziehen, sonst groß.

3. Das subst. Possessivpronomen kann aber auch **ohne** Artikel mit den Endungen der **starken** Adjektivdeklination stehen; dabei bezieht es sich zumeist auf ein schon genanntes Substantiv.

(ich) meiner, meine, mein(e)s	(wir) uns(e)rer, uns(e)re, uns(e)res
(du) deiner, deine, dein(e)s	(ihr) eurer, eure, eures
(er) seiner, seine, sein(e)s	(sie) ihrer, ihre, ihres.

Vgl. S. 161, Anmerkung 1 und 2.

B: zu 1/2: *Hier steht das Haus meines Bruders, das meine (meinige) liegt dort. Ich habe meinen Schirm wiedergefunden, den deinen (deinigen) aber nicht. Sein Gemälde ist schöner als das ihre (ihrige). Eure Ernte ist besser als die unsre (unsrige). Seine Aussagen sind zutreffender als Ihre, mein Herr (als die Ihrigen). — Nächste Woche verreisen die Meinigen. Jedem das Seine! Für immer die Deine!*

zu 3: *Dort liegt ein Hut; ist es deiner? Ja, es ist meiner. Wir arbeiten in unsern Gärten; Fritz gräbt in seinem, Anna pflanzt in ihrem, ihr sät in eurem. Wo liegt Ihrer? Wir wollen uns nicht in meinem Büro treffen, sondern in Ihrem. Ich lese in der Zeitung von dem Unfall, was schreibt Ihre?*

§ 115. Zum Gebrauch des Possessivpronomens

1. Alle Formen für *ihr* und *Ihr* stimmen überein,
   gleich, ob sie sich auf eine oder mehrere Personen beziehen.
   Über den Gebrauch der Anredepronomen vgl. § 111, 2.
2. Zur V e r s t ä r k u n g des Possessivpronomens
   dient das adjektivisch deklinierte Wörtchen *eigen*.
3. Um Mißverständnisse zu vermeiden,
   wird das Possessivpronomen der 3. Person Sing. und Plural
   oft durch das Demonstrativpronomen *dessen, deren* ersetzt.
4. Steht das attributiv gebrauchte Possessivpronomen
   nach *all(er), dieser, jener, selbst (= sogar)*,
   so wird seine Deklination dadurch nicht beeinflußt.
5. Nur noch in altertümlicher oder dichterischer Sprache findet sich
   N a c h stellung des attributiven Possessivpronomens.
   Es steht dann endungslos (163, 4).
6. Altertümlich, aber noch gebräuchlich,
   ist auch die Abkürzung *Ew.* für *Euer* oder *Eure* in Titeln.
7. Das Possessivpronomen meint nicht immer den tatsächlichen Besitz,
   es kann auch allgemein die persönliche Beteiligung ausdrücken.

B : z u 1 : *Die Frau hatte i h r e n Personalausweis vergessen. Die Herren haben i h r e Schirme stehenlassen. Herr Müller, Sie haben I h r e Mappe liegenlassen!* (Im Englischen: *her, their, your*.)

z u 2 : *Mit meinen e i g e n e n Augen habe ich es gesehen. — sein eigenes Haus; durch Ihre eigenen Aussagen.*

z u 3 : *Er fragte seinen Bruder und s e i n e n Freund. Aber: und d e s s e n Freund. Sie lud ihre Mutter und i h r e Freundin ein. Aber: und d e r e n Freundin. Es unterzeichneten die Herren Kraft und Hof und s e i n e Söhne. Aber: und d e s s e n Söhne, d e r e n S.*

z u 4 : *das Ziel all meines Sehnens; mit aller meiner Kraft; mit diesen seinen Ausführungen; durch diese deine Worte. — Selbst seiner Freunde Mißbilligung mußte er hinnehmen.*

z u 5 : *Vater unser. — Kindlein mein, schlaf nur ein.*

z u 6 : *Ew. Exzellenz = Euer od. Eure Exzellenz. — Ew. Exzellenzen.*

z u 7 : *Ich muß in m e i n Geschäft* (wo ich arbeite, ohne es zu besitzen). *Dort kommt d e i n Omnibus! —* In Anreden und Ausrufen: *Meine Herren! — Warte nur, m e i n Bürschchen, dir werd' ich's zeigen!*

§ 116. 3. DAS DEMONSTRATIVPRONOMEN (HINWEISEFÜRWORT)

1. Die Demonstrativpronomen (Hinweisefürwörter) sind:
   a) *der, die, das;*
   b) *der-, die-, dasjenige;*
   c) *der-, die-, dasselbe;*
   d) *der, die, das nämliche;*
   e) *dieser, diese, dies(es);*
   f) *jener, jene, jenes;*
   g) *der eine ..., der andere;*
   h) *solcher, solche, solches* und
   i) die nicht deklinierbaren *selbst, selber.*

2. Sie werden **adjektivisch** oder **substantivisch** gebraucht.

3. *der, die, das* dekliniert wie der bestimmte Artikel (72), wenn es adjektivisch (vor einem Substantiv) gebraucht wird. Steht es allein, so lautet der Genitiv Sing. *dessen, deren, dessen,* der Genitiv Plur. *derer,* rückweisend *deren,* der Dativ Plur. *denen. das* kann auf einen ganzen Satzinhalt hinweisen, ebenso *dies.*

4. *der-, die-, dasjenige* dient zur **Verstärkung** von *der, die, das* und weist auf einen folgenden Relativsatz hin.

5. *der-, die-, dasselbe* gleicht im Gebrauch der vorigen Gruppe und vertritt auch das Personalpronomen, was aber veraltet ist.

6. Ebenso kann *der, die, das nämliche* stehen (gleichfalls veraltet).

7. In *derjenige* und *derselbe* deklinieren **beide** Wortteile:

	Singular			*Plural*
	m.	n.	f.	m. n. f.
Nom.	derjenige	dasjenige	diejenige	diejenigen
Gen.	desjenigen		derjenigen	derjenigen
Dat.	demjenigen		derjenigen	denjenigen
Akk.	denjenigen	dasjenige	diejenige	diejenigen
Nom.	derselbe	dasselbe	dieselbe	dieselben
Gen.	desselben		derselben	derselben
Dat.	demselben		derselben	denselben
Akk.	denselben	dasselbe	dieselbe	dieselben

B: zu 3/4: **Der** ist's, den ich meine. Stipendien erhalten nur **die-(jenigen),** die sie nötig haben. Erbarme dich **derer (derjenigen),** die in Not sind! Wir sammeln Pilze; es gibt **deren** viele hier. Vertraue nur **denen,** die es verdienen! Beachte **das!**

zu 5: Friedhof, Kirchhof, Gottesacker sind drei Worte für **dieselbe** Sache; sie bezeichnen **denselben** Gegenstand.

8. *dieser, diese, dies(es)*
   weist auf den näheren oder letztgenannten Gegenstand,
   jener, jene, jenes
   auf den ferneren oder früher genannten Gegenstand hin.
   Dabei ist V e r s t ä r k u n g durch *hier, da, dort* möglich.
9. Beide Pronomen folgen der s t a r k e n Adjektivdeklination:

	Singular			Plural
	m.	n.	f.	m. n. f.
Nom.	d i e s e r (Mann)	d i e s(e s) (Kind)	d i e s e (Frau)	d i e s e
Gen.	d i e s e s		d i e s e r	d i e s e r
Dat.	d i e s e m		d i e s e r	d i e s e n
Akk.	d i e s e n	d i e s(e s)	d i e s e	d i e s e

Ebenso: j e n e r, j e n e, j e n e s; j e n e.

10. *der, die, das eine — der, die, das andere* entspricht in der Bedeutung den verbundenen Demonstrativpronomen *diese — jene*.
11. *solcher, solche, solches* heißt *so beschaffen, derartig*.
    Es wird sehr verschieden gebraucht:
    a) im allgemeinen folgt es der s t a r k e n Adjektivdeklination;
    b) es bleibt endungslos, wenn ein stark dekliniertes Adjektiv oder
    c) der unbestimmte Artikel f o l g t;
    d) es folgt der g e m i s c h t e n Adjektivdeklination,
       wenn der unbestimmte Artikel oder *kein* v o r a u f g e h t;
    e) in der Verbindung *solch ein* o h n e folgendes Substantiv
       nimmt *ein* die Endungen der s t a r k e n Adjektivdeklination an.

B: z u 8: *Er ging nicht in d i e s e s Haus, sondern in j e n e s (da). In d i e s e m Geschäft (h i e r) kauft man besser als in j e n e m (d o r t). Nicht d i e s e n Mann meine ich, sondern j e n e n!*

z u 10: *D e r e i n e sagt dies, d e r a n d e r e das. Die Kinder sind beschäftigt; d i e e i n e n lesen, d i e a n d e r e n malen.*

z u 11 a: *Ich habe s o l c h e n Hunger, s o l c h e Kopfschmerzen! Mit s o l c h e n Leuten kann man nicht verkehren.*

z u 11 b: *S o l c h s t a r k e r Wein ist nicht gesund. S o l c h u n - r u h i g e Stunden habe ich lange nicht erlebt.*

z u 11 c/d: *S o l c h e i n (e i n s o l c h e r) Vortrag reizt mich. Zu s o l c h e i n e r (e i n e r s o l c h e n) Arbeit braucht man Zeit. Ich habe noch nie e i n e n s o l c h e n Film gesehen.*

z u 11 e: *Ich möchte ein Kleid; s o l c h e i n e s soll es sein! Wie denkst du zu s o l c h e i n e m (über s o l c h e i n e s = s o e i n e s)?*

§ 117. Das demonstrative Pronominaladverb
(Hinweisendes Umstandsfürwort)

1. Die Adverbien des Ortes *da* und *hier* verbinden sich
mit einigen Präpositionen zu hinweisenden Pronominaladverbien;
dabei nimmt *da* vor Vokalen den Bindelaut *r* an:

dabei, hierbei	davon, hiervon	darauf, hierauf
da-, hierdurch	davor, hiervor	daraus, hieraus
dafür, hierfür	dawider, hierwider	darein, hierein (Akk.)
da-, hiergegen	dazu, hierzu	darin, hierin (Dat.)
dahinter	da-, hierzwischen	dar-, hierüber
damit, hiermit	da-, hiernach	darum, hierum
da-, hierneben	daran, hieran	dar-, hierunter

Verbindungen mit *da(r)* sind häufiger als solche mit *hier*.
Veraltet sind die Formen mit *hie* (ohne *r*): *hiedurch, hiefür* usw.

2. Diese hinweisenden Pronominaladverbien stehen
statt der Verbindung einer Präposition mit dem Dativ od. Akkusativ
der Demonstrativpronomen *das, dies(es), jenes* (3. Pers. neutr.)

   a) zum Hinweis auf V o r g ä n g e oder Zustände,
   auch auf den Inhalt eines ganzen Satzes oder Gliedsatzes,

   b) besonders statt der Präposition bei einem präpositionalen Objekt,
   sofern es durch einen Gliedsatz ausgedrückt ist (71; S. 156).

3. Die obigen hinweisenden Pronominaladverbien können weiter stehen,
um zu vermeiden, daß den Dativ- und Akkusativformen
der P e r s o n a l pronomen in der 3. Pers. eine Präposition vorausgeht,
wenn sie auf S a c h e n bezogen sind;
doch in bezug auf Personen nur nach Sammelnamen od. Mengenbegriffen.

B : z u 2 : *Ich kündige Ihnen h i e r m i t (mit dieser förmlichen Erklärung). D a m i t hatte ich nicht gerechnet; wie kommen Sie d a z u (so zu handeln)? Sprechen wir noch einmal d a r ü b e r ! Nein, es bleibt d a b e i ! — Ich glaube nicht a n seine Unschuld = Ich glaube nicht d a r a n , daß er unschuldig ist.*
Aber: *Ich glaube nicht a n d a s , w a s er sagt* (Attributsatz).

z u 3 : *Nehmen Sie diesen Büchsenöffner; d a m i t* (statt: *mit ihm*) *läßt sich die Dose leicht öffnen. Dort liegt ein Buch; d a r i n finden sich die Lehrsätze. Einige Kapitel sind nicht gut; d a g e g e n* (statt: *gegen sie*) *ist viel einzuwenden. Dort liegt das Rathaus und gleich d a n e b e n die Post. — Eine M e n g e Menschen strömte herbei; d a z w i s c h e n auch Frauen. V i e l e kamen, d a r u n t e r auch...*

4. **Allgemein** als hinweisende Pronominaladverbien gebraucht werden ferner einige einfache oder zusammengesetzte Adverbien; sie dienen z. T. auch als Konjunktionen (Konjunktionaladverbien).
5. Hinweisende Pronominaladverbien **des Ortes** bezeichnen:
   a) den Ort des Verweilens (die Lage)   auf die Frage *wo?*
      die Nähe: *hier;* die Ferne: *dort;*
      allgemein: *da;* — unbestimmt: *irgendwo, wo;*
   b) den Ausgangspunkt einer Bewegung   auf die Frage *woher?*
      die Nähe: *von hier (aus);* die Ferne: *von dort (her);*
      allgemein: *daher, von daher;* — unbestimmt: *irgendwoher;*
   c) das Ziel einer Bewegung (die Richtung) auf die Frage *wohin?*
      eine dem Sprechenden zugewandte Bewegung: *her;*
      eine vom Sprechenden abgewandte Bewegung: *hin;*
      die Nähe: *hierher, hierhin;* die Ferne: *dorthin;*
      allgemein: *dahin;* — unbestimmt: *irgendwohin, wohin.*
6. Als hinweisende Pronominaladverbien **der Zeit**
   a) auf die Frage *wann?* stehen: *da, dann;* *darauf, *hierauf, bisher, vorher, nachher, hernach, forthin;* — unbestimmt: *irgendwann;*
   b) auf die Frage *wie oft?* stehen: *hie(r) und da, hin und wieder, dann und wann.*
7. Als hinweisendes Pronominaladverb **der Art und Weise** auf die Frage *wie?* steht *so.*
8. Als hinweisende Pronominaladverbien **des Grundes** stehen:
   a) begründend, folgernd: *somit, daher,* *darum, *davon;*
   b) zwecklich: *dazu, *hierzu;*
   c) bedingend: *sonst;*   [*durch.*
   d) das Mittel angebend: *somit,* *damit, *hiermit, *dadurch, *hier-
9. Die zusammengesetzten Pronominaladverbien *dahin, daher, hierhin, hierher, dorthin, dorther* können im Satz auseinandertreten, ebenso *wohin, woher.*
10. Einige hinweisende Pronominaladverbien haben Kurzformen, die aber nur z. T. schriftsprachlich sind: *drüber* (= *darüber*), *drunter* (= *darunter*), *'rein°* (= *herein*), *'nein°* (= *hinein*) u. a.

B: Vgl. bes. die Beispiele in den §§ 129—132.

zu 9: *W o k o m m s t d u h e r, w o g e h s t d u h i n? D o r t k o m m' i c h h e r, d a g e h i c h h i n. H i e r s e t z t d u d i c h h i n!*

zu 10: *So komm doch endlich 'rein ins Zimmer!*

M: Die mit einem * bezeichneten Wörter stehen auch auf der Gegenseite.

§ 118. 4. DAS RELATIVPRONOMEN
(BEZÜGLICHES FÜRWORT)

1. Die Relativpronomen (bezüglichen Fürwörter) setzen einen Satz zu einem Wort eines anderen Satzes oder zu diesem selbst in Beziehung.
2. Die Relativpronomen sind:
   a) *der, die, das;* b) *welcher, welche, welches;* c) *wer, was.*
3. Die Relativpronomen müssen mit dem Wort, auf das sie sich beziehen, in Genus und Numerus übereinstimmen.
   Doch drücken *wer* und *was* weder Genus noch Numerus aus.
4. *der, die, das* und *welcher, welche, welches*
   haben gleiche Bedeutung, doch wird *der, die, das* bevorzugt.
5. D e k l i n a t i o n der Relativpronomen
   der, die, das und *welcher, welche, welches.*

	Singular			Plural
	m.	n.	f.	m. n. f.
Nom.	der	das	die	die
Gen.	dessen		deren	deren
Dat.	dem		der	denen
Akk.	den	das	die	die
Nom.	welcher	welches	welche	welche
Gen.	dessen		deren	deren
Dat.	welchem		welcher	welchen (denen)
Akk.	welchen	welches	welche	welche.

6. Die Relativpronomen *wer* und *was* deklinieren wie die Interrogativpronomen *wer? was?* (119, 8)
7. *wer* bezieht sich auf Personen, *was* auf Neutra und Indefinita.
   Über den unterschiedlichen Gebrauch von *wer* und *was* vgl. § 199.

B : z u 3 : *Der Mann, d e r den Brief brachte... Die Frau, d i e den Brief brachte... Die Männer, d i e die Kisten brachten... Das Kind, d a s ...*

z u 4/6 : *Der Schriftsteller, d e r (welcher) das Buch geschrieben hat, (d e s s e n Buch ich dir gab), ist gestorben. Der Professor, d e m (welchem) wir so viel verdanken, hat eine Auszeichnung erhalten. Gestern habe ich den Film gesehen, d e n (welchen) die Zeitungen so sehr loben. Eine tüchtige Ärztin beriet die Frau, d e r e n Kind so plötzlich erkrankte. Die Lehrer, d e n e n ich so viel verdanke, ...*

z u 7 : *W e r (= derjenige, welcher) die Tasche gefunden hat, wird gebeten, sie abzugeben. Sage nicht alles, w a s du weißt!*

8. *was* kann keine Präposition vor sich haben.
Statt dessen und statt des fehlenden Dativs von *was*
stehen relative Pronominaladverbien.
Sie stimmen mit den fragenden des § 119, 10 überein
und werden entsprechend den Regeln des § 199, 3a/b gebraucht;
sie auf Sachen zu beziehen, ist veraltet.
9. Korrelativpronomen (wechselbezügliche Fürwörter) sind:
   a) *derjenige, der; diejenige, die; dasjenige, das (was); diejenigen, die;*
   b) *derselbe, der; dieselbe, die; dasselbe, das (was); dieselben, die;*
   c) *der, der; die, die; das, das (was); die, die;*
   d) *solcher, der; solche, die; solches, das (was); solche, die.*
   (Dabei kann für das Relativpronomen *der, die, das*
   jeweils *welcher, welche, welches* eintreten.)
10. Die beiden W o r t t e i l e der Korrelativpronomen
    sind in Deklination und Kasus voneinander u n a b h ä n g i g.
11. Als v e r a l l g e m e i n e r n d e Relativpronomen
    werden die Interrogativpronomen
    was für ein; welcher, welche, welches; wer, was gebraucht,
    denen man die Partikeln *auch, immer, auch immer* zufügt;
    besser aber sagt man dafür *(ein) jeder, der; alles, was; alle, die.*

B: zu 8: *Das ist e t w a s, w o r ü b e r man ernstlich nachdenken sollte. A l l e s, w o v o n wir gesprochen haben, wollen wir schriftlich festlegen. Das technische Studium ist d a s e i n z i g e, w o z u er Lust hat.* Vgl. §§ 198, 4 B; 199, 3 b B!

zu 9/10: *D e r(j e n i g e) ist reich genug, d e r sich genügen läßt. Traue d e m(j e n i g e n) nicht, d e r dir schmeichelt! Dies ist d i e s e l b e Tanzgruppe, d e r e n Vorführungen wir in Wien gesehen haben. Es ist d a s s e l b e Buch, d a s verfilmt wurde. Er sagt d a s(s e l b e), w a s ich auch sage. Meine Heimat ist d a s Land, d a s ich am meisten liebe. Wertlos sind die Ratschläge d e s s e n, d e r sie nicht selbst befolgt; die Worte d e r e r, d i e sie selbst nicht befolgen.*

zu 11: *W e r a u c h i m m e r Hilfe bei diesem guten Menschen suchte, d e r fand sie auch. Die törichte Mutter gewährte ihrem Kinde, w a s a u c h i m m e r es begehrte. W a s i m m e r a u c h geschehen mag, laß den Mut nicht sinken!* Vgl. § 195, 5!

M: Das Demonstrativpronomen *der, die, das* ist s t a r k betont,
das Relativpronomen *der, die, das* ist l e i c h t betont,
der bestimmte Artikel *der, die, das* ist u n b e t o n t!

§ 119. 5. DAS INTERROGATIVPRONOMEN (FRAGEFÜRWORT)

1. Die Interrogativpronomen (Fragefürwörter) werden eingeteilt in: a) adjektivische und b) substantivische.
2. Während die adjektivischen mit einem Substantiv verbunden, aber auch alleinstehend gebraucht werden, können die substantivischen nur alleinstehen.
3. Die adjektivischen Interrogativpronomen sind: *was für ein, eine, ein?* und *welcher, welche, welches?*
4. *was für ein, eine, ein?* fragt allgemein nach Beschaffenheit und Art; im Plural und vor Stoffnamen steht *was für?*
   welcher, -e, -es? fragt bestimmter nach dem Einzelgegenstand.
5. Deklination von *was für ein, eine, ein?* und *welcher, -e, -es?*

---

a) Mit Substantiv

	Singular			Plural
Nom.	was für ein ...?	was für ein...?	was für eine ...?	was für ...?
Gen.	was für eines...?		was für einer...?	was für ...?
Dat.	was für einem...?		was für einer...?	was für ...?
Akk.	was für einen...?	was für ein...?	was für eine ...?	was für ...?

Ohne Substantiv

Nom.	was für einer?	was für ein(e)s?	was für eine?	was für welche?
Gen.	was für eines?		was für einer?	— — —
Dat.	was für einem?		was für einer?	was für welchen?
Akk.	was für einen?	was für ein(e)s?	was für eine?	was für welche?

b) Mit und ohne Substantiv

Nom.	welcher (...)?	welches (...)?	welche (...)?	welche (...)?
Gen.	welches* (...)?		welcher (...)?	welcher (...)?
Dat.	welchem (...)?		welcher (...)?	welchen (...)?
Akk.	welchen (...)?	welches (...)?	welche (...)?	welche (...)?

*) Vor stark deklinierten Substantiven auch: welchen...?

B: zu 4: *Ich habe ein Haus gekauft. — Was für ein(e)s?* — Oder: *Was für ein Haus? — Ein Geschäftshaus. — Welches (Geschäftshaus)? — Das Eckhaus Hauptstraße 74. — Ein Herr will dich sprechen. Was für ein Herr? Ein Kaufmann aus Bremen. Welcher denn? — — Was für Papier ist das?*

M: In Ausrufen steht *welch* vor einem Adjektiv oder dem unbestimmten Artikel ohne Endung: *Welch guter Mensch! Welch gute Frau! Welch ein Mann! Welch ein schönes Buch!* — Vgl. *solch*.

6. Die s u b s t a n t i v i s c h e n Interrogativpronomen sind:
wer? und *was?* — Sie drücken Genus und Numerus n i c h t aus.
7. *wer?* erfragt Personen. Über die Form des Verbs vgl. § 158, 4 M.
was? erfragt das W e s e n von Sachen, Vorgängen, Zuständen, neben Personennamen auch den Stand oder Beruf.
8. D e k l i n a t i o n v o n *wer?* und *was?*

Nom. w e r ? was ?	Soll mit w e r ? oder w a s ? ausdrück-
Gen. w e s s e n (w e s°)?	lich ein P l u r a l erfragt werden, so
Dat. w e m ? —	kann das Wörtchen a l l e s folgen.
Akk. w e n ? was ?	— Beachte unten M!

9. *was?* kann keine Präposition vor sich haben.
Statt solcher Verbindungen stehen fragende Pronominaladverbien; das sind Zusammensetzungen von *wo(r)* + Präposition. Vgl. § 117. Sie erfragen präpositionale Objekte (71; 108), einige auch gewisse adverbiale Bestimmungen, nicht aber solche des Ortes.
10. Fragende Pronominaladverbien sind (auf einen Dativ gerichtet):
woraus? wobei? worin? womit? wonach? wovon? wozu?
(Akkusativ:) *wodurch? wofür? wogegen? worum? worein?*
(Dativ oder Akk.:) *woran? worauf? worüber? worunter? wovor?*

B : z u 7/10 : *W e r hat diese Pakete gebracht? — Ein Junge. — W a s f ü r e i n Junge? — Ich weiß nichts Näheres; ich war nicht hier, als sie abgegeben wurden. — W e m hat er sie abgegeben? — Anna. — Anna, w a s ist mit diesen Paketen? — Der Laufbursche eines Verlages hat sie abgegeben. — W e l c h e s Verlages? — Er sprach vom Ufer-Verlag. — Ah so! W a s ist darin (117)? — Natürlich Bücher! — W o z u schickt sie der Verlag? — Du möchtest etwas darüber (117) schreiben! — W e l c h e i n Ansinnen! W o z u das? — Es steckt ein Brief dazwischen (117)! — Ich wundere mich! — W o r ü b e r ? — Daß du das nicht gleich gesagt hast! — Du läßt mich ja nicht zu Wort kommen, Vater! — W a a a s ! ? W e s s e n erdreistest du dich? Ich möchte nur wissen, w e m du deine Erziehung verdankst! W e r a l l e s mag das sein?*

M: Mit einem Plural, einem Sammelnamen u. ä. können *wer?* und *was?* durch eine Präposition verbunden werden: *Wer von euch? Wer aus der Klasse? Was in diesem Buch?*
Der Genitiv *wes* des Relativ- und des Interrogativpronomens und der Genitiv *des* des Demonstrativpronomens sind veraltet und nur in dichterischer Sprache oder in Sprichwörtern erhalten: *Wes Brot ich ess', des Lied ich sing'. Wes ist das Bild?* Auch adjektivisch: *Wes Geistes Kind ist er?* Vgl. *weshalb? deshalb* (136, 4).

§ 120. 6. DAS INDEFINITPRONOMEN (UNBESTIMMTES FÜRWORT)

1. Die **Indefinitpronomen** (unbestimmten Fürwörter) *man, jemand, niemand, jedermann, etwas (was°)* und *nichts* bezeichnen einen oder mehrere unbestimmte Gegenstände.
Auch *es, dies, das, wer? welches?* können Indefinita sein (150, 4).
2. Zu *man* gehört als Possessivpronomen *sein, seine, sein* und als Reflexivpronomen *sich*.
3. *man* wird mit Hilfe von *einer* dekliniert: *man, eines, einem, einen*.
4. *jemand = einer, niemand = keiner, jedermann = alle.*
(Für *jemand* wird gelegentlich in nachlässiger Sprache *wer* gesetzt.)
Deklination (nur Singular):

Nom.	jemand	niemand	jedermann
Gen.	jemand(e)s	niemand(e)s	jedermanns
Dat.	jemand(em)	niemand(em)	jedermann
Akk.	jemand(en)	niemand(en)	jedermann.

5. *etwas (was°)* und *nichts* sind unveränderlich.
6. Einigen Indefinitpronomen kann das unveränderliche *irgend* verstärkend vorgesetzt werden.

B: zu 2: *An solch wohlerzogenen Kindern hat man seine Freude. Das ganze Leben hindurch muß man sich plagen.*

zu 3: *Man soll nicht alles glauben, was einem die Leute erzählen. Er läßt einen mit seinen Bitten nicht zufrieden* (46, 2).

zu 4: *Es wollte Sie jemand sprechen. Haben Sie jemand(en) getroffen? Haben Sie zu Hause jemand(em) Nachricht hinterlassen? Niemand besucht mich. Ich habe niemand(en) gesehen. Ich werde das niemand(em) erzählen. Man kann nicht jedermanns Freund sein. — Dort steht wer an der Tür.*

zu 5: *Man muß etwas sein, um etwas zu machen. Wer vieles bringt, wird manchem etwas bringen. Das ist etwas Neues, jedoch nichts Weltbewegendes. Wenn einer eine Reise tut, so kann er was (etwas) erzählen. Er weiß rein gar nichts.*

zu 6: *Irgend jemand (irgendeiner, irgendwer) hat mir diese Neuigkeit erzählt. Bitte, sing mir irgend etwas vor!*

M: Adjektive in Verbindung mit *etwas, nichts, alles* usw. werden mit großen Anfangsbuchstaben geschrieben: *etwas Gutes* usw.

7. Zu den **Indefinitpronomen**
rechnen auch die unbestimmten Zahlwörter (127),
wenn sie **allein stehen**, d. h. ohne Substantiv.
Sie heißen dann **Zahlpronomen** (Zahlfürwörter).
8. Solche Zahlpronomen sind:
jeder, jede, jedes;
ein jeder, eine jede, ein jedes;
ein jeglicher°, eine jegliche°, ein jegliches°;
einer, eine, ein(e)s;
der, die, das eine ... der, die, das andere;
die einen ... die ander(e)n; — einige ... andere;
einige, etliche°, mehrere;
mancher, manche, manches; manche;
beides, beide;
viel, viele; — wenig, wenige; ein wenig;
die meisten; — die wenigsten;
all, aller, alles; alle;
keiner, keine, kein(e)s.

B: *Jeder ist sich selbst der Nächste. Ein jeder gibt den Wert sich selbst. Jedem das Seine!* Denkt ihr, er habe *jedem* die Neuigkeit erzählt? Und *jedermann* ging, daß er sich schätzen ließe, *ein jeglicher* in seine Stadt. Da sieh doch *einer* an! Die Glocke, sie donnert *ein* mächtiges *Eins. Eines* schickt sich nicht für alle. Was *dem einen* sein' Ul' ist, ist *dem andern* seine Nachtigall. Was *dem einen* recht ist, ist *dem andern* billig. *Die einen* reden dies, *die andern* das. *Einige* stimmten für das Gesetz, *andere* dagegen. *Mancher* studiert, der es besser bleiben ließe.
Eines Mannes Rede ist keine Rede; man muß sie billig hören *beede* (= beide). Dazu habe ich auch noch *einiges* zu sagen. Auch er weiß *etliches* (= manches) darüber. *Viele Wenig* machen *ein Viel.* Man sprach *viel* über *vieles. Weniger* wäre mehr. *Wenig*, aber mit Liebe! *Die meisten* glauben, *die wenigsten* wissen. *Viele* sind berufen, aber *wenige* sind auserwählt. *Alles* rennet, rettet, flüchtet. Nehmt *alles* nur in *allem!* Leider will heutzutage *keiner dem andern* helfen. Ein Gedicht Goethes trägt die Überschrift „*Keins von allen*", ein anderes heißt „*Eins und Alles*". *Alles* zu seiner Zeit. Seine Frau ist sein *ein und alles.*

VI. Das Numerale (Das Zahlwort)

§ 121. Übersicht

Man unterscheidet:

1. b e s t i m m t e Zahlwörter:
   a) G r u n d z a h l e n (Kardinalzahlen),
   b) O r d n u n g s z a h l e n (Ordinalzahlen),
   c) W i e d e r h o l u n g s zahlwörter (Iterativzahlwörter),
   d) V e r v i e l f ä l t i g u n g s zahlwörter (Multiplikativzahlwörter),
   e) E i n t e i l u n g s zahlwörter (Distributivzahlwörter),
   f) G a t t u n g s zahlwörter (Variativzahlwörter),
   g) B r u c h z a h l e n (Partitivzahlen);
2. u n b e s t i m m t e (indefinite) Zahlwörter und Zahlpronomen.

§ 122. Die Grundzahlen

Die G r u n d z a h l e n (Kardinalzahlen) bestimmen die Anzahl einer gewissen Menge. Sie antworten auf die Frage: *wieviel? wie viele?*

G r u n d z a h l w ö r t e r sind: 0 null	1 eins 2 zwei 3 drei	4 vier 5 fünf 6 sechs	7 sieben 8 acht 9 neun	10 zehn 11 elf 12 zwölf
13 dreizehn	100 hundert		1 000 000 eine Million	
14 vierzehn	101 (ein)hundert(und)eins			
15 fünfzehn	110 (ein)hundert(und)zehn			
16 sechzehn	120 (ein)hundert(und)zwanzig			
17 siebzehn	124 (ein)hundertvierundzwanzig			
18 achtzehn	200 zweihundert			
19 neunzehn	600 sechshundert			
20 zwanzig	1 000 (ein)tausend			
21 einundzwanzig	1 007 (ein)tausend(und)sieben			
22 zweiundzwanzig	1 063 (ein)tausenddreiundsechzig			
30 dreißig	1 100 (ein)tausendeinhundert			
40 vierzig	1 254 (ein)tausendzweihundertvierundfünfzig			
50 fünfzig	2 000 zweitausend			
60 sechzig	6 038 sechstausendachtunddreißig			
70 siebzig	10 000 zehntausend			
80 achtzig	83 207 dreiundachtzigtausendzweihundertsieben			
90 neunzig	100 000 (ein)hunderttausend.			

M: Zahlen bis zu 999 999 werden immer in e i n e m Wort geschrieben: 320 080 = *dreihundertzwanzigtausendachtzig.* In Jahreszahlen werden die H u n d e r t e r gelesen: *1958* = *neunzehnhundertachtundfünfzig.* Aber: *im Jahre tausendvier (1004).*

§ 123. Zum Gebrauch der Grundzahlen

1. Die Grundzahlwörter werden sowohl mit dem Hauptwort v e r -
b u n d e n (attributiv) wie auch u n v e r b u n d e n gebraucht.
2. Steht das Zahlwort *ein, eine, ein* allein vor einem Substantiv,
so wird es wie der unbestimmte Artikel dekliniert (72),
steht es substantivisch und allein, wie der bestimmte Artikel (72),
nach diesem oder einem Pronomen immer wie ein Adjektiv (99).
Für die u n b e n a n n t e Zahl steht *eins*.
3. Für *zwei* kann *beide* stehen,
wenn die Zusammengehörigkeit von zwei Dingen betont wird.
4. Die Zahlwörter *zwei* und *drei* können einen Genitiv auf *-er*,
die von *zwei* bis *zwölf* (außer *sieben*) einen Dativ auf *-en*
und gelegentlich einen Akk. auf *-e* bilden.
5. Bezeichnen die Zahlwörter als Substantive die Zahl an sich,
so sind sie weiblich und werden wie Substantive dekliniert (76, 2 f.).

B : z u 2 : *In e i n e m Feldbett haben wir geschlafen, aus e i n e m Glas
getrunken, e i n e n Bissen geteilt. — e i n e r meiner Lehrer; für
e i n(e)s Ihrer Kinder; — der e i n e unserer Söhne. Unser e i n e r
Sohn ist Lehrer, unser anderer Arzt. wegen dieses e i n e n Fehlers;
mit jener e i n e n Frage. — Die Uhr schlägt e i n s.*

z u 3 : *Er hat zwei Brüder; b e i d e sind Lehrer. — fest auf b e i d e n
Beinen stehen; taub auf b e i d e n Ohren sein.*

z u 4 : *Durch z w e i e r Zeugen Mund wird allerwegs die Wahrheit
kund. Niemand kann z w e i e n Herren dienen. Sie kamen zu
d r e i e n. Er streckte alle v i e r e von sich.*

z u 5 : *Einige halten d i e D r e i z e h n für eine Glücks-, die anderen
für eine Unglückszahl. Schreibe d i e H u n d e r t genau unter d i e
T a u s e n d, so daß d i e E i n s d e r H u n d e r t genau unter d e r
ersten N u l l d e r T a u s e n d steht!*

Rechnen			
7+5=12.	7 und 5 ist 12	$5^2=$ 25.	5 hoch 2 ist 25
	7 plus 5 gleich 12		5 im Quadrat gleich 25
8—3= 5.	8 weniger 3 ist 5	$5^3=$125.	5 hoch 3 gleich 125
	8 minus 3 gleich 5	$\sqrt{16}=$ 4.	Quadratwurzel aus 16
7 · 6 =42.	7 mal 6 ist 42		gleich 4
	7 mal 6 gleich 42	$\sqrt[3]{27}=$ 3.	Kubikwurzel aus 27
35 : 7= 5.	35 geteilt durch 7 ist 5		dritte Wurzel aus 27

§ 124. Die Ordnungszahlen — Die Wiederholungszahlwörter

1. Die **O r d n u n g s z a h l e n** (Ordinalzahlen)
   weisen einem Gegenstand eine bestimmte Stelle in einer Reihe an. Sie antworten auf die Frage: *der, die, das wievielte?*
2. Die Ordnungszahlen werden aus den Grundzahlen abgeleitet:
   Zu den Grundzahlen von *zwei* bis *neunzehn* tritt die Endung *-te*, zu denen von *zwanzig* ab *-ste* (unregelmäßig sind *der erste, der dritte, der achte*): *der zweite, der vierte, sieb(en)te, neunzehnte; der zwanzigste, dreiundzwanzigste... tausendste* usw.; *der letzte*.
3. Ordnungszahlen werden wie Adjektive dekliniert.
4. Ordnungszahlen erhalten in Ziffernschrift einen **P u n k t**.
5. Die **W i e d e r h o l u n g s z a h l w ö r t e r**
   bestimmen die Anzahl der Wiederholungen.
   Sie antworten auf die Frage: *wie oft?*
6. Die Wiederholungszahlwörter werden durch Anhängen von *-mal* an die Grundzahlen gebildet: *einmal, dreimal, zwanzigmal, hundertmal, tausendmal;* attributiv (deklinierbar): *einmalig, zehnmalig;* unbestimmt: *jedesmal, keinmal; mehrmals, vielmals, niemals.*
7. Wiederholungszahlwörter sind Zahladverbien und undeklinierbar.

B : z u 1/2 : *die dreizehnte Zeile, der fünfte Monat. Er hat das letzte Wort, sie das allerletzte.* — In Zusammensetzungen bleibt die Deklinationsendung weg: *der zweithöchste, der viertbeste* usw.

z u 3 : *Die Erzählung der zweihundertsiebzehnten Nacht aus Tausendundeiner Nacht. Er hat seine erste Liebe geheiratet. Die Überschrift des vierzehnten Kapitels. Ein zweites Mal soll das nicht mehr vorkommen. Das höre ich zum tausendsten Male. Es war bestimmt das allerletzte Mal. Die Zahl steht in der nullten Potenz.*

z u 4 : *Fritz besucht die 3. Klasse (dritte Klasse).* Aber: *Der Unterricht von Klasse III findet in Saal 14 statt (Klasse drei, Saal vierzehn). 2 Fahrkarten 2. Klasse (zwei Fahrkarten zweiter Klasse).* Herrschernamen: *Heinrichs IV. (Heinrichs des Vierten) Tod.* Vgl. § 90, 9.
   D a t u m : *Ich bin am 13. 9. 1926 geboren (am dreizehnten September neunzehnhundertsechsundzwanzig). Weihnachten fällt auf den 25. und 26. Dezember (den fünfundzwanzigsten usw.).*
   Briefdatierung: *Köln, den 17. März 1948* (ohne Schlußpunkt)

z u 5/6 : *E i n m a l ist k e i n m a l! Man wird ja e i n m a l nur geboren! Das hat er schon v i e l t a u s e n d m a l gehört!*

§ 125. Die Vervielfältigungszahlwörter — Die Einteilungszahlwörter
Die Gattungszahlwörter

1. Die **Vervielfältigungszahlwörter**
   bezeichnen eine Anzahl gleichartiger Dinge oder Tätigkeiten.
   Sie antworten auf die Frage: *wievielfach?*
2. Die Vervielfältigungszahlwörter werden durch Anhängen von *-fach* an die Grundzahlen gebildet: *einfach, zweifach (zwiefach°) (doppelt), dreifach, zehnfach, hundertfach ... tausendfach;* unbestimmt: *mehrfach, vielfach (vielfältig).*
3. Sie werden als Adjektive gebraucht und dekliniert oder aber sind als Adverbien unveränderlich.
4. Die **Einteilungszahlwörter**
   geben an, wie etwas geordnet werden soll.
5. Die Einteilungszahlwörter werden durch Anhängen von *-ns* an die Ordnungszahlen gebildet: *erstens, zweitens, drittens, siebtens, zehntens, zwanzigstens ...*
6. Sie sind Zahladverbien und unveränderlich.
7. **Gleichmäßige** Verteilung von Gegenständen bezeichnet man durch Grundzahlen, denen *je* vorgesetzt wird.
8. Die **Gattungszahlwörter** bezeichnen die Anzahl von Arten oder Gattungen von Gegenständen auf die Frage: *wievielerlei?*
9. Die Gattungszahlwörter werden durch Anhängen von *-erlei* (Genitivendung *-er* + *lei* [= Art]) an die Grundzahlen oder an unbestimmte Zahlwörter gebildet: *einerlei, dreierlei, zehnerlei;* unbestimmt: *allerlei (allerhand), beiderlei, mancherlei, vielerlei;* auch *hunderterlei, tausenderlei.*
10. Sie werden wie Adjektive gebraucht, aber nicht dekliniert.

B: zu 3: *Früher hatte dieser Stoff den **fünffachen** Preis. Ich habe ihm seine Schandtat **doppelt** und **dreifach** heimgezahlt. Der Spruch ist einer **zweifachen** Auslegung fähig.*

zu 6: *Ihre Rechnung werde ich nicht begleichen; denn **erstens** habe ich die Ware nicht bestellt, **zweitens** nicht erhalten und **drittens** sind Ihre Praktiken strafbar.*

zu 7: *Die drei Kinder erhielten **je sechs** Nüsse. Die Gefangenen wurden zu **je zweien** aneinander gefesselt.*

zu 10: *Man soll die Menschen nicht mit **zweierlei** Maß messen. Der Regenbogen strahlt in **siebenerlei** Farben.*

§ 126. Die Bruchzahlen

1. Die **Bruchzahlen** bestimmen einen Teil eines Ganzen.
2. Die Bruchzahl zu *zwei* heißt *halb: halber, halbe, halbes; halbe; die Hälfte;* sonst wird von den Ordnungszahlen *-te* weggelassen und *-tel* (= *Teil*) angehängt: *drittel, (das) Drittel; — (das) Viertel, Fünftel, Neunzehntel; — (das) Zwanzigstel, Fünfzigstel, Hundertstel, Tausendstel* usw.
3. Sie können wie Substantive gebraucht und dekliniert werden.
4. **Adjektivisch** gebrauchte Bruchzahlen bleiben unverändert, nur *halb* wird adjektivisch dekliniert.
5. Bruchzahlen werden in der Regel in Ziffern geschrieben.
6. Dezimalzahlen werden am besten stellenweise gelesen.

B : zu 2 : *Frisch gewagt, ist **halb** gewonnen! Er ist nur noch ein **halber** Mensch. — eine **halbe** Stunde; ein **halbes** Brot; die **Hälfte** der Einwohnerschaft. Mit Landwirtschaft beschäftigen sich **drei Viertel** der Bevölkerung.*

zu 3 : *Das ist **nichts Halbes und nichts Ganzes**! Laß uns noch **einen Halben** (Schoppen) trinken, **eine Halbe** (Maß Bier) trinken! die Meinung **eines Drittels** der Anwesenden.*

zu 4 : *bis in den **halben** Mittag schlafen; mit **halbem** Ohr zuhören; mit **halber** Kraft fahren; mit **halbem** Herzen dabeisein; nur ein **halbes** Geständnis ablegen. Nehmen Sie die Arznei **alle halben Stunden**!*

zu 5 : *Wir waren 2³/₄ (zweidreiviertel) Stunden auf dem Marsch. Er kaufte 2¹/₂ (zweieinhalb) Liter Wein, 6³/₅ (sechsdreifünftel) Meter Stoff. Aber: Er kaufte einen halben Liter Wein, ein viertel Brot. Ein Drittel der Arbeit ist fertig.*

zu 6 : *3,14159 ... = drei Komma eins vier eins fünf neun ...*

Die Uhr
Frage: Wieviel Uhr ist es? Wie spät ist es?
Antworten: Es ist (genau) 4 (Uhr) = 4^{00} = 4 Uhr.
(ein) Viertel nach 4 (Uhr) = 4^{15} = 4 Uhr 15 (Minuten).
(ein) Viertel (auf) 5 (Uhr) = 4^{15}.
halb 5 (Uhr) = 4^{30} = 4 Uhr 30 (Minuten).
dreiviertel 5 (Uhr) = 4^{45} = 4 Uhr 45 (Minuten).
(ein) Viertel vor 5 (Uhr) = 4^{45}.
zehn Minuten vor 5 (Uhr) = 4^{50} = 4 Uhr 50 (Minuten).
zwölf Minuten nach 5 (Uhr) = 5^{12} = 5 Uhr 12 (Minuten).

§ 127. Die unbestimmten Zahlwörter

1. Ist eine Menge durch ein bestimmtes Zahlwort ausgedrückt, aber nur **a n n ä h e r n d** bekannt, so setzt man zu den Zahlwörtern die Adverbien *beinahe, etwa, fast, kaum, ungefähr* u. a. Dagegen setzt man die **unbestimmten** Zahlwörter (Indefinitzahlwörter) zur Bezeichnung **u n g e n a u** bekannter Mengen:
2. den **G r u n d z a h l e n** entsprechend:
   a) für eine **A l l h e i t**: *all, gesamt, sämtlich, ganz; jeder, jedweder°, jeglicher°*; verneint: *kein, nichts;*
   b) für eine **M e h r h e i t**: *einige, etliche, manche, viel, mehr, mehrere, wenig; genug, etwas; ein paar;*
3. den **W i e d e r h o l u n g s z a h l w ö r t e r n** entsprechend: *einigemal, etlichemal, manchmal, allemal; niemals, mehrmals, vielmals;*
4. den **V e r v i e l f ä l t i g u n g s z a h l w ö r t e r n** entsprechend: *mannigfach (mannigfaltig), vielfach (vielfältig);*
5. den **G a t t u n g s z a h l w ö r t e r n** entsprechend: *keinerlei, einerlei, mancherlei, allerlei (allerhand), vielerlei.*
6. Die Zahlwörter unter 2 und 4 werden wie Adjektive dekliniert; doch sind *etwas, genug, mehr* und *nichts* undeklinierbar.

B: zu 1: *Hans war **k a u m** (fast, beinahe, etwa, ungefähr) sechs Jahre alt. Ich besitze **a n n ä h e r n d** zweitausend Bücher.*

zu 2a: ***A l l e r** Anfang ist schwer. **A l l e** Schuld rächt sich auf Erden. **A l l e s** Vergängliche ist nur ein Gleichnis. Schillers **s ä m t l i c h e** Werke. **J e d e r** Student muß dieses Buch haben (besitzen). Zu Anfang **j e d e s** Jahres* (auch: *jeden Jahres*). — *Ich gehe auf **k e i n e n** Fall mit dir. **K e i n e s** von deinen Büchern gefällt mir.*

zu 2b: *Es ist **e t l i c h e T a g e** her, daß... Hier hab ich so **m a n c h e s** liebe **M a l** mit meiner Laute gesessen. **J e m e h r** Geld, **j e m e h r** (**d e s t o m e h r**) Sorgen. **V i e l** Lärm um **n i c h t s**. Sie besitzt **e i n i g e s** Vermögen. Ich wartete **m e h r e r e** Tage auf ihn. Ich habe dir **e i n p a a r** Bücher mitgebracht.* (Aber: *ein **P a a r** Strümpfe.*)

zu 3: *Ich bitte **v i e l m a l s** um Entschuldigung. Ich sehe ihn **m a n c h m a l**. Er ist schon **m e h r m a l s** gewarnt worden.*

zu 4: *Aus **m a n n i g f a l t i g e n** Gründen kann man ihm nicht zustimmen. Es wird **v i e l f a c h** die falsche Ansicht vertreten, daß...*

zu 5: *Er gab **k e i n e r l e i** Erklärung für seine Handlungsweise. Auf dem Markt wurden **a l l e r l e i** Waren verkauft.*

VII. Das Adverb (Das Umstandswort)

§ 128. 1. WESEN UND BILDUNG DER ADVERBIEN

1. Die **Adverbien** (Umstandswörter) bezeichnen einen **Nebenumstand** des Tuns, Zustandes oder der Eigenschaft.
2. Sie stehen daher im allgemeinen **nicht** bei Substantiven, sondern bei Verben, Adjektiven oder anderen Adverbien.
3. Adverbien können nur zum Teil gesteigert werden und **sind** im übrigen **unveränderlich** (133).
4. Nach ihrer **Bildung** werden die Adverbien eingeteilt in:
   a) **ursprüngliche** Adverbien,
   b) **abgeleitete** Adverbien,
   c) **zusammengesetzte** Adverbien,
   d) **Adjektiv-Adverbien**.

B: zu 2: *Dieser Mann arbeitet gewissenhaft und fleißig. Er ist ein äußerst gewissenhaft und fleißig arbeitender Mann. Jener Wein schmeckt schlecht. Es ist ein sehr schlecht schmeckender Wein. Sie lieben Ihr Kind allzu sehr!*

zu 4a: *da, dann, dort; hier, her, hin; irgend, nirgend, nie; ja, je, so; wie, wann, wo; unten, oben* u. a. (Manche der heute als ursprünglich empfundenen Adverbien enthalten aber mehrere Sprachstämme oder gehen auf Pronomen zurück.)

zu 4b: (ursprünglich Genitive eines Adjektivs:) *anders, bereits, eilends, links, rechts, stets, stracks, übrigens; längstens, höchstens* u. a.; (durch Anhängung der Endung -lich, -lings aus anderen Wortarten entstanden:) *ewiglich, gänzlich, gewißlich, kürzlich, wahrlich, wissentlich; blindlings, jählings, rittlings, rücklings* u. a.; (von Substantiven:) *abends, morgens, tags; anfangs, flugs, teils; namens, rings; heim, daheim.* Vgl. den Zusatz zu § 172, 3.

zu 4c: *allenfalls, ebenfalls, gleichfalls, allenthalben, dermaßen, abseits, meinerseits, keineswegs, möglicherweise, diesmal; beizeiten, bisweilen, fürwahr, hinterrücks, insgesamt, ohnedies, ohnehin, unterwegs, überall, übermorgen, vorgestern, vorwärts, zuerst, zugleich, zumal, zurück, zuweilen; bergab, bergan, fortan, geradeaus, hinfort; kopfüber, kurzum, vollauf, zweifelsohne, allezeit* u. a.

zu 4d: Im Deutschen kann fast jedes Adjektiv **unverändert** als Adverb gebraucht werden: *Ein schlecht* (Adv.) *geschriebener Brief ist ein schlechtes* (Adj.) *Zeugnis für den Absender.*

2. DIE ARTEN DER ADVERBIEN

§ 129. Adverbien des Ortes

1. Die Adverbien des Ortes bezeichnen:
   a) den Ort des Verweilens (die Lage)   auf die Frage *wo?*
   b) den Ausgangspunkt einer Bewegung   auf die Frage *woher?*
   c) das Ziel einer Bewegung (die Richtung)   auf die Frage *wohin?*
2. Auf die Frage *wo?* antworten die Adverbien *hier, da, dabei, daneben, daran (dran), darauf (drauf), darin (drin), darüber (drüber), darunter (drunter), daselbst, dazwischen, außen, draußen, oben, droben, unten, drunten, innen, drinnen, hüben, drüben, vorn, hinten, links, rechts, diesseits, jenseits, gegenüber* (bestimmte Ortsadverbien); *anderswo, irgendwo, nirgendwo, nirgends, allenthalben, überall* (unbestimmte Ortsadverbien) u. a.
3. Auf die Frage *woher?* antworten die Adverbien *daher, dorther, anderswoher, irgendwoher, überallher* u. a.
   Auch die meisten Adverbien unter 2 können mit der Präposition *von* ebenso gebraucht werden: *von außen, von unten* usw.
4. Auf die Frage *wohin?* antworten die Adverbien *dahin, darein, dorthin, hinweg, aufwärts, abwärts, seitwärts, vorwärts, rückwärts, heimwärts, fort, weg, heim; anderswohin, irgendwohin, überallhin* u. a.
   Auch die meisten Adverbien unter 2 können mit der Präposition *nach* ebenso gebraucht werden: *nach außen, nach unten* usw.
5. Eine Reihe von Adverbien der letzten Gruppe
   unterscheiden die dem Sprechenden zugewandte Bewegung
   von der abgewandten;
   im ersten Falle wird das Adverb *her*, im zweiten Falle *hin* gebraucht: *herab, hinab; herauf, hinauf; herein, hinein* usw.

B: zu 2: *Droben stehet die Kapelle. Draußen ist es sehr kalt, während es hier drinnen warm ist. Hier können Sie nicht bleiben; suchen Sie, anderswo unterzukommen!*

zu 3: *Horch, was kommt von draußen 'rein! Wir wollen sehen, daß wir die Schrauben irgendwoher bekommen.*

zu 4: *Laß uns dorthin gehen! Jetzt gehe ich heim. Mutter ist eben nach oben* (= in die oberen Zimmer) *gegangen. Wirf einen Blick nach draußen!*

zu 5: *Komm herunter zu mir! Geh hinunter zu ihm!*

§ 130. Adverbien der Zeit

1. Die **Adverbien der Zeit** bezeichnen:
   a) den Zeitpunkt eines Geschehens   auf die Frage *wann?*
   b) die Zeitdauer eines Geschehens   auf die Frage *wie lange?*
   c) die Wiederholung in der Zeit   auf die Frage *wie oft?*
2. Auf die **Frage** *wann?* antworten die Adverbien *jetzt, nun, soeben, immer, nimmer, niemals, dann, darauf, da, damals, ehemals, sonst, schon, früh, früher, hernach, danach, nachher, spät, später, einst, einstmals, kürzlich, neulich, jüngst, unlängst, künftig, nächstens, hinfort, sogleich, sofort, bald, gestern, vorgestern, heute, morgen, übermorgen, morgens, mittags, abends, nachts, heute morgen, morgen früh, anfangs, endlich, heuer = in diesem Jahr* u. a.
3. Auf die **Frage** *wie lange?* antworten die Adverbien *von alters her, seither, bisher, bis jetzt, bis dahin, stets, auf immer, für immer, immerfort, immerdar, einstweilen, unterdessen, inzwischen, noch, lange, eine Zeitlang, zeitlebens* u. a.
4. Auf die **Frage** *wie oft?* antworten die Adverbien *manchmal, dann und wann, hin und wieder, hier und da, zuweilen, bisweilen, mitunter, selten, häufig, oft, stündlich, täglich, wöchentlich, jährlich, einmal, zweimal, oftmals, abermals, nochmals, öfters* u. a.

B: zu 2: **Wann** kann ich mit Ihrer Antwort rechnen? — Ich werde **heute** mit meinem Teilhaber sprechen und Ihnen **morgen früh** einen schriftlichen Bescheid zugehen lassen. **Soeben** ist ein Telegramm eingelaufen, daß die erwartete Sendung **vorgestern** in Wien abgegangen ist. — **Unlängst** fragtest du mich nach Herrn Schulze. Ich habe ihn **kürzlich** auf dem Bahnhof getroffen. Er wird sich **sogleich** nach seiner Rückkehr bei dir melden. Besser **spät** als **nie**!

zu 3: *Es ist ein Brauch* **von alters her**, *wer Sorgen hat, hat auch Likör.* Dieses Wort des großen Humoristen Wilhelm Busch hat auch **heute noch** Geltung. — **Unterdessen** haben sich die Rohstoffpreise geändert, so daß wir **künftighin** unsere Gestehungskosten nur von Fall zu Fall berechnen können. **Einstweilen** bleibt es jedoch bei den jetzigen Preisen.

zu 4: Die Zeitschrift erscheint dreimal **monatlich**. **Manchmal** lese ich sie **sofort** nach ihrem Erscheinen, **bisweilen** aber erst viel später. Ich sehe den Schriftleiter **selten**; wir sprechen aber **öfters** telefonisch miteinander.

§ 131. Adverbien der Art und Weise — Adverbien des Grades

1. Die **Adverbien der Art und Weise**
bezeichnen die Art oder Form einer Tätigkeit, eines Zustandes oder einer Eigenschaft auf die Frage *wie?*
2. Zu ihnen zählen:
    a) fast alle Adjektiv-Adverbien (128, 4d);
    b) die Adverbien
    so, wie, also, ebenso, dergestalt, geradeso, anders, gern, absichtlich, beisammen, zusammen, ebenfalls, gleichfalls, gleichsam, umsonst, vergebens, zufällig u. a.;
    c) fast alle mit *-weise* zusammengesetzten Adverbien:
    stückweise, teilweise, paarweise, massenweise, tropfenweise; glücklicherweise, dummerweise, zufälligerweise u. a.;
    d) die mit *-lings* abgeleiteten Adverbien:
    rücklings, rittlings, blindlings, jählings, meuchlings u. a.
3. Ebenfalls auf die Frage *wie? wie sehr?*
antworten die **Adverbien des Grades**;
sie bezeichnen den Grad oder die Stärke (Intensität) einer Tätigkeit, eines Zustandes oder einer Eigenschaft:
    sehr, äußerst, höchst, ungemein, ausnehmend, außerordentlich, ganz, gänzlich, völlig, gar, sogar, zu, allzu, gar zu, genug, wenig, etwas, ziemlich, mehr, minder, höchstens, wenigstens, beinahe, fast, kaum, nur, weit, bei weitem, überaus, vollends u. a.

B: zu 2a: *Eine* **schlecht** *geschriebene Arbeit wird* **gar leicht** *unterschätzt. Ich habe ihm* **höflich** *geantwortet.*

zu 2b: *Die Sache verhält sich* **anders**, *als er sie darstellt. Die beiden Gegner meiden sich* **absichtlich**. *Doch saßen sie neulich im Theater* **zufällig** *nebeneinander.*

zu 2c: *Man konnte der bedauernswerten Frau die Wahrheit nur* **tropfenweise** *beibringen. Ich bin* **törichterweise** *auf seinen Vorschlag eingegangen.*

zu 2d: *Der Fuhrmann fiel* **rücklings** *vom Wagen. Er setzte sich* **rittlings** *auf den Stuhl und begann seine Erzählung.*

zu 3: *Seine Stimme zitterte* **merklich**; *man spürte, daß er* **außerordentlich** *erregt war. Die Theatervorstellung gefiel mir* **ausnehmend** *gut, obwohl es* **ziemlich** *anstrengend war, den* **höchst** *zugespitzten Dialogen zu folgen.*

§ 132. Adverbien des Grundes — Adverbien der Denk- und Aussageweise

1. Die **Adverbien des Grundes**
   bezeichnen Grund, Ursache, Mittel oder Zweck
   einer Tätigkeit, eines Zustandes oder einer Eigenschaft
   und antworten auf die Frage *warum? weshalb? wozu?*
2. Sie werden durch Anhängung von Präpositionen an Pronomen
   oder an Adverbien des Ortes gebildet:
   daher, demnach, deshalb, dafür, dazu, warum, weswegen u. a.;
   meinetwegen, deinethalben, ihretwegen, um euretwillen; darunter, darüber, darob, danach, darnach, um deswillen u. a.
3. Zur Bezeichnung der **Denk- und Aussageweise**
   (der Modalität) dienen folgende Adverbien:
   a) bejahende, behauptende:
      ja, doch, wahrlich, zwar, freilich, fürwahr, gewiß, wirklich, wahrhaftig, allerdings, sicherlich, bestimmt u. a.;
   b) verneinende: *nein, nicht, keineswegs, mitnichten* u. a.;
   c) fragende: *denn, wohl, nun, etwa* u. a.;
   d) zweifelnde: *wahrscheinlich, vielleicht, etwa, wohl;*
   e) wünschende: *doch, wenn doch, daß doch;*
   f) fordernde oder gebietende: *durchaus, schlechterdings* u. a.

B: zu 1: **Wozu** *bist du gekommen?* **Warum** *hast du vorher* **nicht** *angerufen? Ich habe nicht* **damit** *gerechnet. Ich schätze Ihren Vater sehr,* **um seinetwillen** *höre ich Sie an.*

zu 3a: *Genau dasselbe habe ich* **ja** *(doch) auch gesagt. Du wirst dich* **sicherlich** *erinnern können. Die Aufgabe ist* **zwar** *schwierig, aber* **bestimmt nicht** *unlösbar.*

zu 3b: *Ich bin* **nicht** *Ihrer Ansicht und kann Ihnen* **keinesfalls** *(keinenfalls) zustimmen.*

zu 3c: *Was mag ihm* **denn (wohl)** *begegnet sein, daß er so verzweifelt dreinschaut? Ob ihn* **etwa** *ernste Sorgen quälen? Wie geht es Ihnen* **denn**? **Nun**, *was sagt der Arzt?*

zu 3d: **Vielleicht** *antwortet er nicht, weil er verreist ist. Das Antwortschreiben wird* **wahrscheinlich** *in dieser Woche noch ankommen. Haben Sie mich* **etwa** *mißverstanden?*

zu 3e: *Ich hoffe, daß er* **doch** *endlich zur Einsicht kommt.* **Wenn du doch** *mit deinem Geklimper aufhören wolltest!*

zu 3f: *Die Einhaltung der Lieferfrist ist uns* **schlechterdings** *unmöglich; ... ist* **durchaus** *möglich.*

§ 133. 3. DIE STEIGERUNG DER ADVERBIEN

1. Die Adjektiv-Adverbien können wie Adjektive gesteigert werden.
2. Ihre 2. Steigerungsstufe gleicht der der Adjektive und bleibt im übrigen endungslos;
die 3. Steigerungsstufe erhält die Endung *-sten*
und hat das Wörtchen *am* vor sich. Vgl. §§ 101; 102.

fest	fester	am festesten
schön	schöner	am schönsten
stark	stärker	am stärksten
tapfer	tapferer	am tapfersten
hoch	höher	am höchsten
gut	besser	am besten

3. Die 3. Stufe kann durch Vorsetzung von *aller-* verstärkt werden.
4. Soll die 3. Stufe ohne Vergleichung nur einen sehr hohen Grad bezeichnen (absoluter Superlativ), so gebraucht man die 3. Stufe des sächlichen Adjektivs mit dem Wörtchen *aufs* oder *im* (101, 1 B).
5. Bisweilen steht auch in diesem Sinne die 3. Stufe ohne Endung oder mit der Endung *-ens*.
6. Der Steigerung der Adjektiv-Adverbien schließen sich die Adverbien *gern, wohl, bald, oft* an:

gern	lieber	am liebsten
wohl (gut)	besser	am besten
		(am wohlsten)
bald	eher	am ehesten
oft	öfter	am öftesten

B: zu 2: *Das Schöne* nachahmen und etwas *schön* nachahmen ist nicht dasselbe. Die Sängerin sang *schöner* als der Tenor; *am schönsten* jedoch klang der Knabenchor. Ich habe *gut* geschlafen, *besser* als in der vorigen Nacht.

zu 3: Fritz hat die Aufgabe *am allerbesten* gelöst.

zu 4: Die Zimmer waren *aufs schönste* eingerichtet, und die Gäste wurden *auf das beste* bewirtet. Er ließ sich nicht *im geringsten* stören.

zu 5: Ich grüße dich *herzlichst*. Sei *bestens* gegrüßt!

zu 6: Ich habe ihn *öfter* im Theater gesehen als seine Frau. Sie möchte *am liebsten* niemals selbst kochen.

§ 134. 4. DER GEBRAUCH DER ADVERBIEN

1. In der natürlichen Wortfolge des Hauptsatzes (Grundstellung) wird das Adverb dem Adjektiv, zu dessen näherer Bestimmung es dient, vorangestellt.
2. Ebenso wird es einer einfachen Form des Verbs stets nachgesetzt;
steht aber das Verb in einer umschriebenen Form oder in einem abhängigen Satz,
so steht das Adverb vor dem Vollverb.
3. Attributiv gebrauchte Adverbien stehen hinter dem Substantiv.
4. Wenn ein Satz mit einem Adverb beginnt, so tritt das Subjekt hinter das finite Verb oder Hilfsverb (Umstellung).
5. Man setze kein Adverb, wenn schon eine Präposition derselben Bedeutung voraufgeht.
6. Ebenso vermeide man Adverbien, wenn ihre Bedeutung schon in dem Verbalbegriff enthalten ist.
7. Der heutige Sprachgebrauch betrachtet die doppelte Verneinung als verstärkte Bejahung.

B: zu 1: *Er war sehr froh. Diese Blume ist außergewöhnlich schön. Seine Handlungsweise war äußerst unklug.*
A: Eine Ausnahme von der Regel macht das Adverb *genug: Er ist dumm genug, wenn er meinem Rat nicht folgt.*

zu 2: *Er kommt (heute). Ich gehe (bald). Er ist (gestern) angekommen. Bleibe (hier), weil er (heute) kommt! Beeile dich, damit ich (bald) gehen kann! Ich gehe nicht hin, weil ich ihn (erst neulich) besucht habe.*

zu 3: *Das Wetter draußen ist schlecht.* Vgl. § 164, 9.

zu 4: *Er kommt. Dort kommt er. — Er ist heute gekommen. Heute ist er gekommen. — Neulich habe ich ihn gefragt.*

zu 5: Schlecht: *Ich sah aus dem Fenster hinaus.* Besser: *Ich sah aus dem Fenster.* Oder: *Ich sah zum Fenster hinaus.*

zu 6: Schlecht: *Der Redner schloß zuletzt seine Ansprache.* Besser: *Er schloß seine Ansprache.* Schlecht: *Unser Chef pflegt gewöhnlich um 9 Uhr zu kommen.* Besser: *Er pflegt um 9 Uhr zu kommen. Er kommt gewöhnlich um 9 Uhr.*

zu 7: Nicht: *Er ist niemals nicht zu Hause (= er ist immer zu Hause).* Sondern: *Er ist niemals zu Hause.*

VIII. Die Präposition (Das Verhältniswort)

§ 135. 1. WESEN UND ARTEN DER PRÄPOSITIONEN

1. Die Präpositionen (Verhältniswörter) drücken die Verhältnisse aus, in die Gegenstände durch ihre Tätigkeiten, Zustände oder Eigenschaften zu anderen Gegenständen (Personen oder Sachen) treten.
2. Die Präpositionen sind als Partikeln unveränderlich. Doch vgl. § 140.
3. Die Präpositionen bezeichnen:
   a) Orts- oder Richtungsverhältnisse: *zu, bei, nächst, unweit; außer, außerhalb, innerhalb, diesseit(s), längs, von, aus, nach, zu, bis, ge(ge)n, durch, um, an, neben, in, auf, über, unter, hinter* u. a.
   b) Zeitverhältnisse: *in, zu, an, bei, auf, durch, während, unter, über, binnen, um, vor, nach, von, seit, bis* u. a.
   c) Verhältnisse der Art und Weise in den Ausdrücken: *am höchsten, im allgemeinen, aufs beste, zum besten, in Eile, zu Fuß* u. a.
   d) Verhältnisse des Grundes, Zweckes, Mittels und ähnliche: *kraft, vermöge, vor, zu, um, für, auf, durch, mit, mittels(t), aus, wegen, halben, um ... willen, aus, laut, nach, zufolge, mit, nebst, samt, ohne, außer, statt, anstatt, ungeachtet, trotz* u. a.
4. Zahlreiche Präpositionen können Verhältnisse der v e r s c h i e - d e n s t e n Art bezeichnen.
5. a) Die meisten Präpositionen stehen v o r ,
   b) manche sowohl v o r als h i n t e r ,
   c) einige regelmäßig h i n t e r
   dem mit ihrer Hilfe umschriebenen Kasus.
6. Man unterscheidet e c h t e und u n e c h t e Präpositionen.

B : zu 4: *Er lebt v o r der Stadt* (Ort). — *Er kaufte das Haus v o r vier Jahren* (Zeit). — *Man rühmte es v o r allen anderen* (Art und Weise). — *Er strahlte v o r Glück* (Grund).

z u 5 b : *Ich kann meines kranken Vaters w e g e n nicht verreisen. Ich kann w e g e n meines kranken Vaters...* (136, 5; 137, 4)

z u 5 c : *halber, zuwider.* — *Das Geschäft ist eines Todesfalles h a l b e r geschlossen. Ich bin k r a n k h e i t s h a l b e r am Erscheinen verhindert. Absichtlich handelte er dem Gesetz z u w i d e r.*

z u 6 : echte: *an, auf, hinter, mit, über, zwischen* u. a.
unechte (abgeleitete): *dank, infolge, während, wegen* u. a.

2. DIE REKTION DER PRÄPOSITIONEN
§ 136. Präpositionen mit dem Genitiv

1. Die wichtigsten Präpositionen, die den Genitiv regieren, sind:
   abseits, angesichts, anläßlich, (an)statt, anstelle, außerhalb, behufs, betreffs, bezüglich, diesseits, halben, halber, hinsichtlich, inmitten, innerhalb, jenseits, kraft, laut, mangels, mittels, oberhalb, seitens, statt, um ... willen, unterhalb, unfern, unweit, vermöge, vorbehaltlich, während, wegen; auch: *unbeschadet, ungeachtet.*
   Doch steht nach *mangels, kraft* und *während, wegen* der Dativ, wenn der Genitiv nicht zu erkennen wäre.
2. Den Genitiv o d e r den Dativ regieren: *längs, laut, trotz, zufolge.*
3. Merkvers: *Unweit, mittels, kraft* und *während,*
   ungeachtet und *vermöge,*
   oberhalb und *unterhalb,*
   innerhalb und *außerhalb,*
   diesseits, jenseits, wegen, statt;
   — *längs, laut, trotz, zufolge*
   stehen mit dem G e n i t i v
   oder auf die Frage *wessen?*
   Doch ist hier nicht zu vergessen,
   daß bei diesen letzten vier
   auch den D a t i v setzen wir.
4. Die Präpositionen *halb(en), wegen, um .. willen* werden mit dem Genitiv der Personal-, Demonstrativ-, Interrogativ- und der Relativpronomen z u A d v e r b i e n z u s a m m e n g e z o g e n : *meinethalben, um deinetwillen, seinetwegen, weshalb, deshalb, weswegen, deswegen, um dessentwillen.*
5. Von den genannten Präpositionen
   stehen *halben, halber, -halb* stets h i n t e r dem Substantiv,
   wegen, zufolge, ungeachtet sowohl v o r wie h i n t e r ihm;
   um ... willen, von ... wegen nehmen es z w i s c h e n ihre Teile.

B : z u 1 : Wir machten unsere Wanderung a b s e i t s der großen Landstraßen und blieben a u ß e r h a l b der Ortschaften. — *mangels ausreichender Beweise,* aber: *mangels Beweisen; wegen wiederholter Verstöße,* aber: *wegen Verstößen gegen die Hausordnung.*

z u 2 : Gehet l ä n g s *des Flusses (dem Flusse) dahin!* T r o t z *des schlechten Wetters (dem Regen) gehen wir aus. zufolge:* § 137, 7.

§ 137. Präpositionen mit dem Dativ — Präpositionen mit dem Akkusativ

1. Den **D a t i v** regieren folgende Präpositionen:
   ab, aus, bei, entgegen, gegenüber, fern, gemäß, mit, (mit)samt, nach, nächst (zunächst), nebst, von, von... an, zu, zuwider.
2. Den Dativ oder Genitiv regieren: *längs, laut, trotz, zufolge, dank;* selten den Genitiv haben: *außer, binnen, ob (= wegen)* und *seit.*
3. Folgender Vers enthält die wichtigsten dieser Präpositionen:
   Schreib mit dem **D a t i v** nieder:
   gemäß, aus, mit, nach, nächst,
   samt, bei, seit, von, zuwider,
   entgegen, außer, nebst,
   zu, binnen, gegenüber.
4. Die Präpositionen
   entgegen, gegenüber, gemäß, nach (= gemäß), zufolge, zunächst
   können **v o r** oder **h i n t e r** dem zugehörigen Substantiv stehen.
5. Den **A k k u s a t i v** regieren:
   bis, durch, für, gegen, gen°, ohne, sonder, um und *wider.*
6. Merkvers: Schreib *durch, für, gegen, um,*
   auch *sonder, ohne, wider*
   stets mit dem **A k k u s a t i v** nieder!
7. **V o r** *entlang* steht der Akkusativ (auch der Dativ°),
   n a c h *entlang* steht der Dativ (selten der Genitiv).
   V o r *zufolge* steht der Dativ, **n a c h** *zufolge* der Genitiv.

B : zu 1 : *Das Haus (m i t)s a m t Inventar ist gut versichert. N ä c h s t Ihnen ist Ihr Sekretär verantwortlich.*

z u 2 : *Wir erwarten Ihre Antwort b i n n e n einem Monat. B i n n e n eines Monats hat sich die Lage sehr verändert. Der Politiker ging a u ß e r Landes* (S. 193). — *S e i t alters wiederholt sich das. Ich weiß s e i t langem von diesen Dingen.*

zu 4 : *Dem Befehl gemäß wurden die Posten zurückgezogen. Gemäß dem Befehl... Nach meiner Meinung, meiner Meinung nach.*

zu 5 : *Er ist ein Mann s o n d e r (= ohne) Furcht und Tadel. Handle nicht w i d e r das Gesetz, nicht dem Gesetz z u w i d e r!*

zu 7 : *den Bach e n t l a n g; e n t l a n g dem Bache. Ihrem Telegramm z u f o l g e haben wir den Versand der Waren zunächst eingestellt. Z u f o l g e Ihres Fernschreibens...*

§ 138. Präpositionen, die sowohl den Dativ als auch den Akkusativ nach sich haben

1. Die Präpositionen
an, auf, hinter, neben, in, über, unter, vor und *zwischen*
bezeichnen mit dem D a t i v ein Verhältnis der Ruhe (Lage), mit dem A k k u s a t i v ein solches der Bewegung (Richtung).
Der A k k u s a t i v steht, wenn ausgedrückt werden soll, daß das Verhältnis zu dem Gegenstand e r s t h e r g e s t e l l t wird oder sich v e r ä n d e r t,
dagegen der D a t i v, wenn es als schon b e s t e h e n d gilt; dabei sind diese Verhältnisse nicht nur im räumlichen Sinne, sondern auch im zeitlichen, ursächlichen und überhaupt im übertragenen Sinne zu betrachten.
2. Folgender Merkvers berücksichtigt die räumlichen Verhältnisse:
   An, auf, hinter, neben, in,
   über, unter, vor und *zwischen*
   stehen immer mit dem A k k u s a t i v,
   wenn man fragen kann *wohin?*
   Mit dem D a t i v stehn sie so,
   daß man nur kann fragen *wo?*
3. Das Verhältnis zu dem Gegenstand, das den Kasus bestimmt, wird nicht immer vom V e r b i n h a l t her beeinflußt; nach dem gleichen Verb muß also
   — bei verschiedenartigen Sachverhalten —
   einmal der Dativ, ein andermal der Akkusativ stehen.
4. Einige Verben lassen bei g l e i c h artigem Sachverhalt beide Auffassungsweisen zu: der Kasus schwankt.

B : z u 1 : *Der Gärtner arbeitet i n seinem Garten.* (wo?) — *Der Gärtner begibt sich i n seinen Garten.* (wohin?) — *Das Buch liegt a u f dem Tisch.* (wo?) — *Lege das Buch a u f den Tisch!* (wohin?) — *Es stand i n alten Zeiten ein Schloß ...* (wann?) — *Wir denken gerne i n alte Zeiten zurück.* (Richtung in der Zeit.) Richtungsverhältnisse bestehen auch bei *denken an, achten auf, hören auf* u. ä.

z u 3 : *gehen: Wir gehen i n d e n Wald. Wir gehen i m Wald spazieren.* — *stürzen: Er stürzte i n s Zimmer. Sie stürzte i m Zimmer.*

z u 4 : *ver-graben, -packen, -stauen in, befestigen an* u. a.: *Er vergrub seinen Schatz in d e r Erde, in d i e Erde.*

3. DER GEBRAUCH DER PRÄPOSITIONEN

§ 139. Die Anwendung der wichtigsten Präpositionen

ab — anstelle

ab   (Dat.)   (137, 1)
Wir bieten an: Kinderschuhe ab 12,50 DM, Sandalen ab 11,50 DM.
Wir liefern jede Menge Kaffee frachtfrei ab unserem Lager Bremen.

an   (Dat./Akk.)   (138)
Frankfurt am Main. Frankfurt an der Oder. Nassau an der Lahn. (D)
Am nächsten Montag fahre ich für einige Tage an den Rhein. (A)
Das Bild hängt an der Wand. (D) — *Hänge es an die andere!* (A)
Wir haben diese Ware nicht an (am) Lager, vielleicht ab Montag. (D)
Mein Freund ist Lehrer an einer Realschule, an der Universität. (D)
Wegen schlechter Leistungen ist sie ans Ende der Klasse gerückt. (A)
Der Schwimmer war mit seinen Kräften schnell am Ende. (D)
Seine Faulheit wird ihn noch an den Bettelstab bringen. (A)
Er ist verunglückt und geht an Krücken, ist aber am Leben. (D)
Der Herr ist noch nicht an der Reihe, die Reihe ist an Ihnen. (D)
Ich komme erst spät am Abend zurück; das liegt nicht bei mir. (D)
Alle zweifeln an ihrer Ehrlichkeit (D), *keiner glaubt daran.* (A)
Ein Bekannter von mir ist kürzlich an den Pocken gestorben. (D)
Er ist reich an Verstand, aber arm an Freunden. (D)
Es herrschte Mangel an allem; das Land war fast am Verhungern. (D)
Die Reparatur wird an (= ungefähr) 40 DM kosten. (Adv.)

angesichts   (Gen.)   (136)
Angesichts des hohen Sachschadens müssen wir die Polizei rufen.
Er mußte angesichts der unwiderleglichen Beweise alles gestehen.

anläßlich   (Gen.)   (136)
Anläßlich seines Jubiläums erhielt er viele Geschenke. besser: *zu s. J.*
Die Firma gab anläßlich ihres Jubiläums ein Festessen. (aus Anlaß)

(an)statt, anstelle   (Gen.)   (136)
Er kaufte sich nun doch (an)statt eines Motorrads einen Wagen.
Anstelle des Chefs geht unser Prokurist zu der Verhandlung.

auf   (Dat./Akk.)   (138)

Das Buch liegt auf dem Boden. (D) — *Lege es auf den Tisch!* (A)
Führe den Hund auf die Straße! (A) — *Auf der Straße: Vorsicht!* (D)
Meine Freunde wohnen auf dem Land. (D) — *Ich ziehe aufs Land.* (A)
Die Wanderer machten sich auf den Weg, auf den Heimweg. (A)
Die Sache ist auf dem toten Punkt angekommen. (D)
Mit seinen Ausführungen traf der Redner den Nagel auf den Kopf. (A)
Das Fieber stieg auf 40 Grad und fiel dann auf 38 Grad. (A)
Ich binde dir diese Lebensweisheit auf die Seele. (A)
Er sitzt auf dem trockenen, liegt seinem Vater auf der Tasche. (D)
Der Zug traf auf den Glockenschlag, auf die Minute pünktlich ein. (A)
Die Sitzung ist auf elf Uhr anberaumt, das Taxi auf zehn bestellt. (A)
Die Niederlagen folgten Schlag auf Schlag. (A)
Die Truppen mußten sich auf Gnade und Ungnade ergeben. (A)
Wir alle sind auf Gedeih und Verderb miteinander verbunden. (A)
Die Gäste wurden aufs beste, auf das herzlichste bewirtet. (A)
Auf Veranlassung von Herrn M. wende ich mich an Sie. (A)
Auf Ihre Anfrage teilen wir Ihnen mit, daß ... (A)
Sie ist sehr böse, neidisch auf dich. (A)
Ich rechne auf alle Fälle mit deinem baldigen Besuch. (A)
Auf meine Hilfe (Unterstützung) können Sie bestimmt rechnen. (A)
Unser Antwortschreiben beruht auf einem bedauerlichen Irrtum. (D)
Auf baldiges Wiedersehen! Auf Wiederhören! (A)

aus   (Dat.)   (137, 1)

Vater kommt aus dem Zimmer und scheint aus dem Haus zu gehen.
Er stammt aus Frankfurt a. M., aus Deutschland.
Sie zog ihre Geldbörse aus der Tasche.
Die Straßenbahn sprang aus den Geleisen, aus den Schienen.
Verkaufen Sie auch Waren aus dem Schaufenster?
Ihre Kleidung ist ganz aus der Mode gekommen.
Ein Märchen aus uralten Zeiten, das kommt mir nicht aus dem Sinn.
Dieses Spielzeug ist aus Holz, aus Pappe, aus solidem Kunststoff.
Das alles geschah aus durchsichtigen Gründen, nämlich aus Haß.
Aus Freude machte er dem Altersheim ein ansehnliches Geschenk.
Ich weiß aus Erfahrung darüber Bescheid.
Geh mir endlich aus den Augen! Mach dich aus dem Staub, sonst ...!

außer (Dat.) (137, 2)

Der Kranke ist jetzt außer Gefahr. — Er ist Offizier außer Dienst.
Die Fabrik ist außer Betrieb. — Diese Münzen sind außer Kurs.
Ich bin ganz außer Atem, außer mir vor Freude.
Wir sind außerstande, diesen Mangel außer acht zu lassen.
Außer dem Kapitän und dem Ersten Offizier wurden alle gerettet.
Alle außer dir haben Verständnis für meine schwere Lage.

außerhalb (Gen.) (136)

Das Werk liegt außerhalb der Stadt, noch innerhalb des Ortes.
Wir erwarten Ihre Zahlung innerhalb eines Monats.

bei (Dat.) (137, 1)

Hanau, die Geburtsstadt der Brüder Grimm, liegt bei Frankfurt a. M.
Die Garderobe ist gleich bei der Tür! — Gestern war ich beim Arzt.
Er wohnte bei seinem Freund. — Bei uns zu Hause ist es gemütlicher.
Er half mir öfters bei der Arbeit, beim Übersetzen.
Bei meiner Seele: ergreife diese Gelegenheit beim Schopfe!
Die Wanderung begann bei Tagesanbruch, bei schlechtem Wetter.
Sie ist nicht bei Verstand, bei Sinnen, bei Trost. Bei Gott, so ist's!
Beim besten Willen und bei aller Anstrengung ist das unmöglich!
Das Betreten der Geleise ist bei Strafe verboten.

bis (Akk.) (137, 5)

Von Mainz bis Koblenz fuhren wir mit dem Schiff.
Der Fußball flog bis an das Haus, bis über das Haus.
Gedulde dich bis nächsten Montag, bis nach den Ferien!
Senden Sie mir bis kommenden Dienstag 6 bis 8 Stück zur Probe!
Ich möchte bis ans Ende der Welt fliehen.
Alle bis auf dich verstehen meinen Entschluß.
Diese Schraube ist bis auf $^1/_{1000}$ Millimeter genau.
Er bezahlte jetzt seine Schulden bis auf den allerletzten Heller.

diesseits (Gen.) (136)

Die Rebe wächst diesseits und jenseits der Alpen.
Der Ball fiel jenseits (diesseits) des Zaunes nieder.
Meine Freundin hält sich abseits des Menschengetriebes.

durch (Akk.) (137, 5)

Man konnte durch den Vorhang ins Zimmer sehen.
Der Ball flog in hohem Bogen durch die Luft, durchs Fenster.
Das Geschrei konnte einem durch Mark und Bein gehen.
Die Nachricht wurde ihm durch einen Boten übermittelt.
Durch sein inständiges Bitten erreichte er meine Zustimmung.
Sie hat sich durch vieles Lesen die Augen verdorben.
Unsagbar viel Leid ist durch diesen Krieg in die Welt gekommen.
Die ganze Nacht hindurch habe ich mich mit dem Problem abgequält.

entgegen (Dat.) (137, 1)

Entgegen der klaren Weisung meines Chefs kann ich nicht handeln.
Ausdrücklichen Anordnungen entgegen wurde der Brief veröffentlicht.

für (Akk.) (137, 5)

Hier habe ich einen Brief, ein Geschenk für dich.
Sie bürgen für ihn, aber seine Zeugnisse sprechen nicht für ihn.
Laß dir das ein für allemal gesagt sein! Schluß damit für heute!
Für Geld und gute Worte kann man vieles, aber nicht alles haben.
Für den Minister gab der Staatssekretär die Erklärung ab.
Er ist schon recht groß, recht verständig für sein Alter.
Für einen Ausländer sprechen Sie beachtenswert gut Deutsch.
Sie sollten dieses Buch Tag für Tag und Wort für Wort studieren!

gegen, wider (Akk.) (137, 5)

Der Lastwagen raste gegen einen Baum, gegen die Leitplanke.
Dieser Schaffner war ungemein grob gegen die Fahrgäste.
Taub gegen alle Bitten, sträubte er sich gegen jede ärztliche Hilfe.
Lebensmittel, Verbrauchsgüter liefern wir nur gegen Barzahlung.
Die Besucher kamen gegen Abend und gingen erst nach Mitternacht.
Die Stadt liegt gen Osten, gen Mittag (Süden), gen Mitternacht.
Ein Rundfunkgerät kostet gegen (= ungefähr) 250 DM. (Adv.)
Der Zeuge machte seine Aussage wider besseres Wissen und Gewissen.
Die Anordnung verstößt wider alles Recht und Herkommen.

gemäß (Dat.) (137, 1)

Die Übertragung erfolgte gemäß dem Gesetz, gemäß seinem Wunsche.
Den Gesetzesvorschriften gemäß wurde er angemessen entschädigt.

hinter (Dat./Akk.) (138)
Die Katze sitzt hinter dem Ofen und will nicht hinter ihm hervor. (D)
Fritz ist hinter seinen Mitschülern weit zurückgeblieben. (D)
Warte nur, ich komme noch hinter deine Geheimnisse! (A)
Dieser Bursche hat uns kräftig hinters Licht geführt. (A)
Es steckt nicht viel hinter seinen großen Worten. (D)

in (Dat./Akk.) (138)
Meine Angehörigen wohnen seit langer Zeit in Berlin. (D)
Ich gehe jetzt in den Garten, in den Wald, ins Haus. (A)
Wir wollen jetzt ins Kino gehen. (A) — Gestern war ich im Kino. (D)
Deine Worte haben mich tief ins Herz getroffen. (A)
Er vertiefte sich in das Buch, in seine Studien. (A)
Ich bin in großer Verlegenheit, Sorge, Not.
Er steht in aller Frühe auf, manchmal schon mitten in der Nacht. (D)
Die Arbeit ist bestimmt in acht Tagen, in einer Woche fertig.
In der Sache bin ich im wesentlichen derselben Meinung wie Sie. (D)
Im übrigen meine ich, daß die Vorteile in die Augen springen. (D, A)
Im Namen meines Chefs erkläre ich, daß wir im voraus zahlen. (D)

kraft, laut (Gen.) (136)
Der Beamte handelt kraft seines Amtes, kraft (des) Gesetzes.
Laut unseres Vertrages erhalte ich Honorar. auch: laut Vertrag.
Die Lieferung erfolgt laut unseren bekannten Zahlungsbedingungen. (D)

mit, samt (Dat.) (137, 1)
Der Schmied arbeitet mit Hammer und Amboß.
Ich fahre mit dem Zug, mit meinem Wagen.
Sie versteht die Kunst, mit wenigem auszukommen.
Das Schiff ging im Sturm mit seiner gesamten Besatzung unter.
Die Beschädigung kann nur mit Absicht erfolgt sein.
Er bestand die Prüfung mit Mühe und Not, mit Ach und Krach.
Sie erlernen die Umgangssprache mit der Zeit, mit Sicherheit.
Das Haus ist samt seinem Inventar, samt dem Lager gut versichert.

mittels (Gen.) (136)
Das Schloß wurde (ver)mittels eines Nachschlüssels geöffnet.
Der Vorfall wurde nur vermittels vieler Nachforschungen aufgeklärt.

n a c h — ü b e r

n a c h (Dat.) (137, 1)

Morgen fahre ich nach London, nach England, nach Afrika.
Gehen Sie nach dieser Seite; nach 200 m finden Sie das Geschäft!
Nach der Versammlung gingen wir sofort nach Hause.
Die Kunden wurden einer nach dem anderen, der Reihe nach bedient.
Die Kartei wurde nach dem Alphabet, nach den Geburtsdaten geordnet.
Meiner Meinung nach, nach meiner Ansicht ist das alles ganz anders.
Nicht alle Menschen streben nach Ansehen und Ruhm, nach Besitz.
Handeln Sie nach Belieben, nach Gutdünken, nach bestem Wissen!

n e b e n (Dat./Akk.) (138)

Er saß im Kino neben mir. (D) — Setz dich hier neben mich! (A)
Das Postamt liegt unmittelbar neben dem Rathaus. (D)
Haus nebst schönem Garten sehr preiswert zu verkaufen! (D)
Er kaufte sich ein Mikroskop nebst vielem Zubehör. (D) — vgl. samt.

o h n e (Akk.) (137, 5)

Er ist ohne (einen) festen Beruf, ohne Wohnung, ohne Obdach.
Ohne jeden Anlaß, ohne allen Grund fing er ein Streitgespräch an.
Ohne Fleiß kein Preis, ohne Kampf kein Sieg!

t r o t z (Gen. od. Dat.) (137, 2)

Die Buben gingen trotz des strengen Verbots schwimmen. (G)
Trotz meinem Verbot bist auch du gegangen! (D)
Man kann ihm trotz alledem nicht böse sein. (D)

ü b e r (Dat./Akk.) (138)

Die Lampe hängt über dem Tisch, über der Straßenkreuzung. (D)
Die Buben stiegen über den Zaun, über den Stacheldraht. (A)
Er trug einen dicken Mantel über seiner Jacke. (D)
Unsere Reise geht über das schöne Istanbul nach Kleinasien. (A)
Bei einer guten Ernte werden wir über den Berg sein! (A)
Seit einer Stunde schon sitze ich über dieser schweren Aufgabe. (D)
Über ein Weilchen, über Jahr und Tag werden wir uns wiedersehen. (A)
Die ganze Nacht über habe ich keine Ruhe finden können. (A)
Ich freue mich über diesen Erfolg. Bist auch du froh darüber? (A)
Es waren über (= mehr als) 60 Zeugen geladen. (Adv.)

um   (Akk.)   (137, 5)

Die Erde dreht sich um die Sonne und außerdem um ihre Achse.
Er ging um das Problem herum wie die Katze um den heißen Brei.
Der Zug fährt um vier Uhr ab, läuft um 9 Uhr 10 ein.
Die Kinder stritten sich um einen Bleistift, um einen Sitzplatz.
Du wirst deinen Lehrer um Verzeihung bitten!
Wir haben unsere Preise um die Hälfte herabgesetzt.
Sie haben sich um 7 DM in der Rechnung geirrt!
Durch Fehlplanungen kam er um sein Vermögen, um seinen Besitz.
Er hoffte einen Tag um den anderen auf Genesung.

um...willen   (Gen.)   (136)

Um des lieben Friedens willen solltet ihr euch versöhnen!
Du solltest dein Leben um deiner alten Eltern willen ändern!

ungeachtet   (Gen.)   (136)

Ungeachtet aller Warnschilder raste der Fahrer in die Kurve.
Meines Rates ungeachtet hast du wieder denselben Fehler gemacht.

unter   (Dat./Akk.)   (138)

Der Hund sitzt unter dem Tisch, unter der Bank. (D)
Man kann nicht alle Menschen unter einen Hut bringen! (A)
Der Boden schwankte unter seinen Füßen. (D)
Das Haus ist bis unters Dach verschuldet. (A)
Unter Geschrei und Lärm liefen die Kinder auf die Straße. (D)
Unter dem Eindruck der Nachricht brach er völlig zusammen. (D)
Er brachte das Gerücht schnell unter die Leute. (A)
Auch wir waren unter den Zuschauern des Wettspiels. (D)
Sie schreiben uns unter dem 10. d. M., daß ... (D)
Unter (= weniger als) drei Wochen dauert die Kur nicht. (Adv.)

unweit   (Gen.)   (136)

Die Unterkunftshütte liegt unweit (unfern) des Wasserfalls.

vermöge   (Gen.)   (136)

Es ist vermöge seiner amtlichen Stellung immer gut unterrichtet.
Vermöge ihres großen Fleißes erzielte sie bedeutende Erfolge.

von — wegen

| *v o n* | (Dat.) | (137, 1) |

Das Kind fiel vom Stuhl. — Der Reiter stieg vom Pferd.
Ich komme gerade von der Arbeit, vom Amt, vom Zahnarzt.
Das Geschenk kommt von ganzem Herzen. — Bist du von Sinnen?
Seine Behauptungen sind von Anfang bis (zu) Ende erlogen.
Lange habe ich keine Nachrichten mehr von ihm erhalten.
Der König von Griechenland. Der Kaiser von Japan.
Viele von meinen Freunden sind bereits gestorben.
Wir bewohnen eine Wohnung von drei Zimmern in einer Stadt von zunehmender Bedeutung; sie wächst von Jahr zu Jahr.
Er ist ein Mann von hohem Wuchs, von Ehre, von Charakter.
Wir machen eine Pause von zehn Minuten.
Ich bin müde von all diesem Gerede, erschöpft vom Zuhören.
Er ist blind von Kindheit an, von Kindesbeinen an.
Vom 1. Januar an erhöhen sich die Straßenbahntarife.
Von München aus werde ich einen Abstecher in die Alpen machen.
Von Rechts wegen müßtest du jetzt streng bestraft werden. (G)

| *v o r* | (Dat./Akk.) | (138) |

Lege den Kranz vor das Denkmal! (A)
Vor dem Haus stehen Bäume. (D)
Das Schiff liegt vor Anker. (D) — Er gehört vor den Richter. (A)
Der Schlaf vor Mitternacht ist der beste. (D)
Es kann vor Nacht leicht anders werden, als es am frühen Morgen war.
Vor vierzehn Tagen schon ist der Brief abgesandt worden. (D)
Diese Nacht habe ich vor Schmerzen nicht geschlafen. (D)
Sie weinte vor Freude, vor Zorn, vor ohnmächtiger Wut. (D)
Nur Kinder erschrecken vor dem schwarzen Mann. (D)
Hüten Sie sich, bewahren Sie sich vor Leichtgläubigkeit! (D)

| *w ä h r e n d* | (Gen.) | (136) |

Während des Krieges lebten wir zurückgezogen auf dem Land.
Die Kinder besuchten während dieser Zeit die Dorfschule.

| *w e g e n* | (Gen.) | (136) |

Meiner Erkrankung wegen konnte ich euch nicht früher schreiben.
Wegen Motorschadens wurde die Fahrt unfreiwillig unterbrochen.
Verständigen Sie wegen des Vorkommnisses den Chef! Meinetwegen!

zu, zufolge (Dat.) (137, 1, 2)
Johann Wolfgang Goethe wurde zu Frankfurt a. M. geboren.
Morgen bin ich nicht zu Hause. — Kommen Sie zu mir ins Büro!
Bis zur Haltestelle sind es noch zehn Minuten.
Gehen Sie zur Vorlesung, zu der Veranstaltung heute abend?
Zum Glück, zu seinem Glück befolgte er den Rat.
Er kaufte Stoff zu 40 DM das Meter, zu einem Spottpreis.
Die Stadt war zu Ehren des hohen Gastes geflaggt.
Der Verbrecher wurde zu lebenslänglichem Zuchthaus verurteilt.
Der Kranke wurde von Tag zu Tag, von Stunde zu Stunde schwächer.
Seinem Letzten Willen zufolge wurde er in der Stille bestattet. (D)
Zufolge seines Letzten Willens fällt sein Vermögen den Armen zu. (G)

zwischen (Dat./Akk.) (138)
Das Hochland erstreckt sich zwischen den Alpen und der Donau. (D)
Legen Sie größeren Zwischenraum zwischen die Zeilen! (A)
Man kann die Wahrheit zwischen den Zeilen lesen. (D)
Stecke diese Broschüre zwischen die Bücher dort auf dem Brett! (A)

§ 140. Verschmelzung von Präposition und Artikel

1. Einige Präpositionen können mit dem bestimmten Artikel zusammengezogen werden (73, 6):
   mit dem Dativ *dem*: am, beim, hinterm°, im, überm°, unterm°, vom, vorm°, zum; — mit dem Dativ *der*: zur.
   mit dem Akkusativ *das*: ans, aufs, durchs, fürs, hinters, ins, übers, ums, unters°, vors°;
   mit dem Akkusativ *den*: hintern°, übern°, untern°.
2. In manchen Ausdrücken ist die Verschmelzung unauflösbar.
3. Es darf nicht verschmolzen werden, wenn der Artikel betont demonstrativ ist, etwa auf einen folgenden Gliedsatz hinweist.

B: *zu 1: Dieser Mensch hat mich kräftig hinters Licht geführt. Hinterm Berg, hinterm Berg brennt es in der Mühle!*
zu 2: Frankfurt am Main, am Montag, nicht mehr am Leben sein, Hand aufs Herz, die Hand im Spiel haben, mitten im Frieden, ins Hintertreffen geraten, zur Veranlassung nehmen u. a.
zu 3: an dem Montag, an dem ich meinen Urlaub antrat ...

IX. Die Konjunktion (Das Bindewort)

§ 141. 1. WESEN UND BILDUNG DER KONJUNKTIONEN

1. Die Konjunktionen verknüpfen Sätze oder Satzglieder miteinander und stellen zwischen ihnen ein gedankliches Verhältnis her.
2. Konjunktionen sind als Partikeln u n v e r ä n d e r l i c h.
3. Nach ihrer B i l d u n g gliedern sich die Konjunktionen in:
    a) u r s p r ü n g l i c h e:
    und, auch, dann, denn, doch, so, wenn u. a.;
    b) a b g e l e i t e t e:
    ferner, erstens, übrigens u. a.;
    c) z u s a m m e n g e s e t z t e:
    endlich, gleichwohl, obschon, vielmehr, wiewohl; darum, deshalb, dessenungeachtet, somit, überdies u. a.;
    als auch, als ob, bis daß, sondern auch;
    d) m e h r g l i e d r i g e:
    entweder ... oder, teils ... teils, weder ... noch, erstens ... zweitens ... drittens, sowohl ... als auch u. a.
4. Ebenso wie die eigentlichen Konjunktionen werden auch die sog. K o n j u n k t i o n a l a d v e r b i e n gebraucht:
wo, da; woher, daher; wohin, dahin; wann, dann; warum, darum; wodurch, dadurch; wozu, dazu u. a. (117, 4)

B : zu 1 : Die Bedeutung der Konjunktionen ergibt sich aus folgender Gegenüberstellung einiger Sätze o h n e und m i t Konjunktionen:

Gestern erhielten wir Ihre Warensendung. Die Rechnung lag bei. Wir prüften den Inhalt der Kiste. Wir verglichen ihn mit der Rechnung. Die Rechnung stimmte mit der Sendung nicht überein. Sie entsprach nicht unserer Bestellung. Die Waren selbst waren nicht die bestellten. Wir teilen Ihnen dies mit. Wir vermuten ein Versehen Ihrer Versandabteilung. Wir bitten um Aufklärung.

N a c h d e m wir gestern Ihre Warensendung mit beiliegender Rechnung erhalten hatten, prüften wir die Kiste, w o b e i wir leider feststellten, d a ß die Rechnung w e d e r mit der Sendung n o c h mit unserer Bestellung übereinstimmte. A u c h der Kisteninhalt selbst entspricht nicht unserer Bestellung, s o d a ß wir ein Versehen Ihrer Versandabteilung annehmen müssen. Wir teilen Ihnen dieses mit u n d bitten um umgehende Aufklärung.

2. DIE ARTEN DER KONJUNKTIONEN

§ 142. Übersicht

1. Ihrer i n n e r e n Bedeutung nach
lassen sich die Konjunktionen unter folgende Grundbegriffe ordnen:
    a) A n r e i h u n g oder äußerliche Verknüpfung,
    b) E n t g e g e n s e t z u n g,
    c) A u s s c h l i e ß u n g,
    d) O r t s - und Z e i t v e r h ä l t n i s s e,
    e) Verhältnisse der A r t u n d W e i s e,
    f) u r s ä c h l i c h e Verhältnisse,
    g) g r a m m a t i s c h e Verhältnisse.
2. Nach ihrer g r a m m a t i s c h e n Bedeutung
für Satzbau und Wortfolge gliedern sich die Konjunktionen in:
    a) n e b e n o r d n e n d e (koordinierende) und
    b) u n t e r o r d n e n d e (subordinierende) Konjunktionen;
manche werden sowohl neben- als auch unterordnend gebraucht.

§ 143. Verhältnisse der Anreihung

1. Verhältnisse der Anreihung und äußerlichen Verknüpfung werden n u r durch n e b e n o r d n e n d e Konjunktionen ausgedrückt.
2. Die wichtigsten a n r e i h e n d e n Konjunktionen sind: (nur nebenordnende): *und, auch, wie, sowie, zudem, außerdem, desgleichen, sowohl ... als auch, nicht nur ... sondern auch, weder ... noch; erst, dann, ferner, weiter, hernach, zuletzt, endlich.*
3. Zu ihnen rechnen auch die e i n t e i l e n d e n Konjunktionen: (nur nebenordnende): *teils ... teils, halb ... halb, einerseits ... ander(er)seits, erstens ... zweitens ...; zum ersten* usw.

B : zu 2 : *Ich habe ihm ein Telegramm geschickt u n d a u ß e r d e m den Inhalt des Telegramms brieflich wiederholt. Mein Vater hat mir ein Fahrrad gekauft; a u c h hat er mir eine Lichtmaschine dazu versprochen. S o w o h l e r a l s a u c h seine Frau sprechen fließend Französisch. W e d e r e r n o c h seine Frau hat den Vorfall beobachtet. E r s t wurde über die Bedeutung des Komponisten gesprochen, h e r n a c h wurde gemeinsam musiziert.*

z u 3 : *Die Dorfbewohner sind t e i l s Bauern, t e i l s Arbeiter.*

**§ 144. Verhältnisse der Entgegensetzung und der Ausschließung
Orts- und Zeitverhältnisse — Verhältnisse der Art und Weise**

1. Verhältnisse der E n t g e g e n s e t z u n g werden meist, Verhältnisse der A u s s c h l i e ß u n g werden immer durch nebenordnende Konjunktionen ausgedrückt.
2. Für Verhältnisse des O r t e s, der Z e i t, der A r t u n d W e i s e stehen neben- o d e r unterordnende Konjunktionen.
3. Die wichtigsten e n t g e g e n s e t z e n d e n Konjunktionen sind:
   a) nebenordnend: *aber, allein, doch, jedoch, dennoch, dagegen, hingegen, indes, nichtsdestoweniger, gleichwohl, freilich, übrigens, nur, hinwieder(um)°; nicht ... sondern (vielmehr);*
   b) unterordnend: *wohingegen, während* (s. unten 6 b).
4. Als a u s s c h l i e ß e n d e Konjunktionen werden gebraucht: (nur nebenordnende): *oder, entweder... oder, sonst, andernfalls, widrigenfalls, im andern Falle.*
5. Als o r t s b e s t i m m e n d e Konjunktionen werden gebraucht:
   a) nebenordnend: die Konjunktionaladverbien *da, daher, dahin* u. a.;
   b) unterordnend: die Konjunktionaladverbien *wo, woher, wohin.*
6. Als z e i t b e s t i m m e n d e Konjunktionen werden gebraucht:
   a) nebenordnend:
   (zum Ausdruck der Gleichzeitigkeit): *da, indessen, zugleich* u. a.;
   (zum Ausdruck der Vorzeitigkeit): *zuvor, eher, vorher* u. a.;
   (zum Ausdruck der Nachzeitigkeit): *dann, darauf, hernach* u. a.;
   b) unterordnend:
   (zum Ausdruck der Gleichzeitigkeit):
   wenn, als, da, wie, indem, indes(sen), während, solange, sooft;
   (zum Ausdruck der Vor- oder der Nachzeitigkeit):
   ehe, bevor, bis, bis daß; nachdem, seit, seitdem u. a. (191, 4, 5)
7. Konjunktionen zur Bezeichnung der A r t u n d W e i s e sind:
   a) nebenordnend:
   (vergleichend): *so, so ... wie, wie, als, also, ebenso, genauso;*
   (gradmessend): *ja, geradezu;*
   (das Gleichmaß angebend): *um so, desto;*
   b) unterordnend:
   (den Begleitumstand angebend): *indem;* [*als (wie) wenn*
   (vergleichend): *wie, gleichwie, so wie, als, als ob, gleich als ob,*
   (das Gleichmaß angebend): *je ... je° (desto, um so); je nachdem.*

B: zu 3: Man hoffte allgemein auf eine gute Ernte; **allein** man fand sich darin getäuscht. Man setzte große Erwartungen in ihn, wurde darin **aber** sehr enttäuscht. Er ist ein tüchtiger Geschäftsmann, **aber** sein Bruder taugt nicht viel ... **wohingegen** sein Bruder nicht viel taugt. Jener Mann hat Übermenschliches geleistet; **freilich** hat er seine Gesundheit dabei zugrunde gerichtet. In seinen letzten Lebensjahren war Schiller schon schwer krank; **nichtsdestoweniger** schuf er noch bedeutende Werke ..., schuf **nichtsdestoweniger aber** noch bedeutende Werke.

zu 4: Ich kann den Unterricht **entweder** in **oder** außer dem Hause geben. **Entweder** wirst du meinen Vorschlag annehmen, **oder** unsere Freundschaft ist beendet. Der Brief enthielt keine Zusage, **sondern** eine Absage. Sie befolgte meinen Rat **nicht**, **sondern** ging ihrer eigenen Wege. Die Steuern sind pünktlich abzuführen, **widrigenfalls** Verzugszinsen berechnet werden ..., **sonst** werden Zinsen berechnet.

zu 5: Kennst du das Land, **wo** die Zitronen blühn? **Dahin** möcht ich mit dir, o mein Geliebter, ziehn. An des Heimatflusses Borden, **wo** die Linden überhangen, bin ich manches Mal gegangen. Wo rohe Kräfte sinnlos walten, **da** kann sich kein Gebild gestalten. Wo man singt, **da** laß dich ruhig nieder!

zu 6: Der Fuhrmann spannte die Pferde an, **indessen** die Knechte den Wagen noch beluden..., **indessen** beluden die Knechte den Wagen. Ich werde mit dir ausgehen, **zuvor** muß ich aber noch diesen Brief beenden. Sie war im vergangenen Jahre sehr krank; **seitdem** hat sie ihre alte Fröhlichkeit nicht wieder erlangt. **Seit(dem)** er nicht mehr raucht, fühlt er sich gesundheitlich wohler. Der Förster verließ das Haus, **ehe** es Tag wurde. **Als** die Frau das Geschäft betrat, hatte sie ihren Regenschirm noch bei sich. **Als** sie ihn später brauchte, **da** vermißte sie ihn.

zu 7: **So** gern ich Ihnen helfen möchte, **so** unmöglich ist es mir. Sie ist **so** alt **wie** ich; er ist älter **als** wir beide. **Je** lauter du sprichst, **um so** weniger (**je°** weniger) hört man dir zu ..., **desto** weniger hört man zu. Die Mutter liebte ihr Kind **geradezu** abgöttisch. **Um so** schlimmer für es! Er ist ein hochbegabter, **ja geradezu** genialer Mann. Das Kind schrie, **als wenn** es am Spieße stäke. Nach dem Vorfall tat er, **als ob** nichts gewesen wäre. Ich muß Ihre Forderungen ablehnen, **ja** zurückweisen.

§ 145. Ursächliche Verhältnisse — Grammatische Verhältnisse

1. **Ursächliche** Verhältnisse können durch **neben-** oder durch **unterordnende** Konjunktionen ausgedrückt werden.
2. Als Konjunktionen zur Bezeichnung **ursächlicher** Verhältnisse werden gebraucht:
   a) nebenordnend:
      (begründend): *denn, nämlich, ja, doch;*
      (folgernd): *also, folglich, infolgedessen, mithin, somit, sonach, demnach, daher, darum, deswegen, deshalb;*
      (zwecklich): *dazu, darum;*
      (bedingend): *sonst, andernfalls;*
      (den fehlenden Grund angebend): *geschweige, geschweige denn;*
      (einräumend): *zwar (wohl) ... aber (allein, (je)doch); trotzdem;*
      (einschränkend): *insofern, insoweit;*
   b) unterordnend:
      (begründend): *weil, da, zumal, zumal da, nun, wo doch;*
      (folgernd): *daß, so daß, als daß, weshalb, weswegen;*
      (zwecklich): *damit, daß, auf daß°; — um zu;*
      (bedingend): *wenn, falls, im Falle, sofern, wofern, wo nicht;*
      (den fehlenden Grund angebend): *ohne daß, geschweige daß, kaum daß, statt daß, anstatt daß; — ohne zu; anstatt zu;*
      (einräumend): *obgleich, obschon, obwohl, ob auch, wenn auch, wenngleich, wennschon, wiewohl, trotzdem, ungeachtet, wo;*
      (einschränkend): *sofern, soweit, wiefern, soviel, nur daß;*
      (das Mittel angebend): *indem; dadurch, daß; damit, daß.*
3. Zur Bezeichnung **grammatischer** Verhältnisse werden die **unterordnenden** Konjunktionen *daß* und *ob* gebraucht.

B: zu 2a: *Ich wollte eingehend mit Ihnen sprechen,* **deshalb** *bin ich so früh gekommen. Sie haben Ihre Steuererklärung nicht rechtzeitig abgegeben,* **mithin** *(also, folglich, darum) haben Sie sich strafbar gemacht. Ihr Einkommen übersteigt die Steuerfreigrenze,* **demnach** *(also, folglich, deshalb) sind Sie steuerpflichtig (177).*
zu 2b: *Es bleibt bei unseren Abmachungen,* **sofern** *nicht neue Gesetze einige Änderungen nötig machen. Er ließ von seiner Faulheit nicht ab,* **obwohl** *er oft ermahnt wurde. Sie antwortete nicht,* **geschweige daß** *sie mit der Wimper zuckte (193—195).*
zu 3: **Daß** *du gekommen bist, freut mich. Es ist gut,* **daß** *er endlich geantwortet hat. — Ich weiß nicht,* **ob** *sie kommt (182, 3; 184, 2).*

3. DER GEBRAUCH DER KONJUNKTIONEN

§ 146. Der Einfluß der Konjunktionen auf die Wortfolge

1. Die echten nebenordnenden Konjunktionen *und, oder, allein, indes, sondern, denn* sind keine Satzglieder, stehen immer am Anfang des durch sie eingeleiteten Satzes oder Satzgliedes und dulden keine anderen Konjunktionen vor sich; sie haben keinen Einfluß auf die Wortfolge.
2. Insbesondere gilt die Umstellung nach *und* heute als sprachwidrig.
3. Die nebenordnenden Konjunktionen *aber* und *nämlich* können vor oder in dem Satze (Satzglied) stehen, veranlassen aber niemals Umstellung; sie sind keine Satzglieder.
4. Die übrigen nebenordnenden Konjunktionen wirken wie adverbiale Bestimmungen, veranlassen also, wenn sie an die Spitze des Satzes treten, immer Umstellung.
5. Die Konjunktionen *doch, jedoch, entweder, also, indes(sen)* stehen aber auch mit Grundstellung und nähern sich so dem Gebrauch der echten Konjunktionen.
6. Oft stehen zwei nebenordnende Konjunktionen nebeneinander.
7. Die unterordnenden Konjunktionen stehen immer an der Spitze des Gliedsatzes und fordern in diesem die Wortfolge des Gliedsatzes (E). A: 180, 1.

B: zu 1: *Jedermann erwartete eine Entspannung der Lage; allein sie trat nicht ein. Über diese Frage läßt sich nicht viel sagen; denn alle Voraussetzungen sind noch ungeklärt.*

zu 2: (nach heutigem Sprachgebrauch nicht mehr möglich): *Der König führte das Mädchen in sein Schloß, und war es nun die Frau Königin und lebten sie lange vergnügt zusammen* (Grimm).

zu 3: *Ich würde euch gerne mehr schreiben; aber meine Zeit erlaubt es nicht ..., meine Zeit erlaubt es aber nicht.*

zu 4: *Er ist mehrmals auf den Termin hingewiesen worden, trotzdem hat er ihn nicht eingehalten.*

zu 5: *Er ist sehr begabt; jedoch mangelt es ihm am nötigen Fleiß. ..., jedoch es mangelt ihm am nötigen Fleiß.*

zu 6: *und (aber, oder, denn) + auch; — und (aber, oder, denn) + doch. Er war gewarnt, und doch ließ er sich nicht belehren.*

zu 7: *Ich fand Ihren Brief vor, als ich aus meinem Urlaub zurückkam. Weil ich beunruhigt war, fragte ich gleich.*

§ 147. Die Anwendung der wichtigsten Konjunktionen und als Konjunktionen gebrauchten Wörter

aber — als
***

aber   (144, 3a; 146, 3; 176, 2a)
Die Meldung wurde im Radio gebracht, a b e r sie stimmt nicht.
Die Zeitungen verbreiteten die Nachricht; sie ist a b e r falsch.
Karl ging in das Examen, bestanden a b e r hat er nicht. (U)
Der Roman ist lesenswert, a b e r unmäßig dick und teuer.
verstärkend: aber auch, aber trotzdem; aber freilich, aber ja u. a.:
Bitte deinen Vater um Erlaubnis, a b e r j a noch heute! (144, 7; 146, 6)
aber doch (dennoch) wirkt verstärkend in verneinenden Sätzen:
Er hat viel fürs Examen gearbeitet, a b e r d o c h nicht genug.
Auch Emil war gut vorbereitet, hat a b e r d e n n o c h versagt.
wohl aber wirkt verstärkend, meist nach einem verneinenden Satz:
Lilly ist nicht besonders begabt, w o h l a b e r fleißig.
vgl.: Sie ist w o h l (= zwar) fleißig, a b e r nicht begabt.
zwar ... aber, zwar ... doch u. ä. mildern den Gegensatz etwas:
Das Buch ist z w a r gehaltvoll, a b e r schwer geschrieben.

allein   (144, 3a; 146, 1; 176, 2a)
ist stärker als aber und meist in gehobener Sprache zu finden:
Ich bät euch, länger hierzubleiben, a l l e i n es ist eine gar zu böser Ort! — Er dünkt sich weise, a l l e i n er irrt!

als (temporal)   (144, 6b; 146, 7; 191)
Er war noch nicht auf dem Bahnsteig, a l s der Zug einfuhr.
A l s unsere Gäste ankamen, warteten wir schon an der Gartentür.

als (vergleichend)   (144, 7b; 146, 7; 192, 2)
Dein Rock ist besser a l s meiner und teurer, a l s ich dachte.
Ihre Neuigkeiten sind alles andere a l s erfreulich.
Er sieht aus, a l s hätte er schwere Sorgen. (U) (192, 3)
als fügt auch Attribute, Appositionen und Komplemente an (164, 8; 152, 7): sein Ruf als Arzt, dein Freund, als dein Berater und Helfer.
Er ertrug sein Schicksal a l s stiller Dulder.
gleich(sam) verstärkt das vergleichende als (192, 3), bewirkt im Gliedsatz U und verlangt den Konjunktiv einer Präteritalform:
Er geht, g l e i c h s a m a l s hätte er einen Stock verschluckt.

als ob (144, 7b; 146, 7; 192, 3)
(auch: *als wenn, wie wenn*) kann ebenfalls durch vorgesetztes *gleich-
(sam)* verstärkt werden, bewirkt aber Endstellung:
Ihre Wirtin umhegt Sie, g l e i c h a l s o b sie Ihre Mutter wäre.

also (145, 2a; 146, 5; 177, 2b; 179, M)
*Ich bin selbst in Geldverlegenheit, kann ihm a l s o nicht helfen.
Ich hatte selbst große Verluste, a l s o kann ich ihm nicht helfen.
A l s o der Motor versagt, böse Sache das!*

(a n)s t a t t (145, 2b; 146, 7; 200, 4)
verlangt einen Infinitiv mit *zu;* anders aber *(an)statt daß:*
*Er sollte lieber studieren, a n s t a t t nur herumzubummeln.
S t a t t d a ß er immer im Café sitzt, sollte er lieber studieren.*

b e v o r (= e h e) (144, 6b; 146, 7; 191, 6)
*B e v o r ich in der Sache urteile, muß ich alle Umstände kennen.
Ich muß den Sachverhalt kennen, e h e ich mir ein Urteil erlaube.*
zuvor und *eher* leiten Hauptsätze ein, meist nachgestellte (175, 6b):
*Ich kann das nicht beurteilen; z u v o r muß ich Näheres wissen.
Ich muß die Umstände kennen; e h e r kann ich nicht urteilen.*

b i s (144, 6b; 146, 7; 191, 6)
*Wir bleiben hier im Gasthof, b i s sich das Wetter aufklärt.
B i s das Gewitter vorüber war, saßen wir in dem Gasthaus.*

d a (begründend) (145, 2b; 146, 7; 193, 2)
steht richtig, wenn sich *bekanntlich* oder *ja* ergänzen ließe;
weil steht, wenn etwas bis dahin Unbekanntes ausgesagt wird:
*D a das Alpenklima rauh ist, müssen Sie warme Kleider mitnehmen.
Im Gebirge froren wir sehr, w e i l unsere Kleider zu dünn waren.*

d a d u r c h (145, 2)
leitet einen nachgestellten Hauptsatz ein, *dadurch daß* einen voran-
gestellten Gliedsatz; *dadurch, daß* kommt auch getrennt vor:
*Ein Zug entgleiste; d a d u r c h wurde die Strecke blockiert.
D a d u r c h d a ß ein Zug entgleiste, wurde die Strecke blockiert.
Die Strecke wurde d a d u r c h blockiert, d a ß ein Zug entgleiste.*
entsprechend: *damit* (instrumental), ebenso *damit, daß* (Komma!):
D a m i t, d a ß er jeden Rat mißachtet, schadet er sich sehr.

damit — entweder ... oder

damit (final) (145, 2b; 146, 7; 193, 4)
Ich gebe Ihnen diesen Rat, d a m i t Sie ihn auch bedenken!
D a m i t er aufgeklärt wird, erhält er diese Prospekte.

dann (144, 6a; 146, 4; 175, 6b)
ist zunächst temporal und wirkt von dorther auch folgernd:
E r s t schreibe ich diesen Brief, d a n n gehen wir spazieren.
Tue recht und scheue niemand, d a n n wird es dir gutgehen!
Bemühen Sie sich nur; es wird Ihnen d a n n a u c h gelingen!

daß (145, 2; 146, 7)
wird allein oder mit anderen Wörtern verbunden oft gebraucht:
in Subjektsätzen: *D a ß Kurt kränkelt, bekümmert mich.* (182, 3)
E s betrübt mich, d a ß Sie den Fall nicht ernst nehmen. (182, 6)
in Objektsätzen: *Ich weiß, d a ß Sie viel leisten.* (184, 2)
Sorgen Sie d a f ü r , d a ß das so bleibt! (S. 156, M)
in der indir. Rede: *Herr Uhl teilt mit, d a ß er umzieht.* (185, 3)
häufige Verbindungen: *als daß* (145, 2b; 196, 2); *(an)statt daß* (145, 2b); *ausgenommen, daß; außer daß = nur daß* (145, 2b; 195, 3); *kaum daß* (191, 4); *ohne daß* (145, 2b); *es sei denn, daß* (194, 4); *im Falle, daß* (194, 1); *mit der Einschränkung, daß* (195, 3); *unter der Bedingung, daß* (194, 1) und andere.
Wagen Sie den Versuch, n u r d a ß Sie besonders vorsichtig sind!

denn (145, 2a; 146, 1 ; 177, 2a)
leitet einen nachgestellten Hauptsatz ein, *weil* einen Gliedsatz:
Der Chef kommt heute nicht; d e n n er ist krank.
Er kommt heute nicht, w e i l er krank ist. (145, 2b; 146, 7; 193, 2)
W e i l er mit Fieber zu Bett liegt, muß er leider fehlen. — Vgl. *da*.

deshalb (145, 2a; 146, 4; 177, 2b)
Es stürmt, d e s h a l b (= deswegen, darum) bleiben wir zu Hause.
Er sagt d e s h a l b nein, w e i l das so seine Gewohnheit ist.

doch (144, 3a; 146, 5; 176, 2d)
Mein neuer Wagen gefällt mir, (j e)d o c h verlangt er viel Öl.
Der neue Wagen ist schön; (j e)d o c h er verbraucht viel Benzin.

entweder ... oder (144, 4; 146, 1; 176, 2c)
Ein Parallelogramm ist e n t w e d e r recht- o d e r schiefwinklig.
E n t w e d e r Sie kündigen, o d e r ich kündige Ihnen!

falls (145, 2b; 146, 7; 194, 1)
Falls (= wenn) die Antwort ausbleibt, müssen wir rückfragen.
Im Falle, daß die Ware ausbleibt, müssen wir anmahnen.
Gesetzt den Fall, daß er leugnet, wird ihm gekündigt.

indes (144, 3a; 146, 1; 176, 2d)
Die Reklame kostete Millionen, indes die Ware blieb liegen.
Die Saat stand gut, indes die Ernte enttäuschte die Erwartungen.

indessen (144, 6a; 146, 4, 5; 175, 6b; 191, 3)
= inzwischen, unterdessen, währenddessen, währenddem:
Mutter richtet das Essen an, indessen deckt Elli den Tisch.

nur (144, 3a; 146, 4; 176, 2a)
Ich möchte das Buch gerne lesen, nur fehlt mir die Zeit dazu.
Unser Buchhalter ist keineswegs unfähig, nur faul.

ob (145, 3; 146, 7; 187, 7)
Sind Sie sich darüber schlüssig, ob Sie den Brief beantworten?
Ob ich die Versammlung besuche, weiß ich jetzt noch nicht.

obwohl (145, 2b; 146, 7; 195, 1)
Obwohl ich am Erfolg zweifle, wollen wir den Versuch wagen.
Wir wollen das Wagnis eingehen, obwohl manches dagegen spricht.
Obgleich er sich nicht wohl fühlte, ging er doch zur Arbeit.

oder (144, 4; 146, 1; 176, 2c; 204, 8)
Unsere Vertreter müssen werben, oder der Absatz wird sinken.
Sein oder Nichtsein, das ist hier die Frage.
Ich weiß nicht, ob ich hingehe oder der Chef die Firma vertritt.

ohne, ohne daß (145, 2b; 146, 7; 196)
Er hörte die Anklage, ohne mit der Wimper zu zucken.
Alles nahm er hin, ohne daß er sich verteidigt hätte.

seit (144, 6; 175, 6b; 191, 4)
leitet nur Gliedsätze ein, seitdem Gliedsätze oder Hauptsätze:
Seit(dem) ich das Buch habe, benutze ich es fast täglich.
Mutter ist verreist; seitdem fühlen wir uns verwaist.

so (144, 7a; 146, 4; 177, 2b)
Es regnete stark, so mußten wir eben zu Hause bleiben.
Hilf dir selbst, so hilft dir Gott!

s o d a ß — w ä h r e n d

s o d a ß (145, 2b; 146, 7; 196, 1)
Alle Versuche scheiterten, *s o d a ß* niemand mehr Rat wußte.
Die Sache war *s o* (= derart) ernst, *d a ß* die Polizei grufen wurde.

s o f e r n (145, 2; 177, 2e; 194, 4; 195, 3)
sofern = soweit leitet Glied-, insofern = insoweit Hauptsätze ein:
Ich will Ihnen gerne beistehen, *s o f e r n* ich irgend kann.
S o w e i t es in meiner Macht steht, will ich Ihnen helfen.
Der Vorfall ist nun aufgeklärt; *i n s o w e i t* ist alles klar.

s o n d e r n (144, 3a; 146, 1; 176, 2b)
setzt eine Satz- oder Satzgliedverneinung voraus:
Er hält das nicht nur für schlecht, *s o n d e r n* nennt es falsch.

t r o t z d e m (145, 2b; 146, 4; 177, 2d)
sollte man nur gebrauchen, um *n a c h* gestellte Hauptsätze einzuleiten:
Diese Regel wird nicht immer beachtet, *t r o t z d e m* gilt sie.
Gliedsätze leite man mit obwohl, obgleich, obschon ein:
O b w o h l die Regel gilt, wird sie nicht immer beachtet.
O b g l e i c h die Regel nicht immer beachtet wird, gilt sie.

u m (145, 2b; 193, 6)
verlangt einen Infinitiv mit zu (vgl. ohne und *(an)statt*):
Prägen Sie sich das ein, *u m* es für immer *z u* behalten!
U m Erfolg *z u* haben, müssen Sie alle Kräfte einsetzen!

u m s o m e h r , a l s (144, 7; 146, 7)
Arbeiten Sie ernstlich, *u m s o m e h r , a l s* Ihr Examen naht!
Glaube ihr nicht, *u m s o w e n i g e r , a l s* sie aus Ärger spricht!

u n d (143, 2; 146, 1; 175; 204, 8)
Ach Gott! die Kunst ist lang, *u n d* kurz ist unser Leben!
auch folgernd: Kehre zurück, *u n d* alles ist wieder gut!
Denken Sie nur darüber nach, *u n d* Sie werden es einsehen!

w ä h r e n d (temporal) (144, 6b; 146, 7; 191, 3)
Der Vorfall ereignete sich, *w ä h r e n d* ich abwesend war.
W ä h r e n d ich im Büro bin, wird das Telefon dorthin umgestellt.

w ä h r e n d (adversativ) (144, 3b; 146, 7)
Dein Buch ist verwirrend, *w ä h r e n d* meines hier klar ist.
Dort komme ich nicht zurecht, *w ä h r e n d* es mir hier gelingt.

weder...noch (143, 2; 146, 4; 175, 5)
Die Zeitung ist *weder* gut geleitet, *noch* ist sie gut gedruckt.
Sein Aufsatz ist *weder* gründlich *noch* gut geschrieben.
Weder kenne ich den Mann, *noch* habe ich je von ihm gehört.

wenn (temporal) (144, 6b; 146, 7; 191, 3, 4)
Wenn ich mit meinem Wagen losfahre, prüfe ich die Bremsen.
Auch die Lichtanlage prüfen, *wenn* Sie ihn aus der Garage holen!
Wenn ich in die Werkstatt komme, lasse ich sie überprüfen.

wenn (konditional) (145, 2b; 146, 7; 194, 1)
Wenn die Bremsen nicht funktionieren, werden Menschen gefährdet.
Nicht anders ist es, *wenn* die Lichtanlage versagt. Vgl. *falls*.
Wenn Sie das immer beachten, ersparen Sie sich viel Kummer.

außer wenn (145, 2b; 146, 7; 194, 4; 195, 3)
Reisen mache ich mit dem Wagen, *außer wenn* Glatteis ist.
Wenn nicht Nebel ist, fahre ich mit dem Wagen.
Ich fahre gern, *es sei denn, daß* schlechtes Wetter wäre.

wie (144, 7; 164, 8; 192, 2)
Autofahren ist nicht so leicht, *wie* ich mir das vorgestellt hatte.
Wie Ihnen schon mitgeteilt wurde, leisten wir keinen Schadenersatz.
Meine Frau *ebenso wie* (= wie auch) mein Sohn fahren gut.
Im Wagen liegt Zubehör, *wie* Ersatzreifen, Wagenheber und Werkzeug, auch Putzmittel und Putzlappen.

wo (lokal) (144, 5b; 146, 7; 190, 1, 3)
Ich weiß wirklich nicht, *wo* sich der Mann jetzt aufhält.
Also kann ich Ihnen nicht sagen, *wohin* der Brief zu richten ist.
Woher soll ich das alles wissen, das frage ich Sie.

wo (konzessiv) (145, 2b; 146, 7; 195, 1)
Seinen Mißerfolg bedaure ich, *wo* er sich doch so bemüht hat.
Wie konnte das nur geschehen, *wo* er doch gut beraten war?
Wo er sich so angestrengt hat, hätte das nicht geschehen dürfen.

zumal (145, 2b; 146, 7; 193, 2)
Man muß Mitleid mit ihm haben, *zumal da* er auch krank ist.
Hier ist jede Hilfe schwer, *zumal* er unzugänglich ist.

zwar (145, 2a; 146, 4; 195, 1)
Zwar weiß ich viel, *doch* möcht' ich alles wissen. Vgl. *aber*.

§ 148. X. Die Interjektion (Der Naturlaut)

1. Die Interjektionen sind als Gefühlsausbrüche keine eigentlichen Wörter.
2. Sie stehen außerhalb des grammatischen Zusammenhangs, sind **unveränderlich** und unabhängig, haben **keine Rektion** und können bei jedem Kasus stehen.
3. Es gibt **eigentliche** und **uneigentliche** Interjektionen.
4. Die **eigentlichen** Interjektionen gliedern sich in
   a) **Empfindungslaute**,
   b) **Begehrungslaute**,
   c) **Schallnachahmungen**.
5. Die gebräuchlichsten **Empfindungslaute** drücken aus:
   a) **Freude**: *o! oh! ah! ha! ei! heisa! juch! juchhe! juchhei! juchheiße! juchheirassa! heidi heida! holdrio! trari trara! hurra!*
   b) **Lachen, Kichern**: *haha! hehe! hihi!*
   c) **Liebkosung**: *eia! eiapopeia! ei!*
   d) **Behagen**: *ah! hm!*
   e) **Schmerz**: *oh! au! autsch! ach! weh! o weh! ach weh!*
   f) **Trauer, Klage**: *ach! oh! o weh! ach weh! wehe!*
   g) **Sehnsucht**: *ach! o! oh!*
   h) **Nachdenken**: *hm! hm hm! na!? nana! hum!°*
   i) **Verwunderung**: *o! ah! ei! ih! hoho! aha! nanu! oho!*
   k) **Zweifel**: *hm! hm hm! hum!° na! nana!*
   l) **Zustimmung**: *aha! hm! topp!*
   m) **Unwillen**: *ha! oho! oha! hoho!*
   n) **Geringschätzung**: *pah! papperlapapp! lirum larum!*
   o) **Furcht**: *uh! hu! huhu!*
   p) **Spott**: *ätsch! hehe!*
   q) **Ekel**: *pfui! brr! puh! bäh! igittegitt!*
6. Gebräuchliche **Begehrungslaute** sind:
   a) **Zuruf, Anruf**: *he! heda! ho! halloh! hollah! ahoi!*
   b) **Schweigen gebietend**: *pst! st! sch! basta!*
   c) **fragend**: *hm? na? gelt?*
   d) **einwilligend**: *topp!*
   e) **Tiere antreibend**: *hü!* = *vorwärts!* auch: *halt!* — *hott!* = *vorwärts!* — *brr!* = *halt!* — *har! wist!* = *links!* — *hott!* = *rechts!* — *huf!* = *zurück!* — *putt putt!* (zum Anlocken von Hühnern) — *ksch!* (zum Wegscheuchen) u. a.

B: zu 5a: *Heisa! Juchheia! Dudeldumdei! Das geht ja hoch her; bin auch dabei! — Juchhe! juchhe! juchheisa! heisa! he! so ging der Fiedelbogen. — Trarira, der Sommer, der ist da! — Juchhe, juchhe! nun gibt es endlich Schnee! — O Tannenbaum, o Tannenbaum, wie grün sind deine Blätter!*

zu 5b: *Da kommt der Koch herbei sogleich, und lacht: „Hehe, jetzt hab ich euch!"*

zu 5c: *Susu, mein Herz, schlaf ein! — Eiapopeia, schlaf ein!*

zu 5d: *Ah! — die Wohltat nach dem Regen!*

zu 5e: *Ach, was hab ich Unglück gehabt! — Au, das hat aber weh getan! — Autsch! Wie tut der Fuß so weh!*

zu 5f: *Ach, wie ist's möglich dann, daß ich dich lassen kann? — Ach, ich bin des Treibens müde, was soll all der Schmerz, die Lust?*

zu 5g: *O daß sie ewig grünen bliebe, die schöne Zeit der jungen Liebe!*

zu 5h: *Hermine seufzt. — Dann denkt sie: Na! Es ist ja noch das Fenster da!*

zu 5i: *Ei, guck mal den! — „Ei!" — denkt Helene — „Schläft er noch?" — Ei, was für ein lustig Leben! — Ei ei, wer hätte das gedacht? — Ih! Oh! Uh! Verwundert euch durchs ganze Alphabet!*

zu 5k: *Nana! Das kann doch so nicht stimmen!*

zu 5l: *Aha! Meine Arzneien wirken! — Aha! Das also ist des Rätsels Lösung! — Aha! Nun hab ich doch recht behalten!*

zu 5m: *„Ha!" ruft der Sultan zorn'gen Muts, „führt sie hinweg!!" Der Sklave tut's.*

zu 5n: *Doch Pedrillo (wie gewöhnlich diese jungen Leute sind) schlug Murillos weise Lehre lirum larum! in den Wind. — Die denken: Pa! Es hat noch Zeit! — Papperlapapp, nichts dergleichen!*

zu 5o: *Hu! Draußen welch ein schrecklich Grausen! Blitz, Donner, Nacht und Sturmesbrausen!*

zu 5p: *Ätsch! Das geschieht dir ganz recht!*

zu 5q: *Pfui, schäme dich! — Bä, ekelhaft ist das!*

zu 6a: *He! Pst! He, Nachbar, ein Wort! — „He, he, Frau Meisterin", rief Daumerling. — Ahoi, Fährmann! Hol über!*

zu 6b: *Pst! Das Kind schläft! — Schluß jetzt, basta!*

zu 6d: *Einverstanden! Topp! — Die Wette halt ich! Topp!*

zu 6e: *Hott, hott, Hadermann, zieh des Vaters Stiefel an! — Mit Hü und Hott ging's im Zockeltrab auf der Landstraße dahin.*

7. **Schallnachahmungen:**
   a) Tierstimmen: Hund: *wau wau!* Katze: *miau!* Kuh: *muh!* Esel: *ia!* Schaf: *mäh mäh!* Ziege: *meck meck!* Hahn: *kikeriki!* Huhn: *gack gack!* Frosch: *quak quak!* Maus: *piep piep!* u. a.
   b) sonstige Laute und Geräusche: Uhr: *tick tack!* Schuß: *piff paff puff!* Maschinengewehr: *tack tack tack!* Mühle: *klipp klapp!* Fallgeräusche: *bauz! pardauz! plumps!* Schlag: *batsch!* beim Wasser: *patsch! plitsch platsch! schwipp schwapp!* Glocke: *bim bam bum!* Glas, Porzellan: *knacks! klirr!* u. a.
8. Zu den eigentlichen Interjektionen treten die **uneigentlichen**; das sind irgendwie entstellte Wörter:

   o je! (Jesus) — o jemine! (Jesus domine) — tausend! deixel! (Teufel) — potz! (Gottes) — potztausend! (Gottes Teufel) — sackerment! sapperment! (sacramentum) — sackerlot! (sacré nom de dieu) — Ade! (Adieu) u. a.

   Werden solche Wörter unentstellt in ihrer ursprünglichen Form gebraucht, so sind sie nicht mehr als Interjektionen, sondern als elliptische Sätze (154, 1d) anzusehen.

B: zu 7 a: *Ein Käfer auf dem Zaune saß, summ summ summ; der hat ein goldnes Hemdlein an, brumm, brumm. — Es ging eine Zieg' am Weg hinaus, meck, mereck, meck, meck, meck, meck! — Der Sperling ist's, der Sperling ist's, der immer schreit: „Kolnik!" — Kaum hat dies der Hahn gesehen, fängt er auch schon an zu krähen: Kikerikih! Kikerikih!! — Tak, tak, tak! Da kommen sie. — Und plötzlich geht's: „Kraha! Kraha!" Der böse Rab' ist wieder da. — Tüt, tüt! Sim, sim! So tönt es leise im Bienenstocke her und hin.*

zu 7 b: *Rischrasch, quer übern Kreuzweg ging's mit Horrido und Hussasa! — Haho! Haho! ha! hopp hopp hopp! Fort ging's im sausenden Galopp! — Es klappert die Mühle am rauschenden Bach, klipp klapp, klipp klapp, klipp klapp. — Rickeracke, rickeracke! Geht die Mühle mit Geknacke. — Knacks!! Da bricht der Stuhl entzwei. Schwapp! Da liegen sie im Brei. — Zur Mühle geht der Bauersmann und fängt sogleich zu sägen an. Racks knacks! Da bricht die Mühle schon. Das war des bösen Müllers Lohn.*

zu 8: *Es rutscht das Rad. Herrje! Schrumbum! Da fällt die alte Kutsche um. — Auch fällt der Korb, worin die Eier — Ojemine! und sind so teuer! — Potz tausend, das ist wunderlich! Der Onkel Nolte ärgert sich. — „Pack deine Sachen! — So! — Ade!"*

SATZLEHRE

Wenn die Begriffe nicht stimmen,
stimmen die Worte nicht.
Stimmen die Worte nicht,
kommen die Werke nicht zustand.
Kommen die Werke nicht zustand,
gedeihen Moral und Kunst nicht.
Gedeihen Moral und Kunst nicht,
so trifft die Justiz nicht.
Trifft die Justiz nicht,
so weiß die Nation nicht,
wohin Hand und Fuß setzen.
Darum sorge man dafür,
daß in den Worten
alles in Ordnung ist.
Das ist es,
worauf alles ankommt.
                    Klabund

§ 149. Wesen und Arten des Satzes

1. Eine Wortverbindung ist nur dann ein **Satz**,
   wenn sie den Zweck und die Form einer **Aussage** hat
   und zugleich eine in sich geschlossene Sprecheinheit darstellt.
2. Der Satz enthält als wichtigste **Bestandteile**:
   a) einen Gegenstand, von dem etwas ausgesagt wird:
      das **Subjekt** (den Satzgegenstand);
   b) das von dem Gegenstand Ausgesagte:
      das **Prädikat** (die Satzaussage).
3. Seinen **Sinn** erhält der Satz aus dem Satzzusammenhang,
   der gesprochene Satz aus der Sprechsituation
   und durch die Stimmführung und die Betonung einzelner Wörter.
4. Seinen **Kern** hat der Satz im **finiten Verb**,
   d. i. die Personalform des Verbs oder Hilfsverbs im Prädikat.
   Form und Besonderheit des deutschen Satzes folgen aus der Eigenart des Prädikats, in zwei Teile auseinanderzutreten und die näheren Bestimmungen zu **umrahmen** (181).
5. Enthält ein Satz nur **eine** Aussage,
   so heißt er ein **einfacher** Satz.
6. Ein einfacher Satz heißt
   a) ein **nichterweiterter** einfacher Satz,
      wenn er nur Subjekt und Prädikat enthält (154 ff.),
   b) dagegen ein **erweiterter** einfacher Satz,
      wenn er mit bestimmenden Zusätzen versehen ist,
      die nicht selbst Satzform haben (161 ff.).
7. Treten mehrere einfache Sätze zu einer Einheit zusammen,
   so heißt der neue Satz ein **zusammengesetzter**.
8. Stehen die Teilsätze eines zusammengesetzten Satzes
   a) im Verhältnis der **Nebenordnung**,
      so heißt der Satz eine **Satzverbindung** (174 ff.);
   b) im Verhältnis der **Unterordnung**,
      so heißt er ein **Satzgefüge** (178 ff.).
9. Bilden Satzverbindungen und Satzgefüge ein neues Ganzes,
   so entsteht der **mehrfach** zusammengesetzte Satz (201).
10. Aussagen, die nicht alle grammatisch wichtigen Glieder aufweisen, dennoch aber Sätze sind, heißen **Kurzsätze** (154, 1d).

B : zu 2/4: *Das Kind* (Subj.) *schläft* (Präd.). — Satzbildend wirkt die Form der 3. Pers. Sing. Präs. Ind. Aktiv von *schlafen: schläft*.

XI. Die Haupt-Satzglieder

§ 150. Das Subjekt (Der Satzgegenstand)

1. Das Subjekt (der Satzgegenstand) kann ausgedrückt sein durch:
   a) ein S u b s t a n t i v
      (auch ein substantivisch gebrauchtes Adjektiv, Zahlwort usw.),
   b) ein substantivisches P r o n o m e n ,
   c) einen I n f i n i t i v oder eine I n f i n i t i v g r u p p e ,
   d) einen G l i e d s a t z (182).
2. Das Subjekt steht stets im N o m i n a t i v
   und antwortet auf die F r a g e *wer oder was?*
3. Das S u b s t a n t i v als Subjekt
   wird manchmal dem Prädikat n a c h g e s t e l l t
   und dann am Satzanfang durch *es* vertreten. Vgl. unten 8.
4. Das P r o n o m e n an der Subjektsstelle
   ist nicht immer Stellvertreter einer bestimmten Person oder Sache, sondern es können auch die Indefinita *es, dies, das, welches? wer?* den u n b e s t i m m t e n Begriff eines Gegenstandes (einer Person oder Sache, auch den eines Plurals) überhaupt ausdrücken, der dann erst später genannt oder näher bestimmt wird.
5. Der I n f i n i t i v als Subjekt
   steht im allgemeinen im nichterweiterten Satz o h n e *zu*
   oder mit dem Artikel,
   dagegen m i t *zu,*
   wenn er eine nähere Bestimmung bei sich hat. Vgl. § 56.
6. Das Subjekt wird nicht durch ein bestimmtes Wort ausgedrückt:
   a) bei dem I m p e r a t i v (der Befehlsform),
   b) seltener beim Indikativ, wenn der Satzzusammenhang das Subjekt ausreichend klar erkennen läßt;
   c) gewisse unpersönliche Sätze sind überhaupt subjektlos.
7. Das Subjekt wird f o r m a l durch das inhaltlose *es* v e r t r e t e n :
   a) in den Fällen oben unter 3.;
   b) beim Gebrauch unpersönlicher Verben (45; 46).
8. In diesen Fällen ist das inhaltlose indefinite *es*
   V o r l ä u f e r des Subjekts oder aber Subjekts e r s a t z .
9. Das Subjekt kann m e h r g l i e d r i g sein.
10. In der Dichtersprache wird das Subjekt gelegentlich durch ein Pronomen wiederholt.

B: zu 1a: *Fritz schläft. Der Schüler lernt. Arbeit adelt. (Das) Malen ist eine Kunst. Rot und Grün sind Komplementärfarben. Die Dreizehn ist eine Glückszahl. Und ist ein Bindewort. Das „Wenn" ist ein schlimmes Wort. Das A ist der erste Buchstabe im Abc. I ist ein Vokal.*

zu 1b: *Ich lerne. Wir haben gespielt. Wer hat angerufen? Der eine lacht, der andere weint. Jemand hat geklopft. Niemand hat nach dir gefragt. Das ist wahr.*

zu 1d: *Wer nicht hören will, muß fühlen. Was lange währt, wird endlich gut. Wen's juckt, der kratze sich!*

zu 3: *Es ist ein Schuß gefallen. Es war einmal ein Hirtenknabe. Es ist Frieden. Es war höchste Zeit.*

zu 4: *Es ist die Mutter. Dies ist mein Haus. Das ist mein Garten. Das war ich = ich war es. Das war Tells Geschoß. Welches sind die berühmtesten Filmschauspieler? Es sind...*

zu 5: *(Das) Schreiben ist eine Kunst. Schön zu schreiben ist nicht jedermanns Sache. — (Das) Wandern ist ein beliebter Sport. Im Grünen zu wandern ist gesund.*

zu 6a: *Hör endlich auf! Kommt! Verlaß mich nicht!*

zu 6b: Solche Sätze ohne Subjektswort finden sich vor allem in formelhaften Ausdrücken und in der Umgangssprache, auch in der Dichtersprache: *(Ich) Bitte, treten Sie näher! — (Ich) Danke! — (Es) Ist gut! — (Du) Hast dich sehr geirrt! — (Er) Sprach's und verschwand. — (Wir) Wollen's versuchen!*
(Du) Füllest wieder Busch und Tal (Goethe). — *(Ich) Bin ein fahrender Gesell* (Volkslied). — *(Sie) Sangen's und...* (Platen).
Jedoch schlechtes Deutsch und nicht zu empfehlen ist die Auslassung des Personalpronomens der 1. Pers. Sing. oder Plur. in Briefen. Also nicht: *Ihr Schreiben vom 16. Mai habe erhalten*, sondern: *habe ich erhalten*. Auch nicht: *Teile Ihnen hierdurch mit, daß...* sondern: *Ich teile Ihnen mit; wir teilen Ihnen mit... Hierdurch teilen wir...*

zu 6c: *Hier wird nicht gebummelt!*

zu 7b: *Es regnet. Es friert mich. Es fehlt ihm am guten Willen.*

zu 9: *Feuer, Wasser, Luft und Erde sind die Elemente der Alten. Gut essen und trinken hält Leib und Seele zusammen.*

zu 10: *Die Treue, sie ist doch kein leerer Wahn.*

§ 151. Das Prädikat (Die Satzaussage)
Verbale Prädikate

1. Das Prädikat (die Satzaussage) ist entweder
   a) ein V o l l v e r b (v e r b a l e s Prädikat) oder
   b) das Verb *sein* oder ein ähnlich gebrauchtes Verb gemeinsam mit einem nichtverbalen Aussagewort (t e i l v e r b a l e s Prädikat) (152).
2. Nach seiner F o r m kann das Prädikat e i n f a c h oder z u s a m m e n g e s e t z t (d. h. auch umschrieben) sein.
   V e r b a l e Prädikate kommen in beiden Formen vor; die t e i l v e r b a l e n Prädikate sind immer zusammengesetzt.
3. Über die S t e l l u n g des Prädikats im Satz vgl. §§ 155 ff.; 179 ff.
4. D i e v e r b a l e n P r ä d i k a t e
   gliedern sich nach der Art der gebrauchten Verben und dem Aussagegehalt in:
   a) v o l l - v e r b a l e,
   b) m o d a l - v e r b a l e und
   c) m o d i f i z i e r t - v e r b a l e Prädikate.
5. Als v o l l - v e r b a l e Prädikate stehen:
   a) absolute Verben in einem einfachen oder umschriebenen Tempus; dazu zählen auch reflexive und unpersönliche Verben (zusätzliche Bestimmungen sind nicht notwendig, aber möglich);
   b) Verben anderer Art
   (die also zusätzlicher Bestimmung bedürfen).
6. Als m o d a l - v e r b a l e Prädikate stehen
   finite Formen der modalen Hilfsverben
   gemeinsam mit einem Vollverb im (bloßen) I n f i n i t i v (16).
7. Als m o d i f i z i e r t - v e r b a l e Prädikate stehen
   finite Formen von modifizierenden Verben (2, 14),
   d. h. von Verben, die nur gelegentlich wie modale Hilfsverben gebraucht werden und ähnlich wie diese die Aussage modifizieren, gemeinsam mit einem Vollverb im I n f i n i t i v m i t *z u*.
   Im einzelnen können das sein:
   a) *haben* oder *sein* + Infin. mit *zu;*
   b) *vermögen, wissen, brauchen* u. ä. + Infin. mit *zu;*
   c) *pflegen, scheinen, versprechen, drohen* u. ä. + Infin. mit *zu.*
8. Nach manchen Verben erweitert ein Komplement die Aussage.
9. Das Prädikat kann m e h r g l i e d r i g sein.

B: zu 1: verbales Prädikat: *Hans kränkelt.*
teilverbales Prädikat: *Er ist krank, ist Patient.*

zu 2: *Hans leidet. Er ist operiert worden. Er wird gesunden. — Sein Arzt ist tüchtig.*

zu 5a: *Die Sonne schien. Wir waren ermüdet. — Das Wetter bessert sich* (43). — *Es taut* (45).

zu 5b: *Der Kraftfahrer rammte* (einen Lastwagen). *Ein Polizist nahm* (seinen Führerschein) (an sich). (An den Verkehrsbrennpunkten) *regeln Signalampeln* (den Verkehr).
Um verbale Prädikate handelt es sich auch dann noch, wenn trennbar zusammengesetzte Verben auseinandertreten (61) und der abgetrennte Bestandteil nicht wieder Satzglied wird: vortragen: *Er trug die Sache seinem Chef vor.* ansehen: *Der sah sich den Bericht an.* Aber: danksagen: *Der Chef sagte ihm Dank* (hier ist *Dank* wieder Akkusativobjekt). totschweigen: *Man schwieg den Vorfall tot* (hier ist *tot* wieder Komplement).

zu 6: *Er mag warten; sie kann kommen. Ich lasse mir eben einen Anzug machen* (5, 3; 16).

zu 7a: *Er hat pünktlich zu sein! Sie haben Verschwiegenheit zu bewahren! Wir hatten so viel zu tun* (4, 6). *Die Aufgabe war gar nicht zu lösen. Die Arznei ist vor Licht zu schützen!* (56, 5a B)

zu 7b: *Sie vermag bei ihm alles zu erreichen. Seine Darlegungen vermochten nicht, einen Eindruck auf mich zu machen. Er weiß sich gewählt auszudrücken. Für alles wußte sie eine Erklärung beizubringen.*

zu 7c: *Wir pflegen solche Bittbriefe höflich zu beantworten* (es ist üblich). *Zum Essen pflegte er Wein zu trinken* (es war seine Gewohnheit). *Der Verlust schien ihn sehr zu bedrücken* (es sah so aus). *In seinem Amt scheint er zu versagen. Sein Sohn verspricht sich gut zu entwickeln* (man kann es annehmen). (Aber: *Sein Sohn verspricht, sich zu bessern* [er gibt das Versprechen ab].) *Die Krankheit droht sich zu verschlimmern* (leider ist das anzunehmen). (Aber: *Der Kranke drohte, die Arznei wegzuwerfen* [er sprach das aus].)

zu 8: *Man fand ihn schwer verletzt* (152, 5).

zu 9: *Alles rennet, rettet, flüchtet.*

§ 152. Teilverbale Prädikate — Das Komplement

1. Als **teilverbale Prädikate** stehen
   finite Formen von *sein*
   oder von *bleiben, werden, (er)scheinen, sich dünken, heißen*
   gemeinsam mit einem nichtverbalen Aussagewort;
   das nichtverbale Aussagewort heißt **Prädikativum**.
2. **Das Prädikativum** kann sein:
   a) ein unflektiertes Adjektiv oder Partizip;
   b) vereinzelt auch ein flektiertes Adjektiv;
   c) ein Substantiv im Nominativ;
   d) ein Substantiv im Genitiv;
   e) ein Substantiv mit Präposition;
   f) ein Pronomen*;
   g) ein Zahlwort;
   h) ein Adverb;
   i) ein Vergleich;
   j) vereinzelt auch ein Gliedsatz.
   k) Über den Infinitiv mit *zu* nach *sein* vgl. § 151, 7a.
3. Wie bei den verbalen gibt es auch bei den teilverbalen Prädikaten Verbindungen mit modalen und modifizierenden Verben (151, 6, 7).
4. Das Prädikativum kann auch als selbständiges Satzglied angesehen werden, denn es kann als erstes Satzglied vor dem fin. Verb stehen (181, 5); demgemäß wären die finiten Formen von *sein* usw. dann verbale Prädikate, sofern man das Prädikativum derart auffaßt.
5. **Das Komplement** ist eine prädikative Bestimmung, die bei Verben verschiedener Art stehen kann oder muß.
6. Das Komplement ist das einzige Satzglied, das nach seinem Inhalt eine **zweiseitige** Beziehung ausdrückt:
   zunächst erweitert es den Inhalt des Prädikats, zum andern
   ist es eine Art von Attribut zu dem Subjekt oder einem Objekt
   (deshalb auch prädikatives Attribut genannt).
7. Subjektbezogene Komplemente stehen im Nominativ (oft mit *als*), objektbezogene stehen im Akkusativ (oft mit *als, wie, für*); es gibt auch Komplemente nach der Präposition *zu* im Dativ.
8. Das Komplement darf nicht mit einer adverbialen Bestimmung verwechselt werden, der es nach seiner Form gleichen kann.

*) Im Deutschen sagt man aber nicht: *Es ist ich, es ist wir*, sondern: *Ich bin es, wir sind es* usw. (Englisch: *It is I (it is me)*; Französisch: *C'est moi*.) Aber: *Das warst du, das ist er*.

B: zu 2a: *Das Wetter ist s c h ö n; es bleibt w a r m. Ihr Sohn wird g r o ß. Er dünkte sich w e i s e; doch ist und bleibt er d u m m. Die Sache wird a u f r e g e n d. Er scheint g e r e i z t.*
Statt eines von einem Stoffnamen abgeleiteten Adjektivs steht oft der Stoffname mit einer Präposition: *Der Ring ist v o n G o l d (golden). Die Pfanne ist a u s K u p f e r (kupfern).* Vgl. unten 2e.

zu 2b: *Dieser Wein ist e i n i t a l i e n i s c h e r* (153, 5b).

zu 2c: *Dein Freund ist e i n g r o ß e r K ü n s t l e r. Mein Vater war L e h r e r. Sein Vetter wird A r z t. Ich bleibe M a l e r.*

zu 2d: *Auch ich bin I h r e r M e i n u n g. Du bist d e s T o d e s! Er scheint f r e m d e r H e r k u n f t. Sie ist guter Hoffnung.*

zu 2e: *Er wurde z u m G e s p ö t t aller. Sie ist v o n S i n n e n.*

zu 2f: *Der Übeltäter war e r! Die Leidtragenden sind w i r!*

zu 2g: *Ihr seid w e n i g e. Wir waren nur d r e i.*

zu 2h: *Die Tür ist z u. Jene Zeiten sind v o r ü b e r. Die Sache ist a n d e r s. S o sind die Menschen. Er heißt so und nicht anders.*

zu 2i: *Das Ding hier ist w i e v e r h e x t. Ich war wie betäubt.*

zu 2j: *W a s i c h g e w e s e n, werd' ich wieder* (178, 5e).

zu 3: *Er s o l l Minister werden. Er m a g sich klug dünken. Nicht jeder b r a u c h t Jurist zu sein. Das d r o h t gefährlich zu werden.*

zu 6: *Das Haus steht l e e r* heißt: *Das Haus steht u n d ist leer,* zugleich auch: *Das l e e r e Haus steht da.* — *Wir strichen die Tür g r ü n: wir strichen sie, und sie wurde grün* usw. Vgl. unten 8.

zu 7: *Er wanderte a l s Jüngling aus.* — *Ich halte Sie f ü r meinen Freund, werde Sie w i e meinen Sohn behandeln und a l s meinen Bevollmächtigten bestellen* (169, 1c). *Herr M. wurde z u m Vorsitzer gewählt, Frau O. z u r Kassiererin.* — Komplemente stehen besonders nach Verben des Nennens und Bewirkens: *Er nennt sie feige; sie schilt ihn faul; ich fühle mich glücklich; sie macht ihn reich; sich müde arbeiten, etwas verlorengeben;* — *jemanden für einen Lügner, für unwürdig erklären, als Gefangenen betrachten, wie einen Narren behandeln, als einen Verschwender, als ehrlich kennen, für reich halten; etwas als verfehlt ansehen.*

zu 8: *Ich fand das Buch l e i c h t* kann bedeuten: *es war im Bücherschrank unschwer zu finden* (adv. Best.) oder: *als leichtes Buch für mich gut zu lesen* (Kompl.). Unterscheide: *Er wurde zum Bürgermeister gewählt, sie zum B. geschickt.*

§ 153. Übereinstimmung von Subjekt und Prädikat

1. Subjekt und Prädikat sind einander
   weder neben- noch untergeordnet, sondern stehen zueinander
   im Verhältnis der **Kongruenz** (Übereinstimmung).
2. Die Kongruenz wird durch das **finite Verb** hergestellt
   und bezieht sich auf Person und Numerus,
   z. T. auch auf Genus und Kasus.
3. Das **Verb** im Prädikat
   muß in der Regel mit dem Subjekt in Person und Numerus
   übereinstimmen (vgl. Gegenseite!).
4. Das **Substantiv** im Prädikat
   a) steht in der Regel im selben **Kasus** (Nominativ)
      wie das Subjekt (vgl. aber § 152, 2d, e).
   b) Übereinstimmung im **Numerus**
      ist nicht unbedingt erforderlich.
   c) Übereinstimmung im **Genus**
      besteht nur bei Personenbezeichnungen, die verschiedene Wortformen für die natürlichen Geschlechter besitzen.
5. Das **Adjektiv** (Partizip, Zahlwort usw.) im Prädikat
   a) bleibt **unverändert**, wenn es **ohne** Artikel steht;
   b) muß aber mit dem Subjekt in Numerus, Genus und Kasus
      (Nominativ) **übereinstimmen**,
      wenn es **mit** Artikel steht (es gibt dann die **Art** an).

B: zu 2: *Er schreibt. Wir lesen. — Das Obst* **wird** *reif. Der Wein* **war** *sauer. Mein Bruder* **heißt** *Fritz. Sie* **wurde gelobt**.

zu 3: *Ich antwortete. Wir entgegneten nichts. Ihr wundert euch. — Komm her! Kommt her! — Geh weg! Geht weg!*

zu 4a: *Böcklin war ein Maler. Fritz will Architekt werden.*

zu 4b: *Die Ratten sind* **eine Plage**.

zu 4c: *Er ist Musiker, sie Schriftstellerin. Sie ist meine* **Freundin**. *Aber: Sie ist* **ein Engel**. *Sie ist* **der Liebling** *ihres Vaters. Sie ist* **Minister** *geworden (neuerdings auch: Ministerin). Die Türkei ist* **der Beherrscher** *der Dardanellen.*

zu 5a: *Er ist fleißig. Sie ist höflich. Viele wurden verwundet. Keiner ist gerettet. Ihr seid zwei.*

zu 5b: *Er ist der fleißigste. Diese Bilder sind die besten. Dieser Fehler ist* **ein grammatischer**, *jener* **ein stilistischer**.

6. **Das Verb im Prädikat**
   steht im **Plural** nach den pluralischen Anredewörtern,
   auch wenn sie ihrem Begriff nach nur **eine** Person darstellen.
7. Ist das Subjekt ein Mengenbegriff
   mit einem beigefügten Substantiv im Plural,
   so kann das Verb im Singular oder im Plural stehen.
8. Steht an der Subjektsstelle ein Indefinitum *(es, dies, das)*,
   so richtet sich das Verb
   nach dem folgenden Substantiv oder subst. Pronomen (158, 4 M).
9. Sind **mehrere Subjekte** vorhanden,
   so steht das Verb im allgemeinen im Plural.
10. Kommt die 1. Person neben der 2. oder 3. als Subjekt vor,
    so steht das Verb in der 1. Person Plural;
    kommt die 2. Person neben der 3. vor,
    so steht das Verb in der 2. Person Plural.
11. Sind mehrere Subjekte im **Singular** vorhanden,
    die als Gesamtbegriff gedacht werden können,
    so **kann** das Verb im Singular stehen.
12. Haben die Subjekte teils Singular-, teils Pluralform,
    so kann das Verb im Singular stehen,
    wenn es unmittelbar bei einer solchen Form steht
    und kein Plural voraufgeht.

B: *zu 6: Lieber Mann, Ihr **seid** schlecht beraten! Mein Herr, Sie **verstehen** mich falsch! — Gnädige Frau **werden** sofort bedient! Euer Wohlgeboren **schreiben** uns... Der Herr **wünschen**?*

*zu 7: Eine **Menge** Leute versammelte(n) sich nun. Eine **Anzahl** Frauen hatte(n) sich verabredet.*

*zu 8: Das bin ich; dies ist er. Vater war es. Es waren Fremde. Das sind Ausländer. Merke: es **gibt** wird nur im Singular gebraucht!*

*zu 9: Kiefer, Fichte und Tanne **sind** Nadelhölzer.*

*zu 10: Du und ich **sind** eingeladen. Er und ich (, wir) **reisen** zusammen. — Du und dein Freund (, ihr) **sollt** kommen.*

*zu 11: An ihm **ist** Hopfen und Malz verloren. Haus und Hof **ist** verkauft. Geld und Gut **macht** nicht glücklich.*
*Immer sagt man: 2 + 2 **ist** 4; 2 × 3 **ist** 6 usw.*

*zu 12: Da **kommt** die Mutter und die Kinder. Ihm **gehört** das Feld und die Wälder. Aber: Die Wälder und das Feld **gehören** ihm.*

XII. Der einfache Satz

§ 154. Die Arten des einfachen Satzes

1. Ein Satz,
   a) der nur Subjekt und Prädikat enthält
      und keiner weiteren Bestimmungen bedarf,
      heißt nichterweiterter einfacher Satz;
   b) der außer Subjekt und Prädikat noch notwendige oder zusätzliche Bestimmungen enthält, die nicht selbst Satzform haben,
      heißt e r w e i t e r t e r einfacher Satz;
   c) dessen Haupt-Satzglieder m e h r t e i l i g sind,
      heißt mehrgliedriger nichterweiterter bzw. erweiterter Satz;
   d) der nur den in der Sprechsituation wichtigen Begriff enthält, ohne daß jedoch das Verständnis darunter leidet,
      heißt K u r z s a t z (Ellipse).
2. Nach dem I n h a l t des einfachen Satzes unterscheidet man:
   a) A u s s a g e s ä t z e (auch Behauptungssätze genannt).
      Sie berichten oder beurteilen eine Tatsache der Erfahrung oder Überlieferung.
   b) F r a g e s ä t z e.
      Mit oder ohne besonderes Fragewort enthalten sie eine Frage.
   c) A u f f o r d e r u n g s s ä t z e (auch Befehlssätze genannt).
      Sie drücken je nach der Intonation eine Bitte, ein Begehren oder ein Verlangen aus und sollen auf den Willen einwirken.
   d) A u s r u f e - und W u n s c h s ä t z e.
      Sie geben einem Gefühl Ausdruck.
3. Diese Satzarten vertauschen häufig ihre Rollen und vertreten sich dann gegenseitig, oft aber mit veränderter Intonation.
4. Nach ihrer F o r m (Qualität) können Sätze
   a) b e j a h e n d oder b) v e r n e i n e n d sein.
5. Bei der Verneinung ist zu unterscheiden zwischen:
   a) der Verneinung des Prädikats (Satzverneinung) und
   b) der Verneinung eines sonstigen Satzgliedes (202, 4).
6. Nach dem Aussagesatz steht ein P u n k t,
   nach dem Fragesatz ein F r a g e z e i c h e n;
   nach Aufforderungs-, Ausrufe- und Wunschsätzen
   steht ein A u s r u f e z e i c h e n.

B: zu 1a: *Das Obst reift. Das Wetter ist günstig. Die Ernte wird ausgezeichnet (ausfallen). Das ist ein Segen.*
zu 1b: *(In diesem Jahre) reift das Obst (im ganzen Lande) (sehr früh). Die Konservenindustrie wird (mit der Verarbeitung des Segens) (kaum) fertig werden.*
Notwendiges Objekt: *Mißernten bedeuten N o t u n d E l e n d.*
Notwendiges Attribut: *R e i c h e Ernten sind selten.*
zu 1c: Mehrgliedriges Subjekt: *Obst und Gemüse gedeihen.*
Mehrgliedriges Prädikat: *Das Obst reift und gedeiht.*
Subjekt u n d Prädikat sind mehrgliedrig: *Getreide, Gemüse und Obst gedeihen und reifen (sehr gut).*
zu 1d: *Keine Sorge! Ruhig! Woher des Weges? Warum? Auf, auf! Beim Himmel! Platz da! Vorwärts! So?*
zu 2a: *Die Ernteaussichten sind gut.* In weniger bestimmter Form: *Es dürfte ein gutes Weinjahr werden. Das könnte sein. Das mag wohl sein. Das bliebe noch abzuwarten.*
zu 2b: *Regnet es? Wirst du uns besuchen? — Was denkst du über den Vortrag? Wo wohnt dein Bruder? Wer ruft da?*
zu 2c: *Gib auf dein Brüderchen acht! Kommt herein! Widersprechen Sie nicht! Laßt uns aufbrechen! Gehen wir!*
zu 2d: *Wie schön ist dieses Bild! Dumm bist du gewesen! — Ginge er doch weg! Hätte ich das doch nicht getan!*
zu 3: Wunschsatz als Vertreter eines Aufforderungssatzes:
Seien Sie unbesorgt! Er komme! Gehen wir!
Fragesatz als Vertreter eines Aufforderungssatzes:
Ob du wohl herkommst? = Komm her!
Würden Sie mir den Gefallen tun? = Tun Sie mir den Gefallen!
Aussagesatz als Vertreter eines Fragesatzes:
Du kommst doch? Das soll er getan haben? = Ich zweifle daran.
Fragesatz als Vertreter eines Aussagesatzes:
Habe ich es nicht gleich gesagt? = Ich habe es gleich gesagt!
War das nicht vorauszusehen? = Es war vorauszusehen! (187, 9)
zu 5a: *Die Sonne scheint. Die Sonne scheint nicht. — Er hat geantwortet. Er hat nicht geantwortet. — Ich werde zustimmen. Ich werde keinesfalls zusagen. Ich werde mitnichten antworten.*
zu 5b: *Ich werde n i c h t kommen. = Nicht i c h werde kommen (sondern mein Vertreter). H e u t e werde ich nicht kommen. = Ich werde nicht h e u t e kommen (sondern morgen).*

§ 155. Der Aussagesatz — Grundstellung

1. In der **Grundstellung** (G) des Aussagesatzes
   steht das Subjekt an **erster** Stelle.
2. Dem Subjekt folgt an der **zweiten** Stelle
   die **einfache** Form des Verbs als Prädikat,
   wobei dessen abtrennbarer Bestandteil (61, 4) ans Satzende tritt.
3. Ist das Prädikat **umschrieben** oder zusammengesetzt,
   so tritt das finite Verb (Hilfsverb) unmittelbar hinter das Subjekt,
   also immer an die zweite Stelle im Satz;
4. es folgen das Prädikativum, falls ein solches vorhanden ist,
   und dann die Nominalformen des Verbs;
   dabei treten etwa vorhandene Partizipien **vor** Infinitive.
5. Die **Satzverneinung** (V) erfolgt:
   a) wenn das Verb in **einfacher** Form erscheint,
      durch *nicht* an der letzten Stelle des Satzes,
      worauf höchstens noch die abtrennbare Vorsilbe des Verbs folgen kann;
   b) wenn das Prädikat **umschrieben** oder zusammengesetzt ist,
      durch *nicht* unmittelbar vor dem Prädikativum
      bzw. den Nominalformen;
      doch steht vor einem Substantiv als Prädikativum *kein*.
6. Zur Verneinung können auch andere Adverbien der Verneinung dienen.

B : zu 1/5 :

			Prädikat		
Subj.	fin. Verb	V	Prädikativ.,	Partizip,	Infinitiv
	schläft	nicht.			
	hat	nicht		geschlafen.	
	will	nicht			schlafen.
	wird	nicht		geschlafen	haben.
Der	wird	nicht		geweckt	worden sein.
Junge	ist	nicht	müde.		
	wird	nicht	müde	(gewesen)	sein.
	war	(kein)	(ein) Held.		
	erwies sich*	nicht	als Held.**		
	hat sich	nicht	als Held	erwiesen.	
	ist	kein	Ausländer.		

*) Vgl. § 43, 2. § 181, 3. **) Das Komplement steht syntaktisch dem Prädikativum gleich.

zu 6 : *Der Knabe will nie schlafen. Der Mann erwies sich keineswegs als Held. Er ist keinesfalls Ausländer. Ich werde seinen Rat mitnichten befolgen* (202, 5).

§ 156. Der Aussagesatz — Umstellung

1. Soll das P r ä d i k a t h e r v o r g e h o b e n werden,
   so erlaubt der einfache Satz auch die I n v e r s i o n (Umstellung).
2. Die Umstellung (U) ist im nichterweiterten Satz recht selten,
   gewinnt aber im erweiterten Satz große Bedeutung. Vgl. § 179.
3. E r s t e M ö g l i c h k e i t der Umstellung:
   An den Satzanfang tritt das inhaltlose indefinite *es*
   als V o r l ä u f e r des Subjekts; es folgen
   finites Verb, Subjekt und dann die übrigen Teile des Prädikats.
4. Z w e i t e M ö g l i c h k e i t der Umstellung:
   a) Ist das Prädikat eine einfache Form des Verbs (Präs. od. Prät.),
      so geht dieses an den S a t z a n f a n g, und zwar im I n f i n i t i v;
      es folgt das Verb *tun* als finites Verb, dann das Subjekt.
   b) Sonst geht das Prädikativum an den S a t z a n f a n g,
      ebenso alle oder einzelne Nominalformen des Verbs;
      es folgt das finite Hilfsverb, darauf das Subjekt.
5. Auch bei U gilt für das Verneinungswort die Regel des § 155, 5.

B: zu 3:

	fin. Verb	Subj.	V	Prädikativ., Partizip,	Infin.
Es	schläft		nicht.		
	hat	der Junge	nicht		geschlafen.
	wird		nicht		geschlafen haben.
	war		(kein)	(ein) Held.	
	erwies sich		nicht	als Held.	
	hat sich		nicht	als Held	erwiesen.

zu 4:

Prädikativ., Part.,	Infin.	fin. Verb	Subj.	V	Part.,	Infin.
	Schlafen	tut (tat)				
	Geschlafen	hat				
	Geschlafen haben	wird				
	Geschlafen	wird	der Junge	nicht		haben
Müde	(gewesen) sein	wird				
Müde		wird				gewesen sein.
Ein Held		war				
Als Held erwiesen		hat sich				
Als Held		hat sich			erwiesen.	

§ 157. Der Fragesatz — Entscheidungsfrage — Erststellung

1. Der Fragesatz stellt entweder
   a) die Gültigkeit des im Satz Ausgesagten selbst oder
   b) ein noch unbekanntes Satz g l i e d in Frage.
   Im ersten Fall handelt es sich um eine E n t s c h e i d u n g s -,
   im andern Fall um eine B e s t i m m u n g s f r a g e (158).
2. Die E n t s c h e i d u n g s f r a g e bezieht sich auf die Richtigkeit bzw. Gültigkeit des ganzen Urteils, d. h. der Aussage als Ganzes.
3. Entscheidungsfragen werden beantwortet:
   a) mit einem Adverb der Bejahung oder Verneinung oder
   b) mit einem bejahenden oder verneinenden Aussagesatz.
4. Entscheidungsfragen haben E r s t s t e l l u n g (A):
   Das finite Verb oder Hilfsverb steht an e r s t e r Stelle;
   es folgen das Subjekt und dann die übrigen Teile des Prädikats.
   Entscheidungsfragen werden o h n e Fragewort gebildet und sind wie alle Sätze in A auch durch ihre Intonation charakterisiert.
5. Ein etwa vorhandenes V e r n e i n u n g s w o r t steht entsprechend der Regel des § 155, 5. Auf solche verneinte Entscheidungsfragen wird ein bejahende Antwort erwartet (meist mit *doch*).
6. Gelegentlich kann die Entscheidungsfrage aber auch in G r u n d s t e l l u n g stehen und sich nur durch ihre veränderte B e t o n u n g vom Aussagesatz unterscheiden. Solche Fragen drücken die Verwunderung des Fragenden über etwas aus, was er nicht erwartet hat.
7. Im Deutschen darf kein Hilfsverb in die Entscheidungsfrage eingeschoben werden, wenn das Verb in einer einfachen Zeit steht (anders als im Englischen). — Ebenso darf ein Substantiv als Subjekt nicht durch ein Pronomen wiederholt werden (anders als im Französischen).
8. In die Frage schieben sich oft *denn, wohl, nun* (132, 3c; 202, 2e).

B : z u 3/4 : (Vgl. die Beispiele zu § 156, 3!) *Schläft der Junge? Ja. Nein. Gewiß. Keineswegs. Ja, er schläft. Nein, er schläft nicht.*

z u 5 : *Schläft der Junge n i c h t ? Doch, er schläft. — Hat sich der Junge n i c h t als Held erwiesen? Aber doch!* usw.

z u 6 : *Der Junge hat sich n i c h t als Held erwiesen? (Ich hätte es anders erwartet.) — Der Junge ist k e i n Ausländer? (Ich hatte es vermutet.) — Du kommst n i c h t ? Du weißt n i c h t s ?*

z u 7 : *Kam er? Nicht: Tat er kommen? (Did he come?) Sind die Pakete abgeschickt worden? Nicht: Die Pakete, sind sie abgeschickt worden? (Les colis ont-ils été expédiés?)*

§ 158. Der Fragesatz — Bestimmungsfrage

1. Die **Bestimmungsfrage** erfragt im nichterweiterten Satz
   a) das **Subjekt** oder
   b) (seltener) das **Prädikativum**.
2. Man erfragt das **Subjekt**
   a) mit *wer?* wenn man eine **Person**,
   b) mit *was?* wenn man eine **Sache** als Antwort erwartet.
3. Bestimmungsfragen nach dem Subjekt stehen in der **Grundstellung** des Aussagesatzes. Das Fragewort ist 1. SE.
4. Man erfragt das **Prädikativum**
   a) mit *wer?* wenn man einen Eigennamen
      oder eine bestimmte Personenbezeichnung,
   b) mit *was?* wenn man einen Gattungsnamen,
   c) mit *wieviel?* wenn man ein Zahlwort,
   d) mit *wie?* oder *was?* wenn man ein Adjektiv
   als Antwort erwartet.

M: *wer?* kann sich nur mit der 3. Pers. Singular des Verbs verbinden. Wird jedoch das Prädikat mit Hilfe nur von *sein* gebildet, so richtet sich *sein* nach dem folgenden Substantiv oder Pronomen.

5. Fragen nach dem Prädikativum erfordern **Umstellung**.
6. Im **erweiterten** Satz kann **jedes** Satzglied durch Bestimmungsfragen erfragt werden. Vgl. § 187.
7. Nach Fragesätzen steht ein **Fragezeichen**.

B: zu 2/3: *Wer ruft? Der Junge (ruft). Wer kommt dort? Was ist dabei zu verdienen? Viel Geld! — Was ist hier los? (Was ist geschehen?) Ein Straßenbahnunfall hat sich ereignet.*

zu 4/5: *W e r sind Sie, mein Herr? (Ich bin) Schulrat Müller. Wer sind Sie, meine Dame? (Ich bin) die Hausbesitzerin. W e r ist Ihr Vater? Der Bauer Karl Höfer in Kirdorf. W a s ist dein Vater? (Mein Vater ist) Schriftsteller. Was will dein Bruder werden? (Er will) Maler (werden). Wie viele seid ihr? (Wir sind) drei (Geschwister). Wieviel (Bücher) sind es gewesen? (Es sind) zwölf (gewesen). Wie war das Wetter? (Das Wetter war) nicht schön.*

Fragen nach dem **Verb** des Prädikats:
Was hat der Verhaftete g e t a n? Er hat gestohlen. Was m a c h s t du? Ich bügle. Was t u t Fritz? Er lernt.

§ 159. Der Aufforderungssatz

1. In Aufforderungssätzen steht das Verb meist im I m p e r a t i v; doch kommen auch Infinitive, Partizipien und Konjunktivformen oder Umschreibungen vor. Vgl. § 55.
2. Aufforderungssätze mit I m p e r a t i v e n drücken das Subjekt durch die Personalendung des Verbs aus;
3. doch tritt das Pronomen zum Imperativ, wenn eine Betonung beabsichtigt ist. Es wird dann nachgestellt.
4. Aufforderungssätze mit I n f i n i t i v e n oder P a r t i z i p i e n lassen das Subjekt gewöhnlich u n b e z e i c h n e t.
Sehr häufig stehen Kurzsätze (154, 1d) als Aufforderungssätze, wodurch Wörter beliebiger Wortarten als Befehlsformen erscheinen. Meist läßt sich ein Partizip ergänzen.
5. Aufforderungssätze mit K o n j u n k t i v e n oder Umschreibungen beginnen mit dem finiten Verb oder Hilfsverb, haben also A, die überhaupt die gewöhnliche Wortstellung der Aufforderungssätze ist.
6. In Aufforderungssätzen jeder Art kann das Subjekt durch einen Vokativ (= Nominativ) besonders bezeichnet werden; seine Stellung im Satz ist willkürlich.
7. In Aufforderungssätzen steht das Verneinungswort h i n t e r dem Imperativ, aber v o r einem Infinitiv oder Partizip. In Aufforderungssätzen steht oft *doch, mal, nur, schon.*
8. Nach Aufforderungssätzen steht ein A u s r u f e z e i c h e n.

B: zu 2/3: *Lies! Les(e)t! Schreibt! Antwortet! Hört zu! Komm her! Habt acht! — Lies d u ! Antwortet i h r ihm!*

z u 4 : *Aufstehen! Einsteigen! Aussteigen! Fenster schließen! Nicht drängeln! — Stillgestanden! Zugehört! Aufgepaßt! Ruhe (gehalten)! Vorsicht (geübt)! An die Arbeit (gegangen)! Vorwärts (marschiert, gestürmt) usw.)! Auf!* (von *aufbrechen, aufgebrochen*); *Los! Herein! Hinaus! Still!* (von *stillschweigen, stillgeschwiegen*).

z u 5 : *Seien Sie unbesorgt! Seien Sie vorsichtig! Haben Sie acht! Seien Sie so gut (gütig)! Kommen Sie zurück! Möge sie eintreten! Mag er kommen! Laß(t) uns gehen!*

z u 6 : *Du liebes Kind, komm, geh mit mir! Hab Dank, Geselle! Schlafe, mein Kind! Kinder, schreit nicht so (laut)! Fritz, komm herauf! Komm herein, Erwin! — Frisch auf, Kameraden, aufs Pferd!*

z u 7 : *Schreit nicht! — Nicht schreien! Nicht geschrien!*

§ 160. Der Ausrufe- und der Wunschsatz

1. Die Ausrufe- und die Wunschsätze unterscheiden sich von anderen Satzarten
vor allem durch die ihnen eigentümliche gehobene Betonung.
2. Im allgemeinen stehen sie in E r s t s t e l l u n g (A);
3. sie können aber auch
    a) die G r u n d s t e l l u n g (G) der Aussagesätze oder
    b) die E n d s t e l l u n g (E) der abhängigen Sätze haben.
4. In Wunschsätzen steht der Konjunktiv. Vgl. § 53.
5. I r r e a l e W u n s c h s ä t z e.
Wird ein Wunsch als nicht erfüllt oder nicht erfüllbar gedacht, so steht der K o n j u n k t i v
    a) des P r ä t e r i t u m s
    für einen Wunsch der G e g e n w a r t,
    b) des P l u s q u a m p e r f e k t s
    für einen Wunsch in bezug auf die V e r g a n g e n h e i t.
6. Ausrufesätze werden oft mit *wie* oder *o wie* gebildet;
in Wunschsätzen findet sich oft *doch* oder *o daß doch*.
7. Ausrufe- und Wunschsätze erhalten ein A u s r u f e z e i c h e n.

B : z u 2 : *Ist der Junge klug! Sind diese Leute laut! Ist das Konzert schön gewesen!* — *Ach, wäre er gesund! Hätte Vater das doch noch erlebt! O wie hätte er sich darüber gefreut!*

z u 3 a : *Der Junge ist aber klug! Das Geburtstagskind lebe hoch!* — *Das wäre geschafft! Das ist ja nicht auszudenken!*

z u 3 b : *Wie klug der Junge ist!* (Hier ist, wie in allen ähnlichen Fällen, gedanklich ein Hauptsatz mit einem regierenden Verb zu ergänzen: *Ich wundere mich, wie klug der Junge ist!*) *Was für eine Dummheit du da begangen hast! Was das nur bedeuten soll!*

z u 5 a : *Schliefe ich doch!* (A) (Ich schlafe nicht.) — *Ich möchte schlafen!* (G) — *Ach, wenn ich doch schlafen könnte!* (E) — I c h h ä t t e g e r n e (ich möchte gerne) *einige Ansichtskarten.* (Sehr oft wird in der Umgangssprache diese Form benutzt, wenn der Käufer seinen Kaufwunsch im Geschäft ausdrückt.) Ebenso: *Ich tränke gerne ein Glas Wein! Ich äße lieber ein Stück Kuchen.*

z u 5 b : *Wäre er doch gekommen!* (A) (Er kam nicht.) — *Wenn er doch gekommen wäre!* (E) — *Ich hätte sterben mögen!* (G) — *Ach, hätte ich mich doch erkundigt!* (A)

XIII. Der erweiterte einfache Satz

§ 161. Satzglieder — Syntaktische Einheiten

1. Enthält ein einfacher Satz außer Subjekt und Prädikat noch nähere Bestimmungen, die nicht selbst Satzform haben, so heißt er ein **e r w e i t e r t e r** einfacher Satz.
2. Die näheren Bestimmungen werden eingeteilt in:
   a) **A t t r i b u t e** (Beifügungen) (Attr.),
   b) **O b j e k t e** (Ergänzungen) (Obj.),
   c) **A d v e r b i a l i e n** (Umstandsbestimmungen) (adv. Best.) und
   d) **K o m p l e m e n t e** (prädikative Best.) (Kompl.).
3. Prädikat, Subjekt und nähere Bestimmungen heißen **S a t z g l i e d e r**. Ein Satzglied kann bestehen aus:
   a) einem Wort (auch die umschriebenen Formen des Verbs, ebenso Artikel + Substantiv gelten als **e i n** Wort),
   b) einer Wortreihe, d. h. mehreren gleichartigen Wörtern,
   c) einer Wortgruppe (Präposition od. Vergleichswort + Substantiv oder Pronomen, ebenso modales Hilfsverb u. ä. + Verb).
4. Neben Subjekt und Prädikat sind **O b j e k t e** und **A d v e r b i a l i e n**, sofern sie das Prädikat bestimmen, selbständige Satzglieder, ebenso die **K o m p l e m e n t e**.
5. Das **A t t r i b u t** ist ein unselbständiges Satzglied und kann nicht Syntaktische Einheit sein, kann aber Gliedsätze bilden.
6. Ein Satzglied, das nicht wieder einem anderen eingegliedert ist, das also eine letzthöchste Einheit im Satz darstellt, heißt zugleich Syntaktische Einheit (SE). Sie kann in sich stark gegliedert sein.

Satzbilder

	Ich	benutze	dieses	Buch	sehr	oft	bei meinem	Studium.
	Subj.	Präd.		Obj.		adv. B.		adv. B.
				Attr.		adv. B.		Attr.
SE:	Subj.	Präd.		Obj. m. Attr.		adv.B.m.adv.B.		adv. B. m. Attr.

	Es	eingehend und genau	zu studieren	ist	mein fester	Vorsatz.
			→ Subj.	fin. V.		Prädikativ.
	Obj.	mehrgliedr. adv. B.			Attr. Attr.	
SE:		Subj. m. Obj. u. mehrgliedr. adv. B.			Präd. m. zwei Attr. b. Prädikativ.	

	Über	die	mir	bisher	fremden	Regeln	werde	ich	Sie	befragen.
	→	→				Obj.	fin. V.	Subj.	Obj.	Nominalform
						Attr.				
	Obj.	adv.B.								
	Attr. m. Obj. u. adv. B.						verbaler Rahmen			
							↓			↓
SE:	Obj. m. Attr., dieses m. Obj. u. adv.B.						Prädi-	Subj.	Obj.	kat

1. DAS ATTRIBUT (DIE BEIFÜGUNG)

§ 162. Übersicht

1. Das Attribut ist die nähere Bestimmung zu einem S u b s t a n t i v oder als Substantiv gebrauchten Wort. Vgl. § 161, 5.
2. Es antwortet meist auf die Frage *was für ein?*
3. Das Attribut kann sein:
   a) ein A d j e k t i v (adjektivisches Attribut);
   b) ein S u b s t a n t i v im G e n i t i v (Genitivattribut);
   c) ein S u b s t a n t i v mit P r ä p o s i t i o n (präpositionales Attr.);
   d) ein A d v e r b (adverbiales Attribut);
   e) ein I n f i n i t i v mit *zu* (verbales Attribut);
   f) ein S u b s t a n t i v im gleichen Kasus (Beisatz oder Apposition).

§ 163. Das adjektivische Attribut

1. An Stelle des A d j e k t i v s als Attribut kann auch ein Partizip, adjektivisches Pronomen oder Zahlwort stehen.
2. Das Adjektiv als Attribut steht gewöhnlich v o r dem Substantiv, zu dessen näherer Bestimmung es dient.
3. Es muß dann mit diesem in Numerus, Genus und Kasus übereinstimmen. In einigen Redensarten steht es aber unverändert.
4. Nur in der Dichtersprache kann das adjektivische Attribut h i n t e r dem Substantiv stehen, wobei es u n v e r ä n d e r t bleibt.
5. Tritt ein adjektivisches Attribut zu einem substantivischen Pronomen, so wird es n a c h g e s t e l l t und muß mit ihm in Numerus, Genus und Kasus übereinstimmen.

B: zu 1/3: *ein e d l e r Mensch; eine f l e i ß i g e Frau. In s t r ö m e n d e m Regen fuhren wir durch die g r ü n e n d e und b l ü h e n d e Landschaft. — D i e s e r Mann ist mir nicht bekannt.*
Aber: *sich l i e b Kind machen; um g u t Wetter anhalten* u. a.
Auf die Frage *wieviel?: Ich habe z w e i Briefe von ihm.*

z u 4: *Und dem Wandersmann erscheinen oft Gestalten, z a r t und m i l d.* — Immer nachgestellt wird das adverbial gebrauchte *allein: Der Arzt a l l e i n kann helfen. Du a l l e i n bist schuld.*

z u 5: *Das ist etwas E r f r e u l i c h e s. Das dient zu nichts G u t e m. Ich habe viel G u t e s über Sie gehört.*
Wir d r e i sind noch gesund. Euch a l l e n viele Grüße! (165, 9)

§ 164. Die übrigen Attribute

1. Über den **Gebrauch des Genitivs**
   zur Unterordnung eines Substantivs unter ein anderes vgl. § 95.
2. Der Genitiv steht meist **hinter** dem regierenden Wort;
3. bezeichnet er jedoch eine **Person**,
   so wird er, vor allem in gehobener Sprache, **vorgestellt**.
   Das regierende Substantiv steht dann **ohne** Artikel.
4. Die Präposition *von* mit dem Dativ tritt für den Genitiv ein, besonders, wenn dieser sich nicht vom Nominativ unterscheidet.
5. Das Attribut im Genitiv kann auch abhängen von
   a) einem Adverb der **Menge**;
   b) einem Adverb des **Ortes**;
   c) einem **Pronomen**;
   d) einem **Zahlwort**;
   e) einer **Steigerungsform**.
6. Das **Substantiv mit Präposition** als Attribut
   steht immer **hinter** dem regierenden Wort.
7. Dieses sog. präpositionale Attribut
   hat heute schon vielfach das Genitiv-Attribut verdrängt. Vgl. § 96.
8. Attribute können auch mit *als* oder *wie* angefügt sein.
9. Gelegentlich stehen als Attribute auch **Adverbien**
   des Ortes, der Zeit oder des Grundes mit oder ohne Präposition, und zwar in der Regel **hinter** dem Substantiv, selten vor ihm. In freierer Stellung stehen bei stark betonten Substantiven öfters Adverbien der Denk- und Aussageweise (132, 3; 202, 2), um jene irgendwie hervorzuheben (**modales** Attribut); z. B.:
   eben, gerade, allein, nur, ausgerechnet, sogar (selbst), auch, überhaupt, vor allem, erst, schon u. a.
10. Auch der **Infinitiv** mit *zu* ist als Attribut anzusehen,
    wenn er mit oder ohne Artikel
    ein Substantiv näher bestimmt (**verbales** Attribut).
11. Die Aneinanderreihung mehrerer Attribute im Genitiv ist unschön.
12. In solchen Fällen ist zu prüfen, ob nicht die Bildung eines zusammengesetzten Substantivs möglich ist.
    Dabei ist jedoch zu beachten, daß oft ein begrifflicher Unterschied zwischen diesem und dem Genitiv-Attribut besteht: *die Hausdame* ist nicht *die Dame des Hauses*; die Begriffe *Erdteil* und *Teil der Erde* decken sich nicht, und andere.

B : zu 2 : *das Tosen des Meeres; die Sorgen des Alltags; die Freuden des Lebens; das Tal der Donau; ein Mensch heiteren Gemütes; der Abschluß der Konten* usw. Oft sind statt dieser Bildungen zusammengesetzte Substantive möglich: *das Meerestosen, die Alltagssorgen, ein Gemütsmensch, der Kontenabschluß* usw.

zu 3 : *des Vaters Hut = der Hut des Vaters. Goethes Werke, Schillers Dramen.* — *Er drückt des Kaisers Länder mit des Kaisers Heer.*

zu 4 : *die Einwohner von Koblenz. die Werke von Voß und Claudius.*

zu 5a : *Genug **des Goldes**! Genug der Rede! Zuviel des Guten!*

zu 5b : *Woher **des Weges**? Wohin des Weges?*

zu 5c : *Welcher **deiner Brüder**? derjenige meiner Schüler.*

zu 5d : *das vierte **seiner Kinder**; drei **dieser Männer**; fünf **unseres Ordens**. unsereiner = einer von unserer Art.*

zu 5e : *der ältere **der beiden Knaben**; dieser edelste **aller Menschen**; die schönste **aller Frauen**.*

zu 6 : *Der Aufenthalt **auf dem Lande** hat seiner Gesundheit sehr wohlgetan. Aber: Er hat sich **auf dem Lande** (adv. Best.) aufgehalten. der Besuch bei Verwandten; der Weg in den Abgrund; der Vetter aus der Provinz; die Wochen um Ostern, ein Haus aus Sandstein; ein Film zur Unterhaltung; Suppe ohne Salz; ein Brot zu 50 Pfennig* usw. Auch hier sind zusammengesetzte Substantive möglich: *Osterwochen, Sandsteinhaus, Unterhaltungsfilm* usw.

zu 7 : Statt *die Straßen Mannheims* sagt man heute meist *die Straßen von Mannheim*; auch: *der Genuß von alkoholischen Getränken, der Verbrauch von frischem Brot* usw.

zu 8 : *sein Ruf **als Arzt**; ein Kerl **wie eine Eiche**.*

zu 9 : *der Nachbar **nebenan**; der Schornstein **links**; der Flug **nach oben**; die Vorstellung **gestern**; der Ärger **seinethalben**.* — *Aus dem Dörflein **da drüben** läuten die Glocken. In allem Leben ist ein Trieb **nach oben**.* — *dort das Dorf. **Eben** diese Regel meine ich. Das **eben** meine ich. Doch: Das denke ich **eben** (171, 5d od. 171, 2b).* — *Das gerade gefällt mir. Gerade dies mißfällt ihm. Nur Fritz weiß es. Karl nur kann uns helfen. Ausgerechnet er fehlt. Auch ich wundere mich. Selbst sie staunt.*

zu 10 : *ein Film zum Lachen; ein Buch zum Lernen. Ihm fehlt die Lust **zu arbeiten** = Lust zum Arbeiten, Arbeitslust.*

zu 11 : also nicht: *die Maßnahmen des Vorsitzenden des Vereins*, sondern: *die Maßnahmen des Vereinsvorsitzenden*.

§ 165. Die Apposition (Der Beisatz)

1. Das **Substantiv im gleichen Kasus** als Attribut heißt **Apposition** (Beisatz).
2. Die Apposition drückt kein Verhältnis der **Unter-**, sondern der **Beiordnung** aus.
3. Die Apposition kann im Deutschen sowohl **vor** wie **hinter** dem regierenden Substantiv stehen.
4. Die **nachgestellte** Apposition steht im Deutschen meist **mit Artikel**; bei Herrschernamen fehlt er jedoch bisweilen.
5. Die nachgestellte Apposition wird durch Kommas (Beistriche) vom übrigen Satz abgetrennt; ausgenommen sind engangefügte Beinamen von Personen.
6. Ein **Gattungsname** als Attribut tritt in der Regel **mit Artikel**
   a) zu einem Eigennamen;
   b) zu einem anderen Gattungsnamen geringeren Umfangs.
7. Ist die vorangestellte Apposition ein **Titel**, ein **Standes-, Berufs-** oder **Verwandtschaftsname**, so nimmt sie selbst den Charakter eines Eigennamens an und bleibt unverändert, wenn sie ohne Artikel steht.
8. Auch eine **Maß-** oder **Mengenbezeichnung** wird nach heutigem Sprachgebrauch als Apposition zu einem nachfolgenden Stoff- oder Gattungsnamen angesehen.
9. Einem substantivischen Pronomen kann ein Substantiv als Apposition unmittelbar nachgesetzt werden, doch nicht dem Personalpron. der 3. Pers.

B: zu 1: *Mutter Natur; in der Stadt Berlin; das Königreich Dänemark; im Monat Mai.* — *Es lebe Tell, der Schütz! die Regierung Wilhelms des Eroberers.*

zu 4/5: *Heinrich der Vierte. Richard Löwenherz. Christoph Columbus, der Entdecker Amerikas, starb im Elend. Heinrich der Löwe begab sich an den Hof seines Schwiegervaters, des Königs von England.*

zu 6: *der Philosoph Kant; der Dichter Heine. Feuerbach, der Philosoph, und der Maler Feuerbach gehörten derselben Familie an. das Land Kaschmir; der Vogel Strauß.*

zu 7: *Rektor Müller; Professor Dr. Schultze; Schreinermeister Schröder. Wir waren in Onkel Karls Garten.*

zu 8: *ein Paar Handschuhe; ein Dutzend Kragen* usw.

zu 9: *Wir Menschen; ich Unglücklicher; ihr bedauernswerten Leute Wer wird mich Elenden erretten?*

2. DAS OBJEKT (DIE ERGÄNZUNG)

§ 166. Übersicht

Vorbemerkung: Dieser Abschnitt gibt lediglich eine Zusammenfassung bzw. Übersicht dessen, was in den Abschnitten der Wortlehre über die Rektion der Verben und der Adjektive behandelt ist.

1. Als nähere Bestimmung zum Prädikat,
   auch zu einem Infinitiv, Partizip oder Adjektiv sonst im Satze, treten:
   a) Objekte (Ergänzungen) (Obj.),
   b) Adverbialien (Umstandsbestimmungen) (adv. Best.) (152, 5).
2. Das Objekt kann abhängig sein:
   a) von einem Verb im Prädikat,
   b) von einem Adjektiv im Prädikat,
   c) von einem Infinitiv, Partizip oder Adjektiv sonst im Satze, wobei es sich dann um Objekte niederen Grades handelt.
3. Diese Abhängigkeit drückt sich durch den Kasus des Objekts aus oder aber durch eine Präposition mit ihrem Kasus.
4. Demnach sind zu unterscheiden:
   a) Akkusativobjekte,   c) Genitivobjekte,
   b) Dativobjekte,   d) präpositionale Objekte.
5. Oft stehen mehrere Objekte. Die wichtigsten Fälle sind:
   a) Dativ-   + Akkusativobjekt,
   b) Akkusativ-   + Genitivobjekt,
   c) Akkusativ-   + präpositionales Objekt,
   d) Dativ-   + präpositionales Objekt,
   e) Akkusativ-   + Akkusativobjekt.
6. a) Als Objekte stehen Substantive, Pronomen oder Gliedsätze (184);
   b) für ein Akkusativ-, Genitiv- oder präpositionales Objekt kann ein Infinitiv mit *zu* stehen,
   c) für ein präpositionales Objekt auch ein Pronominaladverb (117).

B: zu 1: *Die hohe Auszeichnung wurde dem Gelehrten* (Obj.) *gestern* (adv. Best.) *feierlich* (adv. Best.) *überreicht. Diesen Ehrentag* (Obj. zum Infin.) *gebührend* (adv. Best. zum Infin.) *zu feiern wurde nicht versäumt.*

zu 2: *Der Lehrer lobte den Schüler. Ich bin mit dir nicht zufrieden. Deine Fehler zu bereuen ist es nie zu spät.*

zu 6: *Eben habe ich den Brief an ihn abgesandt. Er hob an zu reden. Ohne zu: Lehre mich singen! Denke daran!*

§ 167. Einfache Objekte

1. Das **Akkusativobjekt** (die Wenfallergänzung)
bezeichnet auf die Frage *wen oder was?* den Gegenstand
(die Person oder Sache),
der durch die Handlung des Subjekts **betroffen** oder **bewirkt**,
d. h. verändert, angeeignet oder geschaffen wird, insbesondere:
a) das **Ziel**,
b) die **Wirkung** oder das **Ergebnis**,
c) den **Stoff** oder das **Mittel** der Handlung.
Über andere Arten des Akkusativs vgl. §§ 65, 7, 8; 172, 4.
2. Das **Dativobjekt** (die Wemfallergänzung)
bezeichnet meist die **Person**, seltener die Sache,
der sich die Handlung **zuwendet** (105; 67).   Frage: *wem?*
3. Nach den verschiedensten Verben kann ein **freier Dativ** die Person bezeichnen,
a) um derentwillen etwas ist oder geschieht (Dativ des Interesses),
b) die an dem Geschehen Anteil nimmt oder nehmen soll (ethischer Dativ),
c) die als Besitzer gedacht wird (possessiver Dativ).
4. **Genitivobjekte** (Wesfallergänzungen) sind selten.
Sie bezeichnen den Gegenstand, der an dem Geschehen **teilhat**,
es veranlaßt oder nur davon berührt wird.   Frage: *wessen?*
5. **Präpositionale Objekte** (Verhältnisergänzungen)
nähern sich in ihrer Anwendung den adverbialen Bestimmungen,
vor allem denen des Grundes und der Art, wobei die Präposition
gewisse Lage- und Richtungsbeziehungen zur Geltung bringt.

B: zu 1 a: *Der Jäger schießt **den Hasen**. Sie liebt **ihn**.*

zu 1 b: *Ich baue **ein Haus**, schreibe **einen Brief**, erhoffe **eine Antwort**, führe **einen ausgedehnten Briefwechsel**.*

zu 1 c: *Wir brennen **Holz**, schmieden **Eisen**, trinken **Kaffee**. Er spielt **Geige** (= auf der Geige).* Der Akk. des Mittels läßt sich nicht ins Passiv umkehren, ebensowenig der Akk. des Inhalts (65, 7) und der nach *haben = besitzen* (4, 5) u. ä.

zu 3 a: *Dieses Buch kaufe ich **mir**. Der Abend verging **uns** im Fluge. **Dem Glücklichen** schlägt keine Stunde. **Mir** blüht diese Rose nicht.*

zu 3 b: *Den Mann lob' ich **mir**! Das war **dir** ein Spaß!*

zu 3 c: *Er stürzte **ihr** zu Füßen: zu ihren Füßen. Sie ging **ihm** ins Netz: in sein Netz. **Mir** schmerzen die Augen.*

§ 168. Doppelte Objekte

1. **Zahlreiche transitive** Verben (2, 5) regieren außer dem Akkusativ noch einen **Dativ** oder **Genitiv**.
2. Für solche Verben gilt im allgemeinen:
   a) Bezeichnet das Akkusativobjekt eine **Sache**, so tritt eine **persönliche** Beziehung im **Dativ** hinzu (Dativ der Person + Akkusativ der Sache); man fragt mit *wem?* + *was?*
   b) bezeichnet das Akkusativobjekt eine **Person**, so tritt ein ergänzender **Sach**begriff im **Genitiv** hinzu (Akkusativ der Person + Genitiv der Sache); man fragt mit *wen?* + *wessen?*
3. Der **Dativ der Person** und der **Akkusativ der Sache** findet sich bei den Verben des **Gebens und Nehmens** und den Verben des **Mitteilens und Verschweigens**:
   geben, nehmen, (über)lassen; kaufen, verkaufen, bezahlen; entreißen, einhändigen, aufzwingen; antun, zufügen; — sagen, schreiben, berichten; klagen, offenbaren, verheimlichen; empfehlen, versagen, verschweigen u. a. (68).
4. Der **Akkusativ der Person** und der **Genitiv der Sache** findet sich bei den Verben der **Gerichtsverhandlung** und den Verben der **Beraubung**:
   anklagen, beschuldigen, bezichtigen; überführen; berauben, entbinden, entheben u. a., auch bei *belehren* (70).
   Hierher gehören auch die reflexiven Verben, die neben dem Akkusativ des Reflexivpronomens ein Genitivobjekt verlangen:
   sich bemächtigen, sich entblößen u. a. (70, 3).
5. Häufig steht statt des Genitivs eine Präposition mit ihrem Kasus.

B: zu 3: *Der Arzt erklärte **dem Kranken die Ursache** seiner Krankheit. Der Eltern Segen baut **den Kindern Häuser**. — Rein und ganz gibt **schlichtem Kleide Glanz**.*

zu 4: *Die Geschäftsführerin beschuldigte **den Arbeiter der Faulheit**. Man überführte **den Buchhalter des Betruges**. Jeder Krieg beraubt **unzählige Menschen ihres Wohlstandes und Glücks**. — Herr, erbarme **dich unser**!*

zu 5: *Ich habe mich **aller Barmittel** entblößt = **von allen Barmitteln** entblößt* (69, 3).

§ 169. Der doppelte Akkusativ

1. Steht der **doppelte Akkusativ**,
   so sind folgende Fälle zu unterscheiden:
   a) **Beide** Akkusative
      sind **Substantive** oder substantivische **Pronomen**
      und bezeichnen **verschiedene** Gegenstände
      (Akkusativ der Person + Akkusativ der Sache).
      So werden *lehren, kosten* und *fragen,*
         auch (in bestimmten Verbindungen) *bitten* gebraucht.
   b) **Beide** Akkusative
      sind **Substantive** oder substantivische **Pronomen**
      und bezeichnen **denselben** Gegenstand.
      Der zweite Akkusativ ist prädikativ, also **Komplement**,
      und antwortet auf die Frage *wie?*
      (Akkusativ + komplementärer Akkusativ) (152, 7).
      So gebraucht werden die Verben des **Nennens**:
         nennen, rufen, schelten, heißen, taufen, titulieren u. a.
   c) Der **eine** Akkusativ
      ist ein **Substantiv** oder substantivisches **Pronomen**,
      der **andere** ein **Adjektiv** oder Partizip.
      Auch hier ist der zweite Akkusativ prädikativ, also **Komplement**, und wird öfters mit *als* oder *für* verbunden
      (Akkusativ + komplementärer Akkusativ) (152, 7).
      So gebraucht werden die Verben des **Bewirkens**:
         lassen, fühlen, sehen, (glücklich, reich, gesund) machen; auch *heißen, nennen, schimpfen, preisen, dünken, wähnen, träumen, erklären, bekennen* u. a.
   d) Der **eine** Akkusativ
      ist ein **Substantiv** oder substantivisches **Pronomen**,
      der **andere** ein **Infinitiv** (Akkusativ + Infinitiv) (a. c. i.).
      So gebraucht werden: *lehren, nennen, heißen, haben, machen; sehen, hören, fühlen, finden* u. a. (66, 6).

B: zu 1a: *Dieser Fehler wird* ***den Beamten seinen Posten*** *kosten. Du fragst* ***mich vieles****. Ich bitte* ***dich eines****!*

zu 1b: *Ich nenne* ***ihn meinen Freund****.* Vgl. § 66, 3.

zu 1c: *Ich fühle* ***mich krank****. Ich hielt* ***ihn für reich****. Ich sehe* ***das Urteil als verfehlt*** *an.*

zu 1d: *Sie lehrte* ***ihn tanzen****. Das nennst du* ***arbeiten****?*

§ 170. Die Stellung der Objekte im Satz

1. Im Deutschen ist die Stellung der Objekte im Satz eine andere als in den meisten anderen Sprachen.
2. In der regelmäßigen Wortfolge des Hauptsatzes (Grundstellung) steht das Objekt h i n t e r dem aussagenden Verb,
   wenn dieses in einem e i n f a c h e n Tempus steht.
3. Steht das aussagende Verb in einem u m s c h r i e b e n e n (zusammengesetzten) Tempus,
   so steht das Objekt e i n g e r a h m t z w i s c h e n dem finiten Hilfsverb und den Nominalformen bzw. dem Prädikativum.
4. Enthält der Satz eine S a t z v e r n e i n u n g (155, 5),
   so steht das Objekt gewöhnlich v o r dem Verneinungswort.

Sind m e h r e r e Objekte vorhanden,
so gelten folgende R e g e l n nacheinander (vgl. auch § 176, 6):

5. Ein P r o n o m e n steht v o r einem S u b s t a n t i v.
6. Ein D a t i v (der Person) steht v o r einem A k k u s a t i v (der Sache), doch kommt auch umgekehrte Stellung vor (Beisp. 9).
7. Eigentliche Objekte stehen v o r den uneigentlichen (Beisp. 15).
8. Das Pronomen *es* steht v o r anderen Personalpronomen oder lehnt sich in der verkürzten Form *'s* an sie an (Beisp. 11).
9. Allgemein gilt: J e d e s Objekt kann an den S a t z a n f a n g treten, wenn es besonders b e t o n t werden soll.
   E s f o l g t d a n n U m s t e l l u n g (Beisp. 13 u. 14)!

1) (G) Er **sah**		seinen	Freund	(nicht).	
(G) Er **hat**		seinen	Freund	(nicht)	**gesehen.**
(A) **Sah** er		seinen	Freund	(nicht)?	
(A) **Hat** er		seinen	Freund	(nicht)	**gesehen?**
5) (A) **Gab** er	seinem Bruder	den	Brief	(nicht)?	
(A) **Hat** er	seinem Bruder	den	Brief	(nicht)	**gegeben?**
(G) Er **gab**	seinem Bruder	den	Brief	(nicht).	
(G) Er **hat**	seinem Bruder	den	Brief	(nicht)	**gegeben.**
9) (G) Er **gab**	den Brief	seinem Bruder.			
(G) Er **gab**	ihn	seinem Bruder.			
(G) Er **gab**	es (das Buch)	ihm. (Er **gab** ihr's; er **gab**'s ihr.)			
12) (G) Ich **werde**	deinen Eltern	einen Brief	**schreiben.**		
(U) Deinen Eltern	**werde** ich	einen Brief	**schreiben.**		
(U) Einen Brief	**werde** ich	deinen Eltern	**schreiben.**		
15) (G) Ich **werde**	einen Brief	an deine Eltern	**schreiben.**		

3. DIE ADVERBIALE BESTIMMUNG
(DIE UMSTANDSBESTIMMUNG)

§ 171. Wesen und Arten der adverbialen Bestimmungen

1. Das Objekt erweitert den Begriff des Verbs oder Adjektivs, die adverbiale Bestimmung (Umstandsbestimmung) dagegen bezeichnet irgendwelche Nebenumstände oder Begleitmerkmale.
2. Adverbiale Bestimmungen stehen:
   a) w o r t bezogen beim P r ä d i k a t, aber auch sonst im Satze bei Adjektiven, Partizipien, Infinitiven u. a.,
   b) s a t z bezogen zur Bestimmung der Denk- und Aussageweise.
3. Adverbiale Bestimmungen zum Prädikat können stehen bei:
   a) V e r b e n,   b) A d j e k t i v e n,   c) A d v e r b i e n.
4. Man unterscheidet i m a l l g e m e i n e n :
   a) adverbiale Bestimmungen des O r t e s (Raumes),
   b) adverbiale Bestimmungen der Z e i t,
   c) adverbiale Bestimmungen der A r t u n d W e i s e,
   d) adverbiale Bestimmungen des G r u n d e s und noch (vgl. 2 b)
   e) adverbiale Bestimmungen der Denk- und A u s s a g e w e i s e.
5. I m e i n z e l n e n unterscheidet man adverbiale Bestimmungen:
   a) des O r t e s auf die Frage *wo?*
   b) des Z i e l e s *(wohin?)*;
   c) des A u s g a n g s p u n k t e s *(woher?)*;
   d) des Z e i t p u n k t e s *(wann?)*;
   e) der Z e i t d a u e r *(seit wann? bis wann? wie lange?)*;
   f) der W i e d e r h o l u n g *(wie oft?)*;
   g) der A r t *(wie?)*;
   h) des M i t t e l s *(womit? wodurch?)*;
   i) des G r u n d e s *(warum?)*;
   k) des Z w e c k e s *(wozu?)*;
   l) der F o l g e *(mit welcher Wirkung?)*;
   m) der B e d i n g u n g *(wann? unter welcher Bedingung?)*;
   n) der E i n r ä u m u n g *(trotz welches Umstandes?)*;
   o) der V e r g l e i c h u n g *(wie sehr? in welchem Grade?)* u. a.
6. Die adverbiale Bestimmung darf nicht mit dem Komplement verwechselt werden. Vgl. auch § 152, 6 B.

B: zu 1: *Da schlug der Greis* **die Saiten** *(Objekt), er schlug sie* **wundervoll** *(adverbiale Bestimmung).*
zu 2: *Vater arbeitet* **unermüdlich.** — *die* **äußerst** *niedrigen Preise. die* **neulich** *versandten Kataloge. ein* **sehr** *spannendes Buch.* — **Hier immer** *zu wohnen ist ja mein Wunsch.*
zu 3a: *Sie* **schrie** *(vor Entsetzen).* Vgl. unten 5.
zu 3b: *Der Apfel ist (ganz)* **sauer.** *Du bist (allzu)* **ängstlich.**
zu 3c: *Die Sache ist (ganz)* **anders.**
zu 4e: *Das Paket wird (wohl, vermutlich, voraussichtlich, wahrscheinlich, hoffentlich, bestimmt, keinesfalls) morgen eintreffen* (132, 3).
zu 5a: *Dieser Vogel lebt* **im Walde.** — **Hier** *wohne ich.*
zu 5b: *Der Vogel kehrte* **in sein Nest** *zurück.* — *Er flog* **hinan.** *Diese Maschinen werden* **nach China** *geliefert.*
zu 5c: *Der Habicht kam* **aus dem Walde.** — *Er kam* **dorther.** *Wir beziehen viele Rohstoffe* **aus dem Ausland.**
zu 5d: *Der Vogel singt* **des Morgens.** — *Schiller starb* **im Jahre** *1805. Wir versenden die Kontenauszüge* **morgen.**
zu 5e: *Der Vogel singt* **seit dem frühen Morgen.** — *An dem Voranschlag haben wir* **acht Tage** *gearbeitet.*
zu 5f: *Der Vogel singt* **regelmäßig jeden Morgen.** — *Ich habe ihn schon* **unzählige Male** *gehört.*
zu 5g: *Der Vogel singt* **schön.** — *Sprechen Sie nicht* **so laut!** *Unsere Instrumente sind* **sorgfältig** *gearbeitet.*
zu 5h: *Ich fing den Vogel* **mit einem Netz.** — **Durch viele Versuche** *haben wir festgestellt, daß ...*
zu 5i: *Der Vogel singt* **vor Lust.** — **Wegen Überlastung unseres Betriebes** *müssen wir Ihren Auftrag ablehnen.*
zu 5k: *Der Vogel singt* **zu seinem Vergnügen.**
zu 5l: *Der Vogel stürzte sich* **zu Tode.** — *Der Redner wiederholte seine Begründungen* **zum Überdruß** *der Hörer.*
zu 5m: **Bei gutem Wetter** *machen wir einen Ausflug.* **Im Falle der Verhinderung** *gebe ich dir Nachricht.*
zu 5n: **Trotz vieler Hindernisse** *erreichte der Forscher sein Ziel.* **Bei allem Fleiß** *wurde die Arbeit nicht fertig.*
zu 5o: *Er zürnte* **wie ein grimmiger Löwe.**
zu 6: *Goethe starb hochbetagt* (Kompl.) *im Jahre 1832* (adv. Best.).

§ 172. Der Ausdruck der adverbialen Bestimmungen

Zum Ausdruck der adverbialen Bestimmungen dienen:
1. die **A d v e r b i e n** (128 ff.),
   häufig in Verbindung mit **P r ä p o s i t i o n e n**;
2. **S u b s t a n t i v e** oder andere substantivisch gebrauchte Wörter in Verbindung mit einer Präposition;
3. **S u b s t a n t i v e** im Genitiv,
   gewöhnlich mit einem adjektivischen Attribut.
   Derartige Verbindungen sind z. B.:
   a) *hiesigen Ortes, allerorten (aller Orten), des Weges, desselben Weges, seines Weges, seiner Wege, rechter Hand, letzten Endes;*
   b) *seinerzeit (seiner Zeit), des Abends, eines schönen Tages, des anderen Tages, montags, dienstags* usw.;
   c) *leichten Kaufs, kurzerhand, unverrichteterdinge.*

   Da adverbial gebrauchte Genitive häufig sind, haben auch andere Adverbien das *s* als Suffix angenommen: *bereits, eilends, unterwegs* u. a.
4. **S u b s t a n t i v e** im Akkusativ,
   wozu auch der Akkusativ des Maßes (65, 8; 107)
   auf die Fragen *wie groß? wie hoch? wieviel?* gehört.

B: zu 1: *Es zog ihn* **n a c h o b e n**. **V o n d o r t h e r a b** *kam er.*

zu 2: *Ich zitterte* **v o r K ä l t e**. **T r o t z W e t t e r, S t u r m u n d W o g e n d r a n g** *kam der Erretter glücklich an.*

zu 3a: *Eine Familie dieses Namens ist* **h i e s i g e n O r t e s** *nicht ansässig. Über diesen Unglücksfall spricht man* **a l l e r o r t e n**. *Scheren Sie sich* **I h r e r W e g e**! *Das Dorf liegt* **l i n k e r H a n d**.

zu 3b: *Diese Angelegenheit wurde* **s e i n e r z e i t** *ausführlich besprochen. Karlheinz liebte es,* **d e s A b e n d s** *lange zu arbeiten.* **E i n e s s c h ö n e n T a g e s** *änderte er seine Gewohnheiten.* **D e s a n d e r e n T a g e s** *saß er schon* **f r ü h m o r g e n s** *am Tisch.*

zu 3c: *Von dieser Sache sind wir ja noch einmal* **l e i c h t e n K a u f s** *davongekommen. Den dreisten Burschen habe ich* **k u r z e r h a n d** *hinausgeworfen. Sie mußten* **u n v e r r i c h t e t e r d i n g e** *abziehen.*

zu 4: *Sie begleiteten ihren Sohn* **e i n e S t r e c k e**. *Er starb* **d e n 5. (fünften) J u l i 1948**. *Ich habe* **d e n g a n z e n T a g** *(über) an dich gedacht. Er ist* **e i n g u t S t ü c k** (= *viel*) *größer als seine Schwester. Um seine Drohungen werde ich mich* **d e n T e u f e l** (= *überhaupt nicht*) *scheren. — Die Mauer ist 60* **M e t e r** *lang.*

§ 173. Die Stellung der adverbialen Bestimmungen im Satz

Allgemein ist den adverbialen Bestimmungen eine freiere Bewegung als den Objekten gestattet; doch gelten folgende Regeln:
1. Steht die adverbiale Bestimmung bei einer einfachen Form des Verbs, so wird sie dieser n a c h g e s t e l l t.
2. Sonst steht die adverbiale Bestimmung in der Regel
v o r dem Wort, das sie näher bestimmt.
3. In Entscheidungsfragen steht die adverbiale Bestimmung
h i n t e r dem Subjekt.
4. Jede adverbiale Bestimmung kann an den S a t z a n f a n g treten, auch wenn keine besondere Hervorhebung beabsichtigt ist.
E s f o l g t d a n n U m s t e l l u n g !
5. Stehen m e h r e r e adverbiale Bestimmungen bei einem Wort, so steht die Zeitbestimmung gerne am Anfang,
die adverbiale Bestimmung der Art und Weise gerne zuletzt.
6. Treffen Objekte und adverbiale Bestimmungen zusammen, so treten die durch Pronomen ausgedrückten Objekte v o r die adverbialen Bestimmungen; die substantivischen Objekte stehen meist n a c h den Zeitbestimmungen.
7. Die t r e n n b a r zusammengesetzten Verben (61) nehmen in ihren einfachen Tempora ihre Objekte und adv. Bestimmungen z w i - s c h e n ihre Bestandteile, u m r a h m e n sie also.

B : z u 1 : *Der Vogel s i n g t (schön). Karl a n t w o r t e t e (laut).*
z u 2 : *Er hat den Auftrag (schnell und gewissenhaft) e r l e d i g t. Ein (überaus) h e f t i g e r Sturm verwüstete das Land.*
z u 3 : *Singt e r (schön)? Wirst d u (bald) kommen? Eilt e s (sehr)?*
z u 4 : *I c h e r w a r t e (heute noch) Besuch. (Heute noch) e r w a r t e i c h Besuch. — I c h h a b e ihn (neulich) getroffen. (Neulich) h a b e i c h ihn getroffen.*
z u 5 : *Friedrich Schiller w u r d e (am 10. November 1759) (zu Marbach am Neckar) (in recht kleinen Verhältnissen) g e b o r e n. Die Expedition t r a f (am nächsten Tage) (bei recht stürmischem Wetter) (wohlbehalten) (an ihrem Bestimmungsort) e i n.*
z u 6 : *Ich habe (gestern) d e i n e n B r u d e r (auf der Straße) getroffen. Ich habe i h n (gestern) (auf der Straße) getroffen.*
z u 7 : *Der Handelsvertreter t e i l t e (soeben) (seiner Firma) (den Erfolg seiner Reise) (in einem langen Telegramm) m i t. S. auch 5 B.*

XIV. Der zusammengesetzte Satz der Nebenordnung
§ 174. DIE SATZVERBINDUNG

1. Treten zwei oder mehrere selbständige Sätze
unter einem Hauptgedanken zu einem neuen Ganzen zusammen,
so entsteht **die Satzverbindung** (Sv),
der zusammengesetzte Satz der Nebenordnung.
2. Nach dem gegenseitigen **inneren** Verhältnis ihrer Glieder
kann die Satzverbindung von viererlei Art sein,
und zwar kann sie ausdrücken ein Verhältnis der
   a) **Anreihung** (kopulative Sv),
   b) **Entgegenstellung** (adversative Sv),
   c) **Ausschließung** (disjunktive Sv),
   d) **Begründung** (kausative Sv).
3. Nach der äußeren **Form** der Satzverbindung unterscheidet man:
   a) **unverbundene** (asyndetische) und
   b) **verbundene** (syndetische) Satzverbindungen.
4. **Unverbundene** Satzverbindungen
stehen **ohne** ein verbindendes Wort.
Häufig wird eine Art von Verbindung angedeutet, indem beide Sätze mit denselben oder gegensätzlichen Wörtern anfangen.
5. In der **verbundenen** Satzverbindung
kann die Verbindung hergestellt werden durch
   a) eine nebenordnende **Konjunktion** oder
   b) ein **Demonstrativpronomen** oder **Adverb**;
   c) schließlich können **beide** Sätze solche Wörter enthalten.
Über die **Wortstellung** nach Konjunktionen vgl. § 146.
6. Die Sätze in der Satzverbindung folgen gewöhnlich aufeinander. Es kann aber auch ein Satz in den anderen eingeschoben sein; er heißt dann **Schaltsatz**.
7. Die Glieder einer Satzverbindung werden durch ein **Komma** voneinander getrennt (sonst durch ein **Semikolon**), wenn sie
   a) durch *und* oder durch *oder* verbunden,
   b) durch Doppelkonjunktionen verbunden oder
   c) nicht allzu lang oder aber ineinandergeschaltet sind.

M: Die in den folgenden Abschnitten gegebenen Regeln über den Gebrauch der Konjunktionen in der **Satzverbindung** sind im allgemeinen auch auf die Verbindung einzelner **Satzglieder** anwendbar.

B : zu 2a : *Der Sturm tobt, der Regen peitscht die Fenster. Es lächelt der See, er ladet zum Bade. Alte soll man ehren, Junge soll man lehren, Weise soll man fragen, Narren soll man ertragen. Ich kam, ich sah, ich siegte. Das straffgespannte Wirken nur ist Leben; des Menschen ärgste Sünde heißt Erschlaffung.* Vgl. § 175.

zu 2b : *Lerne schweigen, o Freund, dem Silber gleichet die Rede; aber zur rechten Zeit schweigen ist lauteres Gold. Den Geschickten hält man wert, den Ungeschickten niemand begehrt. Lüge vergeht, Wahrheit besteht. Alle möchten wohl gern viel wissen, aber etwas drum geben, tut sie verdrießen.* Vgl. § 176.

zu 2d : *Benutz die Zeit, sie eilet sich und kommt nicht wieder ewiglich! Nichts übereile, gut Ding will Weile! In Fährden und in Nöten zeigt erst das Volk sich echt; drum soll man nie zertreten sein gutes altes Recht. Junges Blut, spar dein Gut, Armut im Alter wehe tut! Bleibe bei uns; denn es will Abend werden!* Vgl. § 177.

zu 4 : *Eine schöne Menschenseele finden, ist Gewinn; ein schönerer Gewinn ist, sie erhalten. Die Leidenschaft flieht, die Liebe muß bleiben; die Blume verblüht, die Frucht muß treiben. — Das Wasser rauscht', das Wasser schwoll. Friede ernährt, Unfriede verzehrt. Mit vielem hält man haus, mit wenigem kommt man aus. Der König sprach's, der Page lief; der Knabe kam, der König rief: „Laßt mir herein den Alten!"*

zu 5a : *Teuer ist mir der Freund; doch auch den Feind kann ich nützen. Die Botschaft hör ich wohl, allein mir fehlt der Glaube. Nicht können ist keine Schande; aber nicht lernen mögen ist eine Schande. Die Luft ist kühl und es dunkelt, und ruhig fließt der Rhein; der Gipfel des Berges funkelt im Abendsonnenschein.*

zu 5b : *Ich warne dich, das laß dir gesagt sein! Das Wasser schwoll, ein Fischer saß daran. Nach Frankreich zogen zwei Grenadier, die waren in Rußland gefangen. Der Tag war angebrochen, da begann die Schlacht. Dort der Holunderstrauch verbirgt mich ihm; von dort herab kann ihn mein Pfeil erreichen.*

zu 5c : *Der eine sät, der andere erntet, der dritte scheuert ein. Bald gras' ich am Neckar, bald gras' ich am Rhein. Die Wahrheit richtet sich nicht nach uns, sondern wir müssen uns nach ihr richten.*

zu 6 : *Alles, fühl ich, ist wahr. Seine Gründe, das wirst du verstehen, können mich keineswegs überzeugen.* Vgl. § 185, 1 B.

§ 175. Die kopulative Satzverbindung

1. Die kopulative (anreihende) Satzverbindung
   ist ihrem Wesen nach entweder
   a) a n r e i h e n d im eigentlichen Sinn und e r w e i t e r n d oder
   b) e r l ä u t e r n d oder
   c) e i n t e i l e n d.
2. Zur Verbindung dienen:
   a) a n r e i h e n d und e r w e i t e r n d : *und, auch, und auch, ebenso auch, so auch, desgleichen, ebenfalls, gleichfalls, sowohl ... als auch; nicht nur ... sondern auch* u. a.;
   vornehmlich erweiternd und h e r v o r h e b e n d sind: *außerdem, zudem, sogar, überdies, selbst, insbesondere, ja, ja sogar;*
   b) e r l ä u t e r n d : *nämlich, und zwar;*
   c) e i n t e i l e n d : *teils ... teils (zum Teil), einesteils ... andernteils, einerseits ... and(r)erseits; erstens ... zweitens ... drittens; zum einen ... zum andern; halb ... halb; bald ... bald.*
   d) Ferner werden häufig gebraucht:
   erst(lich), anfänglich, jetzt, dann, darauf, weiter, später, ferner, schließlich, endlich, letztlich.
3. Die Konjunktion *und* kann zu anderen Konjunktionen treten.
4. In einfachen Anreihungen steht *und* gewöhnlich nur vor dem letzten Glied.
5. Haben alle Glieder einer anreihenden Satzverbindung
   v e r n e i n e n d e n Sinn,
   so werden sie mit *weder ... noch ... noch* verbunden,
   wobei für *weder* ein beliebiges Verneinungswort stehen kann.
6. Das anreihende Verhältnis kann auch enthalten:
   a) eine ö r t l i c h e Beziehung,
   b) eine z e i t l i c h e Beziehung,
   c) eine V e r g l e i c h u n g.
7. Die erläuternde Satzverbindung steht der begründenden (177) nahe.
8. Die fortgesetzte Wiederholung der Konjunktion vor allen Gliedern einer Satzverbindung
   heißt vielverknüpfte (polysyndetische) Verbindung.
9. Bilden mehrere gleichgebaute Sätze unverbunden eine Satzverbindung, so heißt sie eine S a t z r e i h e.

B: zu 1/2a: (unverbunden:) *Die Bauern fuhren reiche Ernte in ihre Scheunen, in allen Werkstätten wurde emsig gearbeitet, unablässig surrten die Räder in den Fabriken, in Hallen und Lagern häuften sich die Waren, aus allen Schaufenstern sprach der Reichtum des Landes. — Die linden Lüfte sind erwacht, sie säuseln und weben Tag und Nacht, sie schaffen an allen Enden.*
(verbunden): *Der junge Schiller verkehrte viel im Hause des Pfarrers Moser, u n d dort fand er seinen ersten Unterricht und seine erste Freundschaft. — U n d sieh! aus dem finster flutenden Schoß, da hebt sich's schwanenweiß, u n d ein Arm u n d ein glänzender Nacken wird bloß, u n d es rudert mit Kraft u n d mit emsigem Fleiß, u n d er ist's, u n d hoch in seiner Linken schwingt er den Becher mit freudigem Winken.*

zu 1/2b: (unverbunden:) *Dreifach ist der Schritt der Zeit: Zögernd kommt die Zukunft hergezogen, pfeilschnell ist das Jetzt entflogen, ewig still steht die Vergangenheit.*
(verbunden:) *Der Gesandte wurde von seinem Posten zurückberufen, u n d z w a r erfolgte die Abberufung unter wenig ehrenden Umständen: man veröffentlichte sie n ä m l i c h vorzeitig.*

zu 1/2c: *Die Geschäftsführer sprachen sich gegen den Plan aus; t e i l s hielten sie seine Durchführung für verfrüht, t e i l s sahen sie ihn für zu kostspielig an. — A n f ä n g l i c h standen sich Goethe und Schiller kühl ablehnend gegenüber; d a n n lernten sie sich näher kennen und schätzen; s c h l i e ß l i c h waren sie befreundet.*

zu 3/4: *Fichte, Tanne, Kiefer u n d a u c h die Lärche sind in Deutschland weitverbreitete Nadelhölzer.*

zu 5: *Im Examen bewies der Prüfling w e d e r Vorbereitung n o c h Auffassungsgabe, n o c h zeigte er Schlagfertigkeit.*

zu 6a: *Steige auf den Berggipfel; v o n d o r t kannst du die Landschaft besser überschauen!*

zu 6b: *Der Tag war kaum angebrochen, d a machte sich Meister Hämmerlein schon an die Arbeit.*

zu 6c: *Du hast Mitleid mit ihm; e b e n s o fühle ich.*

zu 8: vgl. das letzte Beispiel zu 2a!

zu 9: *Kochend wie aus Ofens Rachen glühn die Lüfte, Balken krachen, Pfosten stürzen, Fenster klirren, Kinder jammern, Mütter irren, Tiere wimmern unter Trümmern.*

§ 176. Die adversative und die disjunktive Satzverbindung

1. Die **adversative** (entgegenstellende) Satzverbindung kann im einzelnen dienen zum Ausdruck einer
    a) **Beschränkung** oder
    b) **Aufhebung**.
   In der **disjunktiven** (ausschließenden) Satzverbindung schließen die Satzinhalte einander aus.
2. Zur Verbindung dienen:
    a) **beschränkend**: *aber, freilich...aber, zwar...aber, wohl ...aber, allerdings...aber, allein, nur, übrigens* (144, 3);
    b) **aufhebend**: *sondern, vielmehr* (beide in Verbindung mit einem Verneinungswort);
    c) **ausschließend**: *oder, entweder...oder, sonst, andernfalls, widrigenfalls, im andern Falle* (144, 4).
    d) Ferner werden häufig gebraucht: *dagegen, hingegen, doch, jedoch, dennoch, indes(sen), gleichwohl, nichtsdestoweniger*.
3. Die Konjunktion *aber* kann zu anderen Konjunktionen treten; oft knüpft sie auch an, **ohne** einen Gegensatz zu bezeichnen.

B: **zu 2a**: *Ich bin gern dazu bereit, Ihre Arbeit durchzusehen; **aber** Sie müssen mir etwas Zeit dazu lassen..., **nur** bitte ich Sie, mir etwas Zeit zu lassen. **Zwar** hat er sich redlich Mühe gegeben; seine Kräfte reichen **aber** für die gesteckte Aufgabe (doch) nicht aus. — Die Botschaft hör ich wohl, **allein** mir fehlt der Glaube.*

zu 2b: *Zahlreiche deutsche Dichter studierten in ihrer Jugend die Rechte; sie blieben **aber nicht** dabei, **sondern** wandten sich ganz der Dichtkunst zu. Deine Ansprüche auf die Erbschaft sind **unbegründet**; du weißt **vielmehr** selbst, daß sie durch deine Ausbildungskosten im vorhinein abgegolten sind.*

zu 2c: *Wenn der Hahn kräht auf dem Mist, wird's Wetter anders, **oder** es bleibt, wie es ist. **Entweder** findest du ihn in seinem Büro, **oder** du mußt ihn in seiner Wohnung aufsuchen. Ich rate Ihnen zu einem längeren Urlaub, **sonst** laufen Sie Gefahr, daß sich Ihre Gesundheit erheblich verschlechtert.*

zu 2d: *Alle seine Freunde rieten ihm von seinem Vorhaben ab, **gleichwohl** nahm er es in Angriff. Jetzt wird ihm kaum noch zu helfen sein; **nichtsdestoweniger** wollen wir es versuchen.*

zu 3: *Ich liebe das Meer, **aber** auch ins Gebirge reise ich gern.*

§ 177. Die kausative Satzverbindung

1. Je nachdem, ob in der kausativen (begründenden) Satzverbindung der begründende Satz an zweiter oder erster Stelle steht, ist sie
   a) b e g r ü n d e n d im engeren Sinn (kausale Sv) oder
   b) f o l g e r n d (konsekutive Sv).
   In der kausativen Satzverbindung kann weiter ausgedrückt sein:
   c) der Z w e c k, die A b s i c h t (finale Sv),
   d) eine E i n r ä u m u n g (konzessive Sv),
   e) eine E i n s c h r ä n k u n g (restriktive Sv).
2. Zur Verbindung dienen:
   a) b e g r ü n d e n d : *denn, nämlich, ja, doch;*
   b) f o l g e r n d : *daher, darum, demnach, sonach, deshalb, deswegen, also, folglich, infolgedessen, mithin, somit, so* (145, 2).
   Vor diese Konjunktionen tritt häufig die Konjunktion *und.*
   c) z w e c k l i c h : *dazu, darum, dafür;*
   d) e i n r ä u m e n d : *trotzdem;*
   e) e i n s c h r ä n k e n d : *insofern, insoweit.*
3. Begründend und entgegenstellend zugleich sind Satzverbindungen mit *deswegen doch, darum doch, aber darum doch.*

B : z u 2 a : (unverbunden:) *Mit diesem Mann kann ich nicht zusammenarbeiten; es ist zu schwer, seine Launen zu ertragen. Dieses Wort wird nicht mehr gebraucht; es ist veraltet.*
(verbunden:) *Du darfst auf deinen Bekannten nicht hören; ihm fehlt n ä m l i c h jede Sachkenntnis in dieser Frage. Er ist j a dumm.*

z u 2 b : *Wir haben Ihre neue Preisliste nicht erhalten; d e m n a c h mußten wir glauben, daß unsere Bestellung noch nach Ihren alten Preisen ausgeführt würde. Die Rohstoffpreise sind bedeutend gestiegen; d e s h a l b sind wir ebenfalls zu Preiserhöhungen gezwungen. Die beiden Dreiecke stimmen in zwei Seiten und dem eingeschlossenen Winkel überein; f o l g l i c h sind sie kongruent.*

z u 2 c : *Ich wundere mich über deine sinnlosen Ausgaben; d a z u (dafür) habe ich dir das Geld gewiß nicht gegeben.*

z u 2 d : *Sie war gewarnt, t r o t z d e m schloß sie diese Ehe.*

z u 2 e : *Die Verpflegung war gut; i n s o f e r n war ich zufrieden.*

z u 3 : *Ich weiß, daß du kein Freund von Unterhaltungsfilmen bist; du kannst a b e r d a r u m d o c h heute abend mit mir gehen.*

XV. Der zusammengesetzte Satz der Unterordnung

§ 178. DAS SATZGEFÜGE

1. Aus einfachen Sätzen entsteht das **Satzgefüge**, der zusammengesetzte Satz der Unterordnung, indem einzelne Satz**glieder** durch **Sätze** ausgedrückt werden.
2. Derjenige Teil des Satzgefüges, der das finite Verb des entsprechenden einfachen Satzes enthält, heißt **Hauptsatz**; die übrigen Teilsätze heißen **Gliedsätze**.
3. Satzgefüge lassen sich auf einfache Sätze zurückführen.
4. **Alle** Satzglieder des einfachen Satzes können durch Gliedsätze ausgedrückt werden, Prädikativum und Komplement aber selten.
5. Nach dem **Inhalt** des Gliedsatzes unterscheidet man:
   a) **Subjektsätze** (Satzgegenstandssätze),
   b) **Attributsätze** (Beifügungssätze),
   c) **Objektsätze** (Ergänzungssätze),
   d) **Adverbialsätze** (Umstandssätze),
   e) **Prädikativsätze**,
   f) **Komplementsätze**.
6. Nach der **Form** des Gliedsatzes unterscheidet man:
   a) **eingeleitete**,
   b) **uneingeleitete** Gliedsätze;
   c) von besonderer Form sind die Infinitiv- und Partizipialsätze.
7. Die **Einleitung** des Gliedsatzes kann erfolgen durch:
   a) eine unterordnende Konjunktion (Konjunktionalsatz),
   b) ein Relativpronomen (Relativsatz § 198),
   wobei dem Relativpronomen eine Präposition voraufgehen oder ein Pronominaladverb stehen kann,
   c) ein Interrogativpronomen oder -adverb
   oder die fragende Konjunktion *ob* (abhängiger Fragesatz § 187).
8. Über die **Wortstellung** im Gliedsatz vgl. § 180.
9. Nach der **Stellung** des Gliedsatzes unterscheidet man:
   a) **Vorder**sätze (sie gehen dem Hauptsatz vorauf),
   b) **Zwischen**sätze (sie sind in den Hauptsatz eingeschoben),
   c) **Nach**sätze (sie folgen dem Hauptsatz nach).
10. Nach Vordersätzen steht der Hauptsatz in Umstellung.

B: z u 2 : *Wo ein Aas ist, sammeln sich die Geier.* Hauptsatz: *Die Geier sammeln sich.* Wo? *Wo ein Aas ist* (Gliedsatz). *So hoch man steht, so tief kann man fallen. Man kann tief fallen* (Hauptsatz). Wie tief? *So hoch man steht* (Gliedsatz).

z u 5 a : *Es ist bekannt, daß die Firma leistungsfähig ist* (= *die Leistungsfähigkeit der Firma ist bekannt*). *Das eben ist der Fluch der bösen Tat, daß sie fortzeugend Böses muß gebären* (= *die Folgen der bösen Tat sind ihr Fluch*). Vgl. § 182.

z u 5 b : *Der Brief, den ich lange erwartet habe, ist endlich angekommen* (= *der lang erwartete Brief*). *Zwietracht das einzige Übel ist, das alle Land und Leute frißt* (= *das zehrendste Übel*). Vgl. § 183.

z u 5 c : *Ich hatte vergessen, daß wir uns verabredet hatten* (= *ich hatte unsere Verabredung vergessen*). *Wer vernünftig gebieten kann, dem ist gut dienen* (= *dem vernünftigen Gebieter*). Vgl. § 184.

z u 5 d : *Schicke mir Nachricht, falls dein Zustand sich verschlimmert* (= *im Falle der Verschlimmerung*)! *Wie man sät, so wird man ernten* (= *entsprechend der Sorgfalt bei der Saat*). Vgl. § 189 ff.

z u 5 e : *Die Menschen sind nicht immer, w a s s i e s c h e i n e n* (= *nicht immer aufrichtig*). *Du bleibst, w a s d u b i s t* (= *derselbe*). *Die Sache ist, w i e s i e i s t* (= *gleichbleibend*). *Neid ist dem Menschen, was Rost dem Eisen ist* (= *überaus schädlich*). *Der Hecht ist im Wasser, was der Wolf auf dem Lande ist* (= *ein Raubtier*). M: Für ein v e r b a l e s Prädikat kann kein Gliedsatz stehen!

z u 5 f : *Ich fand das Haus, w i e i c h e s v e r l a s s e n h a t t e* (= *unverändert*). *Servieren Sie das, wie's vom Herd kommt* (= *heiß*)!

z u 6 b : *Soll der Acker Saaten treiben, darf der Pflug nicht müßig bleiben. Der Herr muß selber sein der Knecht, will er's im Hause haben recht. Er sagte mir, er wolle mich morgen aufsuchen. Die Zeitung meldet, der überfällige Dampfer sei aufgefunden worden.*

z u 6 c : *Ich bin hierhergekommen, um die Sprache gründlich zu erlernen. Diese Aufgabe vor Augen, arbeite ich fleißig.* Vgl. § 200.

z u 9 : a) *S e i t d u h i e r b i s t , ist alles besser geworden.* (U)
 b) *Alles ist, s e i t d u h i e r b i s t , besser geworden.*
 c) *Alles ist besser geworden, s e i t d u h i e r b i s t .*

z u 10 : *I c h h o f f e , keine Fehler mehr zu machen, wenn ich das Buch studiert habe. Wenn ich das Buch studiert habe, h o f f e i c h dir das beweisen zu können.*

§ 179. Die Wortstellung im Hauptsatz (Zusammenfassung)

1. Im Hauptsatz kommen **drei Haupt-Wortstellungen** vor:
   a) **Grund**stellung, b) **Um**stellung, c) **Erst**stellung.
2. **Grundstellung (G):**
   An **erster** Stelle steht das Subjekt,
   an **zweiter** Stelle das **finitive Verb** des Prädikats.
   Über die Stellung der übrigen Satzglieder vgl. §§ 170; 173.
3. **Umstellung (U):**
   An **erster** Stelle steht **nicht** das Subjekt, sondern ein anderes Satzglied oder aber das indefinite *es* als Vorläufer des Subjekts, an **zweiter** Stelle das finite Verb, dahinter das Subjekt.
4. In G und U hat das **finite Verb Zwei**stellung (181, 5).

Mit Umstellung werden gebildet:

5. diejenigen Hauptsätze, die mit einem Objekt (166), einer adverbialen Bestimmung (171), dem Prädikativum oder Nominalformen des Prädikats (156, 4b), einem Komplement (einer prädikativen Bestimmung) (152, 5) oder dem indefiniten *es* (156, 3) beginnen;
6. **Bestimmungsfragen** (158; 187); — A: § 158, 3.
7. diejenigen **Hauptsätze** in der Satzverbindung, die mit dem vorhergehenden Hauptsatz durch eine nebenordnende Konjunktion verbunden sind; **ausgenommen** sind die Konjunktionen *und, oder, allein, sondern, denn, aber, nämlich;* nach ihnen steht G.

M: a) Nach *doch, jedoch, entweder, indessen* kann G oder U stehen.
   b) Nach *auch* und *nur* steht U,
      wenn sich diese Wörter auf das Prädikat beziehen, sonst nicht.
   c) Nach *also* steht U, wenn es schlußfolgernd,
      nicht aber, wenn es zusammenfassend gebraucht ist.
8. die meisten **Schaltsätze** (174, 6);
9. Hauptsätze im Satzgefüge nach Vordersätzen (die dort 1. SE sind); doch finden sich nicht selten Ausnahmen von dieser Regel.
10. **Erststellung (A):**
    Das **finite Verb** steht an **erster** Stelle;
    ein anderes Satzglied geht nur ausnahmsweise voraus.

Mit Erststellung werden gebildet:

11. **Entscheidungsfragen** (157);
12. **Aufforderungssätze** (159);
13. **Ausrufe- und Wunschsätze**, aber nicht alle (160, 2, 3);
14. gewisse **Hauptsätze** mit *doch*.

Beispiele zur Wortstellung im Hauptsatz:

zu		*Einfaches Tempus*		
2:		Er **beendete**	sein Studium	erfolgreich.
5:	Sein Studium	**beendete** er		erfolgreich.
	Erfolgreich	**beendete** er	sein Studium.	
7:	..., übrigens	**beendete** er	sein Studium	erfolgreich.
11:		**Beendete** er	sein Studium	erfolgreich?
		Umschriebenes Tempus		
2:		Er hat	sein Studium	erfolgreich **beendet**.
5:	Sein Studium	hat er		erfolgreich **beendet**.
	Erfolgreich	hat er	sein Studium	**beendet**.
7:	..., trotzdem	hat er	sein Studium	erfolgreich **beendet**.
11:		Hat er	sein Studium	erfolgreich **beendet**?

zu 3: *Die Glocken läuten von Turm zu Turm.* (G) — *Von Turm zu Turm läuten die Glocken.* (U) — *Es läuten die Glocken von...* (U)

zu 5: *Den schlechten Mann muß man verachten. Dem Reinen ist alles rein.* — *Auf dem Berg steht ein Aussichtsturm. Neulich war ich dort.* — *Müde bin ich. Als Held kam er zurück.*

zu 6: *Warum hast du das gesagt?* (U) — *Wer sagt das?* (G)

zu 7: *Ich riet ihm ab; nichtsdestoweniger stürzte er sich in das Wagnis.* — *Er folgte nicht; daher hat er die Strafe zu tragen.* (U) — *Aber: ...; er hat daher die Strafe zu tragen.* (G) — *Das Werk ist soeben erschienen, und es liegt in den Buchhandlungen aus.* (G). Vgl. § 146, 2.

a) *Ich kann es nicht kaufen; doch werde ich es aus der Bibliothek entleihen.* (U) *...; doch ich werde es entleihen.* (G)
b) *Ich kann dir nicht helfen; auch kann ich dir sonst keinen Rat geben.* (U) *...; auch Fritz wird dir nicht beispringen können.* (G)
c) *Du hast nichts vorbereitet; also mußt du die Folgen tragen.* (U) — *Also, wir wollen es noch einmal versuchen!* (G)

zu 8: *Er habe, erzählte er, ein dumpfes Geräusch gehört. Ich bin, spricht jener, zu sterben bereit.*

zu 9: *Während ihn die Rache sucht, genießt er seines Frevels Frucht.* (U) — *Wenn er der Täter ist, er soll es büßen.* (G)

zu 11: *Kommt Karl? Hast du dein Versprechen vergessen?*

zu 12: *Schweigen Sie! Seien Sie nicht so erregt!*

zu 13: *Käme er doch endlich nach Hause! Ach, hätt' ich nimmer dich gesehen! — Wie schön dieses Bild ist!* (E)

zu 14: *Ist doch niemand in deiner Bekanntschaft, der so heißt.*

§ 180. Die Wortstellung im Gliedsatz

1. **Eingeleitete** Gliedsätze (178, 6) haben **Endstellung** (E).
   A: Mit *als* eingeleitete irreale Komparativsätze haben Umstellung.
2. **Wesen der Endstellung** des Gliedsatzes:
   a) Das **einfache** Verb steht am **Satzende**.
   b) Wenn das Prädikat **umschrieben** (zusammengesetzt) ist, steht das finite Verb (**Hilfs**verb) am Ende.
   c) Nähere Bestimmungen stehen **vor** dem Vollverb.
   d) Wenn aber das Verb des Gliedsatzes mit einem umschriebenen (zusammengesetzten) Tempus eines modalen Hilfsverbs verbunden ist, so tritt das finite temporale Hilfsverb
   vor den Infinitiv des Vollverbs
   und der Infinitiv des modalen Hilfsverbs ans Satzende.
3. **Uneingeleitete** Gliedsätze haben **keine** Endstellung:
   a) Oft wird nach Verben des Sagens und Denkens
   der Gliedsatz **ohne** die Konjunktion *daß* gebildet;
   es entsteht ein **verkappter** Gliedsatz mit G oder U (185, 3b).
   b) Konditional- und Konzessivsätze **ohne** Konjunktion
   haben **Erststellung** (A) (194, 2; 195, 1).
4. Im Gliedsatz mit **Endstellung** werden trennbar zusammengesetzte Verben **nicht** wie im Hauptsatz getrennt (61, 5).

Einfaches Tempus

Aussagesatz:	Er **liest**	den Brief.	(G)
Fragesatz:	**Liest**	er den Brief?	(A)
Gliedsatz:	..., weil er	den Brief **liest**.	(E)
Verkappt. Gs.:	Er sagt, er **lese**	den Brief.	(G)
Konditionalsatz:	**Läse**	er den Brief, so ...	(A)

Umschriebenes Tempus

Aussagesatz:	Er **hat**	den Brief **gelesen**.	(G)
Fragesatz:	**Hat**	er den Brief **gelesen**?	(A)
Gliedsatz:	..., weil er	den Brief **gelesen hat**.	(E)
Verkappt. Gs.:	Er sagt, er **habe**	den Brief **gelesen**.	(G)
Konditionalsatz:	**Hätte**	er den Brief **gelesen**, so ...	(A)

B: zu 2a: *Wer das Gemälde* **sieht**, *ist ergriffen davon.*
zu 2b: *Auch wer es nur flüchtig gesehen* **hat**, *ist ergriffen.*
zu 2d: *Otto ist ausgeblieben, weil er nicht* **hat** *kommen* **dürfen** *(wollen, können, mögen). — Daß du diese Erfahrung* **hast** *machen* **müssen**, *ist dein eigenes Verschulden.*

§ 181. Der verbale Rahmen in Haupt- und Gliedsatz

1. Der **Bau des deutschen Satzes**
   wird durch den **verbalen Rahmen** [ ] bestimmt:
   Das Prädikat tritt in **zwei Teile** auseinander
   und umrahmt die Objekte und adverbialen Bestimmungen;
   bei U und A tritt auch das Subjekt in den Rahmen.
2. Einfache und untrennbar zusammengesetzte Verben bilden natürlich im Präsens, Präteritum und Imperativ im Hauptsatz und uneingeleiteten Gliedsatz keinen Rahmen; es entstehen **rahmenoffene** Sätze.
3. **Erster Teil** des Rahmens ist:
   a) im Hauptsatz und uneingeleiteten Gliedsatz das finite Verb,
   b) im eingeleiteten Gliedsatz das Einleitewort (obwohl es nicht Teil des Prädikats und manchmal gar Subjekt ist).
   Meist schließt sich das Reflexivpronomen an, falls vorhanden.
   Steht aber in U und A, auch in E, ein Pronomen als Subjekt,
   so muß es noch **vor** das Reflexivpronomen treten.
4. Der **zweite Teil** des Rahmens
   a) beginnt meist mit dem Verneinungswort *nicht*, falls vorhanden;
   b) es folgen die übrigen Teile des Prädikats; doch vgl. § 156, 4b.
   c) Den eingeleiteten Gliedsatz schließt das finite Verb ab (E).
5. **Vor** dem Rahmen steht im Hauptsatz (im sog. **Vorfeld**)
   nicht mehr als **eine** Syntaktische Einheit (161, 6);
   doch kann sie recht groß und vielfach gegliedert sein.
6. Auch kann ein Infinitiv, Partizip oder Adjektiv als 1. SE
   durch abhängige nähere Bestimmungen erweitert sein.
7. **Hinter** dem Rahmen können noch Satzglieder stehen. So werden z. B. präpositionale Objekte und Vergleichsbestimmungen oft nachgetragen, und viele Gliedsätze (Nachsätze § 178, 9) stehen dort.
8. Über Weiteres unterrichtet die **Stilistik**.

B : zu 1/3 : Vgl. die Übersichten §§ 170; 179; 180 u. die Beisp. zu § 173, 5 u. a. Stellung des Reflexivpronomens: *[Hat sich Ihr Mann um die freie Stelle beworben]?* — *[Hat er sich nun beworben]?*

zu 5 : Vgl. § 200. *Den Weltatlas, den sich Karl (= den er sich) von mir geliehen hat, [habe ich von meinem Onkel geerbt].*

zu 6 : Vgl. § 200. *Gut übersetzen [kann er. Dummheiten gemacht [hast du! Ganz blaß vor Schreck [war sie.*

zu 7 : *[Könnte ich doch fertig werden] mit diesem Kleinkram! Seit Tagen schon [quäle ich mich damit ab] wie ein Lastträger.*

DIE ARTEN DER GLIEDSÄTZE

§ 182. Subjektsätze

1. Der Subjektsatz (Satzgegenstandssatz) umschreibt das Subjekt des übergeordneten Satzes und antwortet auf die Frage *wer oder was?*
2. Zahlreiche Subjektsätze, besonders in Sprichwörtern, sind Relativsätze und beginnen mit *wer* oder *was,* auf die im Hauptsatz oft durch *der* oder *das* hingewiesen wird.
3. In der Regel wird der Subjektsatz aber durch *daß* eingeleitet (Konjunktionalsatz).
4. Auch ein abhängiger Fragesatz kann Subjektsatz sein.
5. Es kommen auch Subjektsätze o h n e verbindendes Wort vor.
6. Ist der Subjektsatz dem Hauptsatz n a c h g e s t e l l t , so wird im allgemeinen im Hauptsatz durch das Pronomen *es* auf den kommenden Subjektsatz hingewiesen.
7. Ist das Subjekt durch einen Infinitiv ausgedrückt und ist dieser durch andere Satzglieder erweitert, so wird er zur I n f i n i t i v g r u p p e oder zum I n f i n i t i v s a t z (200) und wird meist durch ein Komma vom Hauptsatz abgetrennt.
8. Stehen mehrere Infinitive, so muß *zu* jedesmal wiederholt werden.

B : z u 2 : *W e r besitzt, d e r lerne verlieren. W a s sich soll klären, (d a s) muß gären. W a s heute nicht geschieht, ist morgen nicht getan. W e n ' s trifft, d e r mag sich's merken.*

z u 3 : *D a ß du mir nicht antwortest, wundert mich. Es wundert mich, d a ß du mir nicht antwortest. — D a ß der Blitz von Metallen angezogen wird, ist allgemein bekannt.*

z u 4 : *O b die Gefahr ganz beseitigt ist, bleibt zweifelhaft. Es bleibt zweifelhaft, ob... W o h e r das Gerücht stammt, ist unbekannt.*

z u 5 : *Es ist besser, du telefonierst selbst. Es ist mir lieber, ihr geht jetzt nach Hause. Es wäre schön, du ließest mich in Ruhe.*

z u 6 : *Es geht auch dich an, wenn des Nachbars Haus brennt!* Vgl. 5.

z u 7 : *Es ist schwer, Kinder richtig zu erziehen. Kinder richtig zu erziehen (,) ist schwer.* (Geht der Infinitivsatz voran, so bleibt das Komma meist weg.) *Diese Frage eingehend zu erörtern ist hier nicht möglich. Es ist nicht möglich, diese Frage zu klären.*

z u 8 : *Den Minister zu treffen und zu sprechen war schwierig.*

§ 183. Attributsätze

1. Attributsätze (Beifügungssätze) umschreiben Attribute des übergeordneten Satzes (161, 5; 162 ff.),
   hängen also von einem S u b s t a n t i v ab,
   und antworten auf die Frage *welcher?* oder *was für ein?*
2. Attributsätze sind in der Regel Relativsätze (198; 199);
3. bei manchen Substantiven stehen aber auch:
   Konjunktionalsätze, abhängige Fragesätze,
   uneingeleitete (verkappte) Gliedsätze (184, 3),
   Infinitiv- oder Partizipialsätze (200).
4. Da der Attributsatz Attribute (besonders Adjektive) vertritt, kann er nur eine Eigenschaft einer Person oder Sache umschreiben und sollte in der Regel nicht dazu benutzt werden, den Fortschritt der Erzählung zu bezeichnen. Doch vgl. § 199, 3b.
5. Über die Apposition vgl. § 165.

B : z u 1 : *Die Stadt, in der wir wohnen, bietet viele Anregungen.* (Das Attribut steht beim Subjekt.) *Führe die Vorsätze, die du gefaßt hast, auch aus!* (Das Attribut steht beim Objekt.) — *Wir wohnen in einer Stadt, die ein ausgezeichnetes Klima hat.* (Attribut bei adverbialer Bestimmung.)

z u 2 : vgl. die vorigen Beispiele! — *Das Haus, wo Zwietracht herrscht, zerfällt. — Solche Gewitter, wie sie in den Tropen gewöhnlich sind, kommen bei uns selten vor. Kennst du das Land, wo die Zitronen blühn? Das Schönste sucht er auf den Fluren, womit er seine Liebe schmückt.* Weitere Beispiele in den §§ 198; 199.

z u 3 : *Die Ansicht, daß dies falsch sei, ist irrig* = *Die Ansicht, dies sei falsch, ist irrig. Ihre Hoffnung, daß Sie die Sprache bald erlernen, wird sich erfüllen* = *Ihre Hoffnung, die Sprache bald zu erlernen, wird in Erfüllung gehen. Ihre Frage, wer Ihnen dabei helfen könne, ist leicht beantwortet. Ihre Frage, ob ich Ihnen dabei helfen wolle, bejahe ich gerne. Ihre Frage, wie die Regel zu verstehen sei, soll in der nächsten Stunde behandelt werden. — Sie brachte Blumen mit und Früchte, g e r e i f t auf einer anderen Flur.*

z u 4 : Also nicht: *Er kam durch die Tür, die er hinter sich zuschlug.* Sondern: *Er kam durch die Tür und schlug sie hinter sich zu.* — Ebenso nicht: *Er bat um einen Geldbetrag, den er auch erhielt.* Sondern: *Er bat um einen Betrag und erhielt ihn.*

§ 184. Objektsätze

1. Objektsätze (Ergänzungssätze) werden mit denselben Fragewörtern erfragt wie die Objekte, für die sie stehen. Vgl. § 166 ff.
2. Objektsätze werden durch *daß, wie, ob* oder durch ein Relativ- oder Interrogativ-Pronomen eingeleitet. Im Hauptsatz deutet oft ein Demonstrativum auf den Gliedsatz hin. Vgl. bes. § 117, 2b.
3. Oft wird nach Verben des Sagens und Denkens die Konjunktion *daß* weggelassen; es entsteht ein Gliedsatz in G oder U.
Solche Gliedsätze heißen v e r k a p p t e Gliedsätze.
4. Haben Haupt- und Gliedsatz d a s s e l b e Subjekt, so kann auch ein I n f i n i t i v s a t z das Objekt bezeichnen.
Häufige Verben mit Infinitivsätzen sind: *hoffen, wünschen, glauben; sich freuen, sich fürchten, sich bemühen; versuchen, beabsichtigen, vergessen; beginnen, anfangen, aufhören, fortfahren; sich gewöhnen, scheinen, brauchen, wagen* u. a.
5. Haben Haupt- und Gliedsatz aber v e r s c h i e d e n e Subjekte, so ist ein Infinitiv im Gliedsatz im allgemeinen nicht möglich;
6. ein Infinitiv k a n n jedoch stehen, wenn das Subjekt des Gliedsatzes im Hauptsatz als O b j e k t vorkommt
und der Satzzusammenhang verständlich bleibt.
So steht der Infinitiv oft nach den Verben des Bittens und Befehlens: *befehlen, bitten, empfehlen, erlauben, ermahnen, ersuchen, fordern, helfen, raten, verbieten, warnen, zwingen* u. a.

B : z u 2 : *Der Gesunde weiß nicht, w i e reich er ist. W e m nicht zu raten ist, d e m ist nicht zu helfen. Frage ihn, o b er kommt! Ich bitte dich: bedenke, w a s du da sagst!*

z u 3 : *Ich hörte, daß bei Ihnen ein Zimmer zu vermieten sei = bei Ihnen sei ein Zimmer zu vermieten. Die Firma antwortete, sie habe die Waren schon längst abgeschickt. Fritz sagte, er wisse es.*

z u 4 : *I c h hoffe, daß i c h dich bald wiedersehe = Ich hoffe, dich bald wiederzusehen. Er beabsichtigt die Eröffnung eines neuen Geschäfts = Er beabsichtigt, ein neues Geschäft zu eröffnen. Höre mit deinen Klagen auf! = Höre auf, über alles mögliche zu klagen!*

z u 5 : *Ich hoffe, daß d u bald wiederkommst.*

z u 6 : *Ich bat i h n , daß e r mich bald besuche = Ich bat i h n, mich bald zu besuchen. Er erinnerte sie d a r a n , das Paket wegzubringen = daß s i e das Paket wegbringe.* Vgl. S. 156, M.

§ 185. Direkte und indirekte Rede — Gedankenbericht

1. Die d i r e k t e (wörtliche) Rede
   gibt den genauen Wortlaut einer Rede wieder.
   Nach Form und Inhalt gehört sie zu den H a u p t sätzen.
   Die direkte Rede wird von allem, was nicht dazugehört,
   durch Satzzeichen und Anführungszeichen („ ") getrennt.
2. Die i n d i r e k t e (nichtwörtliche) Rede
   gibt die Worte eines Sprechenden in abhängiger Form wieder.
   Sie ist ein O b j e k t satz,
   der von einem Ausdruck des Sagens und Denkens abhängt.
   Hat die indirekte Rede größeren Umfang,
   so kann sie durch Punkte abgeteilt werden;
   die Teilsätze bleiben dennoch abhängige Sätze.
3. Die i n d i r e k t e Rede wird
   a) mit *daß* eingeleitet und hat dann Endstellung (E),
   b) sie kann aber auch o h n e Konjunktion erscheinen
   und hat dann G oder U; (verkappter Gliedsatz).
4. Zwischen direkter und indirekter Rede steht in der Kunstprosa
   der G e d a n k e n b e r i c h t (der „innere Monolog"):
   Der Schriftsteller bringt im Handlungsablauf
   unvermittelt Gedanken und Selbstgespräche seines Helden.
5. Der Gedankenbericht steht in der 3. Pers. Singular,
   und zwar meist im Indikativ des Präteritums, selten im Präsens;
   die Zukunft wird mit *würde* umschrieben.
   Ein einleitendes Verb des Sagens und Denkens steht nicht.

B : z u 1 : *Er sagte: „Ich reise morgen früh ab."*
„Morgen früh", sagte er, „reise ich ab."
„Morgen früh reise ich ab", sagte er.

z u 3 : *Er sagte, daß er morgen früh abreise. Er sagte, er reise morgen früh ab. Er sagte, morgen früh reise er ab.*

z u 5 : *Dumpf s c h l u g die Zellentür hinter ihm zu. Nun w a r er abgeschlossen von allem und allen draußen. Monate, vielleicht Jahre, s o l l t e er hier verbringen. Zerbrechen w o l l t e n sie ihn wie einen dürren Ast. Aber sie w ü r d e n sich irren! Die Zähne aufeinanderbeißen w ü r d e er und festbleiben! Noch niemals h a t t e er sich durch Zwang etwas abpressen lassen. Und niemals w ü r d e er es!*

§ 186. Modus und Tempus in der indirekten Rede

1. G r u n d r e g e l :
Unabhängig vom Tempus des Einleitesatzes steht die indirekte Rede
a) in der Regel im Konjunktiv einer P r ä s e n s form (53, 3);
b) nur wenn diese Form sich n i c h t vom Indikativ u n t e r -
s c h e i d e t (also nicht als Konjunktiv erkennbar wäre),
steht die entsprechende P r ä t e r i t a l form dafür (53, 4).

Direkte Rede	Indirekte Rede	
Indikativ	*Konjunktiv*	
	nach 6 a)	nach 6 b)
Präsens	Präsens	Präteritum
Perfekt ⎫		
Präteritum ⎬	Perfekt	Plusquamperf.
Plusquamperfekt ⎭		
Futur I	Futur I	Kondit. I
Futur II	Futur II	Kondit. II

M: Für die gesamte Zeitstufe der Vergangenheit (Perfekt, Prät., Plusquamperf.) hat die indirekte Rede jeweils nur e i n e Form des Verbs: entweder Konj. Perfekt oder Konj. Plusquamperf. Vor- und Nachzeitigkeit (§§ 50; 191) können daher nicht am Verb ausgedrückt werden. Dem wird dadurch abgeholfen, daß geeignete Konjunktionen oder Adverbien gesetzt werden: *nachdem, dann, schon, nun* usw.

2. A u s n a h m e n : Die indirekte Rede steht aber
   a) im I n d i k a t i v , wenn die Gewißheit betont werden soll,
   b) im Konjunktiv einer P r ä t e r i t a l f o r m ,
   wenn die Ungewißheit oder Unwirklichkeit betont werden soll
   oder die Präteritalform schon in der direkten Rede stand.

B : z u 1 : *Er sagt(e): „Ich b i n krank."*   (Ind. Präs.)
      ..., daß er krank s e i. ..., er s e i krank.   (Konj. Präs.)
      Er sagt(e): „Ich w a r krank."   (Ind. Prät.)
      ..., daß er krank g e w e s e n s e i.   (Konj. Perf.)
      ..., er s e i krank g e w e s e n.   (Konj. Perf.)
      a) *Er sagte, daß er k o m m e.* b) *Ich sagte, daß ich k ä m e.*

z u 2 a : *Sie sagt(e), daß er bestimmt noch k o m m t.*

z u 2 b : *Ich fragte, w i e dem Schaden abzuhelfen w ä r e.* („Wie w ä r e dem Schaden abzuhelfen?") — *Er antwortete, das m ö c h t e er auch wissen.* („Das m ö c h t e ich auch wissen.")

3. *Die Zeitung schreibt: „Herr Müller ist gestorben."*
   Frau Schulze kann das wie folgt weitererzählen:
   a) ohne eigene Stellungnahme und in gutem Deutsch nach Regel 1:
      Die Zeitung meldet, daß Herr Müller gestorben s e i.
      ..., Herr Müller s e i gestorben.
   b) nach 2 a: *..., daß Herr Müller gestorben i s t.*
      (Frau Schulze nimmt es für eine Tatsache.)
   c) nach 2 b: *Denke dir, die Zeitung meldet, Herr Müller w ä r e gestorben, was doch gar nicht stimmt!*
      (Frau Schulze unterstreicht — meist umgangssprachlich — die Unwirklichkeit der Nachricht und berichtigt zugleich die Falschmeldung.)
4. Es ist nachdrücklich zu betonen, daß die letzte Möglichkeit nur ausnahmsweise und nur in dem erwähnten Sinn gegeben ist. Im übrigen ist der wahllose Gebrauch des Konjunktivs einer Präteritalform zu verwerfen. Auch beweist der ständige Wechsel zwischen Präsens- und Präteritalformen, wie er nach Regel 1 in Erscheinung tritt, keineswegs, daß ein willkürlicher Gebrauch der beiden Formen zulässig wäre:
5. Direkte Rede: *Fritz sagt(e): „Ich g e h e jetzt zu Onkel Otto; dann g e h e n wir beide in den Garten. Dort g r a b e n wir ein Beet um. Ich w e r d e auch die Kaninchen f ü t t e r n (Fut. I), wenn der Onkel es e r l a u b t. Unser Vesperbrot n e h m e n wir mit und b l e i b e n bis zum Abend dort. Wir w e r d e n spät z u r ü c k k o m m e n (Fut. I)."*
   Indirekte Rede: *Fritz sagt(e), daß er jetzt zu Onkel Otto g e h e (Präs.) und sie beide dann in den Garten g i n g e n* (Prät.) Dort g r ü b e n (Prät.) sie ein Beet um. Er w e r d e auch die Kaninchen f ü t t e r n (Fut. I), wenn der Onkel es e r l a u b e (Präs.). Ihr Vesperbrot n ä h m e n (Prät.) sie mit und b l i e b e n* (Prät.) bis zum Abend dort. Sie w ü r d e n spät zurückkommen (Kond. I, besser: Konj. Prät.: sie k ä m e n spät zurück).*
6. In der indirekten Rede (und auch sonst) gestaltet sich die **tatsächliche** Konjugation im Konjunktiv Präsens also so:

		ich	du	er	wir	ihr	sie
HABEN	§ 6:	hätte,	**habest,**	**habe;**	hätten,	hättet,	hätten.
SEIN	§ 7:	**sei,**	**sei(e)st,**	**sei;**	**seien,**	**seiet,**	**seien.**
WERDEN	§ 8:	würde,	**werdest°,**	**werde;**	würden,	würdet,	würden.
FAHREN	§ 38:	führe,	**fahrest°,**	**fahre;**	führen,	führet,	führen.
WISSEN	§ 41:	wisse,	**wissest°,**	**wisse;**	wüßten,	wüßtet,	wüßten.

*) Im abhängigen Satz werden die Formen des Konj. Prät., die sich nicht von denen des Indikativs unterscheiden, vom Sprachgefühl dennoch als Konjunktivformen empfunden, wenn sie neben solchen erscheinen.

§ 187. Direkte und indirekte Frage
Indirekte Aufforderungs- und Wunschsätze

1. Direkte (wörtliche) und indirekte (nichtwörtliche) Fragen sind Formen der direkten oder der indirekten Rede (186).
2. Die dort gegebenen Regeln gelten im allgemeinen auch hier, jedoch stehen alle Arten von abhängigen Fragesätzen heute meist im I n d i k a t i v ;
   der Konjunktiv findet sich nur noch dann,
   wenn im Hauptsatz eine Zeitform der Vergangenheit steht.

Für den erweiterten und den zusammengesetzten Satz ist das in § 157 und § 158 über die direkte Frage Gesagte zu ergänzen:

3. J e d e s Satzglied kann in Frage gestellt werden.
4. Entscheidungsfragen stehen in E r s t s t e l l u n g ,
   Bestimmungsfragen in U m s t e l l u n g ,
   Fragen nach dem Subjekt aber in G (das Fragewort ist 1. SE).
5. Bisweilen findet sich auch in der Entscheidungsfrage G;
   dann wird die Frage nur durch die Betonung gekennzeichnet.
6. B e s t i m m u n g s f r a g e n (158), direkte und indirekte, beginnen mit einem Interrogativpronomen oder -adverb:
   wer? was? wessen? wem? wen? welcher? wo? wohin? woher? womit? wodurch? wozu? worin? wann? wie? u. a.
   Vor dem Interrogativpronomen kann auch eine Präposition stehen.
7. E n t s c h e i d u n g s f r a g e n (157) in der indirekten Rede werden mit *ob* an den Hauptsatz angeschlossen
   und haben E n d s t e l l u n g .
8. D o p p e l f r a g e n überlassen dem Gefragten die Auswahl zwischen zwei oder mehr Gliedern, die durch *oder* verbunden sind. Für den zweiten Teil der Frage kann auch *oder nicht?* stehen.
   Die indirekte Doppelfrage
   wird mit *ob ... ob, ob ... oder* eingeleitet.
9. R h e t o r i s c h e F r a g e n sind Aussagesätze in Frageform, die zur Belebung des Ausdrucks verwendet werden.
   Man erwartet keine Antwort.
   Sind sie verneinend, so ist ihr Sinn bejahend, und umgekehrt.
10. Treten A u f f o r d e r u n g s - oder W u n s c h s ä t z e
    in die indirekte Rede über,
    so wird das Verb mit *sollen* oder *mögen, können* umschrieben.

B: zu 2: Steht in der indirekten Frage der Konjunktiv, so ist zu beachten, daß sich dort das Präteritum Ind. der direkten Frage nach § 186, 1a in das Perfekt Konj. oder nach § 186, 1b in das Plusquamperfekt des Konjunktivs verwandeln muß:
„*Besuchte dein Bruder die Universität?*" *Er fragte, ob dein Bruder die Universität besucht habe.* —
„*Besuchten deine Brüder die Universität?*" *Er fragte, ob deine Brüder die Universität besucht hätten**.

zu 4: *Hörst du schlecht?* (A) — *Kannst du nicht antworten?* (A) — *Kennst du jenen Mann?* (A) — *Wer hat das gesagt?* (G) — *Was hat gefehlt?* (G) — *Womit kann ich Ihnen dienen?* (U).

zu 5: „*Du hast es gesehen?*" (G) — „*Dir dient so mancher Fechter, und keiner kämpft um sie?*" (G).

zu 6: „*Wer reitet so spät durch Nacht und Wind?*" *Er fragt, wer so spät durch Nacht und Wind reite.* — „*Wann treffen wir uns wieder?*" *Er fragt, wann wir uns wiederträfen**.

zu 7: *Er fragte mich, ob ich mitgehen wolle. Er fragte mich, ob ich mitginge**. *Er fragte uns, ob wir mitgehen wollten**; *ob wir mitgingen**. — „*Kommst du?*" *Er fragte, ob ich käme**. *Ich fragte, ob er komme.* — „*Kam sie?*" *Er fragte, ob sie gekommen sei; ob sie gespielt habe; ob wir gespielt hätten**.

zu 8: „*Bist du mir treu oder untreu?*" *Sie fragt mich, ob ich ihr treu oder untreu sei; ob ich ihr treu sei oder nicht.* — „*Bist du mir treu geblieben oder hast du mich längst vergessen?*" *Sie fragt, ob du ihr treu geblieben seiest oder sie längst vergessen habest. Sie fragt mich, ob ich ihr treu geblieben sei oder sie längst vergessen hätte**. — *Er fragt, ob das Paket angekommen sei oder nicht.*
(In diesen Beispielen steht heute jedoch öfter der Indikativ.)

zu 9: *Seid ihr Männer?* = *Ihr seid keine Männer!* — *Labt sich die liebe Sonne nicht, der Mond sich nicht im Meer?* = *Gewiß, sie laben sich!* — *Verhält sich die Sache wirklich so?*

zu 10: *Vater sagt:* „*Fritz, geh in den Garten!*" *Vater sagt, Fritz solle in den Garten gehen.* In abgeschwächter Form: *Vater sagt, Fritz möge gehen; könne gehen.*
Mutter sagt: „*Rainer und Ernst, geht in den Garten!*" *Mutter sagt, Rainer und Ernst sollten** *in den Garten gehen; möchten** *gehen; könnten** *gehen.*

---

*) Die Präteritalform steht statt der Präsensform nach § 186, 1b.

§ 188. Anwendung der indirekten Rede

Die folgenden Beispiele aus Werken zweier Sprachmeister zeigen vorbildlichen Gebrauch des Konjunktivs in der indirekten Rede:

1. *Wallenstein sagte, er f ü h l e, daß er alt w e r d e; er s e i, von Krankheiten g e p l a g t*[0]*, der Ruhe bedürftig; er b e s i t z e eine Stellung, die ihm g e n ü g e n k ö n n e; von der Fortsetzung des Krieges d ü r f e er sich keinen Zuwachs von Reputation v e r - s p r e c h e n, sondern eher das Gegenteil. Niemals, fügte er hinzu, h a b e er größere Vorbereitungen zum Krieg g e m a c h t, aber doch niemals heißere Begierde g e h a b t, Frieden zu machen.* (Leopold v. Ranke „Weltgeschichte")

2. *Die Emigranten versicherten, daß Wallenstein, indem er wieder aus Böhmen aufbrach, eine Eröffnung darüber an den schwedischen Reichskanzler h a b e g e l a n g e n l a s s e n*[1]*; der h a b e ihm ge - a n t w o r t e t, er m ö g e nur Ernst damit m a c h e n, so w e r d e es ihm an seiner Unterstützung nicht f e h l e n.* (Ranke)

3. *Eines Tages sagte einer ihrer Räte den Brandenburgischen, es s e i b e s c h l o s s e n, den Oberbefehl dem Kurfürsten von Bayern zu übertragen. Diese fragten nur, ob s i c h kaiserliche Majestät gern dazu v e r s t e h e n w e r d e. Die Antwort war, der Kaiser w e r d e sich dazu v e r s t e h e n; wie gern, das k ö n n e man nicht s a g e n.* (Ranke)

4. *Jetzt öffnete Regine auf einmal ihr Herz: sie h a b e sich auf diesen Tag g e f r e u t, um sich von Erwin sattsprechen zu können. Die andern Frauen s p r ä c h e n*[2] *nie von ihren Männern, und auch von dem ihrigen, nämlich Erwin, t ä t e n*[2] *sie es nur, um alles mögliche auszufragen oder die Neugierde nach Dingen zu befriedigen, die sie nichts a n g i n g e n*[2]*. Da s c h w e i g e sie lieber auch; mit mir aber, der ich ein guter Freund s e i, w o l l e sie nur reden, was sie f r e u e. Sie fing also an zu plaudern, wie sie auf seine baldige Ankunft h o f f e, wie gut und lieb er s e i, auch in den Briefen, die er s c h r e i b e, was er für Eigentümlichkeiten h a b e, von denen sie nicht w i s s e, ob sie andre gebildete oder reiche Männer auch b e - s i t z e n*[3]*, die sie aber nicht um die Welt hingeben m ö c h t e*[4]*; ob ich viel von ihm w i s s e aus der Zeit, ehe sie ihn g e k a n n t*[5]*? ob ich nicht g l a u b e, daß er glücklicher g e w e s e n s e i als jetzt.* (Gottfried Keller „Sinngedicht")

---

0) § 200, 6.   1) § 180, 2d.   2) § 186, 1b.   3) § 187, 2.   4) § 160, 5a. 186, 2b.   5) § 47, 5.

Adverbialsätze

§ 189. Übersicht

1. Die **Adverbialsätze** (Umstandssätze) stehen für adverbiale Bestimmungen
und können wie diese eingeteilt werden. Vgl. § 171.
2. Sie antworten auf dieselben Fragen wie die adverbialen Bestimmungen, für die sie stehen.
3. Über Anschluß, Form und Stellung der Adverbialsätze gilt das in § 178 über Gliedsätze allgemein Gesagte. Vgl. auch § 197.

§ 190. Lokalsätze

1. **Lokalsätze** (Umstandssätze des **Ortes**)
werden in der Regel durch *wo, woher, wohin* eingeleitet.
Frage: *wo? woher? wohin? wie weit?*
2. Meist weist ein Adverb im Hauptsatz auf den Gliedsatz hin: *da, dort, hier, dahin, daher* u. a.
3. Doch sind nicht alle Gliedsätze, die mit *wo, woher, wohin* eingeleitet sind, auch Lokalsätze;
es kann sich auch um Objekt- oder um Subjektsätze handeln,
und auch Attributsätze können so eingeleitet sein.

B : zu 1/2 : *W o man singt, d a laß dich ruhig nieder! Ich fand ihn (d o r t), w o ich ihn am wenigsten vermutet hatte (hätte). Stelle das Buch d a h i n, w o h i n es gehört! Sie gingen schweigend, w o h i n ihre Pflicht sie rief. Die Hilfe kam (d o r t h e r), w o h e r man sie nicht erwartet hatte. Alles wanket, wo der Glaube fehlt. Wo viel Licht ist, ist starker Schatten. Wo Tauben sind, fliegen Tauben hin. Wo du hörest hohe Schwüre, steht die Lüge vor der Türe. So weit das Auge reichte, war nichts als Verwüstung.*

z u 3 : *Du ahnst nicht, w o h e r ich das weiß.* (Objektsatz § 184) — *Seine zahlreichen Vergehen sind es, w o r a u f sich die Anklage stützt.* (Subjektsatz § 182) — *Es ist mir nicht bekannt, wo Emma geboren ist.* (Subjektsatz) — *Dies ist das Haus, wo Herr Körner wohnt.* (Attributsatz § 183) — *Der Funkspruch gelangte an demselben Tage in meine Hände, w o ich abreisen wollte.* (Attributsatz. Hier hat *wo* **temporalen** Charakter.) Ebenso: *Seit dem 1. September 1939, wo der unselige Krieg ausbrach* ...

§ 191. Temporalsätze

1. Die T e m p o r a l s ä t z e (Umstandssätze der Z e i t)
bestimmen die Handlung des Hauptsatzes als der des Gliedsatzes
a) g l e i c h z e i t i g, b) n a c h f o l g e n d, c) v o r a u f g e h e n d.
Fragen: *wann? bis wann? seit wann? wie lange? wie oft?*
2. Durch die einleitende Konjunktion und das Tempus des Verbs
kann weiter die E i n - oder M e h r m a l i g k e i t (Wiederholung)
oder die D a u e r der Gliedsatzhandlung ausgedrückt werden.
3. Bei G l e i c h z e i t i g k e i t
von Haupt- und Gliedsatzhandlung dienen als Konjunktionen:
wenn bezeichnet Ein- und Mehrmaligkeit in Gegenwart und Zukunft, daneben auch die Mehrmaligkeit in der Vergangenheit;
als wird für die Einmaligkeit in der Vergangenheit verwendet;
da = als ist zugleich begründend;
wie, sowie, indem unterstreichen die Gleichzeitigkeit;
indes(sen), unterdes betonen die Dauer der Gliedsatzhandlung;
während, solange als, solange bezeichnen die Haupt- und Gliedsatzhandlung als gemeinsam dauernd. Über *während* vgl. § 144, 3b.
4. Bei N a c h z e i t i g k e i t
der Hauptsatzhandlung dienen als Konjunktionen:
nachdem als die häufigste Konjunktion dieses Verhältnisses;
wenn, als, wie, da stehen mit dem Plusquamperfekt oder Perfekt im selben Sinne wie in Abschn. 3;
sobald, sobald als, kaum daß bezeichnen die Unmittelbarkeit der Aufeinanderfolge;
seit, seitdem bezeichnen den Anfang der Hauptsatzhandlung.
5. Bei Nachzeitigkeit der Hauptsatzhandlung steht
    a) bei einem Hauptsatz im Präsens oder Futur
    der Gliedsatz im Perfekt;
    b) bei einem Hauptsatz im Präteritum
    der Gliedsatz im Plusquamperfekt. Vgl. §§ 48—51.
6. Bei V o r z e i t i g k e i t
der Hauptsatzhandlung dienen als Konjunktionen:
ehe = bevor;
bis, bis daß bezeichnen die Gliedsatzhandlung als Endpunkt der dauernden Hauptsatzhandlung.
7. Temporalsätze der regelmäßigen W i e d e r h o l u n g
werden mit *sooft* oder *sooft als* eingeleitet.

B: zu 3: *Wenn* die Blätter fallen, werden die Tage kürzer. Wir werden über die Angelegenheit sprechen, *wenn* du mich besuchst. — *Wenn* er uns besuchte, brachte er stets Blumen mit. *Wenn* man früher reiste, brauchte man weniger Papiere als heute. — *Als* ich ihn kürzlich besuchte, war er schon krank. *Da* ich ihn sah, fiel mir mein Versprechen wieder ein. — *Wie* ich eine Weile so da sitze, hüpft ein Eichhörnchen auf meinen Schoß. *Indem* er sich bückte, fiel ihm seine Brieftasche aus dem Rock. *Sowie* ich seine Anschrift erfahre, teile ich sie dir mit. — *Indes* die Eltern sich im Zimmer unterhielten, spielten die Kinder im Freien. *Indessen* die Kinder im Garten spielten, unterhielten sich die Erwachsenen im Haus. — *Während* sie ihre Einkäufe machte, wartete er in einem Café auf sie. *Solange* ich mit ihm verkehre, hat er sich als guter Kamerad erwiesen.

zu 4/5: *Nachdem* wir die Angelegenheit untersucht haben, werden wir uns näher äußern. *Nachdem* ich deinen Brief erhalten hatte, machte ich mich sofort an die Erledigung deiner Aufträge. *Nachdem* ich dein Schreiben erhalten habe, ist mir vieles klar geworden. — *Wenn* er sich etwas erholt hat, ist er wieder arbeitsfähig. ..., werde ich dir schreiben. *Als* er sein Unrecht eingesehen hatte, entschuldigte er sich. — *Sobald* ich Einzelheiten erfahre, werde ich euch den Hergang genau schildern. *Sobald als* die Unglücksbotschaft eingetroffen war, setzten sich die ersten Hilfsmannschaften in Marsch. — *Seit* er seinen Beruf aufgegeben hat, geht es abwärts mit ihm. *Seitdem* die Nachricht von unserem Erfolg bekanntgeworden ist, herrscht bessere Stimmung.

zu 6: *Ehe* du dich umdrehst, hat er dich schon betrogen. Aber auch: *Ehe* du dich einmal umgedreht hast, hat er dich schon betrogen. *Bevor* (ehe) ich ausgesprochen hatte, war er schon mit seiner Antwort bei der Hand. *Bis* du zurückkommst, bin ich mit der Arbeit fertig = werde ich fertig sein. *Bis daß* neue Vorschriften kommen, müssen wir uns an das alte Gesetz halten. — Ich gehe nicht zu Bett, *ehe* ich (nicht) mit dieser Arbeit fertig bin. Vgl. § 202, 8.

zu 7: *Sooft* ich Heinz sehe, fallen mir unsere gemeinsamen Jugendstreiche ein. *Sooft (als)* es regnet, hat sie Kopfschmerzen.

M: Das temporale *wenn* berührt sich eng mit dem konditionalen: Ich gehe erst aus, *wenn* ich die Arbeit beendet habe (nach Beendigung). Ich gehe nur aus, *wenn* (falls) ich die Arbeit beendet habe. — *wann* statt *wenn* ist veraltet.

§ 192. Komparativsätze

1. Unter den M o d a l sätzen (Umstandssätzen der Art und Weise) bezeichnen die K o m p a r a t i v s ä t z e (Vergleichungssätze) ein Verhältnis der Ähnlichkeit oder Gleichheit.
2. Sie werden durch die Konjunktionen *wie, als, so wie* eingeleitet.
   wie und *so wie* bezeichnen Ähnlichkeit und Gleichheit;
   als bezieht sich auf den Grad:
   a) nach einer Steigerungsform und nach *anders, andere* bezeichnet es die Ungleichheit;
   b) es kann aber auch ein Verhältnis völliger Gleichheit bezeichnen.
   Für *als* kann *denn* stehen, wenn der Stil es erfordert.
3. Wird der Inhalt des Gliedsatzes als i r r e a l (nichtwirklich) oder nur als p o t e n t i a l (möglich) vorgestellt, so steht die Aussage im Konjunktiv einer Präteritalform.
   Konjunktionen: *als ob, als wenn, wie wenn, gleich(sam) als ob.*
   Ist ein solcher Gliedsatz nur mit *als* oder *gleich(sam) als* eingeleitet, so steht er in U m stellung! Vgl. § 180, 1.
4. Wenn von zwei Aussagen die eine sich in demselben Maße steigert wie die andere, so steht im Hauptsatz *desto, um so, je,* während der Gliedsatz mit *je* eingeleitet wird (Proportionalsätze).
5. Soll der Gliedsatz nicht den Grad, sondern die A r t des Seins oder der Tätigkeit im Hauptsatz näher bestimmen, so steht *je nachdem.*

B : z u 2 : *W i e man's treibt, so geht's. Er machte seine Arbeit schlecht (= schlicht) und recht, s o w i e er es verstand. —*
a) *Er wird mehr Erfolg haben, a l s sein Bruder gehabt hat. Meine wirklichen Gründe sind a n d e r e , a l s du glaubst. —*
b) *Du hast mich ebensoviel geschädigt, a l s ich dir genützt habe. — Alexander war größer als Staatsmann d e n n als Feldherr.*
Statt *wie* steht gelegentlich *so: So dumm er ist, so anmaßend ist er.*
z u 3 : *Dieser Aufsatz sieht aus, a l s o b Sie ihn nicht selbst g e - s c h r i e b e n h ä t t e n. Er ist völlig kopflos, g l e i c h a l s o b es keinen Ausweg g ä b e. Tu, w i e w e n n du hier zu Hause w ä r e s t! — Sie tat, a l s h ä t t e s i e nichts g e h ö r t.*
z u 4 : *J e mehr er hat, j e mehr er will. J e höher der Turm, d e s t o tiefer der Fall. J e gründlicher Sie sich in die Sache vertiefen, u m s o größeren Nutzen werden Sie davon haben.*
z u 5 : *Wir behalten uns vor, unsere Preise abzuändern, j e n a c h - d e m sich die Weltmarktpreise gestalten.*

§ 193. Kausalsätze — Finalsätze

1. Die Kausalsätze (Umstandssätze des Grundes) im weiteren Sinne werden eingeteilt in:
   a) eigentliche K a u s a l s ä t z e (Begründungssätze),
   b) F i n a l s ä t z e (Absichtssätze),
   c) K o n d i t i o n a l s ä t z e (Bedingungssätze),
   d) K o n z e s s i v s ä t z e (Einräumungssätze),
   e) K o n s e k u t i v s ä t z e (Folgesätze).
2. Die e i g e n t l i c h e n K a u s a l s ä t z e (Begründungssätze) bezeichnen den Grund oder die Ursache
   auf die Fragen: *warum? weshalb? weswegen? wodurch?*
   Konjunktionen sind: *weil, da, indem, zumal da*
   und die veralteten *dieweil, alldieweil, sintemalen.*
3. Oft werden Kausalsätze auch mit *daß* eingeleitet;
   im Hauptsatz stehen dann zum Hinweis auf den Gliedsatz:
   deswegen, deshalb, darum, davon, daran.
   Diese Adverbien stehen auch bisweilen zur Verstärkung in einem Hauptsatz, der einen Gliedsatz mit *weil* bei sich hat.
4. Die F i n a l s ä t z e (Absichtssätze)
   geben die Absicht, also einen in der Zukunft liegenden Grund, für ein bestimmtes Handeln an;
   man fragt mit *wozu? in welcher Absicht? zu welchem Zweck?*
   Konjunktionen sind: *damit, daß* und das veraltete *auf daß.*
5. In Finalsätzen kommt der Konjunktiv heute nur noch dann vor, wenn im Hauptsatz eine Zeitform der Vergangenheit steht.
6. Auch ein Infinitivsatz mit *um zu* oder *zu* kann Finalsatz sein; meist ist er subjekt-, selten objektbezogen. Vgl. §§ 184, 4 ff.; 200.

B : z u 2 : *Er bestand sein Examen nicht, w e i l er nicht vorbereitet war. Er zeigte sich als wahrer Freund, i n d e m er mich in der Not unterstützte. Wir können die Arbeit in dieser kurzen Frist nicht fertigstellen, z u m a l d a wir Strommangel haben.*

z u 3 : *Ich müßte dir d e s h a l b (darum) zürnen, d a ß du so lange nicht geschrieben hast. Du wirst nicht d a v o n sterben, d a ß du einmal mit Schippe und Spaten arbeitest. Ich glaube ihm d e s - h a l b nicht, w e i l er mich schon öfter belogen hat.*

z u 4 : *Lerne fleißig, d a ß (damit) du später etwas kannst! Habe ich ihm d a z u das Geld gegeben, d a ß er es verschwendet?*

z u 5 : *Sie darbten, damit ihre Kinder anständig erzogen w ü r d e n.*

§ 194. Konditionalsätze

1. Konditionalsätze (Bedingungssätze) geben die Voraussetzung an, unter der die Aussage des Hauptsatzes gültig ist, und antworten auf die Frage: *in welchem Falle? wann?*
Konjunktionen sind: *wenn, falls, wofern; im Falle, daß; unter der Bedingung, daß; wo* und das veraltete *so*.
2. Konditionalsätze können auch o h n e Konjunktion gebildet werden und haben dann E r s t s t e l l u n g ! Vgl. § 157, 4.
Der nachfolgende Hauptsatz beginnt dann regelmäßig mit *so*.
3. I r r e a l e K o n d i t i o n a l s ä t z e.
Ist die Erfüllung der Bedingung unmöglich oder zweifelhaft, so steht in Haupt- und Gliedsatz der Konjunktiv
   a) des Präteritums für die Gegenwart,
   b) des Plusquamperfekts für die Vergangenheit. Vgl. § 160, 5,
Im Hauptsatz (nicht im Gliedsatz!) ist der Konditional zulässig, aber besser zu vermeiden. Vgl. § 54, 5—7.
4. Manche Konditionalsätze beschränken den Inhalt des Hauptsatzes nur t e i l w e i s e. Vgl. § 195, 3.
Sie werden durch *sofern, soweit, außer wenn* oder die verneinend wirkende Formel *es sei denn, daß* eingeleitet.

B : z u 1/2 : *W e n n dein Auge ein Schalk ist, (s o) wird dein ganzer Leib finster sein. Ist dein Auge ein Schalk, s o ... Es kann der Frömmste nicht in Frieden leben, w e n n es dem bösen Nachbar nicht gefällt. Gib mir Nachricht, f a l l s sein Zustand sich verschlimmert! S o ihr mich von ganzem Herzen suchet, so will ich mich finden lassen.* (Luther.)

z u 3 a : *S c h l i e f e das Kind, so könnten wir ausgehen. Wenn das Kind schliefe, so könnten ...* (Das Kind schläft nicht; wir können nicht ausgehen.) — *W ä r e es nicht so spät, so gingen wir noch aus. Wenn es nicht so spät w ä r e, (so) würden wir noch ausgehen.* (Es ist spät; wir gehen nicht mehr aus.)

z u 3 b : *H ä t t e das Kind g e s c h l a f e n, so hätten wir ausgehen können.* (Das Kind schlief nicht; wir konnten nicht ausgehen.) *W ä r e es nicht so spät g e w e s e n, so wären wir noch ausgegangen.*

z u 4 : *Ich freue mich seiner guten Meinung, s o f e r n sie redlich ist. Dieses Buch ist gut, s o w e i t ich es beurteilen kann.* — *Du wirst dir noch oft den Kopf anrennen, e s s e i d e n n , d a ß du deinen Starrsinn aufgibst* (= wenn du deinen Starrsinn nicht aufgibst).

§ 195. Konzessivsätze

1. Konzessivsätze (Einräumungssätze, Gliedsätze des Gegengrundes) bezeichnen den Grund für das Gegenteil der Hauptsatzhandlung auf die Frage: *trotz welches Umstandes?*
Sie können ohne und mit Konjunktion gebildet werden (180, 3).
Konjunktionen sind: *obgleich, obschon, obwohl, ob auch, (ob)zwar, wiewohl, wenngleich, wennschon, wenn auch, so sehr auch, wo.*
Die mit *ob* und *wenn* zusammengesetzten Konjunktionen können getrennt werden und andere Wörter zwischen ihre Bestandteile nehmen.
2. Der n a c h f o l g e n d e Hauptsatz beginnt meist mit s o und enthält oft verstärkende Adverbien wie *dennoch, gleichwohl, nichtsdestoweniger, dessenungeachtet, trotzdem, doch, so doch, noch.*
3. Zahlreiche E i n s c h r ä n k u n g s s ä t z e (Restriktivsätze) stehen den Konzessivsätzen näher als den Konditionalsätzen.
Konjunktionen sind: *sofern, wofern, soweit, wenn nur, außer daß, außer wenn, nicht daß, anstatt daß, weit entfernt daß* (194, 4).
4. Zwischen den Konditional- und Konzessivsätzen stehen die Gliedsätze mit den Doppelkonjunktionen *ob ... oder; ob ... ob; sei es, daß ... sei es, daß.*
5. Konzessiv sind auch die Gliedsätze, die mit *was auch, wer auch, wer immer, wo auch, wo immer* usw. einleiten.

B : z u 1/2 : O b g l e i c h *ich dich bedaure, kann ich* d o c h *deiner Bitte nicht willfahren. Nimmer,* o b *du die Uhr* a u c h *stellen magst zurück, kehrt die versäumte Zeit und das verträumte Glück.*
W e n n a u c h *Berge und Täler, Ströme und Meere uns trennen,* s o *werde ich dir* d e n n o c h *ein treues Gedenken bewahren.*
W e n n *Berge und Täler uns* a u c h *trennen, ...*
Unverbunden: *Ist die Aufgabe* a u c h *schwer, er wird sie lösen.*
z u 3 : S o v i e l *ich weiß, geht es ihm gut. Er ehrt die Wissenschaft,* s o f e r n *sie nützt.* — A n s t a t t d a ß *er mir Dank gewußt* h ä t t e , *redete er nur Böses von mir.* W e i t *davon* e n t f e r n t , d a ß *er mir dankbar gewesen* w ä r e ...
z u 4 : O b *es dir paßt* o d e r *nicht, du wirst dich fügen müssen. Er gab törichte Antworten,* s e i e s , d a ß *er zerstreut war,* s e i e s , d a ß *er die Fragen nicht verstand.*
z u 5 : *Ich möchte jetzt von niemand gestört werden,* w e r i m m e r *es* a u c h *sei. Der Mensch erfährt, er sei* a u c h , w e r *er mag, ein letztes Glück und einen letzten Tag.* Vgl. § 118, 11.

§ 196. Konsekutivsätze

1. Konsekutivsätze (Folgesätze) bezeichnen die Folge, also die nicht beabsichtigte, aber doch tatsächliche Wirkung des Handelns.
Konjunktionen sind: *so daß, daß*. — Frage: *wie? mit welcher Folge?*
Im Hauptsatz stehen häufig: *so, so sehr, derartig, dergestalt, dermaßen, ein solcher, solch ein, ein derartiger*.
Die Konjunktion *ohne daß* bezeichnet die nichteingetretene Folge, aber auch eine fehlende denkbare Voraussetzung des Geschehens.
2. Zu den Konsekutivsätzen gehören auch die Gliedsätze mit *als daß* nach einem Satz mit *(all)zu* + Adjektiv, einem Adjektiv + *genug* oder nach einer Steigerungsform.
Sie haben verneinenden Sinn und verlangen im allgemeinen den Konjunktiv einer Präteritalform (53, 3).
3. Auch ein Infinitiv mit *um zu, zu, ohne zu* kann konsekutiv stehen.

B : z u 1 u. 3 : Das Auto fuhr s o schnell (*dermaßen schnell, mit einer derartigen Schnelligkeit*), d a ß mir schwindlig wurde. — Das Kind fiel hin, o h n e d a ß es sich verletzte = o h n e sich z u verletzen. — Sein Befinden besserte sich, ohne daß ein Arzt gerufen werden mußte = ohne daß ein Arzt hätte helfen müssen.

z u 2/3 : Das ist z u schön, a l s d a ß es wahr sein könnte = zu schön, u m wahr z u sein. Sie ist alt g e n u g , (um) das allein z u können = als daß sie es nicht allein könnte. Die Frage ist viel e r n s t e r , als daß man sie so leicht nehmen dürfte.

§ 197. Besondere Bemerkungen

1. Zwischen den verschiedenen Arten der Adverbialsätze können vielfache Übergänge stattfinden.
Besonders ist dies der Fall zwischen Konditional- und Temporalsätzen, auch bei Konsekutivsätzen.
2. Häufig erscheint im Satzgefüge der Satz, der einen Nebenumstand enthält, grammatisch als Hauptsatz,
während der Satz mit dem wesentlichen Inhalt die Form eines Gliedsatzes irgendwelcher Art aufweist (Satzinversion).

B : z u 1 : *Wenn er uns verläßt, so sind wir verloren. Wenn du noch eine Mutter hast, so danke Gott und sei zufrieden!*

z u 2 : *Hier war es, wo ich das Meer zuerst erblickte. Eben ging die Sonne strahlend auf, als wir den Berggipfel erklommen.*

XVI. Abschluß der Satzlehre

§ 198. Über Relativsätze I

1. Gliedsätze, die mit einem Relativpronomen eingeleitet werden, heißen R e l a t i v s ä t z e (Bezugswortsätze).
2. Vor dem Relativpronomen kann eine Präposition stehen, oder ein Relativadverb (Pronominaladverb) leitet den Gliedsatz ein.
3. Das Relativpronomen, das den Relativsatz einleitet,
richtet sich in G e n u s und N u m e r u s nach seinem Bezugswort; in seinem K a s u s jedoch richtet es sich danach,
welches Satzglied es in dem Relativsatz darstellt.
(Doch drücken *wer* und *was* weder Genus noch Numerus aus. § 199.)
4. Bezieht sich das Relativpronomen aber
nicht auf ein einzelnes Wort, sondern auf den ganzen Satzinhalt, so gebraucht man *was* oder ein entsprechendes Pronominaladverb.
5. Der Relativsatz steht in der Regel möglichst n a h e h i n t e r seinem Bezugswort.

B : z u 2 u. 3 : *Wir bewundern den Schmetterling, ...*
... d e r von Blume zu Blume gaukelt. (Nominativ)
... d e s s e n Flügel so schön glänzen. (Genitiv)
... d e m der Junge nachläuft. (Dativ)
... a u f d e n der Junge Jagd macht. (Präp. mit Akk.)
... m i t d e m der Junge nach Hause kam. (Präp. mit Dat.)
Ebenso: *Wir bewundern die Schmetterlinge, ...*
... d i e von Blume zu Blume gaukeln. ... d e r e n Flügel so schön glänzen. ... d e n e n der Junge nachläuft. ... d i e der Junge verfolgt. ... a u f d i e der Junge Jagd macht. ... m i t d e n e n der Junge nach Hause kam. Vgl. auch die nächsten Beispiele!

z u 4 : *Wir beobachten den Schmetterling, w a s uns großes Vergnügen macht.* — *Erika hat sich große Torheiten geleistet, w a s ihr teuer zu stehen kommen wird. Sie hat sich unerlaubt vom Dienst entfernt, w a s unverständlich ist. Erich betreibt Spielereien, w o r ü b e r er seine eigentliche Arbeit vergißt. W o m i t man sündigt, d a m i t wird man gestraft.* Vgl. § 199, 3b.

z u 5 : *Ich habe den Anzug, den ich mir gestern gekauft habe, heute zum erstenmal getragen.*
natürlich nicht: *Ich b r a c h t e ihr Blumen, die sie so sehr liebt, m i t ;* sondern: *Ich brachte ihr Blumen mit, die sie ...*

§ 199. Über Relativsätze II

1. Die beiden Relativpronomen *welcher, -e, -es* und *der, die, das* beziehen sich auf ein Substantiv oder v o r a n gehendes Pronomen und sind g l e i c h b e d e u t e n d ;
jedoch wird *der, die, das* heute stark bevorzugt.
2. Das Relativpronomen *wer (= derjenige, welcher)*
steht für P e r s o n e n
und kann nur auf ein f o l g e n d e s oder f e h l e n d e s Pronomen bezogen werden.
3. a) In bezug auf indefinite sächliche Pronomen, sächliche Adjektive im Superlativ und unbestimmte Zahlwörter steht *was;*
b) *was* kann sich auch auf einen ganzen Satzinhalt beziehen.
Dabei drückt der Relativsatz einen selbständigen Gedanken aus, steht also für einen Hauptsatz, *was* auch sonst möglich ist.
Derartige Gliedsätze heißen w e i t e r f ü h r e n d e Relativsätze.
M: *was* kann keine Präposition vor sich haben.
Statt dessen stehen relative Pronominaladverbien (118, 8).
c) In bezug auf sächliche K o n k r e t a steht immer *das.*
4. Ist ein Relativpronomen auf ein P r o n o m e n der ersten oder zweiten Person Singular bezogen,
so steht die Aussage des Gliedsatzes dennoch in der dritten Person, oder das Personalpronomen wird im Relativsatz wiederholt.
5. In einem Relativsatz, der sich auf das Anredepronomen *Sie* bezieht, muß *Sie* wiederholt werden,
falls das diesbezügliche Relativpronomen im N o m i n a t i v steht.
6. a) Beziehen sich m e h r e r e R e l a t i v s ä t z e nacheinander auf d a s s e l b e Wort,
so werden sie gern mit dem gleichen Pronomen eingeleitet;
es braucht nur einmal zu stehen, wenn der Kasus derselbe ist.
b) Beziehen sich aber mehrere Relativsätze nacheinander auf v e r s c h i e d e n e Wörter,
so achtet man auf Abwechslung im Gebrauch der einleitenden Pronomen.
7. Bezieht sich der Relativsatz auf ein beigefügtes Substantiv,
so kann dieses mit in den Relativsatz aufgenommen werden,
der dann mit *welcher, -e, -es* eingeleitet wird;
doch gilt diese Satzbildung als unschön.
8. R e l a t i v s ä t z e h a b e n i m m e r E n d s t e l l u n g (E) (180, 2).

B: zu 1: *Der Junge, d e r (welcher) den Brief gebracht hat, wartet draußen. — Wende dich an einen Anwalt, z u d e m (zu welchem) du Vertrauen hast! Der Beamte, a n d e n (an welchen) ich geriet, war recht unhöflich.*

zu 2: *W e r immer strebend sich bemüht, d e n können wir erlösen. W e r befehlen will, (der) muß gehorchen lernen. W e n die Götter hassen, (den) strafen sie mit Hochmut.*

zu 3a: *Er sagt genau d a s , w a s ich auch sage. Das war d a s K l ü g s t e , w a s Sie tun konnten. In diesem Koffer habe ich e t w a s , w a s ich verzollen muß. Es gibt n i c h t s , w a s mich von meinem Entschluß abbringen könnte.*

zu 3b: *Ich habe keine Nachricht von meinem Sohn, w a s mich sehr beunruhigt.* Vgl. § 198, 4 B. — *Ich habe das Land kreuz und quer bereist, w o b e i ich seine Sitten gründlich kennenlernte.*

zu 3c: *Das ist d a s beste B u c h , d a s ich je gelesen habe.*

zu 4: *I c h Unglücklicher, der hier einsam und verlassen s i t z t ! = I c h Unglücklicher, der i c h hier einsam und verlassen s i t z e ! D u Tor, der s i c h so betrügen l i e ß ! = D u Tor, der d u d i c h so betrügen l i e ß e s t !*
Aber: *I h r Toren, die i h r euch so beschwindeln l i e ß e t !*

zu 5: *In meiner jetzigen Notlage rechne ich sehr auf S i e , d e r S i e* (Nom.) *mir so oft Ihre Hilfe versprochen haben.* Aber: *Ich bitte S i e , d e m* (Dat.) *ich volles Vertrauen schenke, um einen Rat.*

zu 6a: *Mein Sekretär, d e r mir bisher eine gute Hilfe war, d e m ich volles Vertrauen schenkte und d e s s e n Charakter einwandfrei schien, hat mich jetzt schwer enttäuscht. — Mein Sekretär, d e r mir eine große Hilfe war, (der) mein volles Vertrauen besaß und (der) ein einwandfreier Charakter schien, hat mich zuletzt sehr enttäuscht. Das Haus, d e s s e n Türen erbrochen, (dessen) Fenster zerschlagen und (dessen) Möbel gestohlen waren, stand lange Zeit verlassen und verwahrlost da.*

zu 6b: *Nichts ist verächtlicher als Menschen, w e l c h e die Vertrauensstellung, d i e man ihnen gab, mißbrauchen! Der Kaufmann, d e r mir den Füllfederhalter verkauft hat, w e l c h e r mir so viel Ärger macht, will ihn nun doch umtauschen.*

zu 7: *Jacob Grimm wurde zu Hanau am Main geboren, i n w e l c h e r S t a d t auch sein Bruder Wilhelm das Licht der Welt erblickte.*

zu 8: *Das Buch, das mir F r i t z g e g e b e n h a t .* (E) Vgl. § 180.

§ 200. Über Infinitiv- und Partizipialgruppen und -sätze

1. Ist ein Infinitiv oder ein Partizip im Satz
   durch Objekte oder adverbiale Bestimmungen erweitert (166, 1),
   so entsteht die Infinitiv- oder die Partizipialgruppe.
   Hat eine solche Gruppe größere Selbständigkeit im Satzganzen,
   so spricht man von einem Infinitiv- oder einem Partizipialsatz.
2. In Infinitiv- und Partizipialsätzen steht k e i n S u b j e k t;
   meist ist auch kein einleitendes Wort vorhanden.
3. Infinitiv- und Partizipialsätze stehen grammatisch
   zwischen Satz g l i e d und Glied s a t z.
   In der Regel können sie in einen Gliedsatz mit einem finiten Verb
   umgewandelt werden.
4. I n f i n i t i v s ä t z e sind im Deutschen recht häufig.
   Sie dienen zur Bezeichnung des Subjekts, eines Objekts oder einer
   adv. Bestimmung, auch eines Attributs. Vgl. §§ 182—185; 193.
   In Infinitivsätzen steht auf allen Zeitstufen
   für eine u n v o l l e n d e t e Handlung der Inf. P r ä s e n s ,
   für eine v o l l e n d e t e Handlung der Inf. P e r f e k t ,
   und zwar beide in der Regel mit *zu*,
   in Adverbialsätzen auch mit *um zu, ohne zu, anstatt zu*.
5. Infinitivsätze dürfen nicht zum Mißverstehen des Satzes führen.
   Statt eines Gliedsatzes mit fin. Verb kann ein Infinitivsatz stehen:
   a) wenn das Subjekt des Hauptsatzes
      zugleich Subjekt des Infinitivsatzes ist,
   b) wenn ein Objekt des Hauptsatzes Subjekt des Infinitivsatzes ist.
6. P a r t i z i p i a l s ä t z e stehen meist attributiv oder adverbial
   und beziehen sich in der Regel auf das S u b j e k t des Satzes.
   Ihnen gleich stehen auch die Sätze, in denen das ungebräuchliche
   Partizip *seiend* oder *habend* zu ergänzen ist.
   Diese Art von Gliedsatz hat also überhaupt kein Prädikat.
   Partizipialsätze werden im Deutschen nicht oft gebraucht.
   Doch stehen Partizipialgruppen nicht selten als Attribute,
   als adverbiale Bestimmungen, auch als Komplemente.
7. A b s o l u t gebrauchte Partizipien und Partizipialgruppen
   lehnen sich nicht an ein bestimmtes Wort des Hauptsatzes an.
8. Durch Erweiterung eines Adjektivs entsteht die Adjektivgruppe.
   Adjektivgruppen stehen meist attributiv.

B: **zu 1**: *Ich habe keine Zeit zu* **kommen**. *Ich habe keine Zeit,* **selbst zu kommen**. *Leider habe ich morgen nachmittag keine Zeit, zu dir zu* **kommen und mir das Buch zu holen**.
— **Singend** *zogen die Burschen durch die Straßen.* **Fröhlich singend** *zogen die jungen Leute durch das Dorf.* **Fröhlich ihre Jugendlieder singend**, *marschierten sie dahin.*

zu 4: *Für uns alle zu wirken, war seine einzige Befriedigung. Die Firma unterließ es, den Brief zu beantworten. Ich komme zu Ihnen, um Sie um Rat zu fragen. Meine Freude, Sie anzutreffen, ist groß.*
— *Der Schüler behauptet (behauptete, wird behaupten), nichts davon* **zu verstehen. ..., alles verstanden zu haben**.

zu 5a: *Der* **Arbeiter** *erklärte, daß* **er den Schaden nicht bemerkt habe**. = *Der Arbeiter erklärte,* **den Schaden nicht bemerkt zu haben. Die Beamten** *kamen, damit* **sie Nachforschungen anstellten**. = *Die Beamten kamen,* **um Nachforschungen anzustellen**.

Falsch gebildet ist jedoch der folgende Infinitivsatz: *Es werden viele Bücher gedruckt,* **um schnell vergessen zu werden**.

Denn diesen Satz kann man nach seinem Bau nur als **Finalsatz** verstehen: *Bücher werden* **zu dem Zweck** *gedruckt, daß sie schnell vergessen werden!* Natürlich schreibt niemand Bücher, damit sie schnell der Vergessenheit anheimfallen! Gemeint ist, daß das Schicksal es anders bestimmt hat, als man es sich dachte. Also: *Es werden viele Bücher gedruckt; aber den meisten ist es bestimmt, bald vergessen zu werden..., aber viele werden bald vergessen.*

zu 5b: *Kurt bat* **mich**, *daß* **ich** *zu seinen Eltern ginge.* = *Kurt bat* **mich**, *zu seinen Eltern* **zu gehen**. *Der Arzt riet* **mir**, **ich** *solle einige Zeit aufs Land gehen.* = *Er riet* **mir**, *einige Zeit aufs Land* **zu gehen**.

zu 6: *Pflanze, oft* **versetzt**, *gedeiht nicht. Zu weit* **getrieben**, *verfehlt die Strenge ihres weisen Zweckes. Von der unendlichen Mühe* **ermattet**, *sinken die Knie*.
Einmal in der Leute Mund (seiend), kommt man übel wieder heraus. Dies eine Ziel vor Augen (habend), unternahm er die Reise.
eine uns allen seit langem bekannte Erscheinung. die von ihm selbst in seiner markanten Schrift geschriebenen Zeilen.
Sie kaufte **ihrem Geldbeutel entsprechend** *ein.*

zu 7: **Alles wohl erwogen**, *ist die Sache bedenklich.*

zu 8: *ein* **uns allen sehr dienliches** *Buch.*

§ 201. Andere Satzarten

1. Von Gliedsätzen können wiederum Gliedsätze abhängen; diese werden Gliedsätze 2. Grades, 3. Grades usw. genannt.
2. Auch Kurzsätze (154, 1d) können als Gliedsätze stehen.
3. Sind mehrere gleichartige Satzglieder auf ein **g e m e i n s a m e s** Satzglied bezogen,
   so entsteht der **z u s a m m e n g e z o g e n e** Satz.
4. Satzgefüge und Satzverbindungen können untereinander weitere Verbindungen eingehen;
   sie heißen dann **m e h r f a c h** zusammengesetzte Sätze.
5. **P e r i o d e n** (Gliedersätze) sind größere Satzgefüge, die ein kunstvoll gebildetes ebenmäßiges Ganzes darstellen. Je nachdem, ob der Hauptsatz den Gliedsätzen voraufgeht oder folgt, unterscheidet man:
   a) **f a l l e n d e** und b) **s t e i g e n d e** Perioden.

B : z u 1 : *Ich brauche wohl nicht besonders zu betonen, daß ich mich freue, wenn kluge Männer so sprechen, daß ich verstehen kann, was sie meinen, wenn sie uns Vorträge halten.*

z u 2 : *Ich weiß nicht,* **w i e** (es) **w e i t e r**(geht). **W i e d i e S a a t** (ist), *so* (ist) *die Ernte.*

z u 3 : *Er* **s t u d i e r t** *Medizin, sie Germanistik. Der Buchhalter belächelt, die Sekretärin umschmeichelt* **d e n C h e f.** *Das kann sein, muß aber nicht.*

z u 4 : *Es lag eine dunkle Wolke auf den Bergen; und wo der Sturm das Gewölk zuzeiten zerriß, schaute ich von meiner schnee- und eisbedeckten hohen Warte auf beschneite Bergkuppen hinab und in winterliche Talgründe, in denen die Hütten der Dörfer ausgestreut lagen, grau und formlos, gleich den Basaltblöcken rings umher, daß das Auge die einen von den anderen nicht zu unterscheiden vermochte.* Vgl. § 48, 3 B.

z u 5 : Fallende Periode: *Wir kommen wieder, wenn der Kuckuck ruft, wenn erwachen die Lieder, wenn mit Blumen die Erde sich kleidet neu, wenn die Brünnlein fließen im lieblichen Mai.*

Steigende Periode: *Wo die Türme verfallen und Mauern, wo in den Gräben Unrat sich häufet und Unrat auf allen Gassen herumliegt, wo der Stein aus der Fuge sich rückt und nicht wieder gesetzt wird, wo der Balken verfault und das Haus vergeblich die neue Unterstützung erwartet: Der Ort ist übel regieret.*

§ 202. Modalität und Qualität des Satzes

1. Es gibt eine dreifache Modalität (Aussageweise): die der G e w i ß -
h e i t, der M ö g l i c h k e i t und der N o t w e n d i g k e i t.
2. Zum A u s d r u c k d e r M o d a l i t ä t dienen:
   a) die Stimmführung und die Betonung einzelner Wörter;
   b) die drei Modi des Verbs: Indikativ, Konjunktiv, Imperativ;
   c) die modalen Hilfsverben (5—16):
   können, dürfen, mögen für die Möglichkeit,
   müssen, sollen, wollen für die Notwendigkeit
   und *lassen* für Möglichkeit und Notwendigkeit;
   d) die modifizierenden Verben: *brauchen, wissen* u. a. (2, 14; 151, 7);
   e) Adverbien, z. B. *gewißlich, wirklich, in der Tat; vielleicht, etwa, möglicherweise; jedenfalls, selbstverständlich, notwendigerweise.*
3. Die wichtigsten Fälle der Anwendungen des K o n j u n k t i v s sind:
   a) Aufforderungssätze (159);   e) Vergleichungssätze (192);
   b) Wunschsätze (160);   f) Absichtssätze (193, 4);
   c) indirekte Rede (185);   g) irreale Bedingungssätze (194, 3);
   d) indirekte Frage (187);   h) Einschränkungssätze (195, 3).
4. Q u a l i t ä t des Satzes:
   Jeder Satz kann b e j a h e n d oder v e r n e i n e n d sein.
5. Die Bejahung wird gewöhnlich nicht ausgedrückt. Zur Verneinung dient *nicht* oder ein anderes Verneinungswort oder ein Wort mit verneinendem Sinn: *nimmer, keinesfalls, keineswegs; verbieten, warnen, hindern; unfreundlich, lieblos; kein, niemand* usw.
6. Bejahung und Verneinung können durch Adverbien verstärkt werden: *fürwahr, sicherlich, durchaus.* Vgl. § 132, 3a, b.
7. Wird der ganze Satz verneint, so leitet das Verneinungswort meist den zweiten Teil des verbalen Rahmens ein (155—157; 181); ist ein einzelnes Wort verneint, so tritt die Verneinung vor dieses, oder es steht ein Wort mit verneinendem Sinn.
8. In Ausrufesätzen und Gliedsätzen nach *ehe* oder *bevor* ist das Verneinungswort „nicht" bedeutungslos.

B : z u 7 : *Wir werden n i c h t z u r ü c k k e h r e n. — Wir werden n i c h t g e r n (= u n g e r n) zurückkehren. Sie schämte sich nicht, mit ihm zu verkehren. Sie schämte sich, nicht mit ihm zu verkehren. Er l e u g n e t e, mit ihr zu verkehren.*

z u 8 : *Was der Junge (nicht) alles weiß!* Vgl. § 191, 6 B.

§ 203. Gebrauch der verschiedenen Fälle (Übersicht)

1. Der N o m i n a t i v steht im Satz:
   a) als S u b j e k t : *Der Knabe kam. Er ist krank.* (150);
   b) als P r ä d i k a t i v u m : *Er ist ein guter Arzt.* (152);
   c) als K o m p l e m e n t (oft mit *als*): *Er starb als Held.* (152, 5);
   d) in der A n r e d e (oft mit o verbunden): *Du lebst, o Freund!*
2. Der A k k u s a t i v steht:
   a) als O b j e k t : *Ich rufe ihn.* (65; 66; 68; 70);
   b) als K o m p l e m e n t (oft mit *als*): *Man nennt ihn einen Lügner. Ich kenne ihn als solchen.* (66; 152, 5);
   c) als a d v. B e s t i m m u n g : *Führe mich den rechten Weg! Er starb den 1. März 1947.* (172, 4);
   d) von einer P r ä p o s i t i o n abhängig: *Tu's für ihn!* (137; 138).
3. Der D a t i v steht:
   a) als O b j e k t , abhängig von einem Verb: *Er half dir.* (67);
   b) als O b j e k t , abhängig von einem Adjektiv: *Sei mir treu! Ist Ihnen das bekannt?* (105);
   c) als f r e i e r Dativ: *Das Buch lob' ich mir!* (167, 3);
   d) von einer P r ä p o s i t i o n abhängig: *Geh' zu ihr!* (137; 138).
4. Der G e n i t i v kommt vor:
   a) als A t t r i b u t : *Die Lage Deutschlands.* (95; 164);
   b) als O b j e k t , abhängig von einem Verb: *Walten Sie Ihres Amtes!* (69; 70);
   c) als O b j e k t , abhängig von einem Adjektiv: *Er ist des Deutschen kundig.* (104);
   d) als P r ä d i k a t i v u m : *Er ist guten Mutes.* (152);
   e) als a d v. B e s t i m m u n g : *Er kam gemessenen Schrittes herbei.* (172, 3);
   f) von einer P r ä p o s i t i o n abhängig: *trotz des Regens.* (136).
5. Außerdem kann j e d e r Kasus als A p p o s i t i o n vor oder hinter einem anderen Substantiv im gleichen Kasus stehen. (165)

M: Der Nominativ steht nicht in Abhängigkeit von einem anderen Wort: er ist der u n a b h ä n g i g e Kasus.
Dagegen erscheinen Akkusativ, Dativ und Genitiv meist von anderen Wörtern abhängig, von denen sie regiert werden:
sie sind die a b h ä n g i g e n Kasus.
Vereinzelt werden jedoch auch Akkusativ, Dativ und Genitiv nicht von einem anderen Wort regiert:
dann spricht man von ihrem f r e i e n Gebrauch (vgl. 2c, 3c u. 4e).

§ 204. Satzbetonung — Grundregeln der Zeichensetzung

1. In der **Satzbetonung**
   herrscht viel Freiheit für die Absichten des Sprechenden (149, 3).
2. Doch gilt folgender **Grundsatz**:
   Der neu auftretende Begriff wird **vor** dem bereits bekannten betont,
   d. h. daß die **bestimmenden** Satzteile
   vor den durch sie **bestimmten** betont werden.
3. Die **Satzzeichen**
   gliedern den Satz grammatisch und regeln den Satzton.
4. Der **Punkt** (.) steht:
   a) nach Aussagesätzen, auch nach indirekten Fragesätzen;
   b) nach Wunsch- und Aufforderungssätzen ohne Nachdruck; vgl. 5a.
   c) nach Ordnungszahlen;
   d) nach Abkürzungen, die im vollen Wortlaut gesprochen werden, aber nicht nach solchen für amtliche Maße und Gewichte, Münzbezeichnungen, Himmelsrichtungen, chemische Elemente u. ä.
5. Das **Ausrufezeichen** (!) steht:
   a) nach Aufforderungs-, Wunsch- und Ausrufesätzen; vgl. 4 b.
   b) nach alleinstehenden, hervorgehobenen und Briefanreden; vgl. 8e.
   c) nach alleinstehenden betonten Naturlauten (148).
6. Das **Fragezeichen** (?) steht:
   a) nach wörtlichen Fragen und Fragewörtern (157; 187);
   b) auch wenn diese in einem Satzganzen stehen.
7. **Anführungszeichen** („ " oder » «) werden gesetzt:
   a) zur Abgrenzung der direkten Rede (185);
   b) zur Abgrenzung von Zitaten und Buchtiteln;
   c) zur Hervorhebung einzelner Wörter (meist ironisch).

B: zu 1: *Er geht. Er geht? Er geht! Er geht!*

zu 4a: *Sie fragte ihn, wo er studiert habe.*

zu 4 b u. c: *Vgl. Gesetzblatt vom 6. (sechsten) Juli 1962.*

zu 4 d: *u. a. = und andere; u. ä. = und ähnliche; sog. = sogenannt.*
Aber: *Wir kauften 3 l H_2SO_4 billig ein. Auch: AEG — SPD —.*

zu 5 b: *Herr! Was denken Sie? — Sehr geehrter Herr!*

zu 7 b: *»Vom sichern Port läßt sich's gemächlich raten«, sagt Schiller, und zwar in seinem »Wilhelm Tell«.*

zu 7 c: *Diese Vorzugsausgabe des „Faust" kostet „nur" 95 DM.*

zu § 204. (Grundregeln der Zeichensetzung)

8. Das K o m m a (der Beistrich) (,) steht:
   a) zwischen nebengeordneten gleichartigen Satzgliedern;
   aber nicht, wenn diese durch *und* oder *oder* verbunden sind,
   immer jedoch vor Zusätzen mit *und zwar, und das* u. ä.;
   b) zur Abgrenzung nachgestellter Attribute nur dann, wenn diese länger sind oder es sich dabei um mehrere Adjektive handelt;
   c) zur Abgrenzung nachgestellter Appositionen;
   jedoch nicht bei eng angefügten Beinamen;
   d) vor Konjunktionen, die einen Gegensatz bezeichnen; vgl. 9a.
   e) zur Abgrenzung der Anrede, die nicht besonders hervorgehoben werden soll, auch im Brief; vgl. 5b.
   f) zur Abgrenzung von betonten Interjektionen im Satz;
   im zusammengesetzten Satz:
   g) zwischen nicht zu langen Hauptsätzen; vgl. 9a.
   h) zwischen Hauptsätzen, die durch *und* oder durch *oder* verbunden sind; jedoch nicht, wenn sie sehr kurz sind;
   i) zwischen Hauptsätzen, die durch Doppelkonjunktionen verbunden sind;
   k) zur Abgrenzung von Schaltsätzen;
   l) zur Abgrenzung von Gliedsätzen, auch von verkürzten;
   jedoch nicht, wenn sie durch *und* oder *oder* verbunden sind;
   m) vor und nach Infinitiven mit *um zu, ohne zu, anstatt zu,* auch Infinitiven mit einfachem *zu* im Sinne von *um zu;*
   n) vor und nach Infinitiven mit näherer Bestimmung; jedoch nicht nach modifizierenden Verben wie *pflegen, brauchen, scheinen* u. ä.;
   o) vor und nach Infinitiven, auf die besonders hingewiesen ist.
   p) Einfache Infinitive, die keine näheren Bestimmungen bei sich haben und auf die nicht besonders hingewiesen ist, werden in der Regel nicht durch Komma abgetrennt.

9. Das S e m i k o l o n (der Strichpunkt) (;) steht
   überall, wo ein Punkt zu stark, ein Komma zu schwach wäre;
   insbesondere:
   a) zwischen längeren Hauptsätzen im zusammengesetzten Satz; besonders vor *denn, (je)doch, daher, deshalb, darum, allein;*
   b) um größere Aufzählungen in Gruppen zusammengehöriger Begriffe aufzugliedern.

zu 8a: *Die Mutter kaufte Brot, Butter, Fleisch u n d Gemüse, u n d z w a r dieses in bester, frischer Beschaffenheit.*
Stehen vor einem Substantiv m e h r e r e adjektivische Attribute, so werden sie durch ein Komma getrennt, wenn sie einander n e b e n g e o r d n e t sind. Verbindet sich aber das dem Substantiv zunächst stehende mit diesem zu e i n e m Begriff, so steht k e i n Komma: *die zweite, verbesserte Auflage* = *die zweite u n d z u - g l e i c h verbesserte Auflage;* aber: *die zweite verbesserte Auflage* = *die zweite d e r v e r b e s s e r t e n Auflagen,* also mindestens die dritte Auflage überhaupt.

zu 8b: *Bei einem Wirte w u n d e r m i l d , da war ich jüngst zu Gaste. Es erschien in jedem neuen Jahr ein Mädchen, s c h ö n u n d w u n d e r b a r.*

zu 8c: *Ludwig der Fromme, der Sohn Karls des Großen, ist in der deutschen Literaturgeschichte als der Vernichter wertvoller alter Handschriften unrühmlich bekannt.*

zu 8d: *Er trank einen teuren, d o c h schlechten Wein.*

zu 8e: *Hört zu, Kinder, was ich sage!*

zu 8f: *Ich kam, ach, viel zu spät! Oh, das ist schade!*

zu 8g: *Ich riet es ihm, aber er tat es nicht.*

zu 8h: *Wir fuhren nach Weimar, u n d von dort reisten wir weiter nach Hamburg. Unser Vertreter wird Sie morgen besuchen, o d e r unser Geschäftsführer kommt selbst. — Er grübelte und er grübelte.*

zu 8i: *E n t w e d e r fügen Sie sich meinen Anordnungen, o d e r Sie müssen Ihre Stellung aufgeben!*

zu 8k: *Die Verhältnisse haben sich, das wirst du wohl zugeben, erheblich geändert.*

zu 8l: *Der „Brockhaus" ist, w i e b e k a n n t, ein vielbenutztes deutsches Lexikon.* (200)

zu 8m: *Ich bin nicht hergekommen, u m mit dir z u streiten.*

zu 8n: *Es ist gesund, nach dem Essen etwas zu ruhen.* Aber: *Er pflegt nach dem Essen etwas zu ruhen. Sie brauchen mich morgen nicht aufzusuchen. Sie weiß sich gewählt auszudrücken.* (151, 7)

zu 8o: *Es verlohnt sich nicht, zu antworten. Ich habe dir d a z u geraten, zu antworten. Zu musizieren, d a s ist seine ganze Freude.*

zu 9b: *In diesem Lande gedeihen Hafer, Roggen, Weizen, Mais, ja sogar Reis; Kirschen, Pflaumen, Aprikosen und Pfirsiche, natürlich auch Äpfel und Birnen jeder Art; schließlich Lein und Hanf, Tabak und Baumwolle.*

zu § 204. (Grundregeln der Zeichensetzung)

10. Der D o p p e l p u n k t (:) steht:
    a) nach dem Einführungssatz zur direkten Rede;
    b) zwischen Vorder- und Nachsatz einer längeren Periode (201, 5);
    c) häufig vor Aufzählungen;
    d) häufig vor solchen Sätzen, die eine Schlußfolgerung oder eine Erläuterung bringen.
11. K l a m m e r n ( )
    umschließen eingeschaltete oder erläuternde Bestimmungen.
12. Der G e d a n k e n s t r i c h (—) steht:
    a) als Schlußzeichen nach abgebrochenen Sätzen;
    b) um auf etwas Überraschendes vorzubereiten;
    c) zur Abgrenzung eingeschobener Sätze, die nachdrücklich hervorgehoben werden sollen;
    d) oft aber auch an Stelle der Klammern.
13. Der B i n d e s t r i c h (-) steht:
    a) bei Zusammenziehung von zusammengesetzten Wörtern als Ersatz für den gleichartigen Bestandteil;
    b) in besonders unübersichtlichen Zusammensetzungen.
14. Das A u s l a s s u n g s z e i c h e n (') steht:
    a) für einen ausgefallenen Laut;
    b) zur Kennzeichnung des Genitivs nach Eigennamen auf *s, ß, x, z.*

B : z u 10 a : *Karl fragte: „Wie geht's? Wie steht's?"*
z u 10 c : *Ein guter Hausvater muß drei Pfennige haben: einen Ehrenpfennig, einen Zehrpfennig und einen Notpfennig.*
z u 10 d : *Wo nichts als geschwätzt wird, Zeit vertan und nutzlos vergeudet wird: dort kann nichts Vernünftiges gedeihen.*
z u 12 b : *Gedankenverloren gehe ich durch den Wald und — sehe mich plötzlich einem Wildschwein gegenüber.*
z u 12 c : *Nach diesem Vorfall werde und muß ich dir — das kann mir niemand verargen — jede weitere Hilfe versagen.*
z u 13 a : *Hochschule für Wirtschafts- und Sozialwissenschaften. Elternrechte und -pflichten. Getreidespitz- und -schälmaschine.*
z u 13 a : *Freiherr-vom-Stein-Straße. Rhein-Donau-Kanal. I-Punkt.*
z u 14 a : *Schnell ging's nicht.* Heute oft: *Rasch gings!* weil man einem ausgefallenen Laut kein besonderes Denkmal setzen will.

Anhang

§ 205. Das deutsche Alphabet

Das deutsche Alphabet (Abc) umfaßt 26 Buchstaben, zu denen noch die Zeichen für die Umlaute treten:

Buchstabe:		Name:	Buchstabe:		Name:
A	a	ah[1]	N	n	enn
B	b	beh	O	o	oh
C	c	tseh	P	p	peh
D	d	deh	Q	q	kuh
E	e	eh	R	r	err
F	f	eff[2]	S	s[3], ß[4]	ess, ess-tsett
G	g	geh	T	t	teh
H	h	hah	U	u	uh
I	i	ih	V	v	fau
J	j	jott	W	w	weh
K	k	kah	X	x	ikks
L	l	ell	Y	y	üppßilon
M	m	emm	Z	z	tsett
		Ä Ö Ü	ä ö ü		

[1] Ein h hinter dem Vokal bedeutet, daß dieser hier lang auszusprechen ist.
[2] Ein doppelter Konsonant bedeutet, daß der voraufgehende Vokal kurz auszusprechen ist.
[3] Die deutsche Schreib- und Druckschrift unterscheidet ein sog. „langes S" und ein „rundes S", das auch Schluß-s genannt wird. (Vgl. die Schriftproben §§ 206 u. 207.)
[4] Das Zeichen ß ist immer ess-tsett zu lesen. Die im Ausland verbreitete Benennung „scharfes S" wird in Deutschland nicht angewendet und ist auch nicht eindeutig; denn auch ss (Doppel-s) und Schluß-s sind „scharf", d. h. stimmlos.

§ 206. Die deutsche Schrift

1. In der deutschen Schrift unterscheidet man:

   a) die eigentliche „deutsche" Schrift,
   b) die sog. „Lateinische Ausgangsschrift".

2. Die „deutsche" Schrift:

3. Diese „deutsche" Schrift kommt heute immer mehr außer Gebrauch: sie wird in den deutschen Schulen nicht mehr als erste Schrift gelehrt — oder wird gar nur als sog. „Lese"schrift vermittelt.

4. Die „Lateinische Ausgangsschrift"

wird heute in den deutschen Schulen fast ausschließlich als erste Schrift gelehrt
und ist im allgemeinen Verkehr überwiegend im Gebrauch.

5. Auch in der „Lateinischen Ausgangsschrift" ist ß zu schreiben!

Lateinische Ausgangsschrift

| a b c d e f g h i j k l |
| m n o p qu r s ß (fs) |
| t u v w x y z ä ö ü |
| ch sch (. , ; : „ - " ? !) ck tz |
| A B C D E F G H I J |
| K L M N O P Qu R S |
| T U V W X Y Z |
| Sch Ä Ö Ü St Sp |
| 1 2 3 4 5 6 7 8 9 0 |

6. Die gezeigten Formen sind als Grundformen zu verstehen und vom Schreiber zu einer persönlichen Schrift zu entwickeln; Verbindungszüge und ausgestaltete Schleifen sind zulässig.

§ 207. Die deutsche Druckschrift

Die deutschen Druckschriften zerfallen in z w e i Gruppen:
a) Frakturschriften,
b) Antiquaschriften,
beide mit vielen Unterarten.

Fraktur
A B C D E F G H I J K L M N O P Q R S T U V W X Y Z

Antiqua
A B C D E F G H I J K L M N O P Q R S T U V W X Y Z

Grotesk
A B C D E F G H I J K L M N O P Q R S T U V W X Y Z

Kursiv
A B C D E F G H I J K L M N O P Q R S T U V W X Y Z

Gotisch
A B C D E F G H I J K L M N O P Q R S T U V W X Y Z

Schwabacher
A B C D E F G H I J K L M N O P Q R S T U V W X Y Z

Fraktur
a b c d e f g h i j k l m n o p q r s ſ t u v w x y z ch ck ß tz

Antiqua
a b c d e f g h i j k l m n o p q r s t u v w x y z ß

Grotesk
a b c d e f g h i j k l m n o p q r s t u v w x y z ß

Kursiv
a b c d e f g h i j k l m n o p q r s t u v w x y z ß

Gotisch
a b c d e f g h i j k l m n o p q r s ſ t u v w x y z ch ck ß tz

Schwabacher
a b c d e f g h i j k l m n o p q r s ſ t u v w x y z ch ck ß tz

Proben deutscher Frakturschriften

Johann Gottfried Herder
Ideen zur Philosophie der Geschichte der Menschheit
Aus dem dreizehnten Buch: Griechenlands Mythologie und Dichtkunst

Die griechische Sprache ist die gebildetste der Welt, die griechische Mythologie die reichste und schönste auf der Erde, die griechische Dichtkunst endlich vielleicht die vollkommenste ihrer Art, wenn man sie ort- und zeitmäßig betrachtet. Wer gab nun diesen einst rohen Stämmen eine solche Sprache, Poesie und bildliche Weisheit? Der Genius der Natur gab sie ihnen, ihr Land, ihre Lebensart, ihre Zeit, ihr Stammescharakter.

Schrift: 8˙ Offenbacher Schwabacher

Abenteuer in den Urwäldern Boliviens

Seit einer Stunde sind wir im Urwald des Yata. Es ist dunkel wie in einer Kirche. Das Licht des Tages prallt ab an den dichtgeballten wuchtigen Wipfeln der Bäume, und die spärlichen Sonnenstrahlen, die dann und wann durch Äste und Blätter fließen, gleiten kraftlos auseinander und erstarren in grünem, gläsernem Schein. Es gibt nichts, was sich irgendwie mit dieser unheimlichen Dämmerung vergleichen ließe, weil ihr der Pulsschlag des Lebens fehlt, der sonst, gleichviel ob Tag oder Nacht, durch alle Dinge geht. Der Blick ist nach allen Seiten hin begrenzt.

Schrift: 8˙ Fichte-Fraktur

Wo?

Wo wird einst des Wandermüden
letzte Ruhestätte sein?
Unter Palmen in dem Süden?
Unter Linden an dem Rhein?

Werd ich wo in einer Wüste
eingescharrt von fremder Hand?
Oder ruh ich an der Küste
eines Meeres in dem Sand?

Immerhin! Mich wird umgeben
Gottes Himmel dort wie hier,
und als Totenlampen schweben
nachts die Sterne über mir.
Heinrich Heine

Schrift: 8˙ Magere Wallau

293

§ 208. Verzeichnis der deutschen und fremdsprachlichen Fachausdrücke

Das folgende Verzeichnis stellt vor allem die deutschen und fremdsprachlichen Fachausdrücke, wie sie in dieser Grammatik gebraucht sind, einander gegenüber; dabei wurden auch einige aufgenommen, die sich sonst in Grammatiken finden. Weiter wird der Wortsinn der fremdsprachlichen Ausdrücke erklärt. Doch ist hier anzumerken, daß die sprachliche und geschichtliche Herleitung von dem angegebenen Ursprungswort oft nicht unmittelbar erfolgte.

Die beigesetzten Zahlen nennen die Paragraphen, in denen über das Stichwort im Zusammenhang gesprochen wird.

So kann das Verzeichnis auch als Sachregister dienen, wenn auch Vollständigkeit in dieser Hinsicht nicht angestrebt ist.

A
die abhängige Rede → die indirekte Rede
der Ablaut 25
der Absichtssatz → der Finalsatz
absolut (Part. zu lat. *absolvere = lossprechen, freimachen; absolutus = in sich abgeschlossen*) = unabhängig 200
das Abstraktum, pl. Abstrakta (zu lat. *abstráhere = in Gedanken absondern; abstractus = nicht dinggebunden*) = das begriffliche Substantiv 75
a. c. i. Abkürzung für lat. *accusativus cum infinitivo* = Akkusativ mit Infinitiv 66
das Adjektiv (lat. *adiectivum = das Zugefügte* [zum Substantiv]) = das Eigenschaftswort 97
adjektivisch = eigenschaftswörtlich, als Adjektiv gebraucht
das Adverb, pl. Adverbien (lat. *ad = bei + verbum = Zeitwort*) = das Umstandswort 128
adverbial = umstandswörtlich, als Adverb gebraucht
die adverbiale Bestimmung (das Adverbiale) = Umstandsbestimmung 161; 171
der Adverbialsatz = der Umstandssatz 189
adversativ (lat. *adversus = entgegengesetzt, zugewandt*) = entgegenstellend, entgegensetzend 144; 176
der Akkusativ (zu lat. *accusáre = anklagen*) = der 4. Fall, Wenfall
die Aktionsart (lat. *actio = Handlung*) = die Handlungsart 2, 15
die Aktionsrichtung 52
das Aktiv (lat. *activus = tätig, wirksam*) = die Normrichtung, auch: Tatform 52
die Anführungsstriche 204
der Anredefall → der Vokativ

der Apostroph (griech. *apostréphein = wegtreiben*) = das Auslassungszeichen 204
die Apposition (lat. *appositio = das Hinzugefügte*) = der Beisatz 165
der Artikel (lat. *articulus = das Gliedchen, Stückchen*) = das Geschlechtswort 72
das Artwort → das Adjektiv
asyndetisch (griech. *a-sýndetos = nicht verbunden*) = unverbunden 174
das Attribut (lat. *attributum = das Beigefügte, Zugeteilte*) = die Beifügung 161; 162
attributiv = beifügend
der Attributsatz = der Beifügungssatz 183; 198
der Aufforderungssatz 159; 187
der Auslassungssatz → die Ellipse
das Auslassungszeichen → der Apostroph
der Ausrufesatz 160
das Ausrufezeichen 204
aussagend → prädikativ
der Aussagesatz 155
die Aussageweise → der Modus

B
die bedingte Möglichkeit → der Konditional
der Bedingungssatz → der Konditionalsatz
die Befehlsform → der Imperativ
der Befehlssatz → der Aufforderungssatz
das begriffliche Hauptwort → das Abstraktum
der Begründungssatz → der Konditionalsatz
der Behauptungssatz → der Aussagesatz
beifügend → attributiv
die Beifügung → das Attribut

der Beifügungssatz → der Attributsatz
der Beisatz → die Apposition
der Beistrich → das Komma
besitzanzeigend → possessiv
das besitzanzeigende Fürwort → das Possessivpronomen
die Bestimmungsfrage 158
das Bestimmungswort S. 139; S. 151
die Betonung → der Akzent, die Intonation
die Beugung → die Deklination
das Bewirkungszeitwort → das Kausativum
bezüglich → relativ
das bezügliche Fürwort → das Relativpronomen
der Bezugswortsatz → der Relativsatz
das Bindewort → die Konjunktion
die Bruchzahl → die Partitivzahl

D
der Dativ (lat. *dare = geben*) = der 3. Fall, Wemfall
das Dativobjekt = die Wemfallergänzung 166
die Dauer in der Vergangenheit → das Präteritum
die Deklination (lat. *declinatio = Neigung, Biegung*) = die Beugung 82; 98; 110
deklinieren (lat. *declinare = abbiegen*) = beugen
demonstrativ (Adj. zu lat. *demonstrare = hinweisen*) = hinweisend 116; 117
das Demonstrativpronomen (lat. *demonstrare = hinweisen + pronomen*) = das Hinweisefürwort 116
determinativ (Adj. zu lat. *determinare = bestimmen*) = bestimmend 103
das Diminutivum (Subst. zu lat. *diminuere = verkleinern*) = die Verkleinerungsform 94
das Dingwort → das Substantiv
direkt (lat. *directus = gerade, unmittelbar*) = unmittelbar
das direkte Objekt = die nähere Ergänzung, d. h. das Akkusativobjekt 167
die direkte Rede = die wörtliche Rede 185
disjunktiv (lat. *disiunctus = trennend, ausschließend*) = ausschließend 176
distributiv (Adj. zu lat. *distribuere = austeilen, verteilen*) = einteilend 175
das Distributivzahlwort = das Einteilungszahlwort 125
der Doppelpunkt 204
durativ (Adj. zu lat. *durare = dauern*) = die Dauer bezeichnend 2

E
der Eigenname 75; 90; 91
das Eigenschaftswort → das Adjektiv 97
der einfache Satz 154
das Einleitewort 178; 180; 181
der Einräumungssatz → der Konzessivsatz
der Einschränkungssatz → der Restriktivsatz
das Einteilungszahlwort → das Distributivzahlwort
die Einzahl → der Singular
der Elativ (lat. *elatum = das Hervorgehobene*) = der absolute Superlativ 101
die Ellipse (griech. *élleipsis = Auslassung*) = der Kurzsatz 154
das Empfindungswort → die Interjektion
die Endstellung 180
entgegenstellend → adversativ
die Entscheidungsfrage 157; 187
die Ergänzung → das Objekt
der Ergänzungssatz → der Objektsatz
die Erststellung 157; 179
der erweiterte Satz 161

F
faktitiv (Adj. zu lat. *factitare = bewirken*) = bewirkend; vgl. kausativ 58; 59
der Fall → der Kasus
feminin (lat. *femininus = weiblich*) = weiblich
das Femininum = das weibliche Substantiv 76
final (Adj. zu lat. *finis = Zweck*) = zwecklich
der Finalsatz = der Umstandssatz der Absicht, Absichtssatz 193
das finite Verb (lat. *finitus = bestimmt*) = die Personalformen des Verbs 3
flektieren (lat. *flectere = biegen, beugen*) = beugen, d. h. deklinieren oder konjugieren
die Flexion, Subst. zu flektieren
die Folge der Zeitformen 51; 186
das Fragefürwort → das Interrogativpronomen
der Fragesatz 157; 187
das Fragezeichen 204
die Frakturschrift (lat. *fractura = Bruch*) = deutsche Druckschrift 207
die Fügung → die Rektion
das Füllwort → die Partikel
das Fürwort → das Pronomen
das Futur (lat. *futurum = Zukunft*) = Zeitform für die Zukunft 3; 51

G

der Gattungsname 75
das Gattungszahlwort → das Variativzahlwort
der Gedankenbericht 185
der Gedankenstrich 204
das gegenständliche Hauptwort → das Konkretum
die Gegenwart → das Präsens
die Gegenwartsform des Konjunktivs → die Präsensform
der Genitiv (lat. *genitivus* = *ursprünglich*) = der 2. Fall, Wesfall
das Genitivobjekt = die Wesfallergänzung 167
das Genus, *pl.* Genera (griech. *génos* = *Geschlecht*) = das Geschlecht
das Gerundivum (lat. *gerundivus* = *auszuführend*) = das Partizip des Futurs des Passivs 57
das Geschlecht → das Genus
das Geschlechtswort → der Artikel
der Gliedsatz 178
die Grammatik (griech. *grammatiké* = *Sprachlehre*) = die Sprachlehre
die Grundform → der Infinitiv
die Grundstellung 155
die Grundstufe → der Positiv
das Grundwort S. 139; S. 151
die Grundzahl → die Kardinalzahl

H

die Handlungsart → die Aktionsart
die Handlungsrichtung → die Aktionsrichtung
der Hauptsatz 178
das Hauptwort → das Substantiv
hauptwörtlich gebraucht → substantivisch
das Hilfszeitwort → das Hilfsverb
das Hinweisefürwort → das Demonstrativpronomen
die Höchststufe → der Superlativ

I

der Imperativ (lat. *imperare* = *befehlen*) = die Befehlsform 3; 55
das Imperfekt (Subst. zu lat. *imperfectus* = *unvollendet*) → das Präteritum
imperfektiv = das unvollendete oder dauernde Geschehen ausdrückend 2, 15
impersonal (lat. *impersonalis* = *unpersönlich*)
das Impersonale, *pl.* Impersonalia = das unpersönliche Verb 45
inchoativ (Adj. zu lat. *inchoare* = *beginnen*) = den Beginn eines Geschehens ausdrückend 2, 15; 59

indefinit (zu lat. *indefinitum* = *das Unbestimmte*) = unbestimmt
das indefinite Zahlwort = das unbestimmte Zahlwort 127
das Indefinitpronomen = das unbestimmte Fürwort 120
der Indikativ (zu lat. *indicare* = *anzeigen*) = die Wirklichkeitsform 3; 53
indirekt (lat. *in* = *Verneinung* + *directus* = *gerade*) = nichtwörtlich
die indirekte Frage 187
die indirekte Rede 185
der Infinitiv (zu lat. *infinit(iv)us* = *unbestimmt*) = die nicht näher bestimmte Form des Verbs, Grundform, Nennform 3; 56; 200
die Infinitivgruppe 200
der Infinitivsatz 200
ingressiv (lat. *ingressus* = *begonnen*) = den Eintritt eines Geschehens ausdrückend 2, 15; 59
intensiv (zu lat. *intendere* = *anspannen, anstrengen*) = die Verstärkung ausdrückend 58
die Interjektion (lat. *interiectio* = *der Zwischenwurf*) = der Naturlaut 148
die Interpunktion (zu lat. *interpungere* = *Punkte zwischen Wörter setzen*) = die Zeichensetzung 204
interrogativ (zu lat. *interrogare* = *fragen*) = fragend
das Interrogativpronomen = das Fragefürwort 119
der Interrogativsatz = der Fragesatz 157; 187
intransitiv (*in* = *Verneinung* + *transitiv* = *übergehend, zielend*) = nichtzielend
die Inversion (lat. *inversio* = *Umkehrung*) = die Umstellung 156; 179
irreal (lat. *irrealis* = *nicht wirklich;* zu *res* = *Sache*) = unwirklich 160; 194
iterativ (zu lat. *iterare* = *wiederholen*) = die Wiederholung ausdrückend 58
das Iterativzahlwort = das Wiederholungszahlwort 124

K

die Kardinalzahl (zu lat. *cardinalis* = *hauptsächlich*) = die Grundzahl 122
der Kasus, *pl.* Kasus (lat. *casus* = *Fall*) = der Fall
kausal (Adj. zu lat. *causa* = *Ursache*) = begründend, ursächlich
der Kausalsatz = der Umstandssatz des Grundes, Begründungssatz 193
kausativ = verursachend, bewirkend
das Kausativum = das Bewirkungszeitwort 58

das Kollektivum (zu lat. *collectivus* = *zusammenfassend*) = der Sammelname 75
das Komma (zu griech. *kóptein* = *schlagen, abtrennen*) = der Beistrich 204
die Komparation (zu lat. *comparare* = *vergleichen*) = die Steigerung 101; 133
der Komparativ = die Steigerungsstufe 101; 133
das Komplement (lat. *complementum* = *Anfüllendes, Ergänzendes*) = die prädikative Bestimmung, das prädikative Attribut 152; 169; 200
komplementär = ergänzend, anfüllend (bei zweiseitiger Begrenzung) 152; 169
die Komposition (lat. *compositio* = *Zusammensetzung*) = die Zusammensetzung
das Kompositum = das zusammengesetzte Wort 59; 94; 103
konditional (Adj. zu lat. *conditio* = *Bedingung*) = bedingend
der Konditional = die bedingte Möglichkeit 54
der Konditionalsatz = der Umstandssatz der Bedingung, Bedingungssatz 193
die Kongruenz (lat. *congruentia* = *Übereinstimmung*) = die Übereinstimmung 153
die Konjugation (lat. *coniugatio* = *Verbindung, Verknüpfung*) = die Beugung des Verbs 3
konjugieren (lat. *coniungere* = *verbinden, verknüpfen*) = beugen (das Verb) 3
die Konjunktion (lat. *coniunctio* = *Verbindung*) = das Bindewort 141
der Konjunktionalsatz = der Gliedsatz, der durch eine Konjunktion eingeleitet wird 178
der Konjunktiv (Subst. zu lat. *coniunctivus* = *abhängig*) = die Möglichkeitsform 3; 53
das Konkretum (Subst. zu lat. *concretus* = *dinglich*) = das dingliche, gegenständliche Substantiv 75
konsekutiv (Adj. zu lat. *consequi* = *folgen*) = folgend, folgernd
der Konsekutivsatz = der Umstandssatz der Folge, Folgesatz 193
der Konsonant (Subst. zu lat. *consonare* = *mitklingen*) = der Mitlaut
konzessiv (Adj. zu lat. *concedere* = *einräumen*) = einräumend
der Konzessivsatz = der Umstandssatz der Einräumung, Einräumungssatz 193

koordinierend (zu lat. *coordinare* = *beiordnen*) = beiordnend, nebenordnend 142; 174
korrelativ (zu lat. *con* = *mit* + *relatum* = *das Zurückgebrachte*) = wechselbezüglich 118
das Korrelativpronomen = das wechselbezügliche Fürwort 118
der Kurzsatz → die Ellipse

L

die Leideform → das Passiv
lokal (Adj. zu lat. *locus* = *Ort*) = örtlich
der Lokalsatz = der Umstandssatz des Ortes 190

M

das männliche Hauptwort → das Maskulinum
maskulin (lat. *masculinus* = *männlich*) = männlich
das Maskulinum = das männliche Substantiv 76
die Mehrzahl → der Plural
der Mitlaut → der Konsonant
das Mittelwort → das Partizip
modal (Adj. zu lat. *modus* = *Art und Weise*) = die Aussageweise oder die Art und Weise bestimmend
das modale Hilfsverb 5; 151
die Modalität des Satzes 202
der Modalsatz = der Umstandssatz der Art und Weise 192
modifizieren (lat. *modus* = *Art und Weise* + *facere* = *bewirken*) = die Art und Weise (der verbalen Aussage) bestimmen 2; 151
der Modus = die Aussageweise 3; 53
die Möglichkeitsform → der Konjunktiv
der innere Monolog 185
das Multiplikativzahlwort (zu lat. *multiplicare* = *vervielfältigen*) = das Vervielfältigungszahlwort 125

N

der Nachsatz 178
die Nachsilbe → das Suffix
der Nachtrag 181
der Naturlaut → die Interjektion
nebenordnend → koordinierend
der Nebensatz → der Gliedsatz
die Negation (Subst. zu lat. *negare* = *verneinen*) = die Verneinung 155; 202
die Nennform → der Infinitiv
neutrum (lat. *ne-utrum* = *keines von beiden*) = sächlich
das Neutrum = das sächliche Substantiv 76

297

die nichtwörtliche Rede → die indirekte Rede
das nichtzielende Zeitwort → das intransitive Verb
das Nomen, pl. Nomina (lat. *nomen = Namen*) = das Nennwort 1
der Nominativ (Subst. zu lat. *nominare = benennen*) = der 1. Fall, Werfall
die Normrichtung → das Aktiv
das Numerale (lat. *numerus = Anzahl*) = das Zahlwort 121
der Numerus = die Zahlform, d. h. Singular oder Plural

O

das Objekt (lat. *obiectum = das Entgegengeworfene*, d. h. dem Prädikat Entgegengestellte) = die Satzergänzung, Ergänzung 161; 166
der Objektsatz = der Gliedsatz, der das Objekt umschreibt, Ergänzungssatz 184
die Ordinalzahl (zu lat. *ordinare = ordnen*) = die Ordnungszahl 124
die Ordnungszahl → die Ordinalzahl

P

die Partikel (lat. *particula = Teilchen, Stückchen*) = das Füllwort 1
partitiv (Adj. zu lat. *partiri = teilen*) = teilend, den Teil bezeichnend
die Partitivzahl = die Bruchzahl 126
das Partizip (Subst. zu lat. *participare = teilnehmen* [am Verb und am Adjektiv]) = das Mittelwort 3; 57
die Partizipialgruppe 200
der Partizipialsatz 200
das Passiv (Subst. zu lat. *pati = leiden, dulden*) = die Umkehrrichtung, auch: Leideform 3; 52
das Perfekt (lat. *perfectum = das Vollendete*) = Zeitform für die Vorgegenwart, 2. Vergangenheit 3; 49
die Periode (griech. *períodos = der Umlauf*) = der Gliedersatz 201
die Person (lat. *persona* eigentl.: *Maske*) 3; 100
die Personalform → das finite Verb
das Personalpronomen = das persönliche Fürwort 110
das persönliche Fürwort → das Personalpronomen
der Plural (lat. *pluralis numerus = Mehrzahl*) = die Mehrzahl 80
das Plusquamperfekt (lat. *plusquamperfectum = mehr als vergangen*) = Zeitform für die vollendete Vergangenheit, 3. Vergangenheit 3; 50
polysyndetisch (griech. *polys = viel + sýndetos = verknüpft*) = vielverknüpft 175

der Positiv (lat. *positio = Stellung, Lage*) = die Grundstufe, 1. Steigerungsstufe 101; 133
possessiv (lat. *possessivus = besitzanzeigend*) = besitzanzeigend
das Possessivpronomen = das besitzanzeigende Fürwort 112
das Prädikat (Subst. zu lat. *praedicare = ausrufen*) = die Satzaussage 149; 151; 181
prädikativ = aussagend
das Prädikativum = das nichtverbale Aussagewort 152
das Präfix (lat. *praefixum = das vorn Angefügte*) = die Vorsilbe 94; 103
die Präposition (lat. *praepositio = Voranstellung*) = das Verhältniswort 135
das präpositionale Objekt = die Verhältnisergänzung 166
das Präsens (zu lat. *praesens = gegenwärtig*) = Zeitform für die Gegenwart 3; 48
die Präsensform des Konjunktivs 53
die Präteritalform des Konjunktivs 53
das Präteritum (lat. *praeteritum = das Vorübergegangene*) = Zeitform für die Vergangenheit, 1. Vergangenheit, auch: Imperfekt 3; 50
das Pronomen (lat. *pro-nomen = für das Nomen stehendes Wort*) = das Fürwort 109
das Pronominaladverb = das Umstandsfürwort 117
proportional (Adj. zu lat. *pro-portio = Verhältnis*) = im Verhältnis stehend
der Proportionalsatz 192

Q

die Qualität des Satzes 202

R

der verbale Rahmen 181
die Rede, wörtliche und nichtwörtliche → die Rede, direkte und indirekte
reflexiv (Adj. zu lat. *reflectere = zurückwenden*) = rückbezüglich
das reflexive Verb = das rückbezügliche Zeitwort 43
das Reflexivpronomen = das rückbezügliche Fürwort 110
die Rektion (lat. *rectio = Regierung, Lenkung*) = die Fügung 63; 95; 104
relativ (Adj. zu lat. *relatum = das Zurückgebrachte*) = bezüglich
das relative Tempus 50
das Relativpronomen = das bezügliche Fürwort 118
der Relativsatz = der Bezugswortsatz 198

restriktiv (Adj. zu lat. *restringere* = *beschränken*) = einschränkend
der Restriktivsatz = der Umstandssatz der Einschränkung, Einschränkungssatz 195
resultativ (lat. *resultatus* = *herausgekommen*) = das Ende des Geschehens bezeichnend 2; 59
das reziproke Pronomen (lat. *reci-procus* = *rück- und vorwärts*) = das wechselbezügliche Fürwort 111
rückbezüglich → reflexiv
das rückbezügliche Fürwort → das Reflexivpronomen
das rückbezügliche Zeitwort → das reflexive Verb
die Rückrichtung 52

S
das sächliche Hauptwort → das Neutrum
der Sammelname → das Kollektivum
die Satzaussage → das Prädikat
das Satzband = das finite Verb
die Satzergänzung → das Objekt
das Satzgefüge 178
der Satzgegenstand → das Subjekt
der Satzgegenstandssatz → der Subjektsatz
das Satzglied 161
die Satzinversion = die Satzverschränkung 197
die Satzlehre → die Syntax
die Satzreihe 175
die Satzverbindung 174
der Schaltsatz 174
der Selbstlaut → der Vokal
das Semikolon (lat. *semi* = *halb* + *colon* = *Doppelpunkt*) = der Strichpunkt 204
der Singular (lat. *singularis numerus* = *Einzahl*) = die Einzahl 80
die Sprachlehre → die Grammatik
die Sprachsilbe (z. B. Bind-ung)
die Sprechsilbe (z. B. Bin-dung)
die Steigerung → die Komparation
die Steigerungsstufe → der Komparativ
der Stoffname 75
der Strichpunkt → das Semikolon
das Subjekt (lat. *subiectum* = *das Untergelegte*) = der Satzgegenstand 149; 150
der Subjektsatz = der Satzgegenstandssatz (Gliedsatz, der das Subjekt umschreibt) 182
subordinierend (Adj. zu lat. *sub* = *unter*, *ordinare* = *ordnen*) = unterordnend 142; 178
das Substantiv (lat. *nomen substantivum*; dies zu *substantia* = *Wesen*) = das Hauptwort, auch: Dingwort 75

substantivisch = wie ein Substantiv gebraucht
das Suffix (lat. *suffixum* = *das [hinten] Angefügte*) = die Nachsilbe 94; 103
der Superlativ (lat. *superlatum* = *das über etwas hinaus Getragene*) = die Höchststufe 101; 133
syndetisch (griech. *sýndetos* = *verbunden*) = verbunden 174
die Syntax (griech. *sýntaxis* = *Zusammenordnung*) = die Satzlehre

T
die Tatform → das Aktiv
temporal (Adj. zu lat. *tempus* = *Zeit*) = die Zeit bestimmend
das Tempus, *pl.* Tempora = die Zeitform 3
transitiv (Adj. zu lat. *transire* = *übergehen*) = zielend (auf das Objekt) 2

U
die Übereinstimmung → die Kongruenz
die Umkehrrichtung → das Passiv
der Umlaut 1
die Umstandsbestimmung → die adverbiale Bestimmung
das Umstandsfürwort → das Pronominaladverb
der Umstandssatz → der Adverbialsatz
der Umstandssatz der Absicht → der Finalsatz
der Umstandssatz der Art und Weise → der Modalsatz
der Umstandssatz der Bedingung → der Konditionalsatz
der Umstandssatz der Einräumung → der Konzessivsatz
der Umstandssatz der Folge → der Konsekutivsatz
der Umstandssatz des Grundes → der Kausalsatz
der Umstandssatz des Ortes → der Lokalsatz
der Umstandssatz der Zeit → der Temporalsatz
das Umstandswort → das Adverb
die Umstellung → die Inversion
unbestimmt → indefinit
das unbestimmte Fürwort → das Indefinitpronomen
das unbestimmte Zahlwort → das Indefinitzahlwort
das unpersönliche Zeitwort → das impersonale Verb
unterordnend → subordinierend
das unterordnende Bindewort → die subordinierende Konjunktion
unverbunden → asyndetisch

299

V

das Verb (lat. *verbum* = *Wort*) = das Zeitwort 2
der verbale Rahmen 181
verbunden → syndetisch
die Vergangenheit → das Präteritum
die Vergangenheitsform des Konjunktivs → die Präteritalform
der Vergleichungssatz → der Komparativsatz
die Verhältnisergänzung → das präpositionale Objekt
das Verhältniswort → die Präposition
der verkappte Gliedsatz 180
die Verkleinerungsform → die Diminutivform
der verkürzte Satz → die Ellipse
die Verneinung → die Negation
das Vervielfältigungszahlwort → das Multiplikativzahlwort
der Vokativ (Subst. zu lat. *vocare* = *rufen*) = der Anredefall 159
die Vollendung in der Gegenwart → das Perfekt
die Vollendung in der Vergangenheit → das Plusquamperfekt
die Vollendung in der Zukunft → das Futur II
die Vollendungsform 52
der Vordersatz 178
das Vorfeld 181
die Vorgegenwart → das Perfekt
der Vorläufer des Subjekts 150; 156

die Vorsilbe → das Präfix
die Vorzukunft → das Futur II

W

das wechselbezügliche Fürwort → das reziproke Pronomen
das weibliche Hauptwort → das Femininum
der Wemfall → der Dativ
der Wenfall → der Akkusativ
der Werfall → der Nominativ
der Wesfall → der Genitiv
das Wiederholungszahlwort → das Iterativzahlwort
die Wirklichkeitsform → der Indikativ
die wörtliche Rede → die direkte Rede
der Wunschsatz 160; 187

Z

die Zahl(form) → der Numerus
das Zahlwort → das Numerale
die Zeichensetzung → die Interpunktion
die Zeitform → das Tempus
das Zeitwort → das Verb
das zielende Zeitwort → das transitive Verb
das ziellose Zeitwort → das intransitive Verb
die Zukunft → das Futur
das zusammengesetzte Wort → das Kompositum
zwecklich → final
der Zwischensatz 178

§ 209. Wortregister

Das Register enthält nicht nur Wörter, sondern auch Vor- und Nachsilben, Endungen und sonstige grammatisch wichtige Wortbildungselemente. Deshalb stehen auch Substantive, die solche Merkmale tragen und sonst keine Besonderheiten zeigen, nicht im Register. Darauf ist beim Nachschlagen zu achten.

Die erste Zahl nach dem Stichwort nennt den Paragraphen, die Zahl nach dem Komma den Abschnitt dieses Paragraphen, wo das Wort zu suchen ist. Nach dem Semikolon folgt eine neue Stellenangabe.

Nur wenn es einfacher ist, nicht den Paragraphen, sondern die Seite aufzuschlagen, ist diese angegeben. In diesem Fall steht vor der Zahl ein S.

Wenn das Wort nicht im Text behandelt ist, aber unter den Beispielen irgendwie erläutert wird, also dort gesucht werden muß, steht nach der Zahl ein B.

A, a 1, 5; S. 110, 3 l; 205—207
-a *bei Flußnamen* S. 109, 2 c
-a *bei Fremdwörtern* 79, 3 f; 89
-a *bei weibl. Vornamen* 90, 6
Ä, ä 1, 5; 205—207
der Aal 86, B b
der Aar 86, B b
ab 137, 1; S. 191
ab- *bei Verben* 59, 6; 61, 1 a; 67, 2; 68, 4
abbrechen 47, 3 B
abends 128, 4 b B; 130, 2
des Abends 172, 3 b
aber 144, 3 a; 146, 3; S. 206; 176, 2 a; 179, 7
aber- *bei Substantiven* S. 138
aber auch S. 206
aber darum doch 177, 3
aber doch (dennoch) S. 206
aber freilich (ja) S. 206
wohl aber S. 206
abermalig 103
abermals 130, 4
aber trotzdem S. 206
abfallen 47, 2 b B
abhalten von 71, 4
abhängen von 71, 3
abhängig von 108
abhold 97, 3 B; 105
das Abkommen über S. 142
die Abneigung gegen S. 142
abprallen 47, 2 b B
abraten von 71, 5
abreisen 61, 1 a B
der, die Abscheu 77; S. 142
abschlagen 68, 4
abseits 128, 4 c B; 136, 1; S. 193

absichtlich 131, 2 b
abspenstig 97, 3 B
absteigen 47, 2 b B
abtreten 68, 4
abtrünnig 105 B
abwärts 129, 4
abwendig 97, 3 B
abwesend S. 150
ach! ach weh! 148, 5
achten 69, 3; (auf) 71, 2
achtgeben 61, 1 c
die Achtung vor S. 142
der Acker 84, B a
ade! S. 217, 8
after- *bei Subst.* S. 138
-age *bei Fremdw.* 79, 2 a M
ah! aha! 148, 5
der Ahn 85, M
ähneln 67, 1
ähnlich 105; 106
es ahnt 45, 3 d; 67, 4
die Ahnung von S. 142
148, 6 a
der Ahorn S. 109, 2 e
-al, -all *bei Fremdwörtern* 79, 3 d; 89
all- 99, 1 b, 3; S. 173, 8; 127, 2 a
alldieweil 193, 2
allein 144, 3 a; 146, 1; S. 206; 163, 4 B; 176, 2 a; 179, 7; S. 286, 9 a
allemal 127, 3
allenfalls 128, 4 c B
allenthalben 128, 4 c B; 129, 2
aller- 102, 4; 133, 3
allerdings 132, 3 a; 176, 2 a
allerhand (-lei) 125, 9; 127, 5
allerorten 172, 3 a
allezeit 128, 4 c B
allzu 102, 4; 131, 3; 196, 2
der, die Alp S. 114

die Alpen 81, 1 b
als 64, 2; 66, 5; 102, 5; 144, 6 b, 7 a, 7 b; S. 206; 152, 7; 164, 8; 180, 1 A; 191, 3, 4; 192, 2
als auch 141, 3 c
als daß 145, 2 b; 196, 2; S. 208
also 144, 7 a; 145, 2 a; 146, 5; S. 207; 177, 2 b; 179, 7 M
als ob 141, 3 c; 144, 7 b;
S. 207; 192, 3
als wenn 144, 7 b; S. 207; 192, 3
alt 101, 5; 103, 1; 107
das Amt 88, B a
an 135, 3; 138; S. 191
an- *bei Verben* 59, 6; 61, 1 a B; 67, 2; 68, 4
-an *bei Fremdw.* 79, 1 c
anbrennen 47, 2 a B
(der) andere 116, 1, 10; 192, 2 a
andernfalls 144, 4; 145, 2 a; 176, 2 c
anders 102, 5; 128, 4 b B; 131, 2 b; 192, 2 a
anderswo(her), (-hin) 129, 2, 3, 4
sich aneignen 43, 4 b
der Anfang 86, B c
anfangen 71, 3; 184, 3
anfänglich 175, 2 d
anfangs 128, 4 b B; 130, 2
angeboren 105
angehören 67, 2
angeln nach 71, 3
angemessen 105
angenehm 105
angesichts 136, 1; S. 191
der Angestellte 100, 4 B
angewiesen auf 108
angst 97, 3 B
die Angst vor 87, A b; S. 142

301

anheischig 97, 3 B
anklagen 70, 2; 168, 4
ankommen 47, 2 b B; 61, 1 a B
anlangen 47, 2 b B
der Anlaß 86, B c
anläßlich 136, 1; S. 191
sich anmaßen 43, 4
die Annahme 81, 1 e
annehmen als, zu 66, 5
sich annehmen 70, 3
das Anrecht auf S. 142
der Anschluß an S. 142
ansichtig 97, 3 B; 104
anstatt 135, 3 d; 136, 1; S. 191; 145, 2 b; S. 207; S. 208; 195, 3; 200, 4; S. 286, 8
anstehen 67, 2
anstelle 136, 1; S. 191
anstößig 105
ant- *bei Subst.* S. 138
-ant *bei Fremdw.* 79, 1 b
der Antrag 86, B c
antragen 68, 4
antun 168, 3
antworten 67, 1; 71, 5
-anz *bei Fremdw.* 79, 2 h
der Apfel 84, B a
das Äquivalent 79, 1 b A
-ar *bei Völkernamen* 85, B e
-är *bei Fremdw.* 79, 3 g
arbeiten 2, 17 B; 71, 3
-arch *bei Fremdw.* 85
arg 101, 5
der Ärger über S. 142
ärgerlich 105; 108
sich ärgern über 65, 4; 71, 2
es ärgert 45, 3 d
es arg treiben 46, 4 B
arm (an) 101, 5; 103, 1; 108
die Art 87, B a
der Arzt 86, B c
aß → essen
der Ast 86, B c
-at *bei Fremdw.* 79, 3 e
-ät *bei Fremdw.* 79, 2 c
der Atlas 89, M
ätsch! 148, 5 p
ätzen 58, 4 b B
au! autsch! 148, 5 e
auch S. 169, 11; 141, 3 a; 143, 2; 175, 2 a; 179, 7 M
auch immer S. 169, 11
auf 135, 3; 138; S. 192
auf- *bei Verben* 59, 6; 61, 1 a B; 67, 2; 68, 4
aufblühen 2, 18 a B
auf daß 145, 2 b; 193, 4
auferstehen 66, 3 B

auffordern zu 71, 4
aufgebracht über 108
sich aufhalten 43, 5 a
aufhören (mit) 71, 3; 184, 4
auf immer 130, 3
aufmerksam auf 108
aufrecht- *bei Verben* 61, 1 a B
aufstehen 61, 1 a B
der Auftakt zu S. 142
aufwachen 47, 2 a B
aufwärts 129, 4
aufzwingen 168, 3
das Auge 88, A
aus 135, 3; 137, 1; S. 192
aus- *bei Verben* 61, 1 a B
sich ausbitten 43, 4 b
der Ausdruck 86, B c
ausfindig 97, 3 B
die Ausflucht 87, A b
ausgenommen, daß S. 208
ausgerechnet 164, 9
ausnehmend 131, 3
sich ausruhen 43, 6
aussehen nach 71, 3
außen 129, 2
außer 135, 3; 137, 2; S. 193
außer daß S. 208; 195, 3
außerdem 143, 2; 175, 2 a
der äußere 102, 3
außerhalb 135, 3 a; 136, 1; S. 193
außerordentlich 102, 4; 131, 3
äußerst 102, 4; 131, 3
außer wenn S. 211; 194, 4; 195, 3
der Auswuchs 86, B c
sich auszeichnen 71, 3
autsch! 148, 5 e
die Axt 87, A b

B, b S. 110, 3 1; 205—207
der Bach 86, B c
backen 35; 36, 6; 42
der Backen, die Backe 77
das Bad 88, B a
baden 2, 7
bäh! 148, 5 q
die Bahn 87, B a
bald 130, 2; 133, 6; 175, 2 c
der Balkan S. 110, 3 c
der Ball 86, B c
band → binden
der, das Band S. 114; S. 115; 86, B c; 88, B a
bang 101, 5
es bangt ... vor 71, 5
die Bank S. 115; 87, A b, B a
bar 103, 1; 104

-bar *bei Adjekt.* 52, 15; S. 150; 105
der Bär 85, B b
barg → bergen
barst → bersten
der Bart 86, B c
basta! 148, 6 b
bat → bitten
batsch! S. 217, 7 b
der Bau 86, B b; S. 115
der, das Bauer S. 114; 84, A
der Baum 86, B c
bauz! S. 217, 7 b
der Bayer 84, A
be- *bei Adjekt.* S. 151; *bei Subst.* 88, B e; S. 138; *bei Verben* 19, 3 a; 59, 9, 10; 60, 2 a; 68, 3
beabsichtigen 184, 4
der Beamte 100, 4 B
beantragen S. 65, M
beauftragen S. 65, M
sich bedanken für 65, 4; 71, 2
es bedarf 46, 1 c
sich bedenken 43, 5 a
sich bedienen 70, 3
bedürfen 2, 4, 6; 16, 5; 69, 1
bedürftig 104
sich beeilen 43, 5 a
befahl → befehlen
sich befassen mit 71, 3
befehlen 27, 1; 36, 4; 42; 68, 3; 184, 6
befestigen an 138, 4 B
sich befinden 43, 5 a
sich befleiß(ig)en 30; 36, 1; 42; 43, 4 a; 70, 3
befliß → befleißen
es befremdet 65, 5
begann → beginnen
begegnen 47, 2 b B; 67, 1
sich begegnen 44, 6 B
die Begegnung mit S. 142
begehren 69, 3
begierig auf 108
beginnen 28; 36, 3; 42; 71, 3; 184, 4
sich begnügen 43, 4 a; 71, 3
begreiflich 105
behaglich 105
es behagt 45, 3 d
behalten 65, 3 B
sich behelfen 43, 5 a
behilflich 105
behufs 136, 1
bei 135, 3 a, 3 b; 137, 1; S. 193
bei- *bei Verben* 61, 1 a B; 67, 2; 68, 4
beide 99, 3; S. 173, 8; 123, 3

beiderlei 125, 9
beinahe 127, 1; 131, 3
beisammen 131, 2 b
beißen 2, 1, 4, 5; 30; 36, 1; 42
der Beitrag 86, B c
beitragen zu 71, 3
bei weitem 131, 3
beizeiten 128, 4 c B
beizen 58, 4 b B
bekannt mit 105; 108
bekennen 169, 1 c
sich beklagen 43, 5 a
bekommen 65, 3 B
bekömmlich 105
sich bekümmern um 71, 2
sich belaufen auf 71, 2
belehren 70, 2; 168, 4
beliebt bei 108
es beliebt 67, 4
sich bemächtigen 43, 4 a; 70, 3; 168, 4
bemitleiden S. 65, M
sich bemühen 43, 5 a; 71, 2; 184, 4
benachbart 105
sich benehmen 43, 5 a
benutzen zu 71, 4
bequem 105
es sich bequem machen 46, 4 B
berauben 70, 2; 168, 4
der, das Bereich 77
bereit zu 108
bereiten 68, 3
bereits 128, 4 b B; 172, 3
die Bereitschaft zu S. 142
bergab (-an) 128, 4 c B
bergen 27, 3; 36, 3; 42
berichten 68, 3; 71, 5; 168, 3
bersten 27, 3; 36, 4; 42; 47, 2 a B
sich berufen auf 71, 2
es beruhigt 65, 5
beschämt über 108
bescheiden in 108
sich beschränken auf 71, 2
beschuldigen 70, 2; 168, 4
sich beschweren 43, 5 a
beschwerlich 105
sich besinnen (auf) 43, 4 a; 70, 3; 71, 2
die Besinnung auf S. 142
besonders 102, 4
besorgt um 108
es bessert sich 46, 1 c
bestehen aus, in 71, 3
besteigen 2, 10
bestimmt 132, 3 a
bestürzt über 108

sich beteiligen an 71, 3
die Beteiligung an S. 142
der Betrag 86, B c
sich betragen 43, 5 a
betreffs 136, 1
betrügen 33, 1
das Bett 88, A
betteln 2, 20 B
bevor 144, 6 b; S. 207; 191, 6; 202, 8
bevor- *bei Verben* 61, 1 a B; 67, 2
bewandert in 108
bewegen 24, 2 c; 34, 1; 36, 4; 42
sich bewerben 43, 4 a; 44
bewilligen 68, 3
bewog → bewegen
bewußt 104; 105
bezahlen 163, 3
bezeichnend für 108
bezichtigen 70, 2; 168, 4
sich beziehen auf 71, 2
bezüglich 136, 1
biegen 33, 1; 36, 2; 42
bieten 33, 1; 36, 2; 42; 68, 2
das Bild 88, B a
billig 105
bim bam bum! S. 217, 7 b
binden 29; 36, 3; 42
binnen 135, 3 b; 137, 2
bis 135, 3 a, 3 b; 137, 5; S. 193; 144, 6 b; S. 207; 191, 6
bis dahin 130, 3
bis daß 141, 3 c; 144, 6 b; 191, 6
bisher S. 167, 6 a; 130, 3
bis jetzt 130, 3
biß → beißen
bisweilen 128, 4 c B; 130, 4
bitten (um) 26, 2; 36, 5; 42; 66, 2; 71, 4; 169, 1 a; 184, 6
blasen 32; 36, 7; 42
blaß 105, 5; 108
das Blatt 88, B a
die Bläue S. 110, 3 g
bleiben 2, 17 B; 31; 36, 1; 42; 56, 4 e; 64, 1; 69, 5; 152, 1
bleichen 30; 36, 1; 42
blich → bleichen
blieb → bleiben
blies → blasen
es blitzt 45, 3 a
der Block 86, B c
blühen 2, 17 B
der Bock 86, B c
der Boden 84, B a
bog → biegen
der Bogen S. 115

borgen 68, 2
böse 103, 1; 108
der Bösewicht 86, M
bot → bieten
brach 97, 3 B
brach → brechen
brachte → bringen
brandschatzen 60, 4 b B
brannte → brennen
braten 32; 36, 7; 42
der Brauch 86, B c
brauchen 2, 14 B; 151, 7 b; 184, 4; 202, 2 d; S. 286, 8 n
es braucht 46, 1 c; 69, 2
es braust 46, 1 b
die Braut 87, A b
brechen 27, 2; 36, 4; 42; 47, 3 B
breit 107
brennen 41, 1; 42
das Brett 88, B a
die Briefschaften 81, 1 e
briet → braten
bringen 41, 3; 42; 68, 2
die Bronze S. 110, 3 d
brr! 148, 5 q, 6 e
der, das Bruch 77; 86, B c
der Bruder 84, B a
die Brunst 87, A b
das Buch 83, 1; 88, B a
die Bucht 87, B a
sich bücken 43, 4 a; 58, 5 a B
buk → backen
der, die Bulle 78, 1
der, das Bund 86, B c; S. 114
die Burg 87, B a
der Busch 86, B c

C, c S. 110, 3 1; 205—207
der Charakter 89, M
-chen *bei Subst.* 84; S. 110, 3 h; 93, 3 b, 5 b; S. 136; S. 137
der, das Chor 78, 1
der Christ 85, B b
Jesus Christus 90, 11
n. Chr. 90, 10

D, d S. 110, 3 1; 205—207
-d *bei Fremdw.* 85
da 116, 8; S. 167, 5 a, 6 a; 129, 2; 130, 2; 144, 5 a, 6 a, 6 b; 145, 2 b; S. 207; 190, 2; 191, 3; 193, 2
da + *Präposition* 117, 1; S. 156, M
dabei 129, 2
das Dach 88, B a
dachte → denken

dadurch

dadurch S. 167, 8 d; S. 207
dadurch daß 145, 2 b; S. 207
dafür 132, 2; 177, 2 c
dagegen 144, 3 a; 176, 2 d
daheim 128, 4 b B
daher S. 167; 129, 3; 132, 2;
  144, 5 a; 145, 2 a; 177, 2 b;
  190, 2; S. 286, 9 a
daher- *bei Verben* 61, 1 a B
dahin S. 167, 5 c, 9; 129, 4;
  144, 5 a; 190, 2
damals 130, 2
damit S. 167, 8 d; 145, 2 b;
  S. 207; S. 208; 193, 4
damit, daß 145, 2 b; S. 207
der Damm 86, B c
es dämmert 45, 3 a
danach 130, 2; 132, 2
daneben 129, 2
dang → dingen
dank 137, 2
dankbar 105
danken 67, 1
danksagen 61, 1 c
dann S. 167, 6 a; 130, 2; 141,
  3 a; 143, 2; 144, 6 a; S. 208;
  175, 2 d; 186, 1 M
dann und wann 130, 4;
  S. 167, 6 a
da(r) + *Präposition* 117, 1;
  S. 156, M
daran 129, 2; 193, 3
darauf S. 167, 6 a; 129, 2;
  130, 2; 144, 6 a; 175, 2 d
darein 117, 1; 129, 4
darin 117, 1; 129, 2
da(r)nach 132, 2
darstellen 61, 1 a B
darob 132, 2
darüber 129, 2; 132, 2
darum S. 167, 8 a; 141, 3 c;
  145, 2 a; 177, 2 b, 2 c; 193, 3;
  S. 286, 9 a
darum doch 177, 2, 3
darunter 129, 2; 132, 2
das (*indef.*) 150, 4
daselbst 129, 2
daß 145, 2 b, 3; S. 208; 180,
  3 a; 182, 3; 184, 2, 3; 185,
  3 a; 193, 3, 4; 196, 1
daß doch 132, 3 e
es dauert 70, 4
davon S. 167, 8 a; 193, 3
dazu S. 167, 8 b; 132, 2; 145,
  2 a; 177, 2 b
dazwischen 129, 2
-de *bei Subst.* S. 109, 2 h;
  S. 135
deinethalben 132, 2

deixel! S. 217, 8
demnach 132, 2; 145, 2 a;
  177, 2 b
denkbar 102, 4
denken 24, 2 c; 41, 3; 42;
  71, 2
denn 132, 3 c; 141, 3 a; 145,
  2 a; 146, 1; S. 208; 157, 8;
  177, 2 a; 179, 7; 192, 2;
  S. 286, 9 a
dennoch 144, 3 a; 176, 2 d;
  195, 2
der, die, das (*Artikel*) 72;
  99, 1 a; 109, M; S. 169,
  M; (*Demonstr. Pron.*)
  116, 1, 3; S. 169, M;
  (*Relativpron.*) 109, 2 d;
  118, 2—5; 199, 1;
  S. 169, M
der, der 109, 2 d; S. 169, 9 c
derartig 196, 1
dergestalt 131, 2 b; 196, 1
derjenige 99, 1 b; 109, 2 d,
  6 c; 116, 1, 4, 7; S. 169, 9 a
dermaßen 128, 4 c B;
  196, 1
derselbe 99, 1 b; 109, 2 d, 6 c;
  116, 1, 5; S. 169, 9 b
desgleichen 143, 2;
  175, 2 a
deshalb 132, 2; 141, 3 c; 145,
  2 a; S. 208; 177, 2 b; 193, 3;
  S. 286, 9 a
dessenungeachtet 141, 3 c;
  195, 2
desto 144, 7 a
deswegen (doch) 145, 2 a;
  177, 2 b; 193, 3
es deucht 41, 3
deuchte → dünken
deuten 68, 2
deutsch S. 149
die Diäten 81, 1 e
dick 107
dienen 67, 1; 71, 3
dienlich 105
dienstags 172, 3 b
dienstbar 105
es dient ... zu 71, 5
dies (*indef.*) 150, 4
dieser 99, 1 b; 109, 2 c; 116,
  1, 8
diesmal 128, 4 c B
diesseit(s) 129, 2; 135, 3 a;
  136, 1; S. 193
dieweil 193, 2
das Ding S. 115
guter Dinge 69, 5
dingen 29; 36, 3; 42

durfte

doch 132, 3; 141, 3 a; 144, 3 a;
  145, 2 a; 146, 5; S. 208; 157,
  5; 159, 7; 160, 6; 176, 2 d;
  177, 2 a; 179, 7 M; 195, 2;
  S. 286, 9 a
der Docht 86, B b
das Dock 80, M 2
der Doktor 86, A; 90, 4 a
der Dolch 86, B b
der Dom 86, B b
es donnert 45, 3 a
das Dorf 88, B a
der Dorn 86, A
dort 116, 8; S. 167, 5 a;
  190, 2
dorther (-hin) S. 167, 5 c, 9;
  129, 3, 4
dortig 97, 2 B
der, das Dotter 77
Dr. (Doktor) 90, 4 a
der Draht 86, B c
dran 129, 2
drang → dringen
drängen (zu) 58, 4 a B;
  71, 4
die, das Drangsal S. 110,
  3 i; 77
drauf 129, 2
draußen 129, 2
dreschen 34, 2; 36, 4;
  S. 61
drin(nen) 129, 2
dringen 29; 36, 3; S. 61
der dritte 124, 2
droben 129, 2
drohen 67, 1
drosch → dreschen
drüben 129, 2
drüber S. 167, 10; 129, 2
drunten 129, 2
drunter S. 167, 10; 129, 2
du 109; 110; 111, 1 a
der Duft 86, B c
duften nach 71, 3
es duftet 46, 1 b
dumm 101, 5
es dunkelt 45, 3 a
sich dünken 41, 3; S. 61;
  64, 1; 152, 1; 169, 1 c
der Dunst 86, B c
durch 65, 3; 135, 3; 137, 5;
  S. 194
durch- *bei Verben* 62, 2
durchaus 132, 3 f; 202, 6
durchbetteln 62
dürfen 5; 11; 41, 5;
  S. 61; 53, 8 c B; 55, 8;
  202, 2 c
durfte → dürfen

304

E, e S. 110, 3 1; 205—207
-e als Bindelaut S. 139, 5;
bei Flußnamen S. 109, 2 c;
bei Fremdw. 79, 2 a; 85;
bei Ländernamen S. 110,
3 c; bei Personennamen
90, 2 c; 90, 6; als Plural-
endung 80, 2; S. 122; 86;
88, B; bei Subst. S. 109,
2 h; 82, 9; 85; 87, B b;
S. 135; bei Völkernamen
85, B e
ebenbürtig 106
ebenfalls 128, 4 c B; 131, 2 b;
175, 2 a
ebenso 102, 5; 131, 2 b; 144,
7 a; 175, 2 a
die Ecke, das Eck 77
die Effekten 81, 1 e
ehe 144, 6 b; S. 207; 191, 6;
202, 8
ehemals 130, 2
eher 144, 6 a; S. 207
ehrgeizig nach 108
-ei bei Ländernamen S. 110,
3 c; bei Subst. S. 109, 2 i;
S. 137
ei! eia! eiapopeia! S. 148, 5
das Ei 88, B a
der Eid auf S. 142
eifersüchtig auf 108
eigen 115, 2
eigen(tümlich) 105
das Eigentum an S. 142
eilen 47, 4 B
eilends 128, 4 b B; 172, 3
es eilig haben 46, 4 B
es eilt 46, 1 c
ein- (Artikel) 100, 1 a; 109,
M; (Zahlwort) 100, 1 c;
S. 173, 8; 122; 123, 2; (bei
Verben) 61, 1 a B; 67, 2;
68, 4
einander 44, 6; 109, 2 a;
111, 5
die Einbuße an S. 142
der eine ... der andere 116,
1, 10; S. 173, 8
einerlei 127, 5
einerseits ... ander(er)seits
143, 3; 175, 2 c
einesteils 175, 2 c
einfach in 108
einfallen 67, 2
einführen 61, 1 a B
eingedenk 97, 3 B; 104
der Eingriff in S. 142
einhändigen 68, 4; 168, 3
einher- bei Verben 61, 1 a B

einig- 99, 3; S. 173, 8; 127, 2 b
einigemal 127, 3
einkehren 47, 2 b B
die Einkünfte 81, 1 e
einladen zu 71, 4
einmal 130, 4
eins 122; 123, 2
einschlafen 47, 2 a B
einst(mals) 130, 2
einstweilen 130, 3
eintragen 68, 4
eintreffen 47, 2 b B
einverstanden mit 108
der, das Ekel S. 113
es ekelt ... vor 67, 4; 71, 5
-el bei Adjekt. 100, 3; 101,
3; bei Subst. 76, 1 i; 82, 9;
84; 87, B c; 93, 3 a, 5 a; S.
135; S. 137
-el, -ell bei Fremdw. 79, 3 d
die Elektrische 100, 4 B
-el(n) bei Verben 17, 1; 23,
4; 58, 2 c, 6
die Eltern 81, 1 a
-em bei Subst. 93, 3 a, 5 a
emp- bei Subst. S. 138; bei
Verben 19, 3 a; 60, 2 a
empfahl → empfehlen
empfänglich für 108
die Empfänglichkeit für
S. 142
die Empfängnis S. 110, 3 i
empfehlen 27, 1; 36, 4; S. 61;
168, 3; 184, 6
empfindlich gegen 108
empor- bei Verben 58, 2 c;
61, 1 a B
-en bei Adjekt. 100, 3; 101,
3; S. 149; als Bindelaut
S. 139, 5; beim Part. II
17, 5; 24, 1; 25, 1; 57, 4 b;
als Pluralendung 80, 4;
83; 85; 87; bei Subst. 76,
1 i; 82, 9; 84; 93
das Ende 88, A
letzten Endes 172, 3 a
endlich 130, 2; 141, 3 c; 143, 2;
175, 2 d
-ent bei Fremdw. 79, 1 b
ent- bei Subst. S. 138; bei
Verben 19, 3 a; 59; 60, 2 a;
68, 3
sich entäußern 70, 3
entbehren 69, 2
entbinden 70, 2; 168, 4
sich entblößen 168, 4
entfallen 47, 2 b B
sich entfernen 43, 5 a
entfliehen 47, 2 b B; 67, 1

entgegen 137, 4; S. 194; 187, 1
entgegen- bei Verben 61, 1
a B; 67, 2
entgegengehen 67, 2; 68, 6
sich enthalten 70, 3
entheben 70, 2
entkleiden 70, 2
entlang 137, 7
sich entledigen 70, 3
entraten 69, 1
entreißen 168, 3
entrüstet über 108
entsagen 67, 1
sich entscheiden 43, 5 a;
71, 2
sich entschließen 43, 4 a
entschlossen zu 108
entsetzen 70, 2
sich entsinnen 70, 3
entweder ... oder 141, 3 d;
144, 3; 146, 5; S. 208; 176,
2 c; 179, 7 M
entwenden 68, 3
sich entwöhnen 70, 3
entziehen 68, 3
entzwei- bei Verben 61, 1
a B
-enz bei Fremdw. 79, 2 h
er 109; 110; Er 111, 1 d
-er bei Adjekt. 100, 3; 101,
3; als Bindelaut S. 139, 5;
als Pluralendung 80, 3;
S. 123; 86 M; 88 B; bei
Subst. 76, 1 i; 82, 9; 84; 87,
B c; 93, 5 a; S. 136; S. 137;
S. 13; bei Völkernamen
84, A
er- bei Verben 59, 6, 9; 19,
3 a; 59, 6, 9; 60, 2 a; 68, 3
sich erbarmen 70, 3
es erbarmt 70, 4
der, das Erbe S. 113
erblühen 2, 18 a B
erbost über 108
der, das Erbteil 77
sich ereignen 43, 4 a
sich erfreuen 70, 3; 71, 3
ergeben 105
es ergeht 67, 3
ergrimmt über 108
erhaben über 108
erhalten 65, 3 B
sich erheben 43, 5 a
sich erholen 43, 4 a; 71, 3
erinnerlich 105
(sich) erinnern 43, 5 a; 70, 3;
71, 2, 4
die Erinnerung an S. 142

erkennen an 71, 4
die, das Erkenntnis S. 110,
  3 i; 78, 1
erklären (für) 66, 5; 169, 1 c
erkranken 47, 2 a B; 71, 3
sich erkühnen 43, 4 a
sich erkundigen 43, 4 a
erküren 33, 1
erlauben 43, 5; 68, 3; 184, 6
die Erlaubnis S. 110, 3 i
-erlei 125, 9; 127, 5
erlöschen 36, 4; S. 62; 47, 2 a B
ermahnen 184, 6
ermangeln 69, 1
-ern *bei Adjekt.* S. 149; *bei
  Verben* 17, 1; 23, 4; 58,
  2 c, 5 b
ernennen zu 66, 5; 71, 4
erpicht S. 150
erschallen 34, 2; 36, 3; S. 63
erscheinen 152, 1
erschlaffen 47, 2 a B
erscholl → erschallen
erschrak → erschrecken
erschrecken 27, 2; 36, 4; S.
  63; 71, 3
ersinnen 2, 5
erst 143, 2
erstarren 47, 2 a B
es erstaunt mich 65, 5
erstaunt über 108
der erste 124, 2
ersteigen 2, 10
erstens 141, 3 b; 143, 3; 175,
  2 c
ersticken 47, 3 B
erst(lich) 175, 2 d
sich erstrecken 43, 4 a
ersuchen 184, 6
ertrinken 2, 18 b B
sich erwehren 70, 3
erweisen 68, 3
erwünscht 105
erz- *bei Adjekt.* S. 151; *bei
  Subst.* S. 138
erzählen 68, 3; 71, 5
es 110, 1; 170, 8; Es 111, 1;
  (*indef.*) 45, 2; 46, 3; 150,
  3 ff.; 156, 3; 179, 3, 5; 182,
  6; (*Akkus.*) 65, 2; 68, 5
-es *als Bindelaut* S. 139, 5
essen 2, 17 B; 26, 2; 36, 5; S. 61
etlich- 99, 3; S. 173, 8; 127, 2 b
etlichemal 127, 3
-ett *bei Fremdw.* 79, 3 c
etwa 127, 1; 132, 3 d; 202, 2 e
etwas 102, 4; 120, 1, 5; 127,
  2, b, 6; 131, 3
Ew. 115, 6

F, f S. 110, 3 1; 205—207
das Fach 88, B a
-fach *bei Zahlwörtern* 125, 2
der Faden 84, B a
fähig (zu) 104; 108
fahnden nach 71, 3
fahren 35; 36, 6; 38; S. 61;
  47, 4 B; 56, 4 e; 186, 6
die Fahrt 87, B a
der Fall 86, B c
im Falle 145, 2 b; S. 208; S.
  209; 176, 2 c; 194, 1; im
  andern Falle 144, 4
fallen 32; 36, 7; S. 61; 47, 2
  h B
fällen 58, 4 a B; 65, 1 B
falls 145, 2 b; S. 209; 194, 1
fand → finden
fangen 32; 36, 7; S. 61
das Faß 88, B a
fast 127, 1; 131, 3
die Fasten 81, 1 e
die Fäulnis S. 110, 3 i
die Faust 87, A b
fechten 34, 2; 36, 4; S. 61
fehlen 67, 1
fehlschlagen 61, 1 c
es fehlt ... an 45, 3 c; 71, 5
feil um 108
feilschen 58, 5 b B
feind 97, 3 B; 105
feindlich 108
das Feld 88, B a
der Fels(en) 84, M
die Ferien 81, 1 e
fern 105; 137, 1
ferner 141, 3 b; 143, 2; 175,
  2 d
fertig mit 108
fest- *bei Verben* 61, 1 b B
fiebern nach 71, 3
fiel → fallen
finden 29; 36, 3; 39; S. 61;
  169, 1 d
fing → fangen
der Fink 85, B b
der Firnis 86, M
fischen nach 71, 3
flechten 33, 1; 36, 2; S. 61;
  47, 2 b B
fließen 33, 2; 36, 2; S. 61
es flimmert 46, 1 b
flocht → flechten
flog → fliegen
floh → fliehen
floß → fließen
das Floß S. 122
fluchen 67, 1

(sich) flüchten 43, 6; 71, 3
flugs 128, 4 b B
der, die Flur S. 114; 87, B a
der Fluß 86, B c
die Flut 87, B a
focht — fechten
folgen 67, 1
folglich 145, 2 a; 177, 2 b
fordern 184, 6
die Form 87, B a
forschen nach 71, 3
fort 129, 4
fort- *bei Verben* 61,
  1 a B
fortan 128, 4 c B
fortfahren 61, 1 a B; 184, 4
forthin S. 167, 6 a
fragen (nach) 66, 2; 71, 3, 4;
  169, 1 a
fraß → fressen
die Frau 87, B a
das Fräulein S. 109, 2 a;
  111, 4
frei von 108
freigebig gegen 108
freilich (... aber) 132, 3 a;
  144, 3 a; 176, 2 a
fremd 105
fressen 26, 2; 36, 5; S. 61
sich freuen 43, 5 a; 71, 2, 3;
  184, 4
freund 97, 3 B; 105
freundlich gegen 108
es freut mich 45, 3 d
der Friede(n) 84, M
frieren 33, 1; 36, 2; S. 61
es friert 45, 3 a
die Frist 87, B a
froh 104; 108
frohes Mutes 69, 5
frohlocken 60, 4 b B
fromm 101, 5; 105, 5
frömmeln 58, 6 B
frommen 67, 1
frönen 67, 1
fror → frieren
der Frosch 86, B c
der Frost 86, B c
es fröstelt mich 45, 3 d
die Frucht 87, A b
früh 130, 2
früher 130, 2
frühstücken 60, 4 a B
sich fügen in 71, 2
fühlen 56, 4 d; 66, 6; 169,
  1 c, 1 d
fuhr → fahren
führen 58, 4 a B
füllen 58, 4 c B

der Funke(n) 84, M
für 66, 5; 135, 3 d; 137, 5;
 140, 1; S. 194; 152, 7
für immer 130, 3
die Furcht vor S. 142
sich fürchten 71, 3; 184, 4
die Fürsorge für S. 142
der Fürst 85, B b
die Furt 87, B a
fürwahr 128, 4 c B; 132, 3 a;
 202, 6
der Fuß 86, B c

G, g S. 110, 3 1; 205—207
gab → geben
gack gack! S. 217, 7 a
galt → gelten
einen Gang gehen 65, 7
die Gans 87, A b
ganz 127, 2 a; 131, 3
gänzlich 131, 3
gar 103, 1; 131, 3
gären 24, 2 c; 34, 1; 36, 4; S. 61
der Garten 83, 2; 84, B a
der Gast 86, B c
der Gau 86, B b
der Gaul 86, B c
ge- *bei Adjekt.* S. 151; *beim
 Part. II* 57, 4; 60, 3, 5; 61,
 2, 3; *bei Subst.* 88, B, b, e;
 S. 138; *bei Verben* 19, 3 a;
 59, 6; 60, 2 a; 68, 2
gebar → gebären
gebären 27, 1; 36, 4; S. 61
geben 26, 1; 36, 3; S. 61; 68,
 2; 168, 3
gebeten → bitten
gebieten über 71, 2
gebissen → beißen
geblichen → bleichen
geblieben → bleiben
gebogen → biegen
geboren → gebären
geborsten → bersten
geboten → bieten
gebracht → bringen
gebrannt → brennen
der Gebrauch 86, B c
es gebricht ... an 45, 3 c;
 71, 5
gebrochen → brechen
die Gebrüder 81, 2 a
gebunden → binden
der Geck 85, B b
gedacht → denken
der Gedanke(n) 84, M
gedeihen 31; 36, 1; S. 61; 47,
 2 a B

gedenken 2, 4; 2, 6; 69, 1
gedeucht → dünken
gediegen S. 150
gedieh;
 gediehen → gedeihen
gedroschen → dreschen
gedrungen → dringen
sich geduldet 43, 4 a
gedungen → dingen
gedunsen S. 150
gedurft → dürfen
geeignet zu 108
gefährlich 105
gefallen 67, 1
es gefällt mir 45, 3 d
gefaßt auf 108
geflochten → flechten
geflogen → fliegen
geflohen → fliehen
geflossen → fließen
gefochten → fechten
gefrieren 2, 18 b B
gefroren → frieren
gefühllos gegen 108
gefunden → finden
gegangen → gehen
gegen 135, 3 a; 137, 5; S. 194
gegenüber 129, 2; 137, 1, 4
gegessen → essen
geglichen → gleichen
geglitten → gleiten
gegolten → gelten
gegoren → gären
gegossen → gießen
gegriffen → greifen
der, das Gehalt S. 113
gchangen → hängen
geheißen 64, 1
gehen 2, 3, 6; 24, 2 c; 36, 7;
 41, 4; S. 61; 47, 2 b B; 56,
 4 e
einen Gang gehen 65, 7
gehoben → heben
geholfen → helfen
gehorchen 67, 1
gehören 67, 1
gehorsam 105
es geht 46, 1 c; 67, 3, 4
der Geist 86, M
gekannt → kennen
geklommen → klimmen
geklungen → klingen
gekniffen → kneifen
gekonnt → können
gekoren → küren
gekrochen → kriechen
gelang → gelingen
geläufig 105
das Geld 88, B a

gelegen → liegen
gelegen 105
geliehen → leihen
gelingen 2, 18 b B; 29; 36, 3;
 S. 61; 47, 2 a B; 67, 1
es gelingt 67, 4
gelitten → leiden
geloben 68, 3
gelogen → lügen
gelt? 148, 6 c
gelten 27, 3; 36, 3; S. 61
gelungen → gelingen
es gelüstet 45, 3 d; 70, 4
das Gemach 88, B b
gemäß 137, 1, 4; S. 194
gemein(sam) 105
gemieden → meiden
gemocht → mögen
gemolken → melken
gemußt → müssen
das Gemüt 88, B b
gen 135, 3 a; 137, 5
genannt → nennen
genas → genesen
es genau nehmen 46, 4 B
genauso ... wie 102, 5; 144,
 7 a
genehm 105
geneigt zu 108
der General 86, B b
genesen 24, 2 c; 26, 1; 36, 5;
 S. 61; 47, 2 a B; 69, 4 B
das Genie 79, 2 d A
genießen 33, 2; 36, 2; S. 61
genoß;
 genossen → genießen
genug 127, 2 b, 6; 131, 3;
 196, 2
genügen 67, 1
es genügt 46, 1 c
das Genus 79, 1 a A
der Genuß 86, B c
gepfiffen → pfeifen
gepflogen → pflegen
gepriesen → preisen
gequollen → quellen
geradeaus 128, 4 c B
geradeso 135, 2 b
geradezu 144, 7 a
gerannt → rennen
geraten 47, 2 a B
es gereut 70, 4
gerieben → reiben
gerinnen 47, 2 a B
gerissen → reißen
geritten → reiten
gern 131, 2 b; 133, 6
gerochen → riechen
geronnen → rinnen

der Geruch 86, B c
gerungen → ringen
gesamt 127, 2 a
gesandt → senden
geschah → geschehen
geschehen 26, 1; 36, 5; S. 61; 47, 1 c
geschieden → scheiden
geschienen → scheinen
das Geschlecht 88, B b
geschliffen → schleifen
geschlissen → schleißen
geschlossen → schließen
geschlungen → schlingen
der Geschmack an S. 142
geschmissen → schmeißen
geschmolzen → schmelzen
geschnitten → schneiden
geschnoben → schnauben
geschoben → schieben
gescholten → schelten
geschoren → scheren
geschossen → schießen
geschrieben → schreiben
geschrien → schreien
geschritten → schreiten
geschunden → schinden
geschweige 145, 2 a, 2 b
geschwiegen → schweigen
die Geschwister 81, 1 a
geschwollen → schwellen
geschwommen → schwimmen
geschworen → schwören
die Geschwulst 87, A b
geschwunden → schwinden
geschwungen → schwingen
gesessen → sitzen
gesetzt den Fall S. 209
das Gesicht S. 115; 88, B b
gesoffen → saufen
gesogen → saugen
gesonnen → sinnen
gesotten → sieden
das Gespenst 88, B b
gespien → speien
gesplissen → spleißen
gesponnen → spinnen
gesprochen → sprechen
gesprossen → sprießen
gesprungen → springen
gestanden → stehen
(sich) gestatten 43, 5; 68, 3
gestehen 68, 3
gestern 130, 2
gestiegen → steigen
gestoben → stieben
gestochen → stechen
gestohlen → stehlen

gestorben → sterben
gestrichen → streichen
gestrig 97, 2 B
gestritten → streiten
gestunken → stinken
gesund 101, 5; 108
gesungen → singen
gesunken → sinken
getan → tun
getrieben → treiben
getroffen → treffen, triefen
getrogen → trügen
getrunken → trinken
der Gevatter 84, A
gewahr 97, 3 B; 104
gewähren 68, 3
das Gewand 88, B b
gewandt → wenden
gewandt in 108
gewann → gewinnen
gewärtig 97, 3 B; 104
gewesen → sein
gewichen → weichen
gewiesen → weisen
gewinnen 28; 36, 3; S. 61
gewiß 104; 132, 3 a
die Gewissensbisse 81, 1 e
gewißlich 202, 2 e
gewoben → weben
gewogen 105
gewogen → wägen, wiegen
sich gewöhnen 65, 4; 71, 2, 4; 184, 4
gewohnt 107
gewonnen → gewinnen
geworben → werben
geworden → werden
geworfen → werfen
gewrungen → wringen
gewunden → winden
gewußt → wissen
geziehen → zeihen
gezogen → ziehen
gezwungen → zwingen
es gibt 45, 3 b; 65, 6
gieren nach 71, 3
gierig nach 108
gießen 33, 2; 36, 2; S. 61
der, die, das Gift S. 113
ging → gehen
glänzen 2, 3, 6
es glänzt 46, 1 b
das Glas 88, B a
glatt 101, 5
der Glaube(n) 84, M; S. 142
glauben (an) 67, 1; 71, 2; 184, 4

gleich 105
gleich als ob 144, 7 b
gleichen 30; 36, 1; S. 61; 67, 1
gleichfalls 128, 4 c B; 131, 2 b; 175, 2 a
gleichgültig 105; 108
gleich(sam) als 131, 2 b; S. 206; S. 207; 192, 3
gleich(wertig) 106
gleichwie 144, 7 b
gleichwohl 141, 3 c; 144, 3 a; 176, 2 d; 195, 2
gleiten 30; 36, 1; S. 61; 47, 2 b B
glich → gleichen
das Glied 88, B a
die Gliedmaßen 81, 1 e
glimmen 34, 2; 36, 3; S. 61
glitt → gleiten
glitzern 58, 5 b B
glomm → glimmen
glücken 67, 1
glücklich über 108
die Glut 87, B a
gnädig 105
gönnen 68, 2
goß → gießen
der Gott 86, M
das Grab 88, B a
graben 35; 36, 6; S. 61
der Graben 84, B a
der Grad 86, B b
der Graf 85, B b
gram 97, 3 B; 105
-graph bei Fremdw. 85
das Gras 88, B a
grausam gegen 108
grausen 58, 5 b B
es graut (vor) 45, 3 a, 3 d; 71, 5
der Greif 85, B b
greifen 30; 36, 1; S. 61; 71, 3
griff → greifen
grob 101, 5
grollen 67, 1
groß 101, 5; 102, 2; 103, 1; 107
grub → graben
grübeln über 58, 6 B; 71, 2
die Gruft 87, A b
der Grund 86, B c
der Gruß 86, B c
günstig 105
gut 102, 1; 103, 1; 133, 2
es gut haben (meinen) 46, 4 B
das Gut 88, B a
die Güte S. 110, 3 g
guter Dinge (Hoffnung) 69, 5

H   -ie bei Fremdwörtern

H, h S. 110, 3 l; 205—207
ha! 148, 5 a, 5 m
haben 4; 6; 41, 5; S. 61;
  65, 3 B; 151, 7 a; 169, 1 d;
  186, 6
habhaft 97, 3 B; 104
der Hafen 84, B a
-haft *bei Adjekt.* S. 150
es hagelt 45, 3 a
haha! 148, 5 b
der Hahn 86, B c
häkeln 58, 6 B
halb 126, 2
halb...halb 143, 3; 175, 2 c
halben, halber 135; 136
half → helfen
die Hälfte 126, 2
halloh! 148, 6 a
der Halm 86, B b
der Hals 86, B c
halten (für) 32; 36, 7; S. 61;
  66, 5
haltmachen 61, 1 c
der Hammer 84, B a
die Hand 87, A b
rechter Hand 172, 3 a
der Handel 84, B a
handgemein 97, 3 b
hangen, hängen 32; 36, 7;
  S. 61; 58, 4 a B; 65, 1 B
har! 148, 6 e
harren 69, 3
hart (gegen) 101, 5; 108
der, das Harz S. 113
der Haß S. 142
hatte → haben
hauen 24, 2 ; 32; 36, 7; S. 62
der Haufe(n) 84, M
häufig 130, 4
das Haupt 88, B
das Haus 88, B a
die Häuserblocks 80, M
haushalten 61, 1 c
die Haut 87, A b
die Hazienda 79, 3 f A
he! heda! 148, 6 a
heben 24, 2 c; 34, 1; 36, 6;
  S. 62
hehe! 148, 5 b, 5 p
der, die Heide 78, 1
heidi heida! 148, 5 a
heilen 47, 3 B
heilsam 105
heim 128, 4 b B; 129, 4
heim- *bei Verben* 61, 1 a B
heimkehren 47, 2 b B; 61, 1
  a B
heimwärts 129, 4
heisa! 148, 5 a

heißen 16, 3; 32; 36, 7; S. 62;
  56, 4 c; 64, 1; 66, 3, 6; 152,
  1; 169, 1
-heit *bei Subst.* S. 109, 2 i;
  S. 137
der Held 85, B b
helfen 2; 16, 3; 27, 3;
  36, 3; S. 62; 56, 4 c; 67, 1;
  184, 6
das Hemd 88, A
henken 58, 5 a B
her 129, 5; S. 167, 5 c
her- *bei Verben* 61, 1 a B
herab, herab- 61, 1 a B);
  129, 5
heran, herauf, heraus, her-
  bei, herein, herum, herzu
  vgl. herab
herbeieilen 47, 2 b B
hernach S. 167, 6 a; 130, 2;
  143, 2; 144, 6 a
der Herr 85, M; 90, 4 b B
die Herrschaft über S. 142
herstellen 61, 1 a B
das Herz 88, M
die Hetze gegen S. 142
heuer 130, 2
es heult 46, 1 b
heute 130, 2
heutig 97, 2 B
hieb → hauen
hielt → halten
hier 116, 8; S. 167, 5 a; 129,
  2; 190, 2
hier + *Präpos.* S. 156; 117, 1
hier und da S. 167, 6 b;
  130, 4
hierzu S. 167, 8 b
hiesig 97, 2 B; 172, 3 a
hieß → heißen
hihi! 148, 5 b
himmelschreiend S. 150
hin S. 167, 5 c; 129, 5
hin- *bei Verben* 61, 1 a B
hinab, hinan, hinauf, hin-
  aus, hinein *vgl.* hin
hindern 71, 4; 202, 5
hindurch S. 167, 8 d
hinfort 128, 4 c B; 130, 2
hing → hängen, hangen
hingegen 144, 3 a; 176, 2 d
hinhalten 61, 1 a B
hinsichtlich 136, 1
hinten 129, 2
hinter 135, 3 a; 138; S. 195
hinter- *bei Verben* 62, 2
der hintere 102, 3
hinterrücks 128, 4 c B

hin und wieder S. 167, 6 b;
  130, 4
hinweg 129, 4
hinweisen auf 71, 4
hinwieder(um) 144, 3 a
hinzu- *bei Verben* 66,
  1 a B
hm!? 148, 5, 6
ho! 148, 6 a
hob → heben
hoch 101, 5; 102, 2; 107; 133, 2
höchst 102, 4; 131, 3
höchstens 128, 4 b B; 131, 3
der Hof 86, B c
hoffen 71, 2; 184, 4
die Hoffnung auf S. 142
guter Hoffnung 69, 5
hohnlachen 61, 1 c
hoho! 148, 5
hold 105
holdrio! 148, 5 a
hollah! 148, 6 a
der Holunder S. 109, 2 e
das Holz 88, B a
hopsen 58, 5 b B
hören 16, 3; 56, 4 d; 66, 6;
  169, 1 d
das Horn 88, B a
das Hospital 88, M
hott! 148, 6 e
hu! 148, 5 o
hü! 148, 6 e
hüben 129, 2
huf! 148, 6 e
der Huf 86, B b
das Huhn 88, B a
huhu! 148, 5 o
huldigen 67, 1
hum! 148, 5 h, 5 k
der Hummer 84, A
der Hund 86, B b
es hungert mich 45, 3 d
hüpfen 47, 4 B
hurra! 148, 5 a
der, die Hut 86, B c; S. 113
sich hüten vor 71, 3

I, i S. 110, 3 l; 202—207
-i *bei weibl. Vornamen*
  90, 6
ia! S. 214, 7 a
ich 109; 110, 1
-ich *bei Subst.* 76, 1 i; 86;
  S. 137
-icht *bei Adjekt.* S. 149; *bei*
  Subst. 86; S. 136
-ie *bei Fremdw.* 79, 2 d; *bei*
  Ländernamen S. 110, 3 c

309

-ieren *bei Verben* 19, 2; 58,
  2 c, 7
-ig *bei Adjekt*. S. 149; bei
  Subst. 76, 1 i; 86; 93, 3 b;
  S. 137
-igen *bei Verben* 58, 2 c,
  4 c
igittegitt! 148, 5 q
ih! 148, 5 i
ihr, Ihr 109, 2 a, 6 a; 110, 1;
  111, 1 a, 1 c; 115, 1
ihretwegen 132, 2
-ik *bei Fremdw*. 79, 2 f
-il *bei Fremdw*. 89
der Iltis 86, M
immer S. 169, 11; 130, 2
auf (für) immer 130, 3
immerdar (-fort) 130, 3
in 135, 3; 138; S. 195
-in *bei Subst*. 87, M; S. 136;
  S. 137
indem 144, 6 b, 7 b; 145, 2 b;
  191, 3; 193, 2
indes(sen) 144, 3 a, 6 a, 6 b;
  146, 1, 5; S. 209; 176, 2 d;
  179, 7 M; 191, 3
infolgedessen 145, 2 a; 177,
  2 b
-ing *bei Subst*. 93, 3 b; S.
  136; S. 137
inne- *bei Verben* 61, 1 a B
innen 129, 2
innerhalb 135, 3 a; 136, 1
insbesondere 175, 2 a
das Insekt 88, A
insgesamt 128, 4 c B
insofern, insoweit 145, 2 a;
  S. 210; 177, 2 e
das Interesse 88, A
sich interessieren für
  71, 2
interessiert an 108
der Invalide 100, 4 B
inzwischen 130, 3; S. 209
-ion *bei Fremdw*. 79, 2 b
der Irak S. 110, 3 c
der Iran A. 110, 3 c
irgend 120, 6
irgendwann S. 167, 6 a
irgendwelcher 99, 1 b
irgendwo (-her, -hin) 129,
  3, 4; S. 167, 5
sich irren 43, 5 a; 71, 3
der Irrtum S. 110, 3 i;
  86, M
-is *bei Subst*. 86; 87, M
-isch *bei Adjekt*. S. 149
-isse *bei Fremdw*. 79, 2 g
-ium *bei Fremdw*. 89

J, j S. 110, 3 1; 205—207
  ja 132, 3 a; 144, 7 a; 145, 2 a;
  175, 2 a; 177, 2 a
jagen 2, 7
die Jagd 87, B a
jährlich 130, 4
das Jahrzehnt S. 139, A
jammern 71, 2
es jammert 45, 3 d; 70, 4
ja sogar 175, 2 a
je 125, 7
jedenfalls 202, 2 e
jeder(mann) 99, 1 b; 109, 2 f;
  120; 127, 2 a
jedesmal 124, 6
je ... desto 144, 7 b; 192, 4
jedoch 144, 3 a; 146, 5; S.
  208; 176, 2 d; 179, 7 M; S.
  286, 9 a
jedweder 127, 2 a
jeglicher 99, 1 b; S. 173, 8;
  127, 2 a
je ... je 144, 7 b
jemand 109; 120, 1, 4
der Jemen S. 110, 3 c
je nachdem 144, 7 b; 192, 5
jener 99, 1 b; 109, 2 c; 116, 1
jenseits 129, 2; 136, 1
Jesus Christus 90, 11
jetzt 130, 2; 175, 2 d
je ... umso 144, 7 b
juch! 148, 5 a
juchhe! juchhei! 148, 5 a
jung 101, 5; 103, 1
der, das Junge 78, 1; 100,
  4 B
die Jungens 80, M 2
jüngst 120, 3
das Juwel 88, A

K, k S. 110, 3 1; 205—208
-k *bei Fremdw*. 85
der Kaffer 84, A
das Kalb 88, B a
kalt 101, 5
kam → kommen
der Kamm 86, B c
kämpfen 71, 2
der Kanal 79, 3 d A; 86, B c
kannte → kennen
karg 101, 5
die Karpaten 81, 1 b
der Karren, die Karre 77
der, das Katheder 77
der Kauf 86, B c
kaufen 168, 3
leichten Kaufs 172, 3 c
kaum 127, 1; 131, 3

kaum daß 145, 2 b; S. 208;
  191, 4
kehrtmachen 61, 1 c
kein, keiner 73, 5; 100, 1 c;
  109, 2 f; S. 173, 8; 127, 2 a;
  202, 5
keinerlei 127, 5
keinesfalls (-wegs) 128, 4 c
  B; 132, 3 b; 202, 5
keinmal 124, 6
-keit *bei Subst*. S. 109, 2 i;
  S. 137
kennen 41, 1; S. 62
die Kerls 80, M
der, die Kiefer S. 114
kiesen S. 62
kikeriki! S. 217, 7 a
das Kind 88, B a
klagen 71, 2; 168, 3
klang → klingen
das Kleid 88, B a
klein 103, 1
klimmen 34, 2; 36, 3; S. 62
klingeln 58, 6 B
klingen 29; 36, 3; S. 62
klipp klapp! S. 217, 7 b
klirr! S. 217, 7 b
klomm → klimmen
es klopft 46, 1 b
das Kloster S. 122
die Kluft 87, A b
klug 101, 5
klügeln 58, 6 B
knacks! S. 217, 7 b
der, das Knäuel 77
kneifen 30; 36, 1; S. 62
kniff → kneifen
der Knollen, die Knolle 77
der Knopf 86, B c
kochen 2, 7
der, das Koller S. 113
kommen 24, 2 c; 27, 2; 36, 4;
  S. 62; 47, 2 b B; 52, 13
es kommt darauf an 46, 1 c
es kommt ... vor 67, 4
der Konditional 79, 3 d A
können 5; 10; 41, 5; 187, 10;
  202, 2 c
konnte → können
der Konsul 86, A
der Konsum 79, 3 b A
der Kopf 86, B c
kopfüber 128, 4 c B
kor → küren
der Korb 86, B c
das Korn 88, B a
die Kosten 1 e
kosten 66, 1; 169, 1 a
kraft 135, 3 d; 136, 1; S. 195

die Kraft 87, A b
krakeelen 19, 2
krank 101, 5; 108
-krat *bei Fremdw.* 85
das Kraut 88, B a
der Krawall 79, 3 d A
kriechen 33, 2; 36, 2; S. 62
die Krim S. 110, 3 c
kroch → kriechen
krumm 101, 5
ksch! 148, 6 e
die Kuh 87, A b
sich kümmern um 71, 2
kund 97, 3 B
der, die Kunde S. 113
kundig 104
künftig 130, 2
die Kunst 87, A b
künsteln 58, 6 B
der Kürbis 86, M
küren 33, 1; S. 62
kurz 101, 5; 103, 1
kurzerhand 172, 3 c
kürzlich 130, 2
kurzum 128, 4 c B
der Kuß 86, B c

L, l S. 110, 3 l; 205—207
-l *bei Subst.* 86
lachen 69, 3; 71, 2
laden 24, 5 B; 35; 36, 6; S. 62
der Laden S. 115; 84, B a
lag → liegen
lähmen 58, 4 a B
das Lamm 88, B a
die Lampe 83, 3
das Land 88, B a
lang 101, 5; 103, 1; 107
lange 130, 3
längs 135, 3 a
längstens 128, 4 b B
langweilen 60, 4 a B
las → lesen
lassen 5; 15; 16, 1; 32; 36, 7; S. 62; 55, 6; 66, 6; 168, 3; 169, 1 c; 202, 2 c
die Last 87, B a
lästig 105
laufen 32; 36, 7; S. 62; 47, 2 b B
Sturm laufen 65, 7
die Laus 87, A b
laut 135, 3 d; 136, 1, 2; 137, 2; S. 195
der Laut 86, B b
-ld *bei Subst.* 93, 2 a
leben 2, 17 B; 69, 4 B
das Lebewohl S. 139, A
ledig 105

legen 58, 4 a B
lehren 56, 4 c; 66, 1; 169, 1
der Leib 86, M
leicht 105
es leicht haben 46, 4 B
leichten Kaufs 172, 3 c
leid 97, 3 B; 105
es tut... leid 67, 4
das Leid 88, A
leiden 30; 36, 1; S. 62; 71, 3
leihen 31; 36, 1; S. 62; 68, 2
-lein *bei Subst.* S. 110, 3 h; 84; 93, 3 b, 5 b; S. 137
leisten 68, 2
der, die Leiter S. 114
-ler *bei Subst.* S. 136
lernen 56, 4 c
lesen 26, 1; 36, 5; S. 62
der letzte 124, 2
letzten Endes 172, 3 a
letzlich 175, 2 d
leuchten 58, 4 c B
die Leute 81, 1 e
-lg *bei Subst.* 93, 2 a
-lich *bei Adjekt.* 52, 15; S. 150; 105; *bei Adverbien* 128, 4 b B
das Licht S. 115; 88, B a
das Lid 88, B a
lieb 105
die Liebe zu S. 142
liebkosen 60, 4 b B
lieblos 202, 5
das Lied 88, B a; S. 142
lief → laufen
liefern 68, 2
liegen 2, 1, 17 B; 26, 1; 36, 5; S. 62
es liegt 67, 4
lieh → leihen
ließ → lassen
-ling *bei Subst.* 76, 1 i; 86; 93, 3 b; S. 136; S. 137
-lings *bei Adv.* 128, 4 b B; 131, 2 c
links 128, 4 b B; 129, 2
lirum larum! 148, 5 n
der, das Liter 77, 92, 1
litt → leiden
loben 20
lobhudeln 60, 4 b B
das Loch 88, B a
log → lügen
der Lohn 86, B c
sich lohnen 70, 3
der Lorbeer 86, A
los 107; *bei Verben* 61, 1 b B
löschen S. 62
lud → laden

die Luft 87, A b
lügen 33, 1; 36, 2; S. 62
der Lump 85, B b
die Lust 87, A b
lustwandeln 60, 4 b B

M, m S. 110, 3 l; 205—207
machen 56, 4 c; 66, 5, 6; 169, 1
es sich ... machen 46, 4 B
sich machen an 71, 2
die Macht 87, A b
mächtig 104
das Mädchen S. 109, 2 a; 111, 4
die Mädels 80, M
die Magd 87, A b
das Mägdlein 111, 4
der Magistrat 79, 3 e A
der Magnet 86, A
mahlen 41, 2; S. 62
mäh mäh! S. 217, 7 a
mal 159, 7
-mal 124, 6; 127, 3
man 46, 2; 52, 12; 109, 2 f; 120
manch- 99, 3; S. 173, 8; 127, 2 b
mancherlei 125, 9; 127, 5
manchmal 127, 3; 130, 4
der, die Mangel S. 114; 84, B a; S. 142
mangels 136, 1
es mangelt 45, 3 c; 71, 5
-mann *bei Subst.* 81, 3
der Mann 15, 1; 86, M
mannigfach (-faltig) 127, 4
der Mantel 84, B a
die, das Mark S. 113
der, die Marsch S. 114
die Masern 81, 1 d
maß → messen
die, das Maß 78, 1
maßregeln 60, 4 a B
der, die Mast 78, 1; 86, A
das Maul 88, B a
die Maus 87, A b
meck meck! S. 217, 7 a
mehr(ere) S. 173, 8; 127, 2 b, 6; 131, 3
mehr als 102, 4
mehrfach 125, 2
mehrmals 124, 6; 127, 3
meiden 31; 36, 1; S. 62
mein, meiner 100, 1 b; 109, 2 b; 113; 114, 1, 3
meinerseits 128, 4 c B
meinetwegen 132, 2
der meinige 109, 6 b; 114, 1

311

die meisten S. 173, 8
die Meisterschaft in S. 142
melden 68, 2
melken 34, 2; 36, 3; S. 62
der, das Mensch S. 114; 85, B, b
-ment *bei Fremdw.* 79, 1 b A, 3 a
messen 26, 2; 36, 5; S. 62
der, das Messer 78, 1
der, das Meter 77; 92, 1
miau! S. 214, 7
miauen 19, 2
mied → meiden
mildtätig gegen 108
minder 131, 3
miß- *bei Adjekt.* S. 151; *bei Subst.* S. 138; *bei Verben* 59, 7; 60, 2 a
mißbrauchen zu 71, 4
mißfallen 24, 6 B; 67, 1
mißlingen 29; 36, 3; S. 61
mißraten 24, 6 B
mit 135, 3 d; 137, 1; S. 195; *bei Verben* 61, 1 a B
mithin 145, 2 a; 177, 2 b
mitnichten 132, 3 b
mitsamt 137, 1
mittags 130, 2
mittels 135, 3 d; 136, 1; S. 195
der mittlere 102, 3
mitunter 130, 4
mitwirken 71, 3
die Mobilien 81, 1 e
mochte → mögen
mögen 5; 12; 41, 5; S. 62; 55, 6; 187, 10; 202, 2 c
möglich 105
möglicherweise 128, 4 c B; 202, 2 e
der Mohr 85, B b
der Molch 86, B b
molk → melken
der, das Moment 78, 1
der Mond 86, B b
montags 172, 3 b
der Mord 86, B b
morgen 130, 2
morgens 128, 4 b B; 130, 2
der Motor 86, A
müde 103, 1; 104; 107
der Muff, die Muffe 77
muh! S. 214, 7 a
die Mühsal S. 110, 3 i
mühselig S. 149, M
der Muskel 84, A
müssen 5; 13; 41, 5; S. 62; 202, 2 c
mußte → müssen

mutmaßen 60, 4 b B
die Mutter 84, B c; 87, M; S. 115

N, n S. 110, 3 l; 205—207
-n *bei Adjekt.* S. 149; *als Bindelaut* S. 139, 5; *beim Infinitiv* 17, 1; *als Pluralendung* 80, 4; S. 123; 85; 87; *bei Subst.* 86
na! 148, 5 h, 5 k, 6 c
nach 135, 3; 137, 1; S. 196; *bei Verben* 61, 1 a B; 67, 2; 68, 4
der Nachbar 85, M
n. Chr. = nach Christus 90, 10
nachdem 144, 6 a; 186, 1 M; 191, 4
nachdenken über 71, 2
nachgeben 67, 2
nachher S. 167, 6 a; 130, 2
nachlässig in 108
nachlaufen 61, 1 a B
nachsichtig gegen 108
nächst 135, 3 a; 137, 1
nachstellen 67, 2
nächstens 130, 2
die Nacht 87, A b
nachteilig 105; 108
nachts 130, 2
nachweisen 68, 4
der Nagel 84, B a
nah(e) 101, 5; 102, 2; 105
nahen 43, 6; 67, 1
nahm → nehmen
die Naht 87, A b
der Name(n) 84, M
namens 128, 4 b B
nämlich 145, 2 a; 146, 3; 177, 2; 179, 7
der nämliche 116, 1, 6
nana! nanu! 148, 5
nannte → nennen
der Narr 85, B b
naß 101, 5
die Naturalien 81, 1 e
-nd *bei Subst.* 93, 2 a
es nebelt 45, 3 a
neben 135, 3 a; 138; S. 196
nebst 135, 3 d; 137, 1
nehmen 27, 3; 36, 4; S. 62; 66, 5; 68, 2; 168, 3
es ... nehmen 46, 4 B
neidisch auf 108
neigen 17, 2 b B
die Neigung zu S. 142
nein 132, 3 b
'nein S. 167, 10

nennen 41, 1; S. 62; 66, 3; 169, 1
-ner *bei Subst.* S. 136
das Nest 88, B a
netzen 58, 4 c B
die Neugierde auf S. 142
neugierig auf 108
neulich 130, 2
nicht 132, 3 b; 181, 4 a; 202, 5, 8
nicht daß 195, 3
nicht nur ... sondern auch 143, 2; 144, 3 a; 175, 2 a
nichts 120, 1, 5; 127, 2 a, 6
nichtsdestoweniger 144, 3 a; 176, 2 d; 195, 2
nicken 58, 5 a B
der niedere 102, 3
niederknien 47, 2 b B
niemals 124, 6; 127, 3; 130, 2
niemand 109, 2 f, 6 c; 120, 1, 4; 202, 5
nimmer 130, 2; 202, 5
nirgends 129, 2
nirgendwo 129, 2
-nis *bei Subst.* S. 110, 3 i; 87, A a; 88, B f; S. 136; S. 137
noch 102, 4; 130, 3; 195, 2
nochmals 130, 4
-nom *bei Fremdw.* 85
not 97, 3 B
die Not 87, A b
nötig 105
nötigen zu 71, 4
notwendig 105
-ns *bei Zahlwörtern* 125, 4
nun 130, 2; 132, 3 c; 145, 2 b; 157, 8; 186, 1 M
nur 131, 3; 144, 3 a; S. 209; 159, 7; 176, 2 a; 179, 7 M
nur daß 145, 2 b; S. 208
die Nuß 87, A b
nütz 97, 3 B
nützen 2, 4, 6; 67, 1
nützlich 105; 108
es nützt ... zu 71, 5

O, o S. 110, 3 l; 205—207
-o *bei Fremdw.* 89; *bei Geschlechternamen* 90, 7; *bei weibl. Vornamen* 90, 6
o! oh! 148, 5
ob 137, 2; 145, 2; S. 209; 184, 2; 187, 7
ob auch 145, 2 b; 195, 1
oben 129, 2
der obere 102, 3
oberhalb 136, 1

obgleich 145, 2 b; S. 210; 195, 1
ob ... ob 187, 8; 195, 4
ob ... oder 187, 8; 195, 4
obschon (-wohl, -zwar) 141, 3 c; 145, 2 b; S. 210; 195, 1
o daß doch 160, 6
oder 144, 4; 146, 1; S. 209; 174, 7 a; 176, 2 c; 179, 7; 187, 8; S. 286, 8
der Ofen 84, B a
offenbaren 60, 4 a B; 168, 3
oft 130, 4; 133, 6
öfters 130, 4
oftmals 130, 4
oh! 148, 5
oha! 148, 5 m
der, das Ohm S. 113
ohne 135, 3 d; 137, 5; S. 196; S. 209
ohne daß 145, 2 b; S. 208; S. 209; 196, 1
ohnedies (-hin) 128, 4 c B
ohne zu 145, 2 b; 196, 3; 200, 4; S. 286, 8 m
oho! 148, 5 i, 5 m
das Ohr 88, A
o je! o jemine! S. 217, 8
opfern 68, 2
das Opus 79, 1 a A
der Ort S. 115; 86, M
die Ostern 81, 1 c
der, die Otter S. 114
o weh! 148, 5
o wie! 160, 6

P, p S. 110, 3 l; 205—207
-p *bei Fremdw.* 85
ein paar 127, 2 b
pah! 148, 5 n
der Palast 86, B c
der Pantoffel 84, A
papperlapapp! 148, 5 n
der Papst 86, B c
die Parallele 100, 4 B
pardauz! S. 217, 7 b
passen 67, 1
das Patent 79, 1 b A
patsch! S. 217, 7 b
der Peloponnes S. 110, 3 c
die Personalien 81, 1 e
der Pfad 86, B b
der Pfahl 86, B c
die Pfalz S. 110, 3 c
das Pfand 88, B a
pfeifen 30; 36, 1; S. 62
es pfeift 46, 1 b
pfiff → pfeifen
die Pfingsten 81, 1 c

pflegen 2, 14 B; 24, 2 c; 34, 1; 36, 4; S. 62; 69, 2; 151, 7 c; S. 286, 8 n
die Pflicht 87, B a; S. 142
pflog → pflegen
pflügen 2, 5
der Pfosten, die Pfoste 77
der Pfropf(en) 77
pfui! 148, 5 q
-phag *bei Fremdw.* 85
piep piep! S. 217, 7 a
piff paff puff! S. 217, 7 b
placken 58, 5 a B
plagen mit 71, 4
der Platz 86, B c
platzen 47, 2 a B
plitsch platsch! S. 217, 7 b
plumps! S. 217, 7 b
die Pocken 81, 1 d
der Pokal 79, 3 d A
der Pommer 84, A
das Porträt 79, 2 c A
posaunen 19, 2
der Possen, die Posse 77
die Post 87, B a
potz! S. 217, 8
preisen (als) 31; 36, 1; S. 62; 66, 5; 169, 1 c
pries → preisen
der Prinz 85, B b
der Prinzgemahl S. 139, A
probieren 19, 2
der Professor 86, A
die Propaganda 79, 3 f A
pst! 148, 6 b
puh! 148, 5 q
der Punkt 86, B b
putt putt! 148, 6 e
die Pyrenäen 81, 1 b

Q, q S. 110, 3 l; 205—207
quak quak! S. 217, 7 a
die Qual 87, B a
der Quast, die Quaste 77
quatschen 58, 5 b B
der Quell, die Quelle 77
quellen 34, 2; 36, 3; S. 62; 47, 2 b B
quer 97, 3 B
quitt 97, 3 B; 107
quoll → quellen

R, r S. 110, 3 l; 205—207
-r *bei Subst.* 86
rächen 36, 4
das Rad 88, B a
radebrechen 60, 4 b B
radfahren 61, 1 c

der Rand 86, M
rang → ringen
die Ränke 81, 1 e
rann → rinnen
rannte → rennen
der Rat S. 115
raten 32; 36, 7; S. 62; 68, 2; 71, 5; 184, 6
ratschlagen S. 65, M
rauben 68, 2
rechnen auf 71, 2
recht 102, 4; 105
rechtfertigen 60, 4 a B
rechts 128, 4 b B; 129, 2
reden 22
das Regiment 88, M
es regnet 45, 3 a
reiben 31; 36, 1; S. 62
reich 103, 1; 108
reichen 68, 2
der Reichtum S. 110, 3 i; 86, M
reifen 2, 1; 47, 2 a B
es reift 45, 3 a
'rein S. 167, 10
der, das Reis S. 113; 88, B a
reisen 21; 47, 4 B
reißen 30; 36, 1; S. 62
reiten 30; 36, 1; S. 62; 47, 4 B; 56, 4 e
es reizt mich 65, 5
der Renegat 79, 3 e A
rennen 41, 1; 47, 4 B; S. 63
es reut mich 45, 3 d
-rich *bei Subst.* S. 136
rieb → reiben
riechen 33, 2; 36, 2; S. 63; 71, 3
es riecht 46, 1 b
rief → rufen
riet → raten
das Rind 88, B a
ringen 29; 36, 3; S. 63
rings 128, 4 b B
rinnen 28; 36, 3; S. 63; 47, 2 b B
riß → reißen
ritt → reiten
der Ritz, die Ritze 77
ritzen 58, 5 a B
roch → riechen
der Rock 86, B c
die Röhre, das Rohr 77
der Rost 86, B b
rot 101, 5; 108
die Röteln 81, 1 d
rückwärts 129, 4
rudern 47, 4 B
der Ruf 86, B b

rufen 32; 36, 7; S. 63; 66, 3;
  169, 1 b
rühmen als 66, 5
sich rühmen 70, 3
rupfen 58, 5 a B

S, s S. 110, 3 l; 205—207
-s *bei Adverbien* 172, 3; *als
  Bindelaut* S. 139, 5; *bei
  geogr. Namen* 91, 4; 96,
  2 a; *bei Personennamen*
  90, 2 b; *als Pluralendung*
  80, 5 M; 82, 8; 83, 5; 89; *bei
  Subst.* 93, 1
der Saal 86, B c
die Saat 87, B a
der Sack 86, B c
sackerlot! (-ment!) S. 217, 8
sagen 68, 2; 168, 3
sah → sehen
-sal *bei Subst.* S. 110, 3 i;
  87, A a; 88, B f; S. 136;
  S. 137
der Salat 79, 3 e A
salzen 41, 2; S. 63
-sam *bei Adjekt.* S. 150
der Same(n) 84, M
samt 135, 3 d; 137, 1; S. 195
sämtlich 99, 3; 127, 2 a
sandte → senden
sang → singen
sank → sinken
sann → sinnen
sapperment! S. 217, 8
saß → sitzen
satt 104; 107
der Sattel 84, B a
der Satz 86, B c
die Sau S. 115; 87, A b
saufen 33, 2; 36, 2; S. 63
saugen 24, 2 c; 33, 1; 36, 2;
  S. 63
säugen 58, 4 a B
saumselig S. 149, M
sch! 148, 6 b
-sch *bei Subst.* 93, 2 a
schade 97, 3 b
schaden 67, 1; 97, 3 B
der Schade(n) 84, B a, M
schädlich 105; 108
schaffen 24, 2 c; 36, 6; S. 63
-schaft *bei Subst.* S. 109, 2 i;
  S. 137
schallen 36, 3; S. 63
schalt → schelten
sich schämen 43, 4 a; 44;
  70, 3; 71, 3
die Schar 87, B a
scharf 101, 5

der Schatz 86, B c
es schaudert ... vor 71, 5
scheiden 31; 36, 1; S. 63
scheinen 2, 14 B; 31; 36, 1;
  S. 63; 69, 5; 151, 7 c; 152, 1;
  184, 4; S. 186, 8 n
es scheint 67, 4
scheitern 47, 2 a B
schellen 58, 4 a B
der Schelm 85, B b
schelten 27, 3; 36, 3; S. 63;
  66, 3; 71, 2; 169, 1 b
-schen *bei Verben* 58, 2 c,
  5 b
der Schenk 85, B b
schenken 68, 2
der Scherben, die Scherbe
  77
scheren 34, 1; 36, 4; S. 63
scherzen über 71, 2
sich scheuen vor 71, 3
schicken 68, 2
schieben 33, 1; 36, 2; S. 63
schied → scheiden
schien → scheinen
schießen 33, 2; 36, 2; S. 63
der, das Schild S. 114;
  88, B a
schimpfen 66, 3; 71, 2; 169, 1c
schinden 29; 36, 3; S. 63
die Schlacht 87, B a
schlafen 32; 36, 7; S. 63
der Schlag 86, B c
schlagen 35; 36, 6; S. 63
schlang → schlingen
der Schlauch 86, B c
schlecht 103, 1
schlechterdings 132, 3 f
schleichen 30; 36, 1; S. 63;
  43, 6; 47, 2 b B
schleifen 30; 36, 1; S. 63
schleißen 36, 1; S. 63
schlich → schleichen
schlief → schlafen
schliefen 33, 2; 36, 2
schließen 33, 2; 36, 2; S. 63
schließlich 175, 2 d
schliff → schleifen
schlingen 29; 36, 3; S. 63
schliß → schleißen
schloß → schließen
das Schloß 88, B a
die Schlucht 87, B a
der Schluck 86, B b
schlug → schlagen
schlüpfen 2, 19 B; 47, 2 b B
der Schluß 86, B c
schmähen 66, 3

schmal 101, 5
schmecken 67, 1
es schmeckt 67, 4
(sich) schmeicheln 43, 5 b;
  67, 1
schmeißen 30; 36, 1; S. 63
schmelzen 34, 2; 36, 3; S. 63;
  47, 3 B
der Schmerz 86, A
schmerzlich für 108
schmiß → schmeißen
schmolz → schmelzen
der Schnabel 84, B a
schnauben 24, 2 c; 33, 1;
  36, 2; S. 63
schneiden 30; 36, 1; S. 63
schnitt → schneiden
schnitzen 58, 5 a B
schnob → schnauben
schnüffeln 58, 6 B
die Schnur 87, A b
schob → schieben
scholl → schallen
schon 130, 2; 159, 7; 186, 1 M
schor → scheren
schoß → schießen
schrak → schrecken
der Schrank 86, B c
schrecken S. 63
schreiben 31; 36, 1; S. 63;
  71, 4; 168, 3
schreien 31; 36, 1; S. 63
schreiten 30; 36, 1; S. 63;
  47, 2 b B
schrie → schreien
schrieb → schreiben
die Schrift 87, B a
schrinden 29
schritt → schreiten
schuf → schaffen
der Schuh 86, B b
schuld 97, 3 B
die Schuld 87, B a
schulden 68, 2
schuldig 104; 105
der Schultheiß 85, B b
schund → schinden
der Schurz, die Schürze 77
schützen vor 71, 4
schwach 101, 5
der Schwager 84, B a
schwamm → schwimmen
schwand → schwinden
schwang → schwingen
der Schwanz 86, B c
schwärmen von 71, 3
schwarz 101, 5
schweigen 31; 36, 1; S. 63
die Schweiz S. 110, 3 c

schwellen 34, 2; 36, 3; S. 63
schwemmen 58, 4 a B
schwenken 58, 4 b B, 5 a B
schwer 105; 107
das Schwert 88, B a
schwieg → schweigen
schwimmen 28; 36, 3; S. 63;
  47, 2 b B, 4 B
es schwindelt 67, 4
schwinden 29; 36, 3; S. 63;
  47, 2 a B
schwingen 29; 36, 3; S. 63
schwipp schwapp! S. 217,
  7 b
schwitzen 58, 4 b B
schwoll → schwellen
schwor → schwören
schwören 36, 6; S. 64; 71, 2
die Schwulst 87, A b
schwur → schwören
der, die See 78, 1; 86, 1
sehen 16, 3; 26, 1; 36, 5;
  S. 64; 56, 4 d; 66, 6; 169, 1
sich sehnen 43, 4 c
sehr 102, 4; 131, 3
es sei denn, daß S. 208;
  194, 4
sei es, daß ... 195, 4
sein 2, 17 B; 4; 7; 41, 5; S. 64;
  52, 4; 64, 1; 69, 5, 6; 151, 6;
  7 a; 152, 1; 186, 6
seinerzeit 172, 3 b
seit 135, 3 b; 137, 2; 144, 6 b;
  S. 209; 191, 4
seitdem 144, 6 b; S. 209;
  191, 4
seitens 136, 1
seither 130, 3
seitwärts 129, 4
-sel bei Subst. 84; S. 110,
  3 i; S. 136; S. 137
selber (selbst) 110, 3 B; 111,
  3; 115, 4; 116, 1 i; 175, 2 a
selbstverständlich 202, 2 e
selten 130, 4
-sen bei Verben 58, 2 c, 5 b
senden 41, 1; S. 64; 68, 2
senken 58, 4 a B
(sich) setzen 2, 18 a B;
  43, 5 a; 58, 4 a B
es setzt 46, 1 c
sich 43; 109, 2 a; 110, 3; 111,
  2; 181, 3
sicher 104; 108
sicherlich 132, 3 a; 202, 6
sie, Sie 109; 110; 111; 199, 5
sieden 33, 2; 36, 2; S. 64
der, das Sims 77
singen 29; 36, 3; S. 64

sinken 29; 36, 3; S. 64;
  47, 2 b B
sinnen 28; 36, 3; S. 64; 71, 2
sintemalen 193, 2
sitzen 2; 26, 2; 36, 5; S. 64
der Skorpion 79, 2 b A
so S. 167, 7; 141, 3 a; 144,
  7 a; S. 209; 194, 1, 2; 195, 2;
  196, 1
so auch 175, 2 a
sobald 191, 4
der Socken, die Socke 77
so daß 145, 2 b; S. 210; 196, 1
soeben 130, 2
sofern 145, 2 b; S. 210;
  194, 4; 195, 3
soff → saufen
sofort, sogleich 130, 2
sog → saugen
sogar 131, 3; 175, 2 a
der Sohn 86, B c
solange 144, 6 b; 191, 3
solch- 99, 1 b; 109, 2 d; 116,
  1, 11; S. 169, 9 d; 196, 1
sollen 5; 14; 41, 5; 55, 3, 4;
  187, 10; 201, 2 c
somit, sonach 141, 3 c; 145,
  2 a; 177, 2 b; S. 167, 8
sonder 137, 5
sondern (auch) 141, 3 c; 146,
  1; S. 210; 176, 2 b; 179, 7
sonst S. 167, 8 c; 130, 2; 144,
  4; 145, 2 a; 176, 2 c
sooft (als) 144, 6 b; 191, 7
-soph bei Fremdw. 85
die Sorge S. 142
sorgen für 71, 2
so sehr (auch) 195, 1; 196, 1
sott → sieden
soviel 145, 2 b
soweit 145, 2 b; S. 210;
  194, 4; 195, 3
sowie 143, 2; 191, 3
sowohl ... als auch 141, 3 d;
  143, 2; 175, 2 a
der, die Spachtel, Spatel 77
der Spalt, die Spalte 77;
  86, B b
spalten 41, 2; S. 64
spann → spinnen
der Spann, die Spanne 77
spät, später 130, 2; 175, 2 d
der Spatz 85, B b
speien 31; 36, 1; S. 64
speisen 2, 7
die Spesen 81, 1 e
spie → speien

spinnen 28; 36, 3; S. 64
spleißen 36, 1; S. 64
spliß → spleißen
der Sporn 86, A
spotten 69, 2
sprach → sprechen
sprang → springen
sprechen 27, 2; 36, 4; S. 64
sprengen 58, 4 a B
sprießen 33, 2; 36, 2; S. 64
springen 29; 36, 2; S. 64; 47,
  2 b B, 4 B
sproß → sprießen
der Sproß, die Sprosse
  S. 114
die Spur 87, B a
sich sputen 43, 4 a
-st bei Fremdw. 85; bei
  Subst. S. 109, 2 h; 93, 2 a
st! 148, 6 b
der Staat 86, A
stach → stechen
der Stachel 84, A
das Stadion 79, 2 b A
die Stadt 87, A b
stahl → stehlen
der Stahl S. 110, 3 d
der Stall 86, B c
stak → stecken
der Stamm 86, B c
stand → stehen
stank → stinken
stänkern 58, 5 b B
starb → sterben
stark 105, 5
statt (daß) 56, 5 b; 135, 3 d;
  136, 1; S. 191; 145, 2 b;
  S. 207; S. 208
stattfinden (-haben) 61, 1 c
das Statut 88, A
-ste bei Zahlwörtern 124 ,2
stechen 27, 2; 36, 4; S. 64
stecken 24, 2 c; S. 64
stehen 2, 17 B; 24, 2 c; 36, 6;
  41, 4; S. 64; 71, 3
stehlen 27, 1; 36, 4; S. 64;
  68, 2
steigen 31; 36, 1; S. 64
der Steinmetz 85, B b
sterben 27, 3; 36, 3; S. 64;
  47, 2 a B; 69, 4 B; 71, 3
stets 130, 3
die, das Steuer S. 114
sticheln 58, 6 B
sticken 58, 5 a B
stieben 33, 1; 36, 2; S. 64
stieg → steigen
stieß → stoßen
der, das Stift S. 114; 88, B a

stiften 68, 2
stinken 29; 36, 3; S. 64
die Stirn 87, B a
stob → stieben
stochern 58, 5 b B
der Stock 86, B c
der Stoff 86, B b
stolz auf 108
der Stöpsel S. 110, 3 i
der Stoß 86, B c
stoßen 32; 36, 7; S. 64
stottern 58, 5 b B
stracks 128, 4 b B
der Strahl 83, 4; 86, A
es strahlt 46, 1 b
der Strauß S. 115
streben nach 71, 3
streichen 30; 36, 1; S. 64
der Streik 83, 5
der Streit S. 142
streiten 30; 36, 1; S. 64; 71, 2
streng gegen 108
die Strenge gegen S. 142
strich → streichen
der Striemen, die Strieme 77
stritt → streiten
der Strolch 86, B b
studieren 19, 2
der Stuhl 86, B c
stündlich 130, 4
der Sturm 86, B c
Sturm laufen 65, 7
stürzen 2, 7
suchen nach 71, 3
die Sucht nach S. 142
der Sudan S. 110, 3 c

T, t S. 110, 3 l; 205—207
-t bei Fremdw. 85; beim Part. II 17, 4; 18, 1; 19, 1; 57, 4 b; bei Subst. S. 109, 2 h
tack tack tack! S. 217, 7 b
der Tag 86, B b
eines Tages 172, 3 b
täglich 130, 4
tags 128, 4 b B
es tagt 45, 3 a
das Tal 88, B a
der Taler 92, 1
tat → tun
die Tat 87, B a
in der Tat 202, 2 e
der, das Tau S. 113
taub gegen 108
taufen 66, 3; 169, 1 b
taugen zu 71, 3
tausend! S. 217, 8

es taut 45, 3 a
-te bei Zahlwörtern 124, 2
der, das Teil 78, 1
teilhaben 61, 1 c; 71, 3
teilhaftig 97, 3 B; 104
teilnehmen 61, 1 c; 71, 3
teils ... teils 128, 4 b B; 141, 3 d; 143, 3; 175, 2 c
-tel bei Bruchzahlen S. 110, 3 k; 126, 2
das Tempus 79, 1 a A
teuer 105
der Thron 86, B b
tick tack! S. 217, 7 b
tief 107
-tion bei Fremdw. 79, 2 b
titulieren 66, 3; 169, 1 b
die Tochter S. 122; 84, B c; 87, M
der Ton 86, B c
topp! 148, 5 l, 6 d
der, das Tor S. 114; 85, B b
die Tracht 87, B a
trachten nach 71, 3
traf → treffen
tragen 35; 36, 6; S. 64
trank → trinken
tränken 58, 4 a B
trari trara! 148, 5 a
trat → treten
trauen 67, 1; 71, 2
trauern um, über 71, 2
der Traum 86, B c
träumen 71, 3; 169, 1 c
es träumte mir 45, 3 d
traurig über 108
die Treber 81, 1 e
treffen 27, 2; 36, 4; S. 64; 44, b B
treiben 31; 36, 1; S. 64
es arg treiben 46, 4 B
treten 26, 1; 36, 5; S. 64
treu 105
trieb → treiben
triefen 33, 2; 36, 2; S. 64
trinken 29; 36, 3; S. 64
trocknen 47, 3 B
troff → triefen
trog → trügen
trotz 135, 3 d; 136, 2; 137, 2; S. 196
trotzdem 145, 2 a, 2 b; S. 210; 177, 2 d; 195, 2
trotzen 67, 1
der Trotz gegen S. 142
die Trübsal S. 110, 3 i
trübselig S. 149, 5 m
trug → tragen

trügen 33, 1; 36, 2; S. 64
die Trümmer 81, 1 e
der Trupp, die Truppe 77
das Tuch S. 115; 88, B a
-tum bei Subst. S. 110, 3 i; 88, B c; S. 137
tun 41, 4; S. 64; 156, 4 a
die Tür 87, B a
der Turm 86, B c

U, u S. 110, 3 l; 205—207
Ü, ü 1, 5; 205—207
über 135, 3; 138; S. 196
über- bei Verben 62, 2
überall (-her, -hin) 128, 4 c B; 129, 2
überaus 102, 4; 135, 3
der Überblick S. 142
überdies 141, 3 c; 175, 2 a
überdrüssig 104
überführen 70, 2; 168, 4
überheben 70, 2
überlassen 168, 3
überlegen 106
übermorgen 130, 2
übertreffen 71, 4
überzeugen 70, 2; 71, 4
überzeugt 108
übrigens 128, 4 b B; 141, 3 b; 144, 3 a; 176, 2 a
uh! 148, 5 c
die Uhr 87, B a
um 135, 3; 137, 5; S. 197; S. 210
um- bei Verben 62, 2
-um bei Fremdw. 79, 3 b; 89
um deswillen 132, 2
umgehen mit 71, 3
umgekehrt als 102, 5
umher- bei Verben 66, 1 a B
umherirren 47, 2 b B
um so 144, 7 a; S. 210
umsonst 131, 2 b
um ... willen 135, 3 d; 136; S. 197
umziehen 47, 2 b B
um zu 56, 6; 145, 2 b; 193, 6; 196, 3; 200, 4; S. 286, 8 m
un- bei Adjekt. S. 151; bei Subst. S. 138
unbeschadet 136, 1
und 141, 3 a; 143, 2; 146, 1, 2; S. 210; 174, 7 a; 175, 2—4; 177, 2 b; 179, 7; S. 186, 8
und das S. 286, 8 a
und zwar 175, 2 b; S. 286, 8 a
unentwegt S. 150
-ung bei Subst. S. 109, 2 i; S. 137

ungeachtet   **währenddessen**

ungeachtet 135, 3 d; 136, 1, 5; 145, 2 b; S. 197
ungefähr 127, 1
ungemein 102, 4; 131, 3
ungleich 102, 4
die Unkosten 81, 1 e
unlängst 130, 2
unpaß 97, 3 B
unten 129, 2
unter 102, 6; 135, 3; 138; S. 197
unter- *bei Verben* 62, 2; 68, 4
unterdes(sen) 130, 3; 191, 3; S. 209
unterhalb 136, 1
unterlegen 106
unterliegen 67, 3
unterschieben 68, 4
untertan 97, 3 B; 105
der Untertan 85, M
unterwegs 128, 4 c B; 172, 3
sich unterwinden 70, 3
unverrichteterdinge 172, 3 c
unweit 135, 3 a; 136, 1; S. 197
ur- *bei Adjekt.* S. 151; *bei Subst.* S. 138
-ur *bei Fremdw.* 79, 2 e
urteilen 60, 4 a B
-us *bei Fremdw.* 79, 1 a; 89

V, v S. 110, 3 1; 205—207
der Vater 84, B a
ver- *bei Subst.* 88, B e; S. 138; *bei Verben* 18, 3 a; 59; 60, 2 a; 68, 3
die Veranda 79, 3 f A
veranlassen S. 65, M
die Verantwortung S. 142
sich verbeugen 43, 4 a
verbieten 68, 3; 184, 6; 202, 5
verblühen 2, 18 b B; 47, 2 a B
verbunden 105
verdächtig 104
verdarb → verderben
verderben 27, 3; 36, 3; S. 64; 47, 3 B
verderblich 105; 108
der, das Verdienst S. 113
verdorben → verderben
verdrießen 33, 2; 36, 2; S. 65
verdroß → verdrießen
verdutzt S. 150
die Verehrung für S. 142
verfügen über 71, 2
vergaß → vergessen
vergebens 68, 3
vergessen 24, 6 B; 26, 2; 36, 5; S. 65; 69, 3; 184, 4

vergleichbar mit 108
vergraben in 138, 4 a B
sich vergreifen an 71, 3
es verhält sich 46, 1 c
verhaßt 105
verheimlichen 168, 3
verhelfen zu 71, 5
verkaufen 71, 4; 168, 3
verlassen 24, 6 B
sich verlassen auf 71, 2
verleiten zu 71, 4
verliebt in 108
verlieren 33, 1; 36, 2; S. 65
verlobt mit 108
verlocken zu 71, 4
sich verlohnen 70, 3
verlor;
  verloren → verlieren
verlustig 97, 3 B; 104
vermittels S. 195
vermöge 135, 3 d; 136, 1; S. 197
vermögen 2, 14 B; 16, 4; 151, 7 b
sich verneigen 43, 4 a
veröden 47, 3 B
verpacken in 138, 4 B
verpflichten zu 71, 4
verraten an 71, 4
versagen 168, 3
die, das Versäumnis 77
verschaffen 68, 3
verschieden von 108
verschmitzt S. 150
verschweigen 168, 3
verschwenderisch mit 108
versichern 70, 2, 3
sich versöhnen 44, 6 B
versprechen 68, 3; 151, 7 c
sich verständigen 44, 6 B
verstauen in 138, 4 B
der Verstoß 86, B c
verstoßen gegen 71, 2
versuchen 184, 4
sich vertiefen in 71, 2
vertrackt S. 150
vertrauen 67, 1; 71, 2
das Vertrauen auf S. 142
vertraut mit 108
verurteilen zu 71, 4
sich verwandeln in 71, 2
verwehren 68, 3
verweigern 68, 3
verweisen 70, 2
verwenden zu 71, 4
verwesen 2, 1; 47, 2 a B
verzeihen 31; S. 65; 68, 3
verzichten auf 71, 2
der Vetter 84, A

viel(e) 99, 3; 102; S. 173, 8; 127, 2 b
vielerlei 125, 9; 127, 5
vielfach (-fältig) 125, 2; 127, 4
vielleicht 132, 3 d; 202, 2 e
vielmals 124, 6
vielmehr 141, 3 c; 176, 2 b
die Viertelstunde S. 139, A
die Villa 79, 3 f A
das Virus 79, 1 a A
der Vogel 84, B a
das Volk 88, B a
voll 104; 108
voll- *bei Verben* 60, 2 b
vollauf 128, 4 c B
vollends (völlig) 131, 3
von 65, 3; 102, 6; 135, 3; 137, 1; S. 198
von daher (hier) S. 167, 5 b
von . . . wegen 136, 5
vor 135, 3; 138; S. 198
vor- *bei Verben* 61, 1 a B; 68, 4
vorbehaltlich 136, 1
vorbeugen 67, 2
der vordere 102, 3
der Vorfahr 85, B b
vorgestern 128, 4 c B; 130, 2
vorhalten 68, 4
vorher S. 167, 6 a; 144, 6 a
vorkommen 67, 2
vorlegen 68, 4
die Vorliebe für S. 142
der Vormund 86, M
vorn 129, 2
sich vorstellen 43, 5 b
vorteilhaft 105
vortragen 68, 4
das Vorurteil gegen S. 142
der Vorwand 86, B c
vorwärts 128, 4 c B; 129, 4

W, w S. 110, 3 1; 205—207
die Waagrechte 100, 4 B
wachen über 71, 2
wachsen 35; 36, 6; S. 65; 47, 2 a B
wagen 184, 4
wägen 34, 1; 36, 4; S. 65
die Wahl 87, B a
wählen zu 66, 5
wähnen 169, 1 c
während 135, 3 b; 136, 1; S. 198; 144, 3 b, 6 b; S. 210; 191, 3
währenddem (-dessen) S. 209

317

wahrhaftig 132, 3 a
wahrlich 132, 3 a
wahrscheinlich 132, 3 d
der Wald 86, M
walten 69, 2
wälzen 58, 4 a B
das Wams 88, B a
die Wand 87, A b
wand → winden
wandte → wenden
wann? S. 167, 6 a; 130, 2; 171, 5; 187, 6; 191, 1; 194, 1
war → sein
warb → werben
ward → werden
warf → werfen
warm 105, 5
warnen 71, 4; 184, 6; 202, 5
warten auf 71, 2
warum? 132, 1; 132, 2; 171, 5 i; 193, 2
was 109, 6 a; 118; 182, 2; 198, 3, 4; 199, 3; was? 109, 2 e; 158; 187, 6; S. 171
was auch 195, 5
waschen 35 36, 6; S. 65
was für ein? 109, 2 e; 119; 162, 2; 183, 1
wau wau! S. 214, 7 a
weben 24, 2 c; 34, 1; 36, 4; S. 65
weder ... noch 141, 3 d; 143, 2; S. 211; 175, 5
weg 129, 4
wegen 135; 136; S. 198
-wegen *nach Pronomen* 136, 4
des Weges 172, 3 a
wegnehmen 61, 1 a B
weh(e)! 148, 5
die Wehen 81, 1 e
wehklagen 60, 4 a B
die, das Wehr S. 114
sich wehren 71, 2
es weht 45, 3 a
das Weib S. 109, 2 a; 88, B a; 111, 4
weichen 30; 36, 1; S. 65; 47, 2 b B
sich weigern 43, 4 a
die Weihnachten 81, 1 c
weil 145, 2 b; S. 207; S. 208; 193, 2, 3
weinen um, über 71, 2
-weise *bei Adv.* 131, 2 c
der, die Weise 78, 1
weisen 31; 36, 1; S. 65
weissagen 60, 4 b B

weit 102, 4; 107; 131, 3
weitaus 102, 4
bei weitem 131, 3
weit entfernt daß 195, 3
weiter 143, 2; 175, 2 d
welch! 119, M
welcher 109, 2 d; 118; 199, 1, 7; welcher? 99, 1 b; 109, 2 e; 119; 150, 4; 183, 1; 187, 6
die Welt 87, B a
wenden 41, 1; S. 65
wenig(e) 99, 3; 102, 1, 4; S. 173, 8; 127, 2 b; 131, 3
wenigstens 131, 3
wenn 141, 3 a; 144, 6 b; 145, 2 b; S. 211; 191, 3, 4; 194, 1
wenn auch 145, 2 b; 195, 1
wenn doch 132, e
wenngleich (-schon) 145, 2 b; 195, 1
wenn nur 195, 3
wer 109, 6 a; 118; 182, 2; 198, 3; 199, 3; wer? 109, 6 a; S. 171; 150, 2, 4; 158, 2, 4; 182, 1; 187, 6
wer auch 195, 5
werben 27, 3; 36, 3; S. 65
werden 4; 8; 9; 16; 27, 3; 36, 3; S. 65; 51, 2; 52, 3; 55, 5; 64, 1; 69, 5; 152, 1; 186, 6
werfen 27, 3; 36, 3; 37; S. 65
wer immer 195, 5
wert 104; 105; 107
wesentlich für 108
weshalb (-wegen) 132, 1; 145, 2 b; 193, 2
wetteifern 60, 4 a B; 71, 3 B
wetterleuchten 45, 3 a; 60, 4 b B
wich → weichen
wichtig für 108
wider 137, 5; S. 194
wider- *bei Verben* 67, 3
sich widersetzen 43, 4 a
der Widerspruch gegen S. 142
widmen 68, 2
widrigenfalls 144, 4; 176, 2 c
wie 131; 143, 2; 144; 152, 7; 158, 4 c; 160, 6; 164, 8; 171, 5 g; 184, 2; 187, 6; 191, 3; 4; 192, 2; 196, 1
wiederholen 62, 3 B
wiefern 145, 2 b
wiegen 33, 1; 36, 2; S. 65
wie oft? S. 167, 6 b; 124, 5; 130, 4; 171, 5 f; 191, 1

wies → weisen
wieviel(e) 122; 158, 4 c; 172, 4
wie wenn 144, 7 b; S. 207; 192, 3
wiewohl 141, 3 c; 145, 2 b; 195, 1
der Wille(n) 84, M
willens 69, 5
willfahren S. 65, M; 60, 4 b B; 67, 3
willkommen 105
es wimmelt 46, 1 b
winden 29; 36, 3; S. 65
winken 67, 1
wirklich 132, 3 a; 202, 2 e
die Wirren 81, 1 e
wissen 2, 14 B; 41, 5; S. 65; 151, 7 b; 186, 6; 202, 2 d
wist! 148, 6 e
witzeln 58, 6 B
wo S. 167, 5 a; 129, 2; 144, 2 b, 5 b; S. 211; 175, 5 a; 187, 6; 190, 1; 194, 1; 195, 1
wo auch 195, 5
wob → weben
wöchentlich 130, 4
wo doch 145, 2 b
wodurch 175, 5 h; 187, 6; 193, 2
wofern 145, 2 b; 194, 1; 195, 3
wog → wägen, wiegen
woher (-hin) S. 167; 129, 3; 144, 5 b; 171, 5 b; 187, 6; 190, 1
wohingegen 144, 3 b
wohl 132, 3 c, 3 d; 133, 6; 157, 8
wohl ... aber 145, 2 a; 176, 2 a; S. 206
wohnen 2, 17 B
wo immer 195, 5
wollen 5; 14; 16, 1; 41, 5; S. 65; 51, 4; 55, 5; 202, 2 c
wo nicht 145, 2 b
wo(r)- *mit Präposit.* S. 156; S. 171
das Wort S. 115; 88, B a
wozu 132, 1; 171, 5 k; 187, 6
das Wrack 80, M
wrang → wringen
wringen 29; 36, 3; S. 65
wuchs → wachsen
der, die Wulst 77
sich wundern 43, 5 a; 71, 2
es wundert mich 45, 3 d
der Wunsch 86, B c
wünschen 184, 4

wurde → werden
würdig 104
würdigen 70, 2
der, das Wurm 78, 1; 86, M
die Wurst 87, A b
wusch → waschen
wußte → wissen

X, x S. 110, 3 l; 205—207
-x *bei geograph. Namen* 91, 4; 96, 2 a; *bei Personennamen* 90, 2 b; *bei Subst.* 93, 1

Y, y S. 110, 3 l; 205—207
-y *bei weibl. Vornamen* 90, 6

Z, z S. 110, 3 l; 205—207
-z *bei geogr. Namen* 91, 4; 96, 2 a; *bei Personennamen* 90, 2 b; *bei Subst.* 93, 1
der Zacken, die Zacke 77
die Zahl 87, B a
zahm 103, 1
der Zar 85, B b
der Zaun 86, B c
der Zeh, die Zehe 77
zeigen 68, 2
zeihen 31; 36, 1; S. 65; 70, 2
die Zeit 87, B a
eine Zeitlang 130, 3
die Zeitläufte 81, 1 e
zeitlebens 130, 3

-zen *bei Verben* 19, 3 a; 60, 2 a
der Zentner 92, 1
zer- *bei Subst.* S. 138; *bei Verben* 19, 3 a; 47, 2 a B; 60, 2 a
zieh → zeihen
ziehen 2, 7; 33, 1; 36, 2; S. 65
es zieht 45, 3 a
ziemlich 102, 4; 131, 3
der Zinken, die Zinke 77
der Zins 86, A
zog → ziehen
zögern mit 71, 3
der Zoll S. 115
zornig auf, über 108
zu 66, 5; 102, 4; S. 199; 131, 3; 135, 3; 137, 1
zu + *Adjekt.* 196, 2; + *Infin.* 61, 2; 65, 2; 68, 5; 182, 8; 200, 4
zu- *bei Verben* 61, 1 a B; 67, 2; 68, 4
zücken 58, 5 a B
zuerst 128, 4 c B
zudem 143, 2; 175, 2 a
zufällig 131, 2 b
zufolge 135, 3 d; 136; 137; S. 199
zufrieden mit 108
zufügen 168, 3
der Zug 86, B c
der Zugang zu S. 142
zugehören 67, 2
zugetan 105

zugleich 128, 4 c B; 144, 6 a
zuhören 67, 2
zukommen 67, 2
zuletzt 143, 2
zumal da 128, 4 c B; 145, 2 b; S. 211; 193, 2
zum einen ... 175, 2 c
zum ersten 143, 3
zumuten 68, 4
zunächst 137, 1, 4
die Zunft 87, A b
zürnen 67, 1
zurück 128, 4 c B
die Zurückhaltung von S. 142
zusammen 131, 2 b
die Zusammenkunft 87, A b
zuschließen 61, 1 a B
zuträglich 105
zuvor 114, 6 a; S. 207
zuvorkommen 67, 2
zuweilen 128, 4 c B; 130, 4
zuwenden 68, 4
zuwider 105; 135, 5 c B; 137, 1
zwang → zwingen
zwar 132, 3 a; 145, 2 a; S. 206; S. 211; 176, 2 a; 195, 1
zweifeln an 71, 3
zweifelsohne 128, 4 c B
die Zwiesprache mit S. 142
zwingen 29; 36, 3; 40; S. 65; 71, 4; 184, 6
zwischen 138; S. 199
es zwitschert 46, 1 b

319

Für Notizen

Druckfehlerberichtigung

Seite 264, § 186, muß es in dem Schema zum Gebrauch des Konjunktivs in der indirekten Rede heißen **1 a**, **1 b**, nicht **6 a**, **6 b**.

Vom gleichen Verfasser erschien:

Kleine Deutsche Stillehre

115 Seiten, kart. m. Leinenrücken 3,80 DM

Kesselringsche Verlagsbuchhandlung · Bamberg